P9-DDL-428

HEATH
¡DIME!
UNO

FABIÁN A. SAMANIEGO
University of California, Davis
Emeritus

M. CAROL BROWN
California State University, Sacramento

PATRICIA HAMILTON CARLIN
University of Central Arkansas, Conway

SIDNEY E. GORMAN
Fremont Unified School District
Fremont, California

CAROL L. SPARKS
Mt. Diablo Unified School District
Concord, California

McDougal Littell
Evanston, Illinois • Boston • Dallas

Director, Modern Languages
Roger D. Coulombe

Managing Editor
Sylvia Madrigal

Editor
Pedro Urbina-Martin

Project Manager
Lori Díaz

D.C. Heath Modern Language Consultants
Daniel Battisti
Dr. Teresa Carrera-Hanley
A.-Lorena Richins Layser
Bill Lionetti

Design and Production
Product Section Head, Modern Languages: Victor Curran
Senior Designer: Angela Sciaraffa, Pamela Daly
Design Staff: Ann Barnard, Caroline Bowden, Paulette
    Crowley, Daniel Derdula, Carolyn J. Langley, Joan Paley,
    Martha Podren
Permissions Editor: Dorothy B. McLeod
Photo Supervisor: Carmen Johnson
Photo Coordinator: Connie Komack
Cover Design: Marshall Henrichs
Section Head, Production: Patrick Finbarr Connolly
Production Coordinator: Holly Schuster

Author Team Manager:
J. Thomas Wetterstrom

Cover Illustration
Background: Clínica de la Raza Mural, East Oakland,
    California, © 1990 by Xochitl Nevel Guerrero. Painted by
    Xochitl Nevel Guerrero, Zala Nevel, Consuelo Nevel, and
    Roberto C. Guerrero.
Foreground: Photographs of students by Nancy Sheehan,
    © D.C. Heath and Company.

Copyright © 1997 by D.C. Heath and Company,
a Division of Houghton Mifflin Company
All rights reserved. No part of this publication may be reproduced or transmitted
in any form by any means, electronic or mechanical, including photocopy,
recording, or any information storage or retrieval system, without permission in
writing from the publisher.

Printed in the United States of America

International Standard Book Number: 0-669-43328-4

7 8 9 10—VHP—99

FIELD TEST USERS

Dena Bachman
Lafayette High School
St. Joseph, MO

Cathy Boulanger
L. Horton Watkins High School
St. Louis, MO

Janice Costella
Stanley Intermediate School
Lafayette, CA

Karen Davis
Southwest High School
Fort Worth, TX

Beatriz DesLoges
Lexington High School
Lexington, MA

Amelia Donovan
South Gwinnett High School
Snellville, GA

Velda Hughes
Bryan Senior High School
Omaha, NE

Sarah Witmer Lehman
P. K. Yonge Laboratory School
Gainesville, FL

Alita Mantels
Hall High School
Little Rock, AR

Ann Marie Mesquita
Encina High School
Sacramento, CA

Linda Meyer
Roosevelt Junior High School
Appleton, WI

Joseph Moore
Tiffin City Schools
Tiffin, OH

Craig Mudie
Dennis-Yarmouth Regional
    High School
South Yarmouth, MA

Sue Rodríguez
Hopkins Junior High School
Fremont, CA

Janice Stangl
Bryan Senior High School
Omaha, NE

Teresa Hull Tolentino
Seven Hills Upper School
Cincinnati, OH

Grace Tripp
McCall School
Winchester, MA

Carol B. Walsh
Acton-Boxborough Regional
    High School
Acton, MA

Margaret Whitmore
Morton Junior High School
Omaha, NE

LINGUISTIC CONSULTANT

Dr. William H. Klemme
Indiana University
Fort Wayne, IN

REVIEWERS AND CONSULTANTS

Cathy Abreu
Highland Park High School
Highland Park, IL

Thomas Alsop
Ben Davis High School
Indianapolis, IN

Dr. Rober Ariew
University of Arizona
Tucson, AZ

Dr. Gwendolyn Barnes
St. Olaf College
Northville, MN

Rebecca Block
Newton South High School
Newton, MA

Maria Brock
Miami Norland Senior
  High School
Miami, FL

Carlos Brown
Flagstaff Junior High School
Flagstaff, AZ

Bruce Caldwell
Southwest Secondary School
Minneapolis, MN

Marie Carrera Lambert
Eastchester High School
Eastchester, NY

Joeseph Celentano
Syracuse City School District
Syrcuse, NY

Cindy Chambers
Provo High School
Provo, UT

Dr. Maria C. Collins
State Department of Education
Topeka, KS

Dr. Ferdinand Contino
South Ocean Middle School
Patchogue, NY

James W. Cooper
Parkway Schools
Manchester, MO

Sharon Cotter
Sagamore Junior High School
Holtsville, NY

Delbys Cruz
Lawrence High School
Lawrence, MA

Robin Fisher
Jericho Middle School
Jericho, NY

Carolyn Frost
Churchill High School
San Antonio, TX

Elaine Korb
West Islip High School
West Islip, NY

Herb LeShay
William Floyd School District
Mastic Beach, NY

Dr. Richard Lindley
Austin Community College
Austin, TX

Michael Livingston
Sachem High School
Lake Ronkonkoma, NY

Cenobio Macías
Tacoma Public Schools
Tacoma, WA

Ildefonso Manso
Cambridge, MA

Janet Mcintyre
Westfield Academy &
  Central School
Westfield, NY

Millie Park Mellgren
Olson Language Immersion
  School
Golden Valley, MN

Laurie E. Nesrala
Haltom High School
Fort Wonh, TX

Janet Obregón
Miami Palmetto High School
Miami, FL

Dr. Terry Peterson
Forest Park High School
Crystal Falls, Ml

Mary Ann Price
Newton South High School
Newton, MA

Dr. Linda Pavian Roberts
Waverly Community Schools
Lansing, Ml

Robin A. Ruffo
Chaparral High School
Scottsdale, AZ

Paul Sandrock
Appleton High School West
Appleton, Wl

Dr. Francoise Santalis
New Rochelle High School
New Rochelle, NY

Carolyn A. Schildgen
Highland Park High School
Highland Park, IL

Debbie Short
Hall High School
Little Rock, AR

Priscilla Sicard
Lowell High School
Lowell, MA

Judith Snyder
Computech Middle School
Fresno, CA

Dr. Emily Spinelli
University of Michigan
Dearborn, Ml

Jonita Stepp
P. K. Yonge Lahoratory
  School
Gainesville, FL

Stephanie Thomas
Bloomington, IN

Kay Thompson
Green Valley High School
Henderson, NV

Victoria Thompson
Farquhar Middle School
Olney, MD

Dr. Virginia D. Vigil
Northern Arizona University
Flagstaff, AZ

Sharon M. Watts
Omaha Public Schools
Omaha, NE

Nancy J. Wrobel
Anoka Senior High School
Anoka, MN

Dr. Dolly Young
University of Tennessee
Knoxville, TN

Charles Zimmerman
Penfield High School
Penfield, NY

ATLAS

- ■ El mundo

- ■ México, el Caribe y Centroamérica

- ■ Sudamérica

- ■ España

EL MUNDO

Groenlan

Alaska (E.U.)

Canadá

NORTEAMÉRICA

Estados Unidos

OCÉANO ATLÁNTICO

Trópico de Cáncer

Bahamas

Cuba

República Dominicana

México

Puerto Rico

Jamaica

San Cristóbal y Nevis

Belice

Haití

Dominica

Honduras

Santa Lucía

Barbados

Hawai (E.U.)

Guatemala

Costa Rica

Granada

San Vicente y Granadinas

El Salvador

Trinidad y Tobago

OCÉANO PACÍFICO

Nicaragua

Panamá

Venezuela

Guyana

Suriname

Colombia

Guayana Francesa

Islas Galápagos (Ec.)

Ecuador

Ecuador

Kiribati

SUDAMÉRICA

Perú

Brasil

Samoa Occidental

Bolivia

Tonga

Paraguay

Trópico de Capricornio

Chile

Uruguay

Argentina

Islas Malvinas

Los países de habla española

Escala de kilómetros

| 0 | 1000 | 2000 | 3000 |

| 0 | 1000 | 2000 | 3000 |

Escala de millas

OCÉANO ÁRTICO

Islandia

Noruega

Suecia Finlandia

Estonia

Letonia

Lituania

Dinamarca

Reino
Unido Holanda

Irlanda

Alemania Polonia Belarús

Bélgica

Ucrania

EUROPA

Francia Suiza

Andorra

España Italia Cerdeña

Portugal

Rumania Moldova

Bulgaria

Grecia

Turquía

Marruecos Túnez Malta

Argelia Libia

Chipre Líbano
Israel Iraq

Jordania

Egipto

❶ Checoslovaquia
❷ Austria
❸ Hungría
❹ Eslovenia
❺ Croacia
❻ Bosnia & Herzgovina
❼ Yugoslavia
❽ Albania
❾ (República de) Macedonia

Rusia

ASIA

Kazajstán

Georgia

Uzbekistán Kirguistán

Azerbaiyán
Turkmenistán Tayiskistán

Armenia

Siria

Afganistán

Irán

Kuwait

Bahrein
Qatar

Arabia
Saudita

Emiratos
Árabes
Unidos Omán

Mongolia

Corea del
Norte

Corea
del Sur

China

Japón

Bhután
Nepal

Pakistán

India

Taiwán

Myanmar
Bangladesh Lao

OCÉANO
PACÍFICO

Marruecos

Mauritania

Malí Níger

Gambia

ÁFRICA Sudán

Burkina
Faso Benin

Costa
de Nigeria
Marfil

Liberia Togo Camerún

Ghana

Guinea
Ecuatorial

Gabón

Congo Rwanda

Zaire

Burundi

Tanzania

Eritrea

Djibouti

Etiopía

Somalia

Yemen

Chad

República
Centroafricana

Uganda

Kenya

Sri Lanka

Maldivas

Seychelles

OCÉANO
ÍNDICO

Tailandia

Viet Nam Filipinas
Cambodia

Brunei

Malasia

Singapur Indonesia

Nauru

Papua-Nueva
Guinea

Islas
Salomón

Vanuatu

Comoras

Angola

Zambia Malawi

Mozambique

Mauricio

Namibia Zimbabwe

Botswana

Madagascar

Swazilandia

Lesotho

Sudáfrica

AUSTRALIA

Nueva Zelandia

ANTÁRTIDA

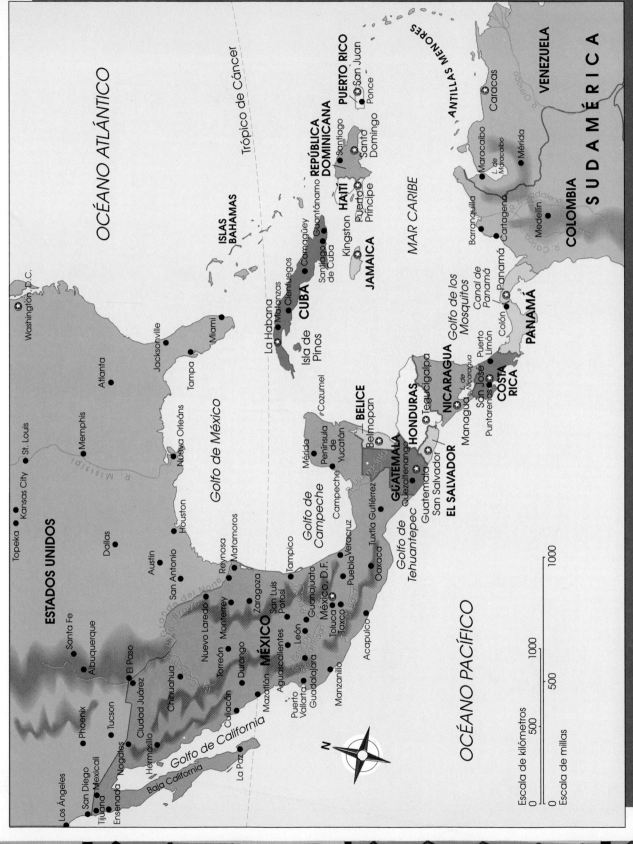

OCÉANO ATLÁNTICO

OCÉANO PACÍFICO

MAR CARIBE

ESTADOS UNIDOS

MÉXICO

Golfo de México

Golfo de California

Bala California

Golfo de Campeche

Golfo de Tehuantepec

Trópico de Cáncer

ISLAS BAHAMAS

CUBA

JAMAICA

HAITÍ

REPÚBLICA DOMINICANA

PUERTO RICO

ANTILLAS MENORES

BELICE

GUATEMALA

EL SALVADOR

HONDURAS

NICARAGUA

COSTA RICA

PANAMÁ

COLOMBIA

VENEZUELA

SUDAMÉRICA

Golfo de los Mosquitos

Canal de Panamá

Peninsula de Yucatán

Isla de Pinos

Washington, D.C.
St. Louis
Kansas City
Topeka
Memphis
Atlanta
Jacksonville
Tampa
Miami
Nueva Orleáns
Houston
Austin
San Antonio
Dallas
Santa Fe
Albuquerque
Phoenix
Tucson
Los Ángeles
San Diego
Mexicali
Tijuana
Ensenada
Nogales
Hermosillo
Ciudad Juárez
El Paso
Chihuahua
Culiacán
La Paz
Mazatlán
Durango
Torreón
Nuevo Laredo
Monterrey
Reynosa
Matamoros
Zaragoza
San Luis Potosí
Aguascalientes
León
Guanajuato
Guadalajara
Puerto Vallarta
Manzanillo
Acapulco
Toluca
Taxco
México, D.F.
Puebla
Veracruz
Oaxaca
Tuxtla Gutiérrez
Tampico
Mérida
Campeche
Cozumel
Belmopan
Guatemala
Quezaltenango
San Salvador
Tegucigalpa
Managua
San José
Puntarenas
Puerto Limón
Colón
Panamá
Medellín
Cartagena
Barranquilla
Maracaibo
Mérida
Caracas
L. de Nicaragua
L. de Maracaibo
La Habana
Matanzas
Cienfuegos
Camagüey
Santiago de Cuba
Guantánamo
Kingston
Puerto Príncipe
Santo Domingo
Santiago
San Juan
Ponce

R. Misisipí
Río Grande del Norte

N

Escala de kilómetros
0   500   1000

Escala de millas
0   500   1000

SUDAMÉRICA

MAR CARIBE

ANTILLAS MENORES

TRINIDAD Y TOBAGO
Puerto España

Barranquilla
Caracas

Maracaibo

Mérida

GUYANA

SURINAM

Georgetown

Paramaribo

GUAYANA FRANCESA

Cayena

COSTA RICA

Canal de Panamá

San José

Panamá

Cartagena

PANAMÁ

Medellín

VENEZUELA

Cali

Bogotá

COLOMBIA

R. Orinoco

R. Negro

R. Branco

Ecuador

Quito

ECUADOR

Guayaquil

Iquitos

R. Caquetá

R. Putumayo

Manaus

R. Amazonas

Belém

R. Amazonas

Trujillo

R. Juruá

R. Purús

R. Madeira

R. Tapajóz

R. Xingú

R. Tocantins

Recife

PERÚ

Lima

Cuzco

L. Titicaca

La Paz

BOLIVIA

Sucre

B R A S I L

Brasilia

Salvador

R. São Francisco

Arequipa

Arica

Iquique

R. Guaporé

R. Paraguay

Belo Horizonte

Trópico de Capricornio

Antofagasta

PARAGUAY

Asunción

São Paulo

Río de Janeiro

Santos

OCÉANO PACÍFICO

San Miguel de Tucumán

R. Paraná

CHILE

Córdoba

Pôrto Alegre

Valparaíso

Mendoza

Rosario

URUGUAY

Santiago

Buenos Aires

Montevideo

Concepción

ARGENTINA

La Plata

R. de la Plata

Punta del Este

OCÉANO ATLÁNTICO

Bahía Blanca

Mar del Plata

Puerto Montt

Bariloche

N

Escala de kilómetros

0   400   800

0   400   800

Escala de millas

Estrecho de Magallanes

Islas Malvinas

Punta Arenas

Tierra del Fuego

Cabo de Hornos

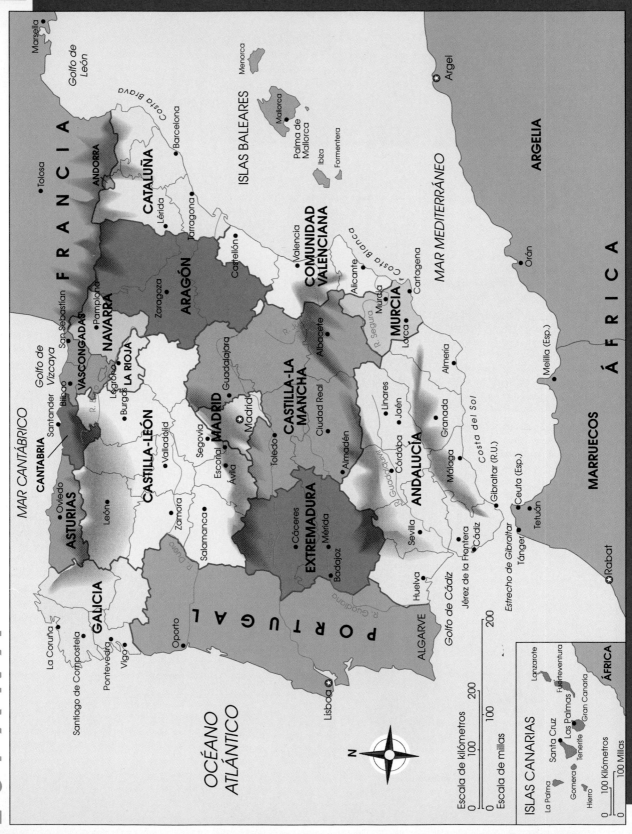

E S P A Ñ A

x

OCÉANO
ATLÁNTICO

MAR CANTÁBRICO

Golfo de
Vizcaya

Golfo de
León

Marsella

Costa Brava

ISLAS BALEARES

Menorca

Mallorca

Palma de
Mallorca

Ibiza

Formentera

Argel

MAR MEDITERRÁNEO

ARGELIA

ÁFRICA

Orán

Melilla (Esp.)

MARRUECOS

Rabat

Tetuán

Tánger

Ceuta (Esp.)

Estrecho de Gibraltar

Gibraltar (R.U.)

Golfo de Cádiz

Jérez de la Frontera

Cádiz

Huelva

Sevilla

ANDALUCÍA

Córdoba

Málaga

Costa del Sol

Granada

Almería

Jaén

Linares

Almadén

Ciudad Real

CASTILLA-LA
MANCHA

Albacete

Lorca

MURCIA

Cartagena

Costa Blanca

Alicante

COMUNIDAD
VALENCIANA

Valencia

Castellón

R. Segura

R. Júcar

Murcia

Toledo

MADRID

Madrid

Guadalajara

Escorial

Ávila

Segovia

Valladolid

CASTILLA-LEÓN

Zamora

Salamanca

R. Duero

EXTREMADURA

Cáceres

Mérida

Badajoz

R. Guadiana

R. Guadalquivir

PORTUGAL

ALGARVE

Lisboa

Oporto

GALICIA

La Coruña

Santiago de Compostela

Pontevedra

Vigo

ASTURIAS

Oviedo

León

Santander

CANTABRIA

Bilbao

San Sebastián

VASCONGADAS

R. Ebro

Logroño

LA RIOJA

Burgos

NAVARRA

Pamplona

ANDORRA

FRANCIA

Tolosa

CATALUÑA

Lérida

Tarragona

Barcelona

ARAGÓN

Zaragoza

Escala de kilómetros
0   100   200

Escala de millas
0   100   200

N

ISLAS CANARIAS

Lanzarote

Fuerteventura

Las Palmas

Gran Canaria

Santa Cruz

Tenerife

Gomera

La Palma

Hierro

ÁFRICA

0   100 Kilómetros

0   100 Millas

¿Cómo te llamas tú?

Here are some of the most frequently used names in Spanish. Find your name in the list or select a name you would like to be called.

Chicos

Alberto (Beto)	Javier
Alejandro (Alex)	Jerónimo
Alfonso	Joaquín
Alfredo	Jorge
Andrés	José (Pepe)
Antonio (Toni, Toño)	Juan (Juancho)
Arturo (Tudi)	Julio
Benjamín	Lorenzo
Bernardo	Lucas
Carlos	Luis
César	Manuel (Manolo)
Clemente (Tito)	Marcos
Cristóbal	Mariano
Danicl (Dani)	Mario
David	Martín
Diego	Mateo
Eduardo (Edi)	Miguel
Emilio	Nicolás (Nico)
Enrique (Quico)	Octavio
Ernesto	Óscar
Esteban	Pablo
Federico (Fede)	Patricio
Felipe	Pedro
Fernando (Nando)	Rafael (Rafa)
Francisco (Cisco,	Ramiro
Paco, Pancho)	Ramón
Gabriel (Gabi)	Raúl
Germán	Ricardo (Riqui)
Gilberto	Roberto (Beto)
Gonzalo	Rodrigo (Rodri)
Gregorio	Rubén
Guillermo (Memo)	Salvador
Gustavo	Samuel
Hernán	Sancho
Homero	Santiago (Santi)
Horacio	Sergio
Hugo	Teodoro
Ignacio (Nacho)	Timoteo
Jacobo	Tomás
Jaime	Víctor

Chicas

Adela	Guadalupe (Lupe)
Adriana	Inés
Alicia	Irene
Amalia	Isabel (Chavela)
Ana	Josefina (Pepita)
Anita	Juana (Juanita)
Ángela	Julia
Antonia (Toni)	Laura
Bárbara	Leonor
Beatriz (Bea)	Leticia (Leti)
Berta	Lilia
Blanca	Lucía
Carla	Luisa
Carlota	Marcela (Chela)
Carmen	Margarita (Rita)
Carolina	María
Catalina	Mariana
Cecilia	Maricarmen
Clara	Marilú
Concepción (Concha,	Marta
Conchita)	Mercedes (Meche)
Cristina (Cris, Tina)	Mónica
Débora	Natalia (Nati)
Diana	Norma
Dolores (Lola)	Patricia (Pati)
Dorotea (Dora)	Pilar
Elena	Ramona
Elisa	Raquel
Eloísa	Rebeca
Elvira	Rosa (Rosita)
Emilia (Emi)	Sara
Estela	Silvia
Ester	Sofía
Eva	Soledad (Sole)
Florencia	Sonia
Francisca (Paca,	Susana (Susanita)
Paquita)	Teresa (Tere)
Gabriela (Gabi)	Verónica (Vero)
Gloria	Victoria (Vicki)
Graciela (Chela)	Yolanda (Yoli)

PASO A PASO CON

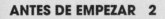

U N I D A D 2

¡Es hora de clase! 58
San Juan, Puerto Rico

U N I D A D 3

¿Qué hacen ustedes? 102
México D.F., México

U N I D A D 4

¡Qué familia!   150
San Antonio, Texas

U N I D A D 5

U N I D A D 6

¡Me encantó Guadalajara! 256
Guadalajara, México

U N I D A D 7

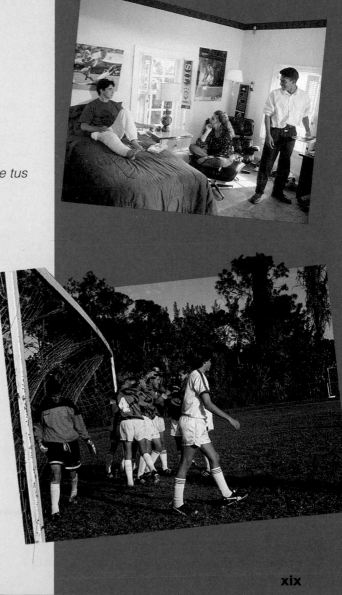

U N I D A D 8

¡En camino a Segovia!   360
Segovia, España

ANTICIPEMOS

PARA EMPEZAR

¿QUÉ DECIMOS...?

CHARLEMOS UN POCO

CHARLEMOS UN POCO MÁS

Dramatizaciones

Y ahora, ¡a leer!

LEAMOS AHORA

ESCRIBAMOS UN POCO

¿POR QUÉ SE DICE ASÍ?

¿Qué piensas tú?

1. You should recognize the book pictured here. What is its title? What do you think the title means?

2. Flip through Unit 1. Now look at Lesson 1. Find each of the titles listed above. Then look at Lessons 2 and 3. Does every lesson have all of the titles? Where do you have to look for the section titled **¿Por qué se dice así?**

3. Although you may not understand all the Spanish in the titles, words such as **anticipemos, cultural,** and **dramatizaciones** probably suggest some meaning to you. What do you think these three words mean? Why can you guess their meanings?

4. Now look carefully at one of the lessons in Unit 1 or Unit 2. Try to decide what each section is for. Write down what you believe is the primary purpose of each section listed. Then, in groups of three or four, compare your list with those of your classmates and try to come to a group consensus on the purpose of each section. Don't try to translate the titles—just observe what each section does or asks you to do.

5. Look at the photos. What class is this? What book are these students using? What is going on in each of the pictures? How do these students and their teacher feel about learning Spanish?

6. In the next couple of class hours, you will work with a model lesson of *¡Dime!* As you do each section, check your group observations, and see if you can figure out what each title means.

   ▶ What do you think the purpose of these two pages is?

¡Ajá! ¡Hay un libro!

¡Para el colegio!

Promoción válida
del 18 de agosto
al 21 de agosto

Bolígrafos
3/$1.00

Lápices
$1.39

Borradores
$1.69

Cuadernos
$2.50

Papel
$1.69

Calculadoras
$10.95

Tizas
$1.19

Mochilas
$8.99

Carpetas
$.99

Reglas
$1.49

Libros
$5.95

¿ Qué piensas tú ?

1. What is being sold in this advertisement? When did it appear? Who is expected to read it?

2. Which of the items in the ad do you consider absolutely necessary for school? Does your school require you to have any of these items? Are there any items here you can get along without?

3. Which of the items for sale here do you have with you now?

4. What do you think you will be able to talk about when you have finished this lesson?

1

Es la puerta de una clase, pero ¿qué clase es? ¿Quién sabe?

¿Eres tú un buen detective? Un buen detective busca indicios para resolver el misterio. ¿Hay buenos indicios aquí?

2

¿Qué hay en la clase? Hay pupitres, un escritorio de profesor y una mesa con sillas. Hay una pizarra también con tiza y un borrador. ¡Ajá! ¡En un pupitre hay una mochila!

3

¿Qué hay en la mochila? Hay un cuaderno, una carpeta, un lápiz y un bolígrafo. Es la mochila de un estudiante. Pero, ¿quién es el estudiante?

4

¡Ah, el escritorio del profesor! ¿Qué hay en el escritorio? Hay lápices y bolígrafos y una regla. También hay carpetas y cuadernos. Y. . . ¡Ajá, hay un libro!

Pero . . . ¿qué libro es? ¡Es un libro de español!

5

¿Y la clase? ¡Es la clase de español! ¿Y el profesor? ¡Es el profesor de español! ¿Y el estudiante? ¡El estudiante eres tú!

¿QUÉ DECIMOS...?

En la librería

¿Qué más hay en la lista?

To help you do the activities, the side columns in this section contain short grammar explanations and vocabulary. If you want more information, use the page references listed for the **¿Por qué se dice así?** section in the back of the book.

Nouns
Naming objects

Nouns name people, places, things, or concepts. Spanish nouns are either masculine or feminine.

Masculino	Femenino
libro	mochila
cuaderno	carpeta
lápiz	clase
papel	pizarra

See **¿Por qué se dice así?**, *page G2, section LP. 1.*

The indefinite article: *un, una*
Used to refer to things in general

Hay **un** libro en la clase.
Hay **una** silla en la clase.

See **¿Por qué se dice así?**, *page G2, section LP. 2.*

The verb *hay*

Hay means both *there is* and *there are*. When used in a question, it means *Is there?* or *Are there?*

¿**Hay** pizarras?
Sí, **hay** una pizarra.

CHARLEMOS UN POCO

A. ¿Qué hay en la lista?   Your teacher wants to check that you have the supplies you will need for class. Hold up the items as your teacher reads the list.

> un bolígrafo   un cuaderno
> una carpeta   una regla
> un libro de español   una hoja de papel
> un lápiz

B. ¿Qué hay en la clase?   Tell what there is in the classroom below by naming the numbered items you see.

MODELO   número 1
   Hay una pizarra.

C. ¿En la mochila?   Ask your partner questions to find out what school supplies are in his or her backpack.

 MODELO   Tú: **¿Hay un lápiz?**
Compañero(a):   **Sí, hay un lápiz.** o
No, no hay un lápiz.

CH. ¿Mi carpeta?   A friend calls to see if he or she left a folder in your room. Answer your friend's questions.

 MODELO   mesa: lápiz / regla
Compañero(a):   **¿Qué hay en la mesa?**
Tú: **Hay un lápiz y una regla.**

1. mochila: libro / lápiz
2. mesa: papel / libro
3. cuaderno: bolígrafo / lápiz
4. escritorio: carpeta / cuaderno
5. carpeta: papel / bolígrafo

Sí and No
Answering affirmatively or negatively

When answering affirmatively, one usually begins the response with **Sí , . . .** When answering negatively, begin with **No, no . . .**

The definite article: el, la
Used to talk about specific things

¿Qué hay en **la** silla?
¿Qué hay en **el** libro?

See **¿Por qué se dice así?,**
page G2; section LP. 2.

CHARLEMOS UN POCO MÁS

A. ¡Lo más importante!   Make a list of the three things that you think are most important to have for school. Ask three classmates what items are on their lists. If someone has listed the same three items that you have, go to the board and write the items on your lists.

 EJEMPLO   Tú: **¿Hay un lápiz en la lista?**
Compañero(a):   **Sí, hay un lápiz.** o **No, no hay un lápiz.**

B. ¿En el pupitre?   Prepare a list of all the items you can see on one of your classmate's desk, but keep the identity of your classmate a secret. Then try to discover the identity of the classmate your partner selected by asking questions. Your partner will then ask you questions as he or she tries to identify the classmate you selected.

 EJEMPLO   Tú: **¿Hay un bolígrafo en el pupitre?**
Compañero(a):   **Sí, hay un bolígrafo.** o
No, no hay un bolígrafo.

C. ¿Cuál es la diferencia?   Without looking at each other's pictures, find four differences in the back-to-school sale advertisement below and the one your teacher gives your partner.

EJEMPLO   Tú: **¿Hay una regla?**
Compañero(a):   **Sí, hay una regla.** o **No, no hay una regla.**

¡Todo para el estudiante!

Mochilas $10.98

PRECIOS ESPECIALES PARA EL REGRESO A CLASES

Reglas $1.19

Lápices $.49

Libros $6.95

Carpetas $1.09

papelería luna

CH. ¡A escribir!   Working in pairs and with books closed, you have exactly two minutes to list as many items as you can see in the classroom.

Dramatizaciones

En la librería.   Your best friend broke his leg yesterday. You and another friend have offered to do some shopping for him, since tomorrow is the first day of school. Role-play your shopping trip as you go through the list of school supplies that your best friend needs.

You

- Ask your friend what is on the list.
- Say there are three of the items on the table. Tell which ones.
- Say there are [*the two remaining items*] in [*store in your city*].

Friend

- Name at least five items.
- Say there are no [*the two remaining items*].
- Say thank you.

¡No metas la pata!

¡De Nuevo México a Nueva York!   Ellen Pierce has just moved from New Mexico to a Puerto Rican section of New York City, where she has become good friends with Yolanda Salas. Read their conversation and then answer the question that follows.

Ellen: **I'm hungry.**

Yolanda: **So am I. Why don't you come to my house for dinner? Mamá will fix you some typical Puerto Rican food.**

Ellen: **I'd love to. I'm starving for some good old frijoles, tacos, or enchiladas. I haven't had them since I left New Mexico.**

Yolanda: **Tacos? Enchiladas? We don't eat them! We're from Puerto Rico!**

Why does Yolanda seem upset with Ellen?

1. Yolanda's mother doesn't know how to prepare tacos and enchiladas.
2. Yolanda doesn't like tacos and enchiladas.
3. Ellen assumes that all Spanish-speaking people eat tacos and enchiladas.

❏ Check your answer on page 416.

Y ahora, ¡a leer!

Antes de empezar

Palabras afines.   As you begin to study Spanish, you will be glad to learn that you already know or can guess the meaning of many Spanish words. To prove this to yourself, answer the following questions, working in groups of three or four. Remember that although you may be able to recognize these words in reading them, the Spanish pronunciation may be quite different from the English.

1. How many of the following English words have been borrowed from Spanish?

rodeo	chocolate	corral
tomato	ranch	potato
lasso	tobacco	patio

2. The following Spanish words were borrowed from English. What do they mean?

rosbif	pudín	tenis
jersey	hamburguesa	jonrón
teléfono	suéter	béisbol

3. Write the English equivalent of the following Spanish words.

aire	profesor	problema
centro	conversación	nacional

Verifiquemos _____

Look at the words in the box on the next page. Then answer the following questions.

1. In your opinion, how many of the words in the box are Spanish words? How many are English words?
2. Are there any words you don't understand? Which ones?

¿Inglés o español?

televisión

PROBLEMA hotel

actor

computadora

formal

música

plástico

hospital

director

piano

profesor

artificial

animal

cristal

similar

error

universidad

color

ideal

doctor

principal

¡Hola! ¿Qué tal?

Oregón

Océano Pacífico

Sacramento

San
Francisco

Nevada

CALIFORNIA

Montebello

Los Ángeles

San
Diego

Arizona

0   200 Kilómetros
0   200 Millas

¡Estupendo!

¿Qué piensas tú?

1. Who do you think the people are in each of these photos?

2. What do you think the people are saying in each of the photos? Why?

3. Notice what the people are doing in each of the photos. What gestures are they making?

4. What similarities and differences do you observe between what you might do and what these people are doing?

5. What do you think you will learn to say and do in this lesson?

PARA EMPEZAR

Son profesores y estudiantes de Montebello High School en Montebello, California.

1

Es una escuela. Es Montebello High School.

¿Quién es ella? Es Ana, una estudiante.

2

¿Quién es el chico? Es Beto. Beto Chávez. ¿Y quién es la chica? Es Ana. Ana Montoya.

Hola, Ana. ¿Qué tal?

Muy bien, gracias.

Muy bien, gracias, Beto. ¿Y tú?

4

¿Quién es ella? Es la profesora de español, la señorita Montero.

Y ella, ¿quién es? Es la señora León, la profesora de matemáticas.

3

Y él, ¿quién es? Es el señor Whitaker. Es el profesor de historia.

Buenos días.

Buenos días, profesor.

¿QUÉ DECIMOS...?

Al saludar a amigos y profesores

1 *¡Ay! Perdón.*

2 ¿Qué tal?

3 ¿Quién es?

4 ¿Cómo se llama usted?

5 Buenas noches.

CHARLEMOS UN POCO

A. Saludos y despedidas. It is the first day of school at Montebello High and people are greeting each other or saying good-bye. Tell whether each statement is **un saludo** *(a greeting)* or **una despedida** *(a farewell).*

1. Adiós.
2. Hola, chico.
3. Hasta mañana, señor Ramos.
4. Buenos días, profesor.
5. ¡Señorita Montero! ¿Cómo está usted?
6. Hasta luego, Beto.
7. Buenas tardes, Lupe. ¿Cómo estás?
8. ¿Qué tal, Ana?
9. Buenas noches. Hasta mañana.
10. Buenas noches, señor director. ¿Cómo está usted?

B. ¡Hola! Select an appropriate response to each greeting or farewell and complete the conversations in the cartoons below.

a. Buenas tardes. Soy Rebeca Ortiz, la profesora de inglés. Encantada.
b. Buenos días. Soy Silvia. Mucho gusto.
c. Hasta mañana.
ch. Mucho gusto, Carlos.
d. Muy bien, gracias. ¿Cómo está usted?

1.

2.

3.

4.

5.

Greeting people

In the morning:
Buenos días.

In the afternoon:
Buenas tardes.

In the evening:
Buenas noches.

Anytime:
¡Hola!

Asking how someone is

¿Cómo estás?
¿Cómo está usted?
¿Qué tal?

Responses:
Bien, gracias.
Bien, gracias, ¿y tú?
Muy bien, gracias, ¿y usted?

Saying good-bye

Adiós.
Hasta luego.
Hasta mañana.

C. ¿Qué tal?   Greet five of your classmates and find out how they are doing today. Choose one of the greetings and your own response each time.

EJEMPLO   You: **Buenos días.** o
                        Buenas tardes.
             Partner: **Hola. ¿Qué tal?** o
                        Hola. ¿Cómo estás?
             You: **Bien, gracias, ¿y tú?** o
                        Terrible, ¿y tú?
             Partner: **Muy bien, gracias.** o
                        Fatal.

CH. ¡Adiós!   It's time to go home. Say good-bye to each of the following people. Use several different good-byes.

1. un amigo
2. el director (la directora) de la escuela
3. el profesor (la profesora) de inglés
4. una amiga
5. el profesor (la profesora) de español

D. En la cafetería.   You see several new faces in the school cafeteria. Ask a friend who they are.

MODELO   You: **¿Quién es él?**
             Partner: **Es mi amigo Ricardo.**

amigo Ricardo

1. amiga Alicia

2. profesor de inglés

3. amigo Juan Carlos

4. profesora de historia

5. profesor de matemáticas

Asking *Who* . . . ?

¿Quién es?   *Who is it?*
¿Quién es él?   *Who is he?*
¿Quién es ella?   *Who is she?*

Note: In written Spanish, questions always begin with an inverted question mark.

E. ¿Con quién? You overhear various students stop and talk to Mrs. Alicia Ramos, a Spanish teacher, and Tina Chávez, a classmate. Based on what each student says, tell which person is being addressed.

MODELO   Soy Pablo Ortiz, ¿y usted?
la señora Ramos

La señora Ramos   Tina Chávez

1. ¿Qué tal, chica?
2. Buenas tardes, señora.
3. Muy bien, ¿y usted?
4. ¿Cómo está usted?
5. Soy Juan Montero, ¿y tú?
6. Hasta mañana, señora.
7. ¿Cómo estás tú?
8. ¿Eres Tina Castillo?
9. ¿Es usted la profesora de español?
10. Bien, gracias. ¿Y tú?

F. ¿Eres Tomás López? Your teacher will assign everyone in the class a new identity. Keep your new identity a secret until questioned by your classmates.

1. Find Tomás and Eva López by questioning your classmates.

   MODELO   You: **¿Eres Tomás López?**
Partner: **No, soy Pablo White.**

2. Now your teacher will give you another identity. Find Mr. and Mrs. Ortega by questioning your classmates.

MODELO   You: **¿Es Ud. la señora Ortega?**
Partner: **No, yo soy la señorita . . .**

Ser

yo	**soy**	*I am*
tú	**eres**	*you are*
usted	**es**	*you are*
él	**es**	*he is*
ella	**es**	*she is*
—	**es**	*it is*

See **¿Por qué se dice así?**, *pages G4–G8, sections 1.1, 1.2, and 1.3.*

Using *tú* and *usted*

Tú is used when addressing family and friends. **Usted** is used to show respect, as when addressing adults, teachers, or people you don't know well.

See **¿Por qué se dice así?**, *page G4, section 1.1.*

CHARLEMOS UN POCO MÁS

A. Nombres. Check if your partner remembers everyone's name in the class.

 EJEMPLO **¿Quién es él (ella)?** o **¿Es** [*wrong name*]?
Es [*name*]. **No, es** [*correct name*].

B. ¡Pobre profesor(a)! During the first few days of school, teachers often have a hard time remembering the names of all their students. Working in groups of four or five, take turns playing a confused teacher who calls several students by the wrong name.

 EJEMPLO Teacher: **¿Eres Lupe?**
Student: **No, señor (señora, señorita).**
Yo soy [*your name*]. **Ella es Lupe.**

C. Saludos. You are happy to be back at school. How do you greet the following people on the first day?

1. your best friend on the way to school
2. your principal in the morning
3. your teacher before Spanish class
4. your history teacher after lunch
5. a good friend in the hall after school

Dramatizaciones

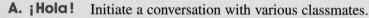

A. ¡Hola! Initiate a conversation with various classmates.

- Greet each other.
- Introduce yourself.
- Say good-bye and introduce yourself to another classmate.

B. ¡Buenas tardes! Several new Spanish-speaking students are at the Spanish Club's first meeting of the year. Role-play this situation.

- Greet three of the new students.
- Ask how each one is doing.
- End the conversation with an appropriate farewell.

C. Mucho gusto. A new student has the locker next to yours. Role-play your first conversation. Be creative in acting out how you meet.

- Greet each other appropriately.
- Introduce yourselves.
- Ask each other how you are doing.
- Say good-bye before rushing off to your classes.

¡No metas la pata!

¿Cómo estás? Fred, a student from the United States, is studying in Caracas, Venezuela. Read the following dialogue, which takes place on the first day of school. Try to figure out what goes wrong. Then answer the question that follows.

Tomás:	**Hola, Fred. ¿Cómo estás?**
Fred:	**Bien, gracias. ¿Y tú?**
Tomás:	**Estupendo.**
Fred:	**Oye, Tomás, ¿quién es ese señor?**
Tomás:	**Es el profesor de historia, el señor Peña.**
Sr. Peña:	**Buenos días, jóvenes.**
Tomás:	**Buenos días, señor Peña.**
Fred:	**Hola. ¿Qué tal? ¿Cómo estás?**
Sr. Peña:	**Pues . . . Mmmm . . . Bien, gracias. Adiós.**

► Why does Mr. Peña react somewhat coldly to Fred's greeting?

1. Fred should have waited to be formally introduced.
2. Mr. Peña doesn't like having foreign students in his class.
3. Fred's greeting was too informal.

❏ Check your answer on page 416.

Y ahora, ¡a leer!

Antes de empezar

1. What do you and your friends say in English when you greet each other?
2. What do you and your friends say in English when you greet your teacher?
3. How do the greetings you use with teachers and friends differ?

Tú y usted

TÚ

Tú es informal y usted es formal. Usamos tú con amigos y familia. Usamos usted con otras personas.

USTED

Especialmente, usamos usted con personas que tienen un título como señor (Sr.), señora (Sra.), señorita (Srta.), profesor/profesora, (Prof.), doctor (Dr.), doctora (Dra.), etc.

Verifiquemos

En esta lección observamos el uso de **tú** y **usted** en diferentes expresiones. Identifica las expresiones de **tú** y las expresiones de **usted.**

1. ¿Estás bien?
2. ¿Cómo está, señora?
3. ¿Eres Tomás López?
4. ¿Cómo está?

5. ¿Es el señor López?
6. ¿Es la profesora de matemáticas?
7. Hola. ¿Cómo estás?

Antes de empezar

1. Where are you likely to see a greeting or a good-bye written down? Name several places.
2. Give some examples of written greetings you have seen recently.

Saludos y despedidas. Read these messages, then answer the questions that follow.

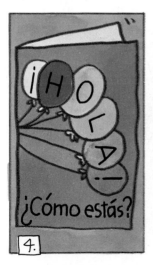

Verifiquemos

1. Which messages express a greeting?
2. Which messages express a good-bye?
3. What words are used to express *hello* and *good-bye* in Spanish?
4. Which of these greetings and good-byes are you likely to see in English in your own community? What might they say?

¿ De dónde eres ?

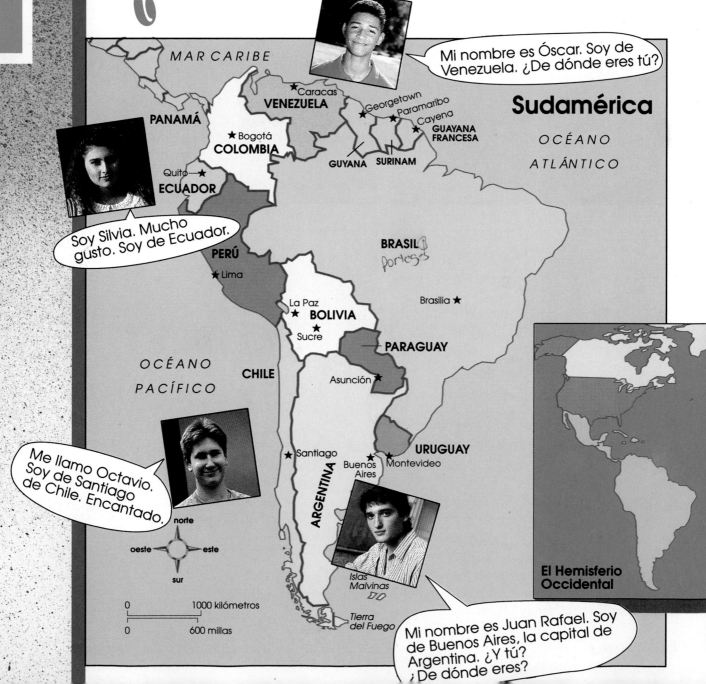

Mi nombre es Óscar. Soy de Venezuela. ¿De dónde eres tú?

Sudamérica

Soy Silvia. Mucho gusto. Soy de Ecuador.

Me llamo Octavio. Soy de Santiago de Chile. Encantado.

Mi nombre es Juan Rafael. Soy de Buenos Aires, la capital de Argentina. ¿Y tú? ¿De dónde eres?

El Hemisferio Occidental

México, Centroamérica y el Caribe

Soy Sara. Mucho gusto. Soy de Texas.

Me llamo Alicia. Soy de la Florida.

Soy Miguel. Soy de San Juan, Puerto Rico.

Mi nombre es Lupe. Soy de México.

Me llamo Chavela. Soy de San José, la capital de Costa Rica.

¿Qué piensas tú?

1. How do you know if the names on the maps are written in English or in Spanish?

2. Which countries are not Spanish-speaking? What languages are spoken there? Can you explain why several languages are spoken in the Caribbean islands and in the countries of Central and South America?

3. Where else in the world is Spanish spoken? Can you explain why Spanish is found in so many parts of the world?

4. What do you think the people in the pictures are telling you about themselves?

Even though the following questions are in Spanish, you will probably understand them. Can you answer the questions in English? Can you answer them in Spanish?

5. ¿Está Colombia en el sur o en el norte de Sudamérica? ¿Y Argentina? ¿Y Brasil? ¿Y Perú?

6. ¿Cuál es la capital de Venezuela? ¿De Ecuador? ¿De Colombia?

7. ¿Quién es de San Juan? ¿De México? ¿De Santiago? ¿De San José?

8. ¿De dónde es Octavio? ¿Chavela? ¿Juan Rafael? ¿Silvia?

9. What do you think you will be able to say when you have finished this lesson?

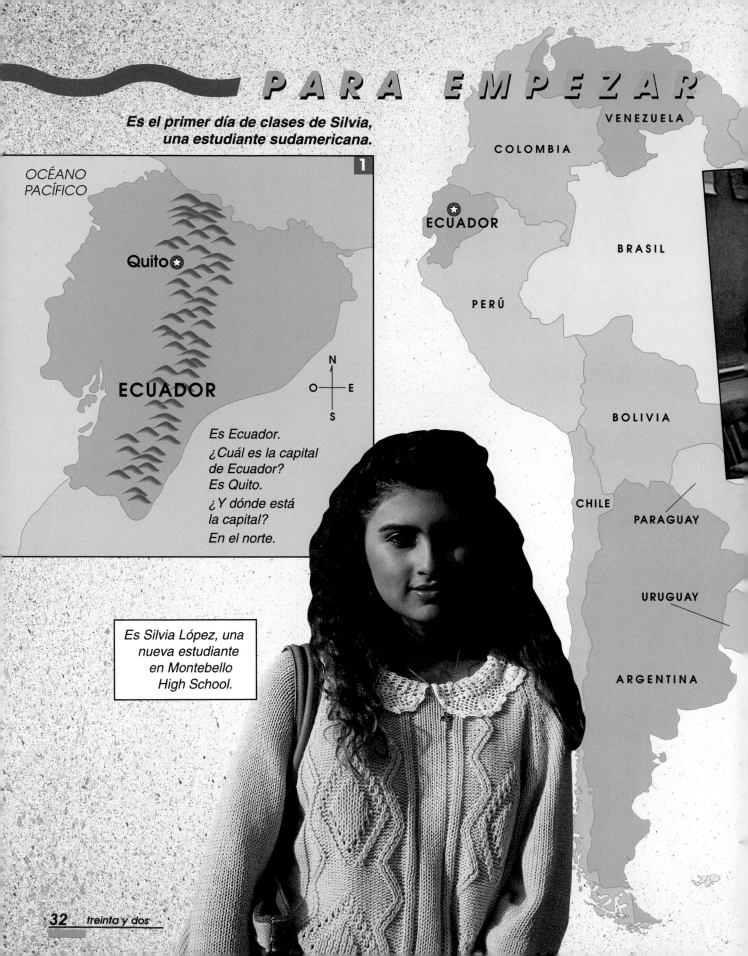

Es el primer día de clases de Silvia,
una estudiante sudamericana.

1

OCÉANO
PACÍFICO

Quito ★

ECUADOR

N
O ✛ E
S

VENEZUELA

COLOMBIA

★
ECUADOR

BRASIL

PERÚ

BOLIVIA

CHILE

PARAGUAY

URUGUAY

ARGENTINA

Es Ecuador.

¿Cuál es la capital
de Ecuador?

Es Quito.

¿Y dónde está
la capital?

En el norte.

Es Silvia López, una
nueva estudiante
en Montebello
High School.

¿QUÉ DECIMOS...?

Al presentar a una persona

1 Quiero presentarte . . .

2 Encantada.

3 *Bienvenida.*

4 *El gusto es mío.*

Introducing yourself

Me llamo . . .
Mi nombre es . . .
Soy . . .

Y tú, ¿cómo te llamas?
Y usted, ¿cómo se llama?

Introducing someone

To people you address as tú:
Quiero presentar**te** a . . .

To people you address as usted:
Quiero presentar**le** a . . .

Responding to introductions

Mucho gusto.
El gusto es mío.

Encantado(a).
Es un placer.
Igualmente.

CHARLEMOS UN POCO

A. Me llamo . . .   You are visiting Montebello High. Introduce yourself to the following people.

 MODELO   David
You: **Me llamo [**_your name_**]. Y tú, ¿cómo te llamas?**
Partner: **Me llamo David.**

Sr. José Ramos
You: **Me llamo [**_your name_**]. Y usted, ¿cómo se llama?**
Partner: **Mi nombre es José Ramos.**

1. Silvia
2. Lisa
3. Srta. Luisa Montero
4. Beto
5. Sr. Samuel Whitaker
6. Lupe
7. Ana
8. Sra. Margarita León

B. ¿Cómo te llamas?   Introduce yourself to four classmates and find out their names.

 MODELO   You: **Me llamo . . . Y tú, ¿cómo te llamas?**
Partner: **Encantado(a). Soy . . .**

C. Mi nombre es . . .   Adopt the name of a celebrity and introduce yourself to four classmates.

 EJEMPLO   You: **Me llamo . . . Y usted, ¿cómo se llama?**
Partner: **Es un placer. Mi nombre es . . .**

CH. Quiero presentarte a . . .   Introduce your partner to four classmates and the teacher.

 EJEMPLO   You: **[**_Partner's name_**], quiero presentarte a [**_friend's name_**].**
Partner: **Mucho gusto.**
Classmate: **El gusto es mío.**

You: **Profesor(a), quiero presentarle a mi amigo(a) [**_name_**].**
Teacher: **Encantado(a).**
Partner: **Igualmente.**

D. ¿De dónde es? Ask a classmate where the following students are from.

MODELO Lisa Campos
You: **¿De dónde es Lisa Campos?**
Partner: **Es de Nevada.**

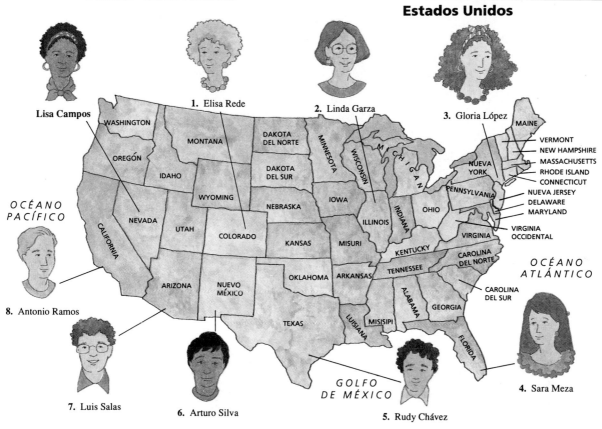

Estados Unidos

Lisa Campos

1. Elisa Rede

2. Linda Garza

3. Gloria López

8. Antonio Ramos

7. Luis Salas

6. Arturo Silva

5. Rudy Chávez

4. Sara Meza

OCÉANO PACÍFICO

OCÉANO ATLÁNTICO

GOLFO DE MÉXICO

WASHINGTON · OREGÓN · IDAHO · MONTANA · WYOMING · NEVADA · CALIFORNIA · UTAH · COLORADO · ARIZONA · NUEVO MÉXICO · DAKOTA DEL NORTE · DAKOTA DEL SUR · NEBRASKA · KANSAS · OKLAHOMA · TEXAS · MINNESOTA · IOWA · MISURI · ARKANSAS · LUISIANA · WISCONSIN · MICHIGAN · ILLINOIS · INDIANA · OHIO · KENTUCKY · TENNESSEE · MISISIPI · ALABAMA · GEORGIA · FLORIDA · PENNSYLVANIA · NUEVA YORK · MAINE · VERMONT · NEW HAMPSHIRE · MASSACHUSETTS · RHODE ISLAND · CONNECTICUT · NUEVA JERSEY · DELAWARE · MARYLAND · VIRGINIA · VIRGINIA OCCIDENTAL · CAROLINA DEL NORTE · CAROLINA DEL SUR

E. Soy de . . . Tell where you are from and ask four classmates where they are from.

MODELO You: **Soy de . . . Y tú, ¿de dónde eres?**
Partner: **Soy de . . .**

F. ¿De dónde eres? What would people from these cities say when asked where they are from?

MODELO Perú / Lima
Partner: **¿De dónde eres?**
You: **Soy de Perú, de Lima.**

1. Venezuela / Caracas
2. Perú / Lima
3. Bolivia / La Paz
4. Paraguay / Asunción
5. Colombia / Bogotá
6. Chile / Santiago
7. Uruguay / Montevideo
8. Argentina / Buenos Aires
9. Ecuador / Quito
10. Brasil / Brasilia

Asking or saying where someone is from

Asking where someone is from:

de dónde + ser
ser de

¿De dónde eres?
¿De dónde es usted?
¿De dónde es [*name*]?

Saying where you or someone else is from:

Soy de Chile.
Carlos es de Venezuela.

See **¿Por qué se dice así?**, *page G8, section 1.4.*

LECCIÓN 2

CHARLEMOS UN POCO MÁS

A. Presentaciones. Complete the conversations in these cartoons with appropriate phrases.

1.

2.

3.

4.

B. Sudamérica. Your teacher will give you and your classmates maps of South America. Find out which country and city your classmates are from according to the country highlighted on their maps.

EJEMPLO   You: **¿De dónde eres?**
                Partner: **Soy de Colombia.**
                You: **¿De la capital?**
                Partner: **Sí, de Bogotá.**

C. Recepción internacional. The Spanish Club is hosting a reception for the foreign students and the Spanish teachers at your school. You have been asked to introduce your partner to four new acquaintances.

Help your partner pick a new name and a Spanish-speaking country of origin. Then introduce your partner to several classmates, who in turn will introduce their partners to the two of you. Be sure to mention where the person being introduced is from.

CH. ¡Latinoamericanos! Select a Latin American country of origin for yourself. Then ask your classmates where they are from and tell them your country. On the blank map your teacher provides, write the names of the students you meet on the country they say they are from. Try to get a classmate's name on every country.

Dramatizaciones

A. Padres e hijos. The Spanish department of your school is having a "Parents Night," and you and a parent are attending. In groups of three, decide who will play the role of the student, the parent, and the teacher.

- The student will introduce the parent and teacher.
- The parent and teacher will greet each other appropriately.

B. Primer día de clases. It is the first day of school, and you have been asked to escort Carlos (Carla) Morales, a student from Ecuador, to classes all day. In groups of five, decide who will play the role of the exchange student, the host student, the principal, a teacher, and another student.

- The host student will introduce the foreign student to the others individually.
- When introduced, each will converse with the foreign student, finding out where he or she is from.
- Each will say good-bye when the host student and the exchange student leave to meet another person.

¡No metas la pata!

¡Somos americanos!   Jennifer, a student from the United States, is currently studying in Mexico. Read the dialogue that occurs when a Mexican friend, Tina, introduces Jennifer to her cousin, León. Then answer the question that follows to explain why León responds as he does.

Tina:	**Jennifer, quiero presentarte a mi primo, León.**
Jennifer:	**Mucho gusto, León.**
León:	**El gusto es mío. ¿De dónde eres, Jennifer?**
Jennifer:	**Soy americana.**
León:	**Pero, . . . ¿no somos todos americanos?**

Why did León respond as he did?

1. León doesn't know anything about geography.
2. León thinks Jennifer doesn't realize that he and Tina are Americans also.
3. León is trying to fool Jennifer into thinking that he and Tina are Americans also.

❏ Check your answer on page 416.

Y ahora, ¡a leer!

Antes de empezar

1. If a person from Argentina is a South American, what is a person from Nicaragua? From Peru? From Mexico? From Panama? From the United States?
2. If a person from Chile is a Chilean, what is a person from Guatemala? From Costa Rica? From Ecuador? From Puerto Rico? From Uruguay?

Todos somos americanos :

Sudamericanos, centroamericanos, norteamericanos . . . todos somos americanos. Habitantes de Canadá, Estados Unidos, México, Nicaragua, Perú, Costa Rica, Colombia, Paraguay, Chile . . . todos somos americanos porque todos somos de las Américas.

¿Norteamericanos, centroamericanos, sudamericanos o caribeños?

argentinos	hondureños
bolivianos	mexicanos
canadienses	nicaragüenses
colombianos	panameños
costarricenses	paraguayos
cubanos	peruanos
chilenos	puertorriqueños
dominicanos	salvadoreños
ecuatorianos	uruguayos
estadounidenses	venezolanos
guatemaltecos	

¿Cómo eres?

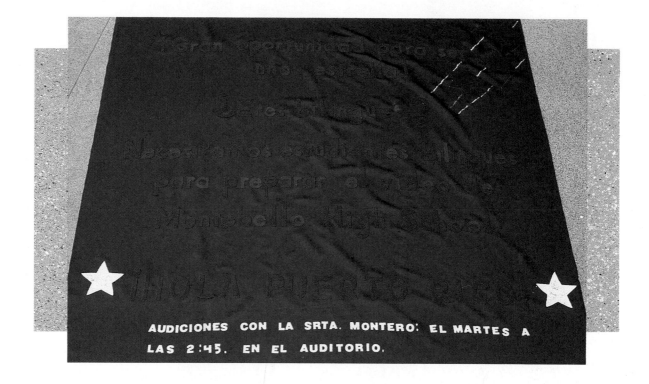

AUDICIONES CON LA SRTA. MONTERO: EL MARTES A LAS 2:45. EN EL AUDITORIO.

¿ Qué piensas tú ?

Look at the announcement above. You may not understand every word, but you can probably understand more than you think at first. For example:

1. Who is being invited to participate? What skill should they have?

2. Why are these people needed?

3. What is being prepared? For whom?

4. What should people who are interested do?

5. What opportunity do the students have here?

Now look at the students in the photo on page 42.

6. Describe the students. What physical characteristics does each of them have?

7. Do you think any of these students are "typical" of students at Montebello High School? Why?

8. Would you be able to describe the "typical" student at your school?

9. Do you think there is such a thing as a "typical" student?

10. If you were making this video, what qualities would you be looking for in the people you chose?

11. What do you think you will be able to talk about when you have finished this lesson?

1

¿Quiénes son ellas? Son Carmen, Ángela y Gloria.

¿Cómo son? Carmen es morena. Ángela es morena también. Y es muy bonita, ¿no?

Gloria no es morena; al contrario, es rubia. Es muy bonita y cómica.

Carmen

Ángela

Gloria

2

¿Son Carmen, Gloria y Ángela? ¡Sí! Carmen es baja y Ángela es alta. Gloria no es ni alta ni baja. Es mediana. Ángela también es delgada y atlética.

3

Ellas son Ana y Lupe. Ana es la amiga de Lupe. ¿Quién es tímida, Ana o Lupe? ¿Y quién es popular?

4

Jaime es un amigo de Carlos. Es alto y moreno. ¡Es muy elegante! Y es muy guapo, ¿no?

Carlos es muy cómico. No es alto; es bajo. Muy elegante no es . . . pero es muy atlético . . . y muy fuerte, ¿verdad? ¿Es moreno o pelirrojo?

5

¿Quiénes son? Pues, son Jaime, Carmen y Pirata, el perro. Jaime es alto y Carmen es baja, ¿verdad? Jaime es muy estudioso. Carmen también, y es muy inteligente.

6

¿Y Pirata? Pues, Pirata es muy bajo y muy gordo. No es inteligente; es tonto. No es bonito; es feo. ¿Es antipático? No, es muy simpático y muy, muy popular.

¿QUÉ DECIMOS...?

Al describir a una persona

1 Soy alto y moreno.

2 ¿Cómo eres tú?

3 Pues, . . . soy bonita.

4 ¡Eres muy guapo!

Adjectives
Used to describe people or animals

Singular adjectives whose masculine form ends in **-o** have two forms:

masculine	**-o**	delgad**o**
feminine	**-a**	delgad**a**

Most other singular adjectives have only one form:

fuert**e**
popula**r**

*See ¿***Por qué se dice así?***,
pages G10–G14, sections 1.5
and 1.6.*

Y
Used when listing

Use **y** when listing two or more traits.

Ella es modesta, inteligente **y** popular.

The word **y** is spelled **e** when the next word begins with **i** or **hi.**

Ella es bonita **e** inteligente.

*See ¿***Por qué se dice así?***,
page G12, section 1.6.*

Cognates
Vocabulary expansion

Many adjectives are cognates (words that look like English words). Learning to recognize them can greatly increase your vocabulary.

atlético(a)	modesto(a)
cómico(a)	nervioso(a)
elegante	organizado(a)
estudioso(a)	popular
extrovertido(a)	precioso(a)
generoso(a)	romántico(a)
inteligente	tímido(a)
interesante	tranquilo(a)

A. ¡Soy magnífico! The students from Montebello High are describing themselves. Who is talking: Jaime, Ana, Lupe, or Beto?

Jaime

Ana

Lupe

1. Soy muy tímida.
2. Soy grande, fuerte y guapo.
3. Soy inteligente.
4. Soy estudioso.
5. Soy flaco.
6. Soy bonita y popular.
7. Soy alto y moreno.

Beto

B. Mis nuevos amigos. Pilar is writing a letter home describing her new friends at Montebello High. What does she say?

MODELO **Lupe es bonita y morena.**

Lupe	fuerte	alto
Beto	popular	tonto
Ana	bonito	simpático
Jaime	inteligente	guapo
Pirata	flaco	estudioso

C. ¡Mi mejor amigo! From the list below, which traits do you consider most important in a best friend? Do you consider any traits unimportant?

MODELO **Mi mejor amigo(a) es . . .**

delgado	gordo	inteligente
grande	modesto	bonito
fuerte	popular	romántico
simpático	generoso	interesante
guapo	cómico	organizado
atlético	estudioso	tranquilo

CH. Persona famosa.   Describe your favorite movie star and rock star using the list below.

MODELO   **Tom Hanks es inteligente, delgado y cómico.**

bajo	bonito	rubio	elegante
tímido	cómico	pelirrojo	interesante
alto	atlético	moreno	inteligente
delgado	romántico	guapo	
tonto	feo	gordo	

D. No es así.   You and a friend met a new student named Gloria but are discovering that you did not meet the same person. What do you say?

 MODELO   alto
  You: **Es alta, ¿no?**
  Partner: **No, es baja.**

1. tímido
2. simpático
3. desorganizado
4. feo

5. moreno
6. gordo
7. tonto
8. tranquilo

**Tag questions:
¿verdad?, ¿no?**

Questions are frequently formed by adding **¿verdad?** or **¿no?** after an affirmative statement and **¿verdad?** after a negative statement.

Es muy inteligente, **¿no?**
No es cómico, **¿verdad?**

No
Used to negate

To make a sentence negative, place **no** in front of the verb.

Ella **no** es alta.
Mi profesora **no** es exigente.

E. Vecinos. You and your partner have moved into a new neighborhood. Take turns asking questions about your new neighbors.

MODELO Pablo Ledesma: delgado
You: **¿Es delgado Pablo Ledesma?**
Partner: **No. Pablo Ledesma no es delgado. Es gordo.**

Pablo Ledesma

Hortensia y Homero Carrillo

Estela y Antonio Romero

Susana

Cristóbal

Julia

Lobo

1. Homero Carrillo: alto
2. Hortensia Carrillo: baja
3. Antonio Romero: gordo
4. Estela Romero: alta
5. Susana: extrovertida
6. Cristóbal: flaco
7. Julia: modesta
8. Lobo: bonito

F. La familia de Pilar. These are pictures of Pilar's family. Describe the members of her family.

1. Papá

2. Mamá

3. Yolanda

4. Chato

5. Reina

G. Descripciones. Describe some of the people at your school. The words below may be helpful.

> **EJEMPLO**   el (la) director(a)
> **La directora es simpática y popular. No es ni alta ni baja.**

nervioso	grande
tímido	bajo
fuerte	romántico
alto	inteligente
exigente	simpático
popular	organizado

1. El (la) director(a)
2. El (la) profesor(a) de matemáticas
3. Mi profesor(a) de historia
4. El señor [*nombre*]
5. La señorita [*nombre*]
6. Mi amigo(a) [*nombre*]

H. ¡Yo soy editor! The editorial staff of your yearbook has asked you to write brief captions for the pictures of three classmates and yourself. Point out two or three positive characteristics in each description.

ni/ni
Used to negate

Neither/nor is **ni/ni** in Spanish.

No es **ni** alto **ni** bajo.

CHARLEMOS UN POCO MÁS

A. Hermanos. Margarita and Francisco are brother and sister. What differences and similarities do you see in them?

B. El profesor ideal. Working in pairs, decide what personality traits are most important in a good teacher. Complete the sentence **El profesor ideal es . . .** or **La profesora ideal es . . .** with as many adjectives as you consider important.

C. ¡Mi compañero(a) ideal! Interview three of your classmates to find out their idea of what the ideal companion or date is like. They will also be interviewing you, so be ready with the characteristics you consider most important.

EJEMPLO   **¿Cómo es tu compañero(a) ideal?**
¿Es alto(a)? ¿Es inteligente?

CH. ¡Misterio! You are halfway through a mystery novel and think that you know who the next victim will be. Working in groups of four, decide if the victim will be **1, 2, 3,** or **4.** Then write a description of the person. Read it to the class to see if they can identify the right picture.

D. ¿Cómo soy yo?   A friend has arranged a blind date for you. You have to describe yourself over the telephone so that your date will recognize you. You will also want to ask your date questions about himself or herself.

E. ¡Volibol!   Your teacher will give you a picture of six volleyball players in the school tournament. You don't know them. Describe each one until your partner can tell you the person's name. On a separate sheet of paper, write the name of each person in the correct order. You could begin by asking **¿Cómo se llama el (la) chico(a) alto(a) y . . . ?**

Dramatizaciones

A. ¡Socorro!   While shopping, you lost your little brother or sister in a store. Describe the child to the store detective.

- The detective will ask a variety of questions concerning the missing child's name, physical description, and personality traits.
- You will answer all the questions and volunteer any other pertinent information.

B. ¡Socorro (a continuación)!   Play the role of the little brother or sister talking to the store detective.

- The detective will ask a variety of questions concerning your older brother's or sister's name, physical description, and personality traits.
- You will answer all the questions.

C. ¡La cita ideal!   Play "The Ideal Date." You will need at least two contestants, one male and one female. While the contestants prepare questions outside the class, select the candidates—three girls and three boys. Devise a screen so the contestant cannot see the candidates. The teacher will play the role of the host.

CH. Video.   Your Spanish class is going to prepare a video of all class members to send to a sister school. Be prepared to describe yourself in thirty seconds in front of the camera.

LEAMOS AHORA

Reading strategy: Using cognates

A. Anticipemos. Before we read an advertisement, something usually draws our attention and makes us anticipate the information in it.

1. What draws your attention to the advertisement on the right?

2. What information do you expect to find in this advertisement? Write two things you expect this advertisement to say.

B. Palabras afines. Cognates *(palabras afines)* are words that look somewhat alike and have similar meanings in two languages. Spanish and English share many cognates, and learning to recognize them will increase your vocabulary very rapidly. Can you recognize these?

americano	protección	clásico	universidad
clase	fotografía	béisbol	

Now, working in pairs, list all the cognates you can find in the text of the advertisement on the right. Write the Spanish words and their English equivalents. You are not expected to understand every word in the advertisement. Simply focus on those words you do understand.

C. Diccionario geográfico. Now read the advertisement on the right, and then answer the **Verifiquemos** questions.

Verifiquemos

Check to see if you understood the reading.

1. This advertisement is for
  a. a universal history book.
  b. a geography textbook.
  c. an atlas.
  ch. a dictionary of geographical facts.

2. According to the ad, this book is ideal for
  a. students.
  b. teachers.
  c. Both of the above.
  ch. Neither of the above.

3. How many color pages are there in this book?

4. How many illustrations are there in this book?

5. This book has maps of
  a. North America.
  b. Spanish-speaking regions.
  c. Both of the above.
  ch. Neither of the above.

6. Which edition of the book is being advertised?
  a. The first.
  b. The second.
  c. The third.
  ch. It does not say.

Es práctico.

Es completo.

¡ES ÚNICO!

Este útil diccionario trae
más de 22.000 nombres
de países, regiones y
accidentes geográficos
del mundo. Una excelente
ayuda para estudiantes,
profesores y toda persona
que quiera enriquecer
sus conocimientos.

72 páginas a color.
Más de 500
ilustraciones
y recuadros. Tablas
estadísticas. Datos
sobre lugares
históricos,
zonas turísticas,
centros culturales.
Mapas físicos y
políticos de
continentes,
regiones y países.

Adquiera en
su puesto
de revistas
favorito.

El único
DICCIONARIO
GEOGRÁFICO
UNIVERSAL
en español

DICCIONARIO GEOGRÁFICO Universal

72 páginas a color

2da EDICIÓN REVISADA Y ACTUALIZADA

- Único en su clase.
- El primero en español.
- Más de 22.000 nombres de países, regiones y accidentes geográficos del mundo.
- Datos sobre lugares históricos, zonas turísticas, centros culturales.
- Tablas estadísticas.
- Más de 500 ilustraciones y recuadros.
- Mapas físicos y políticos

ESCRIBAMOS UN POCO

Writing strategy: **Brainstorming**

Imagine that you have just received the following short letter from Enrique Zapata, your new pen pal in Peru.

Lima, 10 de septiembre

Querido amigo:

¡Hola! ¿Cómo estás? ¡Yo... estupendo!
Me llamo Enrique Zapata. Soy de Perú, de Lima.
No soy tímido. Soy alto, moreno y guapo.
También soy romántico y muy popular.
¿Cómo eres tú?

Un amigo sudamericano

Enrique

You now need to answer his letter. Your writing will be easier if you follow these steps.

A. Planeando. Before writing, a good writer always plans what she or he is going to write. Good planning includes thinking about these three important questions:

1. **¿Para quién escribo?**   *For whom am I writing?*
2. **¿Por qué escribo?**   *Why am I writing?*
3. **¿De qué escribo?**   *About what am I writing?*

B. Empezando. When you begin to write, try to assemble all of your ideas first. One way to organize your thoughts before writing is to brainstorm a list of everything you might say. Then you can decide what to include, what to leave out, and how to organize what you write.

At the top of the next page is the brainstorming list that Enrique made when he was preparing to write you. Read the letter and study Enrique's brainstorming list. Did Enrique's letter include all the information in his list? If not, what did he leave out?

¡Hola!   estudioso   ¿y tú?
nombre   inteligente   ...¿nombre?
popular   romántico   ...¿Cómo estás?
de Lima   no tonto   ...¿Cómo eres?
de Perú   moreno   ...¿tu familia?
no tímido   delgado
atlético   alto   ...¿tu escuela?
modesto   guapo   ...¿tus profesores?

C. Organizando. Below is a drawing of the brainstorming cluster that Enrique Zapata made to organize the information in his brainstorming list.

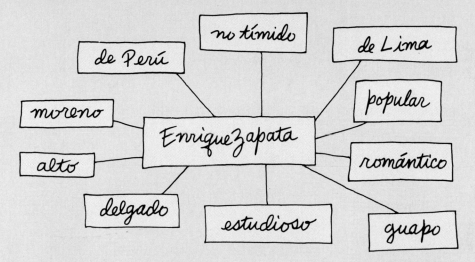

1. What did he decide should be the main theme of his letter?
2. What type of information about himself did he leave out of his letter?
3. What type of information about you did he decide not to request?
4. Is there anything he left out that you wish he had included? What?

CH. Escribiendo. List all the things you might want to write Enrique in Spanish. Then study your list and choose one main topic to write about. From your list select all the information related to your main topic. You may find it helpful to draw a cluster as Enrique did. Use the information to write a brief response to Enrique's letter.

D. Compartiendo. Share a first draft of your letter with a couple of classmates. Ask them what they think about it. Is there anything they don't understand? Is there anything they feel should be changed?

E. Revisando. Rewrite your letter and turn it in to your teacher. Change anything you want based on your classmates' comments. You may add, subtract, or reorder what is in the letter.

¡Es hora de clase!

Océano Atlántico

San Juan

PUERTO RICO

Mayagüez

Ponce

25 Kilómetros

25 Millas

Mar Caribe

¡Tengo historia ahora !

Colegio San Martín

Estudiante: Santarina Flores, Olga María   **Año:** Segundo

	LUNES	MARTES	MIÉRCOLES	JUEVES	VIERNES	SÁBADO
9:00	Álgebra 2	Educación física	Álgebra 2	Educación física	Álgebra 2	Folklore de Venezuela
10:00	Inglés 8	Inglés 8	Inglés 8	Inglés 8	Inglés 8	Folklore de Venezuela
11:00	Historia de Venezuela	Historia de Venezuela	Geografía política	Historia de Venezuela	Dibujo	Gimnasia
12:00	Química 1	Química 1	Educación familiar	Computación	Computación	Gimnasia
3:00	Castellano: Literatura	Castellano: Literatura		Castellano: Composición	Castellano: Composición	
4:00	Gimnasia	Álgebra 2		Química 1	Ciencias naturales	
5:00	Música	Álgebra 2		Química 1	Ciencias naturales	
6:00	Francés 3	Francés 3		Francés 3	Francés 3	

¿Qué piensas tú?

1. Whose schedule is this? What school does the student go to?

2. Although the subjects are written in Spanish, you probably have little trouble determining what most of them are. What are they? How do you know? Can you make any guesses about the ones you're not sure of?

3. What information is in the schedule? How often do classes meet? How long is the school day? How long is a class period?

4. In what country do you think the school is located? Why?

5. What similarities are there between your school schedule and this one? What differences?

6. Are there any courses in this schedule that you would like to see your school offer? Why?

7. What differences, do you think, you might find in schedules from other Spanish-speaking areas—for example, Spain, Mexico, or Puerto Rico?

8. What do you think you will be able to talk about when you have finished this lesson?

1

Estos chicos son estudiantes en la escuela Robinson, en San Juan, Puerto Rico. Son Sara, Mónica, Raúl y Esteban.

4

Sara: Oye, Raúl, ¿a qué hora es la clase de química? ¿Y dónde?

Raúl: Pues, aquí en la sala diecisiete a las diez y media.

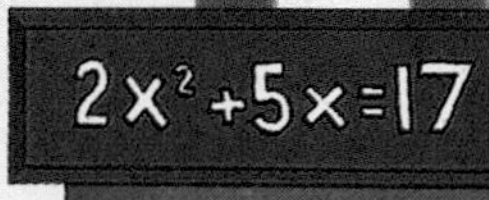

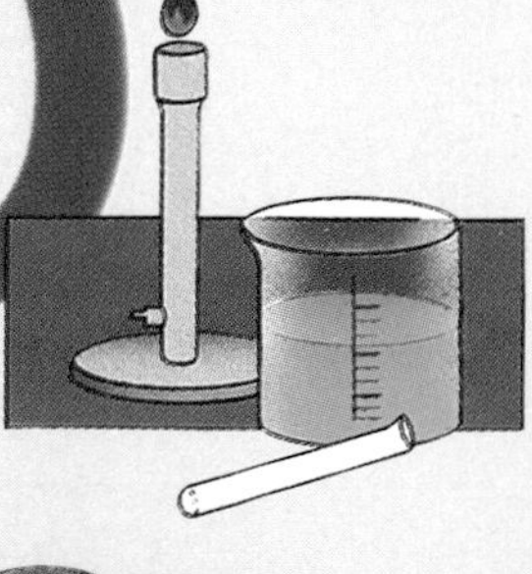

3

Esteban: ¿Qué hora es? ¡Uy! ¡Son las nueve . . . y tengo educación física a las nueve y cinco! Adiós.

$$2x^2 + 5x = 17$$

2

Esteban: Hoy es jueves. Tengo cuatro clases por la mañana: computación, gimnasia, química, matemáticas. ¿Qué clases tienes tú?

5

Esteban: *Sara, es la una . . . Tienes historia ahora, ¿no?*

Sara: *No, Esteban. Yo tengo historia los lunes, miércoles y viernes.*

6

Sara: Oye, Raúl, ¿qué clase tienes a las dos menos cuarto?

Raúl: Español con la Sra. Rodríguez.

Sara: ¡Yo también! Tenemos español juntos.

7

Sara: ¡Ay, por fin son las tres y diez! Oye, Mónica, ¿vamos a estudiar inglés juntas?

Mónica: ¿Cuándo? ¿Por la noche?

Sara: Sí, a las siete, en mi casa.

Mónica: Muy bien, Sara. ¡Hasta luego!

¿QUÉ DECIMOS...?

Al hablar de horarios y clases

1 **¡Qué confusión!**

2 ¿Qué hora es?

3 ¿Cuál es tu teléfono?

CHARLEMOS UN POCO

A. Mi nueva escuela.   Carlos is telling his family about his new school.   Would he say each of the following?   Answer **sí** or **no** based on what you know about Carlos and his friends.

1. Sara Torres es una nueva amiga.
2. Tengo geografía con Sara.
3. Tengo geografía los lunes.
4. Tengo la clase de inglés con Sara.
5. Tengo computación los martes.
6. Tengo educación física con Raúl.
7. La clase de computación es interesante.
8. La profesora de computación no es exigente.
9. Raúl tiene computadora en casa.
10. Vamos a estudiar juntos esta noche.

B. Mi número de teléfono.   Ask four classmates their telephone numbers and give them yours.

EJEMPLO   698-7341
>You: **¿Cuál es tu número de teléfono?**
>Partner: **Es el seis, nueve, ocho, siete, tres, cuatro, uno.**

C. ¿Diga?   In many Spanish-speaking countries, phone numbers are written and said in pairs, starting with the second digit.   How would you say these numbers?

MODELO   721 1401 (7-21-14-01)
>**Siete, veintiuno, catorce, cero, uno.**

1. 917 2623	**5.** 414 2221	**8.** 524 1220
2. 305 3013	**6.** 728 1815	**9.** 615 3003
3. 829 1127	**7.** 225 1909	**10.** 914 1121
4. 616 0110		

CH. ¿Qué hay en tu casa?   Ask your partner if there are any of the following items in his or her room at home.

MODELO   foto
>You: **¿Hay fotos?**
>Partner: **Sí, hay (seis) fotos.** o
>   **No, no hay fotos.**

1. carpeta	5. bolígrafo	9. mesa
2. papel	6. lápiz	10. libro
3. diccionario	7. computadora	11. reloj
4. mochila	8. cuaderno	12. borrador

Numbers 0–30

0	cero	16	dieciséis
1	uno	17	diecisiete
2	dos	18	dieciocho
3	tres	19	diecinueve
4	cuatro	20	veinte
5	cinco	21	veintiuno
6	seis	22	veintidós
7	siete	23	veintitrés
8	ocho	24	veinticuatro
9	nueve	25	veinticinco
10	diez	26	veintiséis
11	once	27	veintisiete
12	doce	28	veintiocho
13	trece	29	veintinueve
14	catorce	30	treinta
15	quince		

See **¿Por qué se dice así?**, *page G15, section 2.1.*

Plural nouns

Singular	Plural
chic**a**	chic**as**
directo**r**	director**es**
lápi**z**	lápi**ces**

See **¿Por qué se dice así?**, *page G16, section 2.2.*

D. ¡Fútbol!   Your friend missed the homecoming game and wants to know who was there. What do you say?

MODELO   señor Pérez / no
              Partner: **¿Y el señor Pérez?**
              You: **El señor Pérez, no.**

1. director de la escuela / sí
2. profesores de español / no
3. chicas de Cuba / sí
4. señor Medina / no
5. señorita Rivera / sí
6. doctora García / sí
7. estudiantes de Colombia / sí
8. amigas de Sara / sí
9. profesor Johnson / no
10. señora Muñoz / no

The definite article with titles

In Spanish, the definite article is used when referring to people by a title, such as **señora (Sra.)**, **doctor (Dr.)**, etc.

El señor Romero es mi profesor.
¿Cómo está **la** doctora Castillo?
Los señores Ortega son muy
    simpáticos.

E. ¿Qué hora es?   Your best friend forgot to wear a watch today and keeps asking you for the time. What do you say?

MODELO   **Son las once y cinco.**

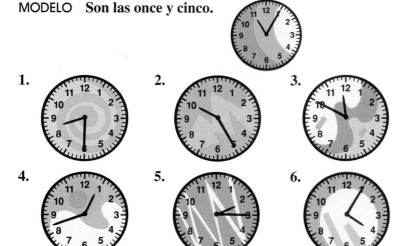

1.
2.
3.
4.
5.
6.

Asking for and giving the time

¿Qué hora es?

Son las nueve.

 **Es la una y cuarto.**

**Son las once
y media.**

 **Son las cinco
menos diez.**

See **¿Por qué se dice así?**,
page G18, section 2.3.

F. ¿A qué hora es?   Look at the schedule below as you answer your teacher's questions concerning Lupe's classes.

MODELO   ¿A qué hora es la clase de álgebra de Lupe?
              A las ocho y cuarto.

LUNES 28	SEPTIEMBRE
8:15 álgebra	1:00 almuerzo
9:30 historia	3:10 español
10:50 literatura	4:40 música
11:55 geografía	6:00 educación física

Tener: Singular forms

Tengo español a las ocho.
¿Cuándo **tienes** historia?
Mario no **tiene** álgebra hoy.

See **¿Por qué se dice así?**,
page G20, section 2.4.

The days of the week and the definite article

Used when saying *on* what day(s) something occurs

The days of the week are **lunes, martes, miércoles, jueves, viernes, sábado,** and **domingo.**

el / los + [*day(s) of week*]

Carlos tiene un examen **el** jueves.
No hay clases **los** sábados.

Time and the preposition *de*

When mentioning a specific time, use

de + { **la mañana**
la tarde
la noche }

Mi clase de química es a las 8:10 **de la mañana.**
Tengo arte a las 2:30 **de la tarde.**

See **¿Por qué se dice así?**,
page G18, section 2.3.

Time and the preposition *por*

When a specific time is not mentioned, use

por + { **la mañana**
la tarde
la noche }

Tengo inglés **por la mañana.**

See **¿Por qué se dice así?**,
page G18, section 2.3.

G. ¡Qué confusión! Use the schedule below to answer a confused friend's questions about your schedule.

 MODELO   gimnasia
Partner: **¿Cuándo tienes gimnasia?**
You: **Tengo gimnasia los martes y jueves.**

	Horario de clases					
Hora	**Materia**	**Días**			**Profesor**	**Sala**
9:00	Computación	l	m	v	Srta. Rivera	38
	Gimnasia		m	j	Sr. López	Gim.
10:00	Español	l m m j v			Sra. Salas	17A
11:00	Inglés	l	m	v	Sr. Wall	21
12:00	Ciencias naturales	l m m j v			Sra. Guzmán	10B
1:00	Almuerzo					
2:00	Álgebra	l m m j v			Sra. Estrada	32
3:00	Historia	l	m	v	Sr. Arenas	30

H. ¡Ayúdame! Pat is taking a geography exam. Help her answer these questions regarding time zones: **Cuando son las 12:15 de la tarde en San Francisco, California, ¿qué hora es en . . . ?**

MODELO   la Ciudad de México (+2)
Son las dos y cuarto de la tarde.

1. Buenos Aires, Argentina (+5)
2. San Antonio, Texas (+2)
3. Quito, Ecuador (+3)
4. Madrid, España (+9)
5. Anchorage, Alaska (-1)
6. Ciudad Guatemala, Guatemala (+2)
7. París, Francia (+9)
8. Caracas, Venezuela (+4)

I. ¿Por la mañana o por la tarde? Find out when your partner's classes meet.

EJEMPLO   You: **¿Tienes biología por la mañana o por la tarde?**
Partner: **Tengo biología a las diez y diez de la mañana.** o **No tengo biología.**

J. El laboratorio de computación.
Your school has just installed a new computer lab. Tell what it has.

MODELO   25

**El nuevo laboratorio de computación
tiene veinticinco computadoras.**

1. 28    **3.** 30   **5.** 27

2. 26   **4.** 7   **6.** 20

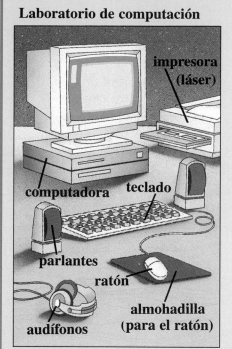

Laboratorio de computación

impresora (láser)

computadora   teclado

parlantes

ratón

audífonos

almohadilla (para el ratón)

CHARLEMOS UN POCO MÁS

A. Mi horario ideal.
When would you like to have the following classes? Make a schedule of these classes. Begin at 8:00 A.M. and end at 3:00 P.M. Classes do not have to meet every day. Lunch (**almuerzo**) may be no longer than forty-five minutes.

educación física	inglés	matemáticas
hora de estudio	ciencias	español
historia	música	

- Ask several classmates at what time and on which days they are taking each class and tell them about your schedule.
- Find one person who has one or more classes at the same time and on the same days that you do.

B. ¿Cuándo tienes. . .?
You are comparing classes with a friend over the phone. Using the schedules your teacher provides, ask each other about specific classes, times, teachers, room numbers, etc. in order to find out if you and your partner have any classes together.

C. ¡A escribir!
Write a brief description of your favorite class this semester by answering each of the following questions.

¿Cuál es tu clase favorita?   **¿Quién es el (la) profesor(a)?**
¿Cuándo es?   **¿Cómo es el (la) profesor(a)?**

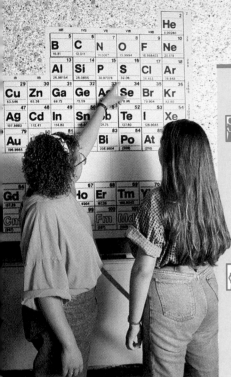

Dramatizaciones

A. **¡Qué horario!** In a role play with two classmates, compare your class schedules and teachers. Ask for information about your friends' schedules and teachers, and tell them about your schedule and teachers. Some questions you might want to ask are:

¿Qué tienes los lunes a las . . . ?
¿Cómo es el profesor de . . . ?
¿A qué hora es tu clase de . . . ?

B. **La nueva escuela.** You run into a friend who has moved and is no longer attending your school.

- Greet each other.
- Ask your friend what the new school is like.
- Find out what classes your friend is taking and what his or her teachers are like.
- Tell what your favorite class is and why. Mention when it meets and what the teacher is like.
- Say good-bye.

¡No me digas!

El horario de Andrea. Tom has just received a letter from Andrea, a Venezuelan friend who spent a year at Montebello High. Their friend Carla asks how Andrea is getting along. Read the conversation. Then answer the question that follows to explain Carla's reaction.

Carla:	**Hola, Tom.**
Tom:	**¿Qué tal, Carla? Mira, tengo una carta de Venezuela, de Andrea.**
Carla:	**¿Cómo está Andrea?**
Tom:	**Bien. Pero tiene un horario horrible. ¡Tiene quince clases!**
Carla:	**¿Quince clases? ¡No es posible!**

▶ Why does Carla have trouble believing what Tom tells her about Andrea's schedule?

1. She thinks that only the smartest students are allowed to take so many classes.

2. She doesn't know that Andrea's schedule is typical of school schedules in some Spanish-speaking countries.

3. She thinks that Andrea was exaggerating in her letter.

❏ Check your answer on page 417.

Y ahora, ¡a leer!

Antes de empezar

1. Besides your name and grades, what other information always appears on your report cards?
2. What kind of grades does your school give: letter grades *(A-B-C-D-F)* with plus *(+)* and minus *(−)* signs, numerical grades *(1–100),* or another form of grades?
3. Who generally signs your report cards?

Calificaciones

Generalmente los estudiantes en Latinoamérica y en España reciben calificaciones de cero a diez, no calificaciones de A a F. Un diez es la nota más alta; un cero es la más baja. La interpretación de los números normalmente es la siguiente:

10	Excelente
9	Muy bien
8	Bien
7	Regular
6	Suficiente
5 o menos	Insuficiente

Verifiquemos

1. What is the name of the student who received this report card? What is the name of the school? Who is the principal of the school?
2. The school is in a neighborhood called **Las Palmas.** In what city is it located? In what country?
3. How many courses did this student take?
4. What grades did the student receive? How are they different from the letter grades in the United States? What are the highest grades the student received? In what courses?

Boleta

This is a first-year high school student's report card. Study it, and then answer the **Verifiquemos** questions across the bottom of the pages.

GOBIERNO DEL ESTADO DE MEXICO	SECRETARIA DE EDUCACION, CULTURA Y BIENESTAR SOCIAL	DIRECCION GENERAL DE EDUCACION	DEPARTAMENTO DE EDUCACION MEDIA BASICA

BOLETA

LA DIRECCION DE LA ESCUELA

NOMBRE
OFIC NO 0307 "DR. ALFONSO GARCIA ROBLES"   CLAVE 15EES00590

ESTABLECIDA EN   LAS PALMAS

MUNICIPIO DE   NEZAHUALCOYOTL

HACE CONSTAR QUE SEGUN REGISTROS QUE OBRAN EN SU ARCHIVO, EN EL CICLO ESCOLAR _ _ 1996 – 1997 _ _

VERONICA ALCANTAR RAMIREZ

ALUMNO DEL PRIMER AÑO DE SECUNDARIA GRUPO   C   SE SOMETIO A LAS EVALUACIONES FINALES DE LOS PROGRAMAS CURRICULARES Y OBTUVO LAS CALIFICACIONES QUE A CONTINUACION SE EXPRESAN:

AREAS	CALIFICACION FINAL	RESULTADO
ESPAÑOL	9	ACREDITADA
MATEMATICAS	8	ACREDITADA
CIENCIAS NATURALES	8	ACREDITADA
CIENCIAS SOCIALES	8	ACREDITADA
LENGUA EXTRANJERA	8	ACREDITADA
EDUCACION ARTISTICA	9	ACREDITADA
EDUCACION TECNOLOGICA	7	ACREDITADA
EDUCACION FISICA	8	ACREDITADA

CLAVES	LENGUA EXTRANJERA	EDUC. TECNOLOGICA
	1	13

LAS PALMAS   X., A   2   DE   JULIO   DE 19   97

EL DIRECTOR DE LA ESCUELA

ENRIQUE MACIAS ROMERO

050190
FOLIO

EBC. BEC, OF, ESI, BOY
PREMIO NOBEL 1982
ALFONSO GARCIA ROBLES

---

5. What is the highest grade possible? The lowest? Did the student fail any courses? How do you know?

6. Overall, do you believe this is a good student or a poor student? Why?

7. Do students at this high school take the same number of courses as you do in your freshman year? Are there any differences? If so, what are they?

Somos fantásticos, ¿no?

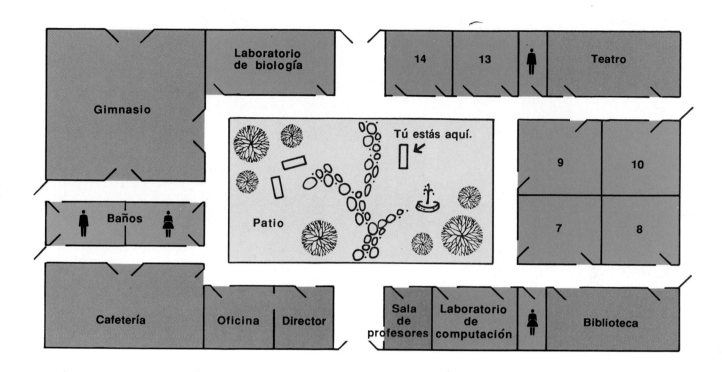

¿Qué piensas tú?

This diagram might be given to a new student or a parent visiting school.
Although the labels are in Spanish and you have not learned all the words
yet, you will probably be able to answer the following questions.

1. What does **Tú estás aquí** probably mean?
Why do you think so?

2. Locate these places on the diagram: the
cafeteria, the rest rooms, the gym, the office, the library, the computer laboratory,
the principal's office, the theater, the
teachers' workroom. How did you
determine which room was which?

3. What do your school and the school in the
diagram have in common? How are they
different?

4. Do you think the school on the left is
somewhere in the United States or somewhere else in the world? Why?

5. The students at the school on the left are as
widely varied as students at your school.
You probably know someone who loves
math, and you probably know someone who
hates it. Each of them would describe math
and their math teachers in different terms.
What might each of them say? How can
you explain such opposing points of view?

6. What similarities and differences would you
expect to find between your school and a
school in Spain? In Mexico? In Puerto
Rico?

7. What do you think you will be able to talk
about when you have finished this lesson?

¡Hola! Soy Carmen.

Y yo soy Raúl.

1

Somos estudiantes aquí en la escuela Robinson. Es un colegio fantástico. Vamos a visitar unas clases.

2

Estos estudiantes están en una clase de español. Es una clase estupenda. El profesor es muy divertido y la clase también es divertida.

3

Aquí tienen una clase de computación. Las computadoras son nuevas y las clases son muy populares.

5 Estos estudiantes están en el laboratorio de química. ¡Qué serios!, ¿verdad? ¿Por qué? Porque los experimentos son difíciles . . . difíciles pero interesantes.

4 Es el recreo. Aquí estamos mis amigos y yo en el patio. Tengo unos amigos fantásticos. Son simpáticos, inteligentes y divertidos.

6 Ah, aquí están los profesores. Unos son serios; otros son divertidos; otros, exigentes. ¡Pero todos son muy buenos!

7 Bueno. Ésta es la escuela. Es excelente, ¿verdad? Los profesores son muy buenos, las clases son interesantes . . . Y los estudiantes, pues . . . somos fantásticos, ¿no?

¿QUÉ DECIMOS...?

Al hablar de los profesores

1 *¿Dónde está?*

2 *Somos muy simpáticos.*

3 Es muy simpática.

4 ¡Es tan guapo!

CHARLEMOS UN POCO

A. ¿Cómo son? Describe a los profesores y estudiantes de la escuela Robinson.

MODELO **El señor Arenas es alto.**

guapo
muy buena
alto
desorganizada
estupendo
simpática
moreno
perfeccionista

Sra. Estrada

Sr. Arenas

MODELO **Los profesores son excelentes.**

simpáticos	excelentes	divertidas
interesantes	fantásticas	

profesores   **estudiantes**

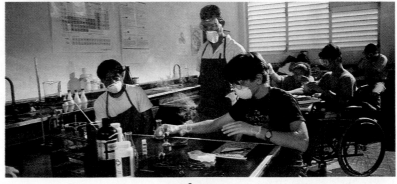
clases

Plural adjectives
Used to describe several people or things

Mis amigas y yo somos simpátic**as**.
Los buen**os** estudiantes son divertid**os** e inteligent**es**.

Note: The word **y** (*and*) becomes **e** whenever it comes before a word beginning with **i** or **hi**.

*See ¿***Por qué se dice así?,**
page G22, section 2.5.

The verb *ser*: Plural forms

nosotros(as)	**somos**
ustedes	**son**
ellos, ellas	**son**

Mis amigos **son** inteligentes y simpáticos.
Sí, y **somos** muy divertidos también.
Pero ustedes no **son** muy modestos.

*See ¿***Por qué se dice así?,**
pages G24–G26, sections 2.6–2.7.

B. ¡Somos estupendos! Prepara una lista de las características de los buenos estudiantes.

 MODELO   **Los buenos estudiantes son estudiosos, . . .**

cómico	organizado	estupendo
estudioso	perfeccionista	interesante
exigente	romántico	simpático
generoso	atlético	popular
tímido	divertido	modesto
inteligente	fuerte	¿ . . . ?

C. ¿Y los buenos profesores? En grupos pequeños, preparen una lista de las características de los buenos profesores.

CH. Somos amigos. Most close friends have a lot in common. How are you and your best friend alike?

MODELO   divertido
Somos divertidos(as). o
No somos divertidos(as).

divertido	simpático
organizado	aburrido
cómico	generoso
romántico	atlético
tímido	¿ . . . ?

D. ¡Qué criticones! How do you respond to your friend's criticism of your computer?

 MODELO   computadora: fatal / fantástico
Partner: **La computadora es fatal.**
You: **¡No! La computadora es fantástica.**

1. cables: corto / largo
2. teclado: complicado / simple
3. micrófono: grande / pequeño
4. disco rígido: viejo / nuevo
5. diskettes: usado / nuevo
6. módem: lento / rápido
7. software: difícil / fácil
8. hardware: caro / barato

La computadora

ratón   almohadilla (para el ratón)

parlantes   audífonos

monitor   disco compacto (CD-ROM)

impresora (láser)   teclado

reproductor de CD-ROM   módem (fax / módem)

diskette / floppy   disco duro / rígido

cables

micrófono   computadora

Vocabulario adicional:
hardware
software

The verb *estar*
Used to talk about location of
people or things

¿Dónde **estás**?
Estoy en la biblioteca.
Lupe y yo **estamos** aquí.
Julio y María **están** en el patio.

See **¿Por qué se dice así?**,
page G26, section 2.8.

E. ¿Dónde está . . . ? Ask your partner where you can find the
following people.

> MODELO Sra. Torres
> > You: **¿Dónde está la señora Torres?**
> > Partner: **Está en la sala de matemáticas.**

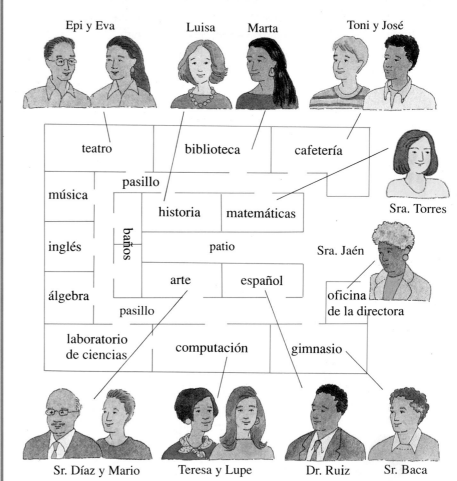

1. Teresa y Lupe
2. Sr. Díaz y Mario
3. Sra. Jaén
4. Dr. Ruiz
5. Toni y José
6. Marta
7. Sr. Baca
8. Luisa
9. Epi y Eva

F. ¿Y a las diez? Your partner wants to know where you are at
certain times of the day. What do you say?

> MODELO 8:00 A.M.
> > Partner: **¿Dónde estás a las ocho de la mañana?**
> > You: **Estoy en casa.**

1. 8:45 A.M.
2. 10:30 A.M.
3. 12:10 P.M.
4. 1:50 P.M.
5. 9:15 A.M.
6. 11:40 A.M.
7. 1:00 P.M.
8. 2:30 P.M.

G. ¡Una nueva computadora! Roberto updated all the computers in his school. Some were fine; others needed new things. Now he's reporting his findings to the principal.

MODELO   3:   2 álgebra, 1 biblioteca
You: **Tenemos tres teclados nuevos.**
Partner: **¿Dónde están?**
You: **Dos están en la sala de álgebra y uno está en la biblioteca.**

1. 5:   4 computación, 1 director

2. 2:   1 español, 1 matemáticas

3. 11:   6 música, 5 francés

4. 4:   2 ciencias, 2 biblioteca

5. 14:   9 álgebra, 5 computación

6. 30:   15 inglés, 15 historia

CHARLEMOS UN POCO MÁS

A. ¡Ahora mismo! Tell where the following people are right now.

EJEMPLO   **Mi amigo Tom está en el patio.**

mi amiga(o) . . .	clase de . . .	gimnasio
mi amigo(a) . . . y yo	español	biblioteca
el (la) director(a) . . .	música	cafetería
mis amigos(as) . . . y . . .	teatro	oficina del director
el profesor . . .	arte	laboratorio de ciencias
la profesora . . .	matemáticas	patio
yo	inglés	
	computación	

B. ¿Quiénes somos? Assume you are a member of your favorite pop music group. Develop a list of characteristics of your group. Then read your list to your classmates to see if they can guess the name of your group.

C. Visita a la universidad. Your teacher will give you a university map with a list of several people's names. Your partner will get a copy of the same map showing where the people are. Ask your partner where each person is so that you may locate him or her on your map. You may speak only Spanish during this activity and may not look at each other's maps.

CH. ¡A escribir! Write either a short description about **Los profesores de** *[your school]* or a short article on **Las nuevas computadoras en la clase de español** to be included in the Spanish Club newsletter.

Dramatizaciones

A. ¿Hay recados? Your partner works as a student assistant in the school office. Four urgent messages are received for four different students. Role-play the conversation between the assistant principal and the student assistant.

Student Assistant	**Assistant Principal**
▪ Ask if there are any messages (**recados**).	▪ Say there are four messages and say who they are for.
▪ Ask where one student is.	▪ Tell what class the student is in (include the subject, teacher's name, and room number).
▪ Find out what the student looks like.	▪ Describe the student.

Repeat the process for each of the remaining students.

B. ¿Y la nueva escuela? A good friend who moved to another city has returned to visit you six months later. Role-play the situation with a partner.

▪ Greet each other appropriately.
▪ Exchange information about school, classes, teachers, students, and your latest interest, computers.
▪ Ask questions to get detailed information, such as why your friend likes a particular class or teacher or if his computer has a . . .

¡No me digas!

¡Qué inteligente! Bill, an exchange student, is being introduced to Sonia's younger brother, José Antonio. Read their conversation. Then answer the question that follows.

Sonia:	**Oye, José Antonio, quiero presentarte a mi amigo Bill.**
José Antonio:	**Mucho gusto.**
Bill:	**El gusto es mío, José Antonio.**
José Antonio:	**Perdona, Sonia. Tengo que estar en el colegio en media hora. Con permiso.**
Bill:	**¡En el colegio! Pero, ¿cuántos años tiene José Antonio? ¿Quince? ¿Dieciséis? ¿Y ya está en la universidad?**
Sonia:	**¡Bill, por favor! José Antonio va al Colegio San José conmigo. ¡Qué ridículo eres!**

▶ Why does Sonia say Bill is being ridiculous?

1. Bill misinterpreted the name of José Antonio's school.
2. Bill thinks José Antonio is too old to be going to college.
3. Bill did not realize that Sonia's younger brother was a whiz kid.

❏ Check your answer on page 417.

Y ahora, ¡a leer!

Antes de empezar

1. If you are in a public school, have you ever attended a private school? If you are in a private school, have you ever attended a public school? If so, when, where, and what was it like?
2. How many private schools are there in your community? What are they, and what do they teach?
3. What advantages and/or disadvantages do you think going to a private school might have? Going to a public school?

Verifiquemos

After reading the advertisement on the next page, verify your understanding by completing or answering the following items.

1. This advertisement is for a bilingual
   a. college.
   b. university.
   c. school.
   d. All of the above.

2. The teachers at the **Colegio Americano Bilingüe**
   a. are all from the United States.
   b. are all from Spain.
   c. include both native and bilingual speakers.
   d. None of the above.

3. The classes are from
   a. 9:00 A.M. to 4:30 P.M.
   b. 9:00 A.M. to 5:30 P.M.
   c. 7:45 A.M. to 5:30 P.M.
   d. 7:45 A.M. to 6:30 P.M.

4. What do you think **guardería** means? Why?

5. What is the address of the **Colegio Americano Bilingüe**?

6. How can you get more information?

Colegio
Americano
Bilingüe

HILL HOUSE MONTESSORI SCHOOL

14
años de
experiencia

- Enseñanza reconocida por el Ministerio de Educación de España y EE.UU.
- Método abierto e individualizado MONTESSORI.
- Profesorado Licenciado, nativos y bilingües.
- Departamento de Educación Especial y Psicología.
- Horario de Colegio: de 9 a 4.30.
- Horario extendido de guardería: de 7.45 a 6.30.
- Informática.

- **Para información y reservas:**
  Avenida de Alfonso XIII, 30-34.
  Tels. 413 22 53 y 416 09 52

¿Qué vas a hacer?

¿ Qué piensas tú ?

1. What are the people in these photos doing?

2. Which of the activities that you see in these photos do you expect to do after school today?

3. Which of these activities are things you have to do sometimes?

4. What things do American teenagers typically like to do? What things do American teenagers typically have to do?

5. What do you think teenagers in Mexico, Spain, Puerto Rico, or Argentina like to do? What do you suppose they have to do? How do you account for the similarities between their lives and your own? How do you account for the differences?

6. Would you expect to have more in common with teenagers in some of these places than in others? Why?

7. What do you think you will be able to talk about when you have finished this lesson?

Es miércoles y Sara, Raúl y Esteban hablan después de clases.

1

Esteban: Hola, Raúl. Hola, Sara.

Raúl: Hola, Esteban.

Sara: Hola.

Esteban: ¿Qué van a hacer esta tarde?

Raúl: Vamos a estudiar.

Sara: Sí, tenemos tres exámenes mañana.

Esteban: ¡Qué lástima!

2

Srta. Rivera: Buenas tardes.

Esteban: Hola.

Sara: Srta. Rivera, ¿qué va a hacer usted mañana?

Srta. Rivera: Tengo que calificar exámenes. Qué lástima, ¿verdad?

Raúl: Sí, ¡qué lástima!

3

Sara: Bueno, ¿y qué van a hacer ustedes esta tarde?

Esteban: Yo voy a correr un rato.

Sara: ¿Y tú, Carmen?

Carmen: Voy a hablar por teléfono . . . con Tomás.

4

Mónica: Hola, Tomás. ¿Qué van a hacer esta tarde?

Tomás: Carlos y yo vamos a jugar básquetbol. Tenemos práctica a las tres. ¿Y tú, Mónica?

Mónica: ¿Yo? Ahora tengo una clase de baile.

5

Carlos: Oye, Tomás, ¿qué vas a hacer el sábado por la tarde?

Tomás: Voy a salir con mi amiga Carmen.

Carlos: ¿Y qué van a hacer?

Tomás: Vamos a comer pizza y pasear.

6

Srta. Rivera: ¿Qué vas a hacer el sábado por la mañana?

Sr. Arenas: Voy a limpiar la casa. Por la tarde, voy a hacer una comida para unos amigos. Y usted, Sra. Estrada, ¿va a limpiar la casa el sábado por la noche?

Sra. Estrada: No. No voy a trabajar. Voy a alquilar una película.

7

Sara: ¿Qué va a hacer Tomás el domingo por la tarde? ¿Pasear en bicicleta?

Carmen: No, tiene que hacer la tarea.

¿Y tú? ¿Qué vas a hacer este fin de semana? ¿Y qué tienes que hacer para el lunes?

¿QUÉ DECIMOS...?

Al hablar de lo que vamos a hacer

1 ¿Qué planes tienes tú?

2 ¡Uf! Tengo tanto que hacer.

3 *Tenemos práctica de básquetbol.*

4 *¿Vas a esperar el autobús?*

CHARLEMOS UN POCO

A. ¿Quién habla? Los estudiantes y los profesores de la escuela Robinson hablan de sus planes. ¿Quién habla?

Srta. Rivera   Sr. Arenas   Carlos   Raúl   Sara

1. Tengo que trabajar esta tarde.
2. Tengo que limpiar la casa.
3. Voy a comer algo.
4. Voy a estudiar inglés. Tengo examen mañana.
5. Voy a correr.
6. Tengo que calificar exámenes.
7. Todavía no tengo planes.
8. No voy a la práctica de básquetbol.

B. Después de clase. ¿Qué van a hacer estos chicos hoy?

MODELO alquilar un video
Andrés va a alquilar un video.

Andrés   1. Lisa   2. Bárbara   3. Ramón

4. Luisa   5. Juana   6. Salvador   7. Gustavo

a. jugar básquetbol
b. estudiar
c. correr
ch. pasear en bicicleta
d. limpiar la casa
e. hablar por teléfono
f. comer pizza

Infinitives

The **-ar, -er,** and **-ir** form of the verb is called the infinitive. Infinitives name actions—for example:

habl**ar**   *to talk*
corr**er**   *to run*
escrib**ir**   *to write*

See **¿Por qué se dice así?**, *page G28, section 2.9.*

C. Hoy, por la tarde. ¿Qué planes tienen tú y tus amigos hoy?

EJEMPLO   **Mis amigos Hugo y Martín van a estudiar juntos.**

mi amiga . . .	estudiar para un examen
mis amigos . . .	pasear en bicicleta
tú	jugar fútbol
mi amiga . . . y yo	leer un libro
mis amigas . . .	escribir cartas
todos ustedes	hacer la tarea
yo	trabajar
	ver la tele
	estudiar juntos(as)

CH. ¿Cuándo? Assume you will do the following things tomorrow. Put them in order and tell at what time you will do each one.

EJEMPLO   hacer mi tarea
          Voy a hacer mi tarea a las 4:00 de la tarde.

1. alquilar una película
2. ir a la escuela
3. hacer una comida
4. beber un refresco
5. hacer mi tarea
6. hablar por teléfono
7. leer un poco
8. ver la tele

D. ¿Qué va a hacer? ¿Qué va a hacer este estudiante la semana del 21 de octubre?

MODELO   **El lunes a las cuatro va a estudiar con Carlos.**

OCTUBRE

lunes   21
4:00 estudiar con Carlos
6:00 hacer la comida

martes   22
5:30 ir a la clase de piano

miércoles   23
3:00 jugar tenis

jueves   24
6:00 ver un video
con Ana

viernes   25
8:00 salir con María
y Jaime

sábado   26
a.m. limpiar la casa
p.m. pasear en bicicleta

domingo   27
5:00 correr con Carlos

Para hacer

Ir a + infinitive
Used to talk about future events

yo	**voy**	nosotros(as)	**vamos**
tú	**vas**		
usted	**va**	ustedes	**van**
él, ella	**va**	ellos, ellas	**van**

Voy a escribir una carta.
¿Qué **van a hacer** ustedes?

See **¿Por qué se dice así?,**
page G29, section 2.10.

Tener que + infinitive
Used to talk about obligations

yo	**tengo**	nosotros(as)	**tenemos**
tú	**tienes**		
usted	**tiene**	ustedes	**tienen**
él, ella	**tiene**	ellos, ellas	**tienen**

¿Tienes que estudiar para
 el examen?
El martes **tenemos que trabajar**
 por la noche.

See **¿Por qué se dice así?,**
page G31, section 2.11.

Responding in the negative

When responding to a yes/no question in the negative, use **no** twice: at the beginning of the sentence and in front of the verb.

¿Tienes que limpiar la casa?
No, no tengo que limpiar la casa.

¿Vas a estudiar esta noche?
No, no voy a estudiar esta noche.

E. Obligaciones. You and some friends are discussing your after-school plans. What do you say?

EJEMPLO **Mi amigo Paul tiene que hacer la tarea.**

mi amigo . . .	practicar karate
yo	limpiar mi cuarto
mis amigas . . .	hacer la tarea
tú	estudiar para un examen
mis amigos . . .	escribir una carta
mi amigo . . . y yo	correr
ustedes	trabajar
mi amiga . . . y yo	salir con unos amigos
	hablar por teléfono
	ir a la clase de piano

F. ¿Qué tienen que hacer? Find out what your partner and his or her brothers and sisters have to do on the weekend.

MODELO limpiar la casa
 You: **¿Tienen que limpiar la casa?**
 Partner: **Sí, tenemos que limpiar la casa.** o
 No, no tenemos que limpiar la casa.

1. hacer la tarea
2. ir a una clase de karate
3. escribir cartas
4. estudiar
5. trabajar
6. practicar el piano
7. alquilar un video
8. leer un libro

CHARLEMOS UN POCO MÁS

A. Y tú, ¿qué vas a hacer hoy? List three things that you are going to do after school today. Then ask several classmates what they have to do. You may ask:

¿Qué tienes que hacer? or
¿Qué vas a hacer?

B. ¿Y tú? Prepare a personal calendar for the coming week. Include all activities you have scheduled for after school and the weekend. Discuss it with your partner.

C. ¿Qué vamos a hacer? Write down five things that you are going to do on the weekend. Then, in groups of three or four, compare your lists and make a list of the activities of the group.

CH. ¿Estudiamos juntos? You and a classmate need to arrange a time this weekend when both of you can get together to study for a history exam. Use the schedules provided by your teacher to find a time when both of you are free. You may not look at your partner's schedule.

EJEMPLO   You: **Vamos a estudiar el sábado a las dos. ¿Está bien?**
           Partner: **No, porque a las dos tengo que practicar el piano.**

D. Probablemente . . . In groups, list everything you predict your teacher will be doing in the year 2015. Then ask questions to confirm your predictions.

EJEMPLO   **Va a ser directora de la escuela.**
             ¿Va a ser usted directora de la escuela?

Dramatizaciones

A. Domingo por la noche. You are on the phone with a friend. Role-play your conversation.

Compañero(a)

- Ask what your partner is going to do tonight.
- Suggest you rent a video to watch this evening.
- Say "What a shame!" Then say good-bye.

Tú

- Say you have a lot of homework to do.
- Say you have to study for a math exam tomorrow.

B. Nuevos amigos. You just met a new person in study hall. Talk with him or her.
- Greet the person.
- Introduce yourselves.
- Find out what classes he or she has and say what you are taking.
- Find out what the other person is going to do after school.
- Tell what you are going to do after school.

C. Después de clases. You and a group of friends are waiting for the school bus after classes. You each tell about two or three things you have planned for the afternoon. Role-play the situation.

Reading strategy: Scanning

A. Anticipemos. Before reading the selection on the next page, glance at the format and answer the following questions.

1. What type of information do you expect to find in this reading?
2. Where would you look for the type of information found in the reading?

B. Empezando. We read for a variety of reasons. For example, we might read the newspaper to find out what an article is about (skimming), to get all the details about a recent disaster (reading for detail), or simply to find out the score of a sports event (scanning).

To scan is to read very quickly to locate a specific piece of information. Scanning is the fastest kind of reading we do. We often combine scanning with reading for detail when we want to find answers to specific questions. We scan to locate the information; then we stop and read for detail.

First, scan to locate information in the selection. Then, when you know where to look, locate the answers to some specific questions.

To scan, take the following steps:

1. Move your eyes as quickly as possible down the page until you find the information you need.
2. Do not read further once you have the information you want.

C. Amigos por correspondencia. Now scan the reading selection to determine where the following pieces of information are located.

1. Names of people
2. Ages of people
3. Countries where people live
4. Cities where people live
5. Pastimes of people
6. A coupon for requesting a pen pal

Verifiquemos

Use your scanning skills to find the following pieces of specific information.

1. Name the people on the list who are twenty-one or older.
2. How many people are sixteen or younger?
3. Two people on the list are from the Caribbean. Who are they?
4. From what countries are the Central Americans on the list?
5. How many of the South Americans on the list are male? How many are female?

Línea directa

¿Quieres ponerte en contacto con amigos de todas partes? Envíanos tus datos utilizando este cupón.

Nombre: _____

Dirección: _____

Edad: _____
Pasatiempos: _____
_____
_____

El cupón dirígelo a:
LINEA DIRECTA REVISTA TÚ
(Ver dirección en la pág. 3)

Nombre: Silvia Orozco.
Dirección: Heredia, Urb. La Esperanza # 70, COSTA RICA.
Edad: 20 años.
Pasatiempos: Coleccionar todo lo referente al joven cantante Chayanne, tomar fotografías, estudiar, ver televisión y tener amigos de diferentes nacionalidades.

Nombre: Alfonso Mesa.
Dirección: Calle 19 # 4-56, Apto. 2005, Edificio Sabana, Bogotá, COLOMBIA.
Edad: 22 años.
Pasatiempos: Leer, practicar deportes, escuchar música variada, escribir poemas, salir con mis amigas y coleccionar monedas de diferentes países.

Nombre: Carlos L. Pérez.
Dirección: Del Banco de América 1 c. al Este, NICARAGUA.
Edad: 17 años.
Pasatiempos: Ver televisión, tener muchos amigos, ir al cine, leer revistas, escuchar música y escribir versos.

Nombre: Milagro del Carmen Santos.
Dirección: Rdo. Rosendo Llanes, Danlí, El Paraíso, HONDURAS.
Edad: 18 años.
Pasatiempos: Intercambiar correspondencia, estampillas, calcomanías y afiches; escuchar música romántica, leer artículos sobre la cultura de diferentes países y ver televisión.

Nombre: Ilka Murillo.
Dirección: Entrega General Estafeta, El Dorado, PANAMA.
Edad: 14 años.
Pasatiempos: Coleccionar calcomanías, papel para cartas y todo lo referente al grupo Menudo; mantener correspondencia con jóvenes de todo el mundo, ver los videos musicales de mis artistas favoritos y practicar deportes.

Nombre: Josie Aquino.
Dirección: Avenida Franco Bido # 336-A, Nibaje, Santiago, REPUBLICA DOMINICANA.
Edad: 16 años.
Pasatiempos: Escuchar música variada, coleccionar artículos y afiches de George Michael; ir a la playa, a reunirme con mis amistades, bailar, intercambiar correspondencia y ver televisión.

Nombre: Marta Medina.
Dirección: Cra. 15, # 28-02, Apto. 103, Bogotá, COLOMBIA.
Edad: 19 años.
Pasatiempos: Estudiar, escribir, leer libros, coleccionar calcomanías, ver videos musicales de mis artistas favoritos, cuidar las plantas y mantener correspondencia con jóvenes de todas las edades.

Nombre: Angélica Trejo.
Dirección: 2312 Peck Road, El Monte, California, 91732, ESTADOS UNIDOS.
Edad: 21 años.
Pasatiempos: Bailar, ver televisión, leer revistas, escuchar música variada, estudiar con mis amigas, coleccionar versos, practicar deportes e ir a la playa.

Nombre: Isabel Melara.
Dirección: Final 5 Ave. Sur, # 13-A, Urb. La Colina, Sta. Tecla, EL SALVADOR.
Edad: 16 años.
Pasatiempos: Practicar deportes, escuchar música romántica, bailar, salir de compras con mis amigas, coleccionar postales, afiches y calcomanías de mis artistas favoritos.

Nombre: Evelyn Amador.
Dirección: Ave. Guadilla, Buzón 7439, Isabela, 00662, PUERTO RICO.
Edad: 16 años.
Pasatiempos: Escuchar música, ver televisión, leer, escribir poemas, coleccionar calcomanías, salir con mis amistades e intercambiar correspondencia.

Nombre: José C. Pereira.
Dirección: 15886 San Miguel de Sarandón, Santiago de Compostela, La Coruña, ESPAÑA.
Edad: 21 años.
Pasatiempos: Dibujar, leer, escribir, escuchar música variada, planear actividades con mis amistades, practicar deportes e intercambiar correspondencia con chicas y chicos de diferentes países.

Nombre: Eugenia Vila Aguirre.
Dirección: Libertad 1259-1261, Huancayo, PERU.
Edad: 22 años.
Pasatiempos: Practicar deportes, bailar, ver los videos musicales de mis artistas favoritos, salir con mis amigas, mantener correspondencia con jóvenes de todo el mundo y escuchar música.

6. Who is the pen pal from the United States? Where does she live?

7. How many people on the list are from Europe? Which country?

8. How many people list "watching TV" as a favorite pastime?

9. How many list "writing poetry"?

10. Do many list "playing sports"? Who are they?

11. Who collects anything and everything having to do with the teen musical group **Menudo**?

12. What is the purpose of the coupon?

Writing strategy: Using clusters

A. Empezando. Choose someone from the reading selection on page 99 with whom you would enjoy corresponding. Before beginning to write, answer the following questions:

1. **¿Para quién escribo?**
2. **¿Por qué escribo?**
3. **¿De qué escribo?**

Remember that a good writer keeps this information in mind, because it helps to determine what to say and how to say it.

B. Planeando. As you learned in Unit 1, a good way to begin is to brainstorm a list of all the things you might want to include in a letter to a new pen pal. Don't worry that you might not be able to say them all in Spanish. You'll be able to choose which ideas you want to use in your letter.

C. Organizando. The next step is to cluster the ideas you have brainstormed. In the following example, the writer developed four groups of ideas. Then she added more boxes with details about each idea. She may not write about all of them; but once she has all her ideas in front of her, she can decide what she wants to include in the letter.

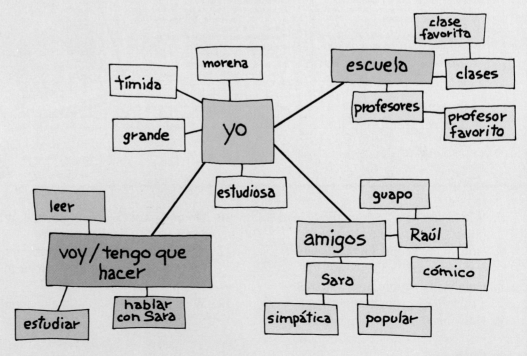

Now to make your own cluster, write the main ideas you will address and draw a box around each one. Draw a line to show how these ideas are connected to each other. Then add more boxes with details about each idea. Each group of ideas can be a paragraph of your letter. Because you now have a lot more to say than you did in Unit 1, your diagram will be more complex. If it will help you get started, use the four main ideas in the model cluster.

CH. Escribiendo. Decide what information in your cluster you will use. Then write a first draft of your letter.

D. Compartiendo. Share the first draft of your letter with a couple of classmates. Ask them what they think about it. Is there anything they don't understand? Is there anything they feel should be changed? Is there anything you haven't said that they feel you should mention?

E. Revisando. Write a final draft of your letter incorporating any suggestions you accepted. You may add, subtract, or reorder anything you had written in the first draft.

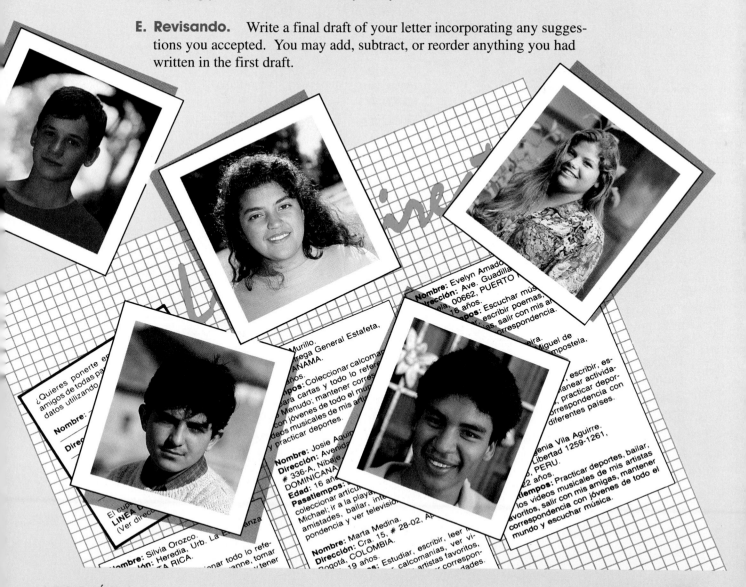

¿Qué hacen ustedes?

ESTADOS UNIDOS

Monterrey

MÉXICO

Océano
Pacífico

Guadalajara

Golfo de
México

México, D.F.

Oaxaca

BELICE

0   1000 Kilómetros
0   600 Millas

GUATEMALA

¡Vamos de compras !

¿Qué piensas tú?

1. What are these tickets for? Where are these events taking place? How do you know?

2. If you were choosing what to do this weekend, which of these activities would appeal to you? Why? Which would appeal to other members of your family? Why?

3. What kinds of things do you like to do on weekends? What do your parents like to do on weekends? Your brothers and sisters?

4. If something seems really good, fun, or interesting to you, why don't some people like it?

5. Where are the teenagers that you see in the photo? What kinds of merchandise are probably available there?

6. You know that in Spanish-speaking countries, teenagers' lives are like yours in some ways and different in other ways. What kinds of things do you think they like to do? What kinds of things do you think they probably don't like to do? Why?

7. What do you think you will be able to talk about when you have finished this lesson?

¿Qué te gusta hacer?

🙂 ¡Me gusta! 🙁 ¡No me gusta!

🙂 🙁 1. ir a restaurantes
🙂 🙁 2. ir a fiestas
🙂 🙁 3. ir al cine
🙂 🙁 4. ir a cafés
🙂 🙁 5. ir a parques
🙂 🙁 6. ir a centros comerciales
🙂 🙁 7. jugar fútbol
🙂 🙁 8. leer
🙂 🙁 9. ver la tele
🙂 🙁 10. pasear en bicicleta

2

3

Primero vamos por el Paseo de la Reforma, la avenida más importante de la ciudad. Aquí en la capital hay hermosos monumentos, como el Ángel, el monumento de la Independencia.

1

Amigos, bienvenidos a la Ciudad de México. Hoy vamos a hacer un tour por toda la ciudad. Luego vamos a visitar el Bosque de Chapultepec. Y finalmente, vamos de compras a Plaza Universidad, uno de los mejores centros comerciales de la capital.

9

10

Guía: Bueno, ¿y ahora qué van a hacer ustedes dos?
Kati: A mí me gustaría ir de compras. Me encanta ir de compras. ¿Vamos?
Teresa: ¿De compras? ¿Ahora? Bueno, pero primero me gustaría tomar un refresco. ¿Por qué no vamos a ese café?

Guía: Nuestro tour termina aquí, en la Zona Rosa, una zona comercial con las tiendas más elegantes de toda la ciudad. También hay excelentes restaurantes y cafés al aire libre.

Ahora estamos en el Zócalo, la plaza principal. Aquí vamos a visitar la Catedral.

4

Hay magníficos parques y teatros.

5

6

El Bosque de Chapultepec es el parque más grande de la capital. Los fines de semana hay mucha gente aquí. Hay mucho que ver y hacer.

El Palacio de Bellas Artes es un teatro muy importante.

8

7

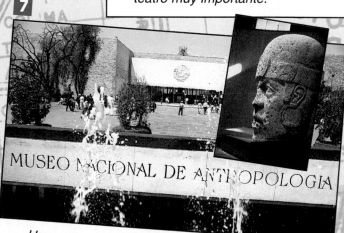

MUSEO NACIONAL DE ANTROPOLOGIA

Hay varios museos en el Bosque y vamos a visitar el Museo de Antropología.

Guía: Aquí estamos en el centro comercial Plaza Universidad.
Turista: ¿Hay buenas ofertas aquí?
Guía: Hay estupendas ofertas . . . y mucho más. Hay tiendas de toda clase. Hay cines con películas en español, en inglés, en alemán, en francés. ¡A mí me encanta este centro comercial!

¿QUÉ DECIMOS...?

Al hacer planes para el fin de semana

1 ¡Vamos de compras!

2 *Necesito hablar con papá.*

3 *¡Vamos!*

CHARLEMOS UN POCO

A. ¿Quiénes van?   ¿Quiénes van o no van a estos lugares?

Alicia y Kati

Daniel

Mamá y papá

MODELO   ¿Quiénes van al parque?
Mamá, papá y Daniel.

1. ¿Quiénes van al centro comercial?
2. ¿Quiénes van al parque?
3. ¿Quiénes no van al parque?
4. ¿Quiénes van al cine?
5. ¿Quiénes no van al cine?
6. ¿Quiénes van de compras a Plaza Universidad?
7. ¿Quiénes van a la tienda de discos?
8. ¿Quiénes van a ver una película?

B. ¿Vas al museo?   Find out if your partner usually goes to the following places on weekends.

MODELO   You: **¿Vas al museo?**
            Partner: **Sí, voy al museo.** o
                    No, no voy al museo.

1.

2.

3.

4.

5.

6.

7.

8.

Ir a + [place]
Used to tell where someone is going

Voy a la tienda.
Los chicos **van al** parque.

See **¿Por qué se dice así?,**
page G33, section 3.1.

---

a + el → al

The word **a** followed by **el** becomes **al.**

Vamos **al** centro comercial.
¿Van **al** cine o a la biblioteca?

See **¿Por qué se dice así?,**
page G33, section 3.1.

C. ¿Adónde van? Hoy es sábado. ¿Adónde van todos?

MODELO **Papá va a la biblioteca.**

nosotros
mis amigos
yo
dos amigas
tú
mi mamá y yo
papá
ustedes
mi amiga . . .

{
centro comercial
laboratorio
restaurante
oficina
tiendas
patio
clase de música
biblioteca
gimnasio
parque
}

CH. ¿Adónde? Ask your partner where these people are going.

MODELO Cecilia / clase de español
    You: **¿Adónde va Cecilia?**
    Partner: **Va a la clase de español.**

1. el profesor García / clase de música
2. tú / gimnasio
3. Susana y Chavela / clase de computación
4. ustedes / oficina del director
5. Paco / clase de álgebra
6. yo / laboratorio
7. Beto / biblioteca
8. los profesores / patio

D. ¿Qué hay en tu mochila? Your friend's backpack is too full. Ask what is in it.

MODELO You: **¿Hay bolígrafos?**
    Partner: **Sí, hay seis bolígrafos.**

1.

2.

3.

4.

5.

6.

The verb form *hay*

Spanish uses **hay** to express:
    there is / there are
    Is there? / Are there?

¿**Hay** un centro comercial por aquí?
¿**Hay** discos en oferta?
Sí, pero no **hay** discos de Luis
    Miguel.

See **¿Por qué se dice así?,**
page G34, section 3.2.

E. ¿Qué hay aquí? An out-of-town friend is visiting you for the weekend and wants some information about your community. Answer your friend's questions.

MODELO   cine
              Partner: **¿Hay cines aquí?**
              You: **Sí, hay un cine.** o
                    Sí, hay cines. o
                    No, no hay cine.

1. museos
2. restaurantes
3. gimnasios
4. colegios
5. cines
6. teatros
7. cafés
8. parques
9. tiendas de video
10. centros comerciales
11. bibliotecas
12. ¿ . . . ?

F. Encuesta. Pregúntale a un(a) amigo(a) si le gustan estas cosas. Después, contesta las preguntas de tu amigo(a).

MODELO   parque
        Tú: **¿Te gusta el parque?**
        Compañero(a):   **Sí, ¡me encanta!** o
                      No, no me gusta.

1. fútbol
2. hacer la tarea
3. educación física
4. cafetería del colegio
5. trabajar
6. ir de compras
7. bailar
8. química
9. hablar por teléfono
10. estudiar

No me gusta	Me gusta	Me encanta

G. ¡Me encantan! Pregúntale a cada persona de tu grupo si le gustan estas cosas.

MODELO   Tú: **¿Te gustan los videos?**
        Compañero(a):   **No, no me gustan.** o
                      Sí, me encantan.

1. exámenes
2. videos
3. computadoras
4. películas románticas
5. ciencias
6. sábados
7. clases de baile
8. tiendas de discos

Gustar
Expressing likes

I like	me gusta
you like	te gusta le gusta
he, she likes	le gusta

See **¿Por qué se dice así?**, *page G36, section 3.3.*

Gustar and **encantar**
Expressing likes and dislikes

When talking about one thing:

(no) me gusta   me encanta
(no) te gusta   te encanta
(no) le gusta   le encanta

When talking about more than one thing:

(no) me gustan   me encantan
(no) te gustan   te encantan
(no) le gustan   le encantan

See **¿Por qué se dice así?**, *page G36, section 3.3.*

H. ¿Y a tu profesor(a)? En tu opinión, ¿qué le gusta a tu profesor(a)?

MODELO fútbol
> **No le gusta el fútbol.** o
> **Le gusta mucho el fútbol.** o
> **Le encanta el fútbol.**

1. videos
2. cafetería del colegio
3. exámenes
4. computadoras
5. sábados
6. tiendas de discos
7. bailar
8. biblioteca
9. béisbol
10. conciertos

I. No me gusta. You have a friend who never wants to do anything. What happens when you invite your friend to do the following?

MODELO escuchar discos
> You: **¡Vamos a escuchar discos!**
> Partner: **No, no me gusta escuchar discos.** o
> **No, no me gustan los discos.**

1. bailar
2. ver televisión
3. alquilar unos videos
4. salir
5. jugar tenis
6. comer pizza
7. ir al parque
8. correr
9. ver una película
10. escuchar discos

J. ¿Te gustaría? Ask your partner if he or she would like to do the following things with you.

MODELO ir al cine
> You: **¿Qué te gustaría hacer esta tarde?**
> **¿Ir al cine?**
> Partner: **Sí, me encantaría.** o
> **No, no me gustaría.**

1. ver la tele
2. estudiar
3. ir al parque
4. comer
5. ir de compras
6. jugar tenis
7. pasear en bicicleta
8. jugar fútbol
9. correr
10. ir a un café
11. hablar español
12. ver un video

Vamos a **+ [infinitive or place]**
Used to suggest doing something with someone

Vamos a is used to invite someone to do something. It is equivalent to *let's* in English.

Vamos a correr esta tarde.
Vamos al cine.

See **¿Por qué se dice así?**, *page G33, section 3.1.*

Gustaría **and** *encantaría*
Used when making polite requests

The **-ía** ending on the verbs **gustar** and **encantar** is used to say what you would like or to soften requests.

¿Te gustaría ir? *Would you like to go?*
¡Me encantaría! *I would love to!*

See **¿Por qué se dice así?**, *page G36, section 3.3.*

CHARLEMOS UN POCO MÁS

A. ¿Adónde vamos?   You need to meet with a friend but are having difficulty finding a convenient time. Using the schedules your teacher provides, write down your friend's schedule for the day as your partner reads it to you. Then read your schedule for the day so that your partner may write it down. Compare your schedules and decide when you can meet.

MODELO   You hear: **A las nueve voy a la biblioteca.**
You write: **9:00   biblioteca**

B. Gustos.   Ask several classmates if they like to do the activities pictured below. Keep a list of those who like to do these activities and those who don't.

C. ¡Bienvenidos!   A group of teenagers from Mexico is visiting your school next Saturday, and your Spanish class will be hosting them. In small groups, discuss what there is to do, visit, and see in the community and decide on a 9:00 A.M. to 9:00 P.M. itinerary. **¡En español!**

CH. ¡A escribir!   Below are four teenagers who are looking for pen pals. In pairs, discuss who would be the most suitable pen pal for the two of you. Then write a short description of yourselves to send to the person whom you selected.

You may begin by writing **Somos [*nombre*] y [*nombre*] . . .**

¡Hola, amigos! Me llamo Carmen Andrade. Soy de Puerto Rico. Me encanta escuchar música rock y ver videos musicales norteamericanos. También me gusta estudiar y leer novelas.

Jorge Antonio Miranda. Soy de Panamá, de la capital. Me gusta practicar deportes, ir al cine, correr, pasear en bicicleta. No me gusta ver televisión.

Mi nombre es Caridad Espinosa. Soy española. Me encantan las fiestas, dibujar, intercambiar correspondencia, tener muchos amigos, ir al cine y coleccionar todo lo relacionado a José José. Pueden escribirme en inglés o en español.

Soy David Barrio. Soy de Venezuela. Me gusta mucho escuchar música romántica, ver videos musicales de los años 50, escribir poemas, ir al cine y ver películas de los años 50 y 60.

Dramatizaciones

A. Sábado. It is Saturday morning, and you call a friend to make plans for the day.

- Invite your friend to go shopping.
- Suggest that you go to your favorite shopping center.
- Your friend doesn't like to go shopping and suggests another activity.
- Accept your friend's suggestion.
- Ask at what time.
- Decide on a time.

B. ¡El fin de semana! You are spending the weekend at a friend's house because your parents are out of town.

- Ask your friend what you are going to do on Saturday morning.
- After he or she suggests a couple of things, mention two or three things that you like to do or places where you like to go.
- Decide where you are going and agree on a time.

C. ¡Mi ideal! You just saw your best friend with a person whom you have been wanting to meet for quite some time. Find out from your partner who the person is. Ask your partner what the person likes to do, where he or she likes to go, and other questions to get as much information as you can.

¡No me digas!

De compras. Tom Winters está de visita en Oaxaca, México. Llama por teléfono a Rosa, su amiga mexicana.

Rin, rin.
Rosa: **¿Bueno?**
Tom: **Hola, Rosa. Habla Tomás.**
Rosa: **Hola, Tomás. ¿Cómo estás?**
Tom: **Pues, no muy bien, Rosa. ¿Qué pasa aquí? Es imposible ir de compras en esta ciudad.**
Rosa: **¡Hombre! ¿Por qué dices eso?**
Tom: **Mira, en este momento estoy en el centro y casi todas las tiendas están cerradas.**
Rosa: **¿Cerradas?**
Tom: **Sí, cerradas. *Closed! Closed!***
Rosa: **Pero, Tomás, ¡son las tres y media! No es hora de ir de compras.**

Why does Rosa say that 3:30 is no time to go shopping?

1. Shops in Oaxaca are open only in the morning. No one works in the afternoon.
2. Most shops close from 2:00 to 4:00, then open again in the evening.
3. On religious holidays, all shops close at 3:00 P.M. so that shop clerks can go to church services in the early evening.

❑ Check your answer on page 417.

Y ahora, ¡a leer!

Antes de empezar

Prepare a chart comparing the activities of teenagers in the United States and Mexico. First list American teenagers' most popular activities (**Actividades más populares),** their favorite summer activities (**Actividades de verano),** and their favorite group activities (**Actividades en grupo).** Then draw up a similar list for Mexican teenagers. If you don't know, make a reasoned guess.

Pasatiempos en la capital

A los jóvenes de la capital de México les gusta hacer una gran variedad de cosas los fines de semana. Una de las actividades más populares es ir a pasar varias horas en un centro comercial. Hay muchos centros por toda la ciudad pero los más populares son la Plaza Satélite, la Plaza Perisur, la Plaza Coyoacán, la Plaza Relox y la Plaza Inn.

En verano hay actividades para todos los jóvenes. Para los aventureros hay campamentos, para los estudiosos hay escuelas de verano, para los músicos hay clases particulares de piano o de guitarra, para los artistas hay clubes de teatro, de baile o de pintura. También hay clubes para agricultores, para aficionados a la música rock y para los coleccionistas. Y sí, claro, para los deportistas hay fútbol, fútbol americano, béisbol, baloncesto, tenis, natación y mucho más.

Por lo general los jóvenes salen en grupo hasta tener unos 16 o 17 años. A los 16 o 17 comienzan a salir en pareja y generalmente dos o tres parejas salen juntas. Van a los cafés o cafeterías a comer, van al cine, van a caminar a las alamedas centrales o van a fiestas en casa de amigos. También les gusta salir a comer comida chatarra y beberse un refresco en lugares como McDonald's, Kentucky Fried Chicken y Denny's.

Verifiquemos

1. ¿Qué hacen los jóvenes mexicanos los fines de semana?
2. Compara tus actividades con las actividades de los jóvenes mexicanos. ¿Cuáles son similares? ¿Cuáles son distintas?
3. ¿Qué diferencias hay entre México y Estados Unidos cuando un chico sale con una chica?

¡Me encanta el parque!

¿ Qué piensas tú ?

1. What are the people in the large photo doing? What information do they expect to find? What do you think they might be able to do here?

2. Are there parks in your town? What kinds of activities are available there? Who uses your parks most?

3. Where are the people in the other photos? What are they doing? What day of the week do you think it is? Why?

4. Which of the activities in the photos might you do on a weekend? With whom do you spend your free time?

5. How much of your weekend time do you spend doing things with your family? What things does your family do together? What things influence how much time you spend with your family?

6. How do you think the way you spend your weekends compares with the way teenagers in Mexico City spend theirs?

7. What do you think you will be able to talk about when you have finished this lesson?

LAS CUATRO ESTACIONES EN EL BOSQUE DE CHAPULTEPEC

El clima de México es muy agradable. Por eso, durante todo el año la gente visita el Bosque de Chapultepec.

marzo abril mayo

1

junio julio agosto

2

En verano hace calor. Por eso, a mucha gente le gusta ir al Lago de Chapultepec.

Y aquí están los Chávez otra vez. Antes de subir a la lancha, la señora compra un refresco y dos helados. El helado de chocolate es para el papá. Es su sabor favorito.

3

En primavera hace sol pero no hace calor. Hace buen tiempo. La familia Chávez pasa el sábado en el Bosque de Chapultepec.

Daniel corre. Alicia escucha la radio y mira a la gente. ¿Y Riqui? Ah, Riqui toma un refresco. Mientras tanto, su mamá lee un libro y su papá simplemente descansa.

En verano llueve casi todos los días en la Ciudad de México. Pero no llueve todo el día—sólo dos o tres horas por la tarde.

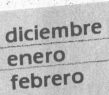

En otoño generalmente hace buen tiempo.

Eloísa Miramontes y su hijo visitan el jardín zoológico. A Jorge le encanta mirar los animales y a su madre le gusta caminar por el parque.

5

En invierno durante el día es agradable, pero por la mañana hace fresco y por la noche hace frío.

Los domingos mucha gente visita uno de los seis museos del parque. Entre los más famosos están el Museo de Antropología y el Castillo de Chapultepec.

Hoy Daniel pasa la tarde en el parque de diversiones con su hermano Riqui. Daniel sube a la montaña rusa. Riqui no. Él sube a los carros chocones o al carrusel.

¿QUÉ DECIMOS...?

Al hablar de los pasatiempos

1 ¡Bienvenidos a Chapultepec!

2 ¡Uy! Perdón.

CHARLEMOS UN POCO

A. ¿Quién habla? Can you tell who might say this—**Eloísa, Riqui,** or **Pedro Solís**?

Eloísa

Riqui

Pedro Solís

1. Escucho la radio.
2. Tomo muchos helados.
3. Esta tarde vamos a pasear por el Bosque de Chapultepec.
4. Voy al parque de diversiones.
5. ¿Qué hacen tus papás aquí?
6. En invierno no, porque hace frío.
7. Miro a la gente.
8. Es ideal para pasear con el niño.
9. ¿Visita los museos del parque?
10. Mi mamá escribe cartas en el parque.

B. Después de las clases. Find out which of the following activities your partner does after school.

 MODELO   practicar el piano
You: **¿Practicas el piano?**
Partner: **No, no practico el piano.**

hablar por teléfono
comprar helados
escuchar la radio
correr
escribir cartas
limpiar la casa
preparar la comida
estudiar español
ver televisión
subir a las lanchas
leer el periódico
pasear en bicicleta
descansar
esperar el autobús

C. ¿Y tu profesor(a)? Find out what your teacher usually does after school. Ask as many questions as possible.

Present tense: Singular forms

-ar escuchar	-er leer	-ir escribir
escucho	leo	escribo
escuchas escucha	lees lee	escribes escribe
escucha	lee	escribe

Escucho discos todos los días.
¿Lees el periódico por la noche?
Eloísa escribe cartas.

See **¿Por qué se dice así?,**
page G38, section 3.4.

Ver

veo

ves

ve

ve

Notice that the **yo** form does not drop the **-e** before the ending is added.

CH. **¿Qué ven?** What do these people see during their visit to Chapultepec Park?

MODELO   Santiago
Santiago ve el Lago de Chapultepec.

D. Pasatiempos. Tell what the following people do in their free time.

 EJEMPLO **Mi amigo Jaime camina en el parque.**

mi profesor	escuchar	jardín zoológico
usted	limpiar	exámenes
mi profesora	caminar	en el parque
tú	leer	cartas
yo	calificar	televisión
mi amigo	visitar	libros
mi amiga	escribir	la casa
mi papá	ver	la radio
mi mamá	correr	en un café
¿ . . . ?	pasear	¿ . . . ?
	estudiar	
	comer	
	¿ . . . ?	

E. Horarios diferentes. Estas personas tienen horarios diferentes. Describe sus horarios.

MODELO Pablo / Sra. Vidal
A las diez de la mañana Pablo practica karate y la Sra. Vidal califica exámenes.

1. Juan / Marta

2. Toño / Sr. Pérez

3. Albertina / Srta. López

4. Sr. Morales / Susana

5. Lisa / Miguel

6. Sr. Silva / Arturo

7. Virginia / Patricio

8. Sr. Rivera / Kati

Weather expressions

Used to talk about the weather

With **hacer:**

¿Qué tiempo **hace**?

Hace . . .

buen tiempo.

mal tiempo.

calor.

fresco.

frío.

sol.

viento.

With other verbs:

Está lloviendo. or **Llueve.**

Está nevando. or **Nieva.**

See **¿Por qué se dice así?,**
page G40, section 3.5.

F. ¿Qué tiempo hace? What does this world traveler say when you ask about the weather in each place he plans to visit?

 EJEMPLO   Santo Domingo
You: **¿Qué tiempo hace en Santo Domingo?**
Partner: **Hace calor.**

1. Tegucigalpa

2. La Paz

3. Madrid

4. México

5. Buenos Aires

6. La Habana

7. Santiago

8. Montevideo

9. Puerto Rico

G. ¿Qué haces? Find out what your friend does in different types of weather.

 EJEMPLO   frío
    You: **¿Qué haces cuando hace frío?**
    Partner: **Cuando hace frío, hablo por teléfono
    o voy de compras.**

1. sol
2. viento
3. mucho calor
4. nieva
5. buen tiempo

6. mucho frío
7. llueve
8. mal tiempo
9. fresco

H. ¡Las cuatro estaciones! Describe the weather in your community during the various seasons.

EJEMPLO   invierno
    **En invierno hace mal tiempo. Hace mucho frío,
    llueve y nieva.**

1. verano
2. otoño

3. invierno
4. primavera

Las cuatro estaciones

el verano

el otoño

el invierno

la primavera

See **¿Por qué se dice así?**,
page G40, section 3. 5.

CHARLEMOS UN POCO MÁS

A. Cuando nieva . . . List three things you do on weekends when it's raining and three things you do when it's snowing. Then tell several classmates and listen to what they say they do.

EJEMPLO   **Cuando llueve yo limpio la casa y . . .**

B. ¿Tú también haces eso? Working in groups of four, talk about what you do on a typical Saturday in the summer, fall, winter, and spring. For each season, find one thing that each member of your group does that no one else in the group does. Be prepared to report on these activities to the whole class.

C. ¿Juntos o no? Your teacher will give you and your partner copies of Clarita's and Professor Morales' schedules. Compare your schedule with your partner's to find what activities Professor Morales and his daughter Clarita do together during the day.

EJEMPLO   **A las seis de la mañana el profesor Morales corre.
    Clarita también corre.** o **Clarita no corre.**

CH. En el parque. There are six differences between the drawing below and the one your teacher will give your partner. Describe your drawings in detail until you find the six differences. You may not look at each other's drawing.

 EJEMPLO You: **Una chica corre.**
Partner: **Un chico corre.**

Dramatizaciones

A. ¡Un nuevo amigo! You have just met a new friend. You want to find out more about each other.

- Greet each other.
- Find out what each of you studies and which classes each of you likes and dislikes.
- Find out what you each do after school and on the weekends.
- Find out each other's favorite winter and summer activities and what you like to do when the weather is bad.
- Say good-bye.

B. Te presento a . . . Now that you have made a new friend, introduce him or her to your classmates. Be sure to mention your friend's . . .

- name.
- classes.
- favorite after-school and weekend activities.
- favorite winter and summer activities.
- favorite pastimes when it is raining or windy.

C. ¡Somos profesores! You and your partner are teachers, enjoying a free period in the teachers' lounge. Role-play the conversation you would have. You may talk about your students and what you must do after school, or about the weather, or about your usual weekend activities and what you are going to do this weekend.

¡No me digas!

¡Hay tanta gente!   Tom y su amiga Rosa pasean por el Bosque de Chapultepec. Lee su conversación y luego contesta la pregunta a continuación.

Tom: **¡Es enorme este parque!**
Rosa: **Sí. Es uno de mis lugares favoritos.**
Tom: **Pero, ¿por qué hay tanta gente hoy? ¿Es día de fiesta? ¿Celebran algo especial hoy?**
Rosa: **No. Es que hoy es domingo.**
Tom: **Pero, Rosa, mira cuánta gente hay. Tiene que haber algo especial hoy.**

Why does Tom insist that something special must be going on?

1. Because it was Mexican independence day, and Tom knew it.
2. Because he did not realize that in Mexico, as in most Hispanic countries, parks are always very busy.
3. Because he thought Rosa was trying to fool him by not telling him what the special occasion was.

❏ Check your answer on page 417.

Y ahora, ¡a leer!

Antes de empezar

Before reading about El Bosque de Chapultepec, Mexico City's largest park, indicate whether the following statements are true (**verdadero**) or false (**falso**). If you do not know, use what you have previously learned about Hispanic culture to make a reasoned guess.

verdadero	**falso**	**1.** Central Park, in New York City, is the oldest park in the Western Hemisphere.
verdadero	**falso**	**2.** Museums have been built on the sites of old Aztec temples in Mexico City.
verdadero	**falso**	**3.** In 1848, the United States declared war on Mexico.
verdadero	**falso**	**4.** Several Mexican teenage military cadets died defending their school against the attack of United States forces.
verdadero	**falso**	**5.** Mexican families find parks in Mexico unsafe for children.
verdadero	**falso**	**6.** Chapultepec Park has a large lake, a castle, a museum, and a zoo.

Verifiquemos

Read "El Bosque de Chapultepec." Then answer the following questions.

1. Compara el Bosque de Chapultepec con un parque en tu comunidad. ¿Cuál es más grande? ¿Qué tienen en común? ¿Cuáles son las diferencias más importantes?

2. ¿Cómo es el monumento a los Niños Héroes? ¿Hay monumentos en los parques de tu comunidad? Si los hay, descríbelos.

El Bosque de Chapultepec

Chapultepec es el parque natural más antiguo del hemisferio occidental. En el centro de Chapultepec hay un castillo histórico. Antiguamente, fue un templo mochica. Ahora es un museo.

Hay muchos monumentos en el Bosque de Chapultepec. El monumento dedicado a **los Niños Héroes** es muy emocionante. Los Niños Héroes son los jóvenes cadetes militares que defendieron su colegio, el Castillo de Chapultepec, en la guerra de 1848 contra Estados Unidos.

Hoy Chapultepec es el parque favorito de los mexicanos. Allí es donde familias enteras pasan los fines de semana en plan de diversión. Se puede salir en lancha por el lago principal, ir al parque de diversiones, visitar el zoológico, el Castillo o el Museo de Antropología, o simplemente descansar.

¿Qué hacen por aquí?

ANTICIPEMOS

¿Qué piensas tú?

1. Look at the photos on these two pages. How many different activities can you identify?

2. Which of these activities are things you and your friends sometimes do?

3. Are any of these activities things you and your friends probably wouldn't do? Why?

4. At what age do American teenagers begin to date? Where do they go on their dates?

5. What do you know about dating in Hispanic cultures? In Spanish-speaking countries, how old do you think kids have to be before they're allowed to date?

6. What do you think you will be able to talk about when you have finished this lesson?

Hola. Soy Alicia Chávez.
¿Qué hacemos mis amigos
y yo un fin de semana típico?
Pues, a ver . . .

1

viernes

4 1:00

Los sábados mis amigas y yo vamos de compras. Kati y Teresa siempre compran algo. Yo nunca compro nada.

2 4:00

3 5:30

Mis amigas y yo charlamos mientras tomamos algo en un café. Después salimos a caminar. Mirar a la gente es muy interesante, ¿no?

A las cinco y media vamos a casa. Escuchamos discos y casetes o vemos televisión. También hablamos mucho.

sábado 5

8:00

Por la tarde comemos — si es posible en un restaurante al aire libre. El muchacho que trabaja en el restaurante es muy guapo.

6

7:00

A veces hay una fiesta en casa de un amigo. Kati y Daniel bailan muy bien, ¿no?

domingo

7

11:00

Los domingos siempre salimos de casa un poco antes de las once y vamos a la iglesia. Después paseamos y comemos juntos.

8

6:00

DISCOTECA

Por la tarde, mi amigo Martín me lleva a una discoteca. ¡Cuánta gente hay!
Me encanta esta música. El guitarrista toca y canta muy bien.

Y ustedes, ¿qué hacen un fin de semana típico?

¿QUÉ DECIMOS...?

Al hablar del fin de semana

1 *Nadie canta como ellos.*

2 ¿Qué hacen por aquí?

3 Bailas muy bien.

CHARLEMOS UN POCO

A. ¿Qué hacen?   Según el diálogo, ¿qué hacen Alicia y Kati durante el fin de semana?

1. ¿Bailan en una fiesta?
2. ¿Ven una película?
3. ¿Comen al aire libre?
4. ¿Van a una discoteca?
5. ¿Leen libros?
6. ¿Pasean por el parque?
7. ¿Practican deportes?
8. ¿Van a un restaurante?
9. ¿Preparan comida?
10. ¿Suben a las lanchas?
11. ¿Comen pizza?
12. ¿Van de compras?

B. ¡Es sábado!   ¿Qué hacen estos chicos los sábados?

MODELO   **David y Martín comen en un café al aire libre.**

David y Martín

1. Daniel y Kati

2. David y Alicia

3. Alicia y Kati

4. Daniel y Kati

Present tense: Plural forms

-ar mir**ar**	-er l**eer**	-ir sal**ir**
mir**amos**	le**emos**	sal**imos**
mir**an**	le**en**	sal**en**
mir**an**	le**en**	sal**en**

Le**emos** novelas románticas.
Ustedes siempre sal**en** en coche, ¿no?
Los buenos atletas corr**en** todos los días.

See **¿Por qué se dice así?**,
page G42, section 3.6.

5. Alicia y Kati

6. Alicia y Martín

7. Daniel, David y Martín

8. Daniel y Alicia

C. Los jóvenes mexicanos. Generalmente, ¿qué hacen los jóvenes en la Ciudad de México los fines de semana?

MODELO   pasear por el parque
          Pasean por el parque.

1. bailar
2. mirar a la gente en el parque
3. ir a fiestas
4. tomar refrescos en un café
5. practicar deportes
6. ir al cine
7. salir con amigos
8. ir de compras
9. comer en un restaurante
10. subir a los juegos

CAFETERÍAS Y RESTAURANTES

CH. ¿Y en Estados Unidos? ¿Cómo pasan ustedes los fines de semana en Estados Unidos? Contesta las preguntas de tu nuevo(a) amigo(a) mexicano(a).

MODELO Compañero(a): **¿Ven la tele?**
Tú: **Sí, vemos la tele.**

1.    2.

3.   4.

5.    6.

7.    8.

D. ¿Qué hacen ustedes?   ¿Qué hacen ustedes en estos lugares?

MODELO   en la biblioteca
En la biblioteca estudiamos, leemos y escribimos.

1. en un centro comercial
2. en el parque
3. en un café
4. en una fiesta
5. en la clase de español
6. en un concierto de rock
7. en la escuela
8. en casa

E. ¿Y ustedes?   ¿Qué hacen los profesores los fines de semana? Preparen preguntas para su profesor(a).

MODELO   escuchar música
¿Escuchan música ustedes?

1. escribir cartas
2. comer en un restaurante
3. ir de compras
4. practicar deportes
5. salir con amigos
6. ver un video
7. comer pizza
8. pasear en bicicleta
9. correr
10. ¿ . . . ?

F. A veces.   ¿Con qué frecuencia hacen tú y tus amigos estas actividades?

EJEMPLO   caminar en el parque
Nunca caminamos en el parque.

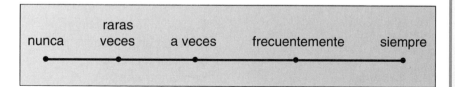

| nunca | raras veces | a veces | frecuentemente | siempre |

1. visitar un jardín zoológico
2. ir a museos
3. comer pizza
4. practicar karate
5. calificar exámenes
6. leer el periódico
7. trabajar
8. subir a las lanchas
9. escribir cartas
10. estudiar español

JARDÍN   ZOOLÓGICO

Expressions of frequency

The following words express varying degrees of frequency from *never* to *always*.

nunca
raras veces
a veces
todos los días
frecuentemente
siempre

Ellos **nunca** escriben cartas.
Nosotras **a veces** hablamos en español.
Yo **siempre** estudio en casa.

*See ¿**Por qué se dice así?**, page G44, section 3.7.*

Negative and indefinite words

Indefinite	Negative
algo	**nada**
alguien	**nadie**

¿**Alguien** aquí habla francés?
No, **nadie** habla francés.
¿Hay **algo** bueno en la tele?
No, no hay **nada** bueno esta noche.

See ¿**Por qué se dice así?**,
page G44, section 3.7.

G. ¿Quién? Ask your partner if anyone is doing the following activities.

Carlota y Eva

Manuel

David y Marcos

Marta

Beto

Susana y Pepe

 MODELO   comer pizza
Tú: **¿Alguien come pizza?**
Compañero(a):   **Sí, David y Marcos comen pizza.**

tomar un refresco
Compañero(a):   **¿Alguien toma un refresco?**
Tú: **No, nadie toma un refresco.**

1. escuchar música
2. hablar por teléfono
3. leer un libro
4. ver la tele
5. escribir cartas

6. pasear en bicicleta
7. correr en el parque
8. tomar un helado
9. alquilar un video
10. comer pizza

H. ¿Qué pregunta? You overhear your mother's telephone conversation. What did her neighbor ask her?

MODELO   ¿ . . . ?   No, nadie va a ver televisión.
          ¿Alguien va a ver televisión?

          ¿ . . . ?   No, no voy a leer nada.
          ¿Vas a leer algo?

1. ¿ . . . ?   No, no voy a comprar nada.
2. ¿ . . . ?   No, nadie va al centro hoy.
3. ¿ . . . ?   No, no voy a preparar nada especial para comer.
4. ¿ . . . ?   No, nadie va a alquilar un video.
5. ¿ . . . ?   No, nadie va a limpiar la casa.
6. ¿ . . . ?   No, no voy a beber nada.
7. ¿ . . . ?   No, no voy a escuchar nada.
8. ¿ . . . ?   No, nadie va a escribir cartas.

CHARLEMOS UN POCO MÁS

A. ¿Cuándo?   Find out when your partner usually does the following activities. Then, in groups of four, tally the group's responses and report the results to the class.

 EJEMPLO   **¿Cuándo escribes cartas?**
Nunca escribo cartas.

todos los días	los fines de semana	nunca
por la mañana/noche	a veces	¿ . . . ?

subir a las lanchas	ir a un parque de diversiones
hacer la comida	ver la tele
trabajar en un café	bailar
salir con amigos	alquilar un video
hablar por teléfono	leer el periódico
escribir cartas	limpiar la casa
pasear en bicicleta	estudiar
correr	esperar el autobús

B. Tú y tu familia.   Your teacher will give you a bingo grid with a different activity indicated in each square. Ask your classmates if they do a specific activity with their family on the weekend. If they say they do, have them sign the appropriate square to verify it. Let your instructor know when you have completed a vertical, horizontal, or diagonal line on your card.

 MODELO   Tú: **¿Corren en el parque?**
Compañero(a):   **Sí, corremos en el parque.**

C. ¿Sólo $60?   A three-day weekend is coming up, and you and a couple of friends will be spending it together. You each have $20 to spend. In groups of three, prepare a list indicating what you will do on Saturday, Sunday, and Monday and report to the class. You may not spend more than $60 in all. The following are visual suggestions of activities you may consider.

CH. Siempre. Nunca. A veces.   Your class is taking a survey to find out how teenagers spend the weekend. Your assignment is to survey at least five classmates. Record their answers as **Siempre, Nunca,** or **A veces** on the grid your teacher provides. Then, in groups of four or five, tally the responses. You may begin by asking: **¿Escuchas la radio los fines de semana?**

D. ¡Identifícalos!   Write a list of as many different actions as you can identify in this drawing. Then, in groups of three or four, compare your lists and come up with a group list.

EJEMPLO   **Un chico corre en el parque.**
Dos señoras van de compras.

Dramatizaciones

A. El viernes por la noche. You can't decide what to do Friday evening. Your parents make some suggestions. With a partner, role-play this situation.

Teenager	**Parent**
▪ Say you are not going to do anything tonight.	▪ Suggest something for your teenager to do.
▪ Say nobody ever does that.	▪ Suggest another couple of activities.
▪ Say you sometimes like to do the first activity mentioned but not all the time. Then say you are going to do something else.	▪ Ask where your teenager is going to do the activity.
▪ Say where you are going to do the activity and with whom. Ask what your parent is going to do.	▪ Say what you are doing this evening.

B. ¡De compras! You are out shopping with two friends. You enter a music store. Role-play the following conversation.

- Talk about your favorite rock stars.
- Tell what they look like and why you like them.
- Decide what tapes or CDs to buy.
- Decide what to do after you leave the music store.

C. Y ahora, ¿qué? You and two friends are at your favorite hangout having a soft drink. Role-play a conversation that includes comments about the following topics.

- Your favorite teachers
- Your favorite classes
- A new student at school
- Where you are going and what you plan to do after you finish your drinks

Reading strategy: Scanning

A. Anticipemos. Before reading this selection, glance at the format and answer the following questions.

1. What type of information do you expect to find in this reading?
2. Where would you look for this type of information?

B. Buscando información. In **Unidad 2,** you learned to scan—that is, to read quickly in order to locate specific information. We usually scan when we know exactly what information is needed and where to look to find it.

C. Películas. First read the questions, then scan the selection to find the specific information.

Películas de la semana

LUNES 5

La misteriosa dama de negro
TVE-2. 22.35h.   Cine-club.
★★★ Comedia (1962). B/N. 119 min.
Dir.: Richard Quine. Int.: Jack Lemmon, Kim Novak (foto), Fred Astaire, Lionel Jeffries.
Mezcla de comedia y misterio en un argumento que sirvió para que Kim Novak fuera reconocida en el cine. Buena réplica la de Lemmon intentando averiguar si ella es la asesina de su esposo.

Oda a la juventud
TVE-1. 01.00h.   Cine-club madrugada.
★★ Drama (1985). Color. 92 min.
Dir.: Zhang Nuanxin. Int.: Li Fengxu (foto), Feng Yuanzhenog, Guo Jianguo.
La revolución cultural en China cambia el modo de vida de los jóvenes. Una chica es obligada a trasladarse a una granja en el campo y cuando acepta el cambio, tiene que volver a la Universidad.

MARTES 6

Pero... ¿quién mató a Harry?
TVE-1. 22.30 h.   Sesión de noche.
★★★ Intriga (1955). Color. 97 min.
Dir.: Alfred Hitchcock. Int.: Shirley McLaine (foto), John Forsythe, Mildred Natwick.
Gran derroche del particular humor de Hitchcock en esta película, con muerto incluido, alrededor del cual gira el argumento. Los vecinos de la comunidad se interrogan acerca del porqué de este asesinato.

El misterioso Mr. Wong y Asesinato por televisión
TVE-1. 01.00h.   Filmoteca del martes.
★★ Intriga (1935). B/N. Subt. 59 y 57min.
Dirs.: W. Nigh/C. Staniford. Int.: Bela Lugosi, Boris Karloff (foto), Arlene Judge.
La leyenda de Confucio que entregó unas monedas mágicas a sus amigos.
Durante los primeros experimentos con la TV, un hombre muere misteriosamente.

Verifiquemos

1. Tell where you think each movie was filmed. What makes you think that?
2. Are these movies being shown at night or during the day?
3. If on Monday you were allowed to watch TV in the evening only until 10:00, could you see one of these movies? Why or why not?
4. Are any of these movies comedies? If so, which ones?
5. What is the oldest movie being shown on these two days? The most recent one?
6. Are all of these movies being shown on the same channel? How do you know?
7. Are any of these movies being shown in color? If so, which ones?
8. Do you recognize any of the actors? If so, who are they?

ESCRIBAMOS UN POCO

Writing strategy:
Paragraph writing

A. Pensando. In the last letter you received from Mexico, your pen pal asked how you spend your weekends. Prepare to answer your pen pal's letter by addressing the following questions.

1. ¿Para quién escribo?
2. ¿Por qué escribo?
3. ¿De qué escribo?

B. Empezando. In place of a cluster, make a list of things you do every weekend, depending on the weather. Indicate the approximate time of day when you do these things.

C. Escribiendo. Decide which information in your list you will use and write a first draft of a one- or two-paragraph letter explaining how you spend your weekends. Remember to always begin a paragraph by making a general comment about what you will be writing. For example, in writing about your weekends, you might say something like:

> **Mis fines de semana son muy aburridos.** o
> **Me encantan los fines de semana.** o
> **Hay mucho que hacer en** [*your town*] **durante los fines de semana.**

CH. Compartiendo. Share a first draft of your letter with a couple of classmates. Ask them what they think of it. Is there anything they don't understand? Is there anything they feel should be changed? Is there anything you haven't said that they feel you should mention?

D. Revisando. Write a final draft of your letter, incorporating any of your classmates' suggestions that you accepted. You may add, subtract, or reorder anything you had written in the first draft.

¡Qué familia!

Nuevo
México

Oklahoma

Arkansas

El Paso

Dallas •

Luisiana

TEXAS

Austin ☆   • Houston

Laredo •   San Antonio

MÉXICO

Golfo de
México

0   100   200   300 Kilómetros

0   100   200   300 Millas

¿ Cuántos años cumples ?

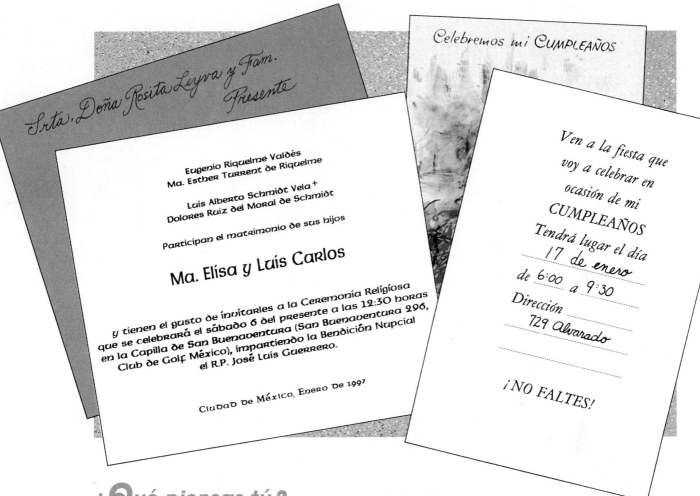

Srta. Doña Rosita Leyva y Fam.
Presente

Eugenio Riquelme Valdés
Ma. Esther Turrent de Riquelme

Luís Alberto Schmidt Vela +
Dolores Ruiz del Moral de Schmidt

Participan el matrimonio de sus hijos

Ma. Elisa y Luis Carlos

y tienen el gusto de invitarles a la Ceremonia Religiosa
que se celebrará el sábado 6 del presente a las 12:30 horas
en la Capilla de San Buenaventura (San Buenaventura 296,
Club de Golf México), impartiendo la Bendición Nupcial
el R.P. José Luis Guerrero.

Ciudad de México, Enero de 1997

Celebremos mi CUMPLEAÑOS

Ven a la fiesta que
voy a celebrar en
ocasión de mi
CUMPLEAÑOS
Tendrá lugar el día
17 de enero
de 6:00 a 9:30
Dirección
729 Alvarado

¡NO FALTES!

¿Qué piensas tú?

1. What do you think the people on the left are celebrating? Why do you think so?

2. Who do you think the people are? Are they related to each other? What makes you think so? How do you think they are related?

3. What events do the above invitations refer to? How do you know?

4. What information is included on both invitations? What information appears on only one of the invitations?

5. How do you celebrate birthdays? How did you celebrate when you were younger? Who do you invite to your birthday celebrations?

6. Who do people normally invite to weddings?

7. Would you expect the celebration of birthdays and weddings in Hispanic communities to be similar to or different from such celebrations here? How? Why?

8. What do you think you will be able to talk about when you have finished this lesson?

1

¡Hola, amigos! Soy Ana. Y quiero presentarles a mi familia—Papá, mis hermanos y mis abuelos.

2

Mi padre se llama Rafael. Tiene cuarenta y cuatro años. Mi hermano Paquito tiene nueve años y mi hermana Lupe tiene trece años. ¿Y yo? Pues, tengo dieciséis.

3

Éste es mi abuelo Patricio. Tiene sesenta y ocho años. Mi abuela se llama Margarita. Son los padres de mi papá. Son mis abuelos paternos.

4

Mi tío Roberto es el hermano de mi papá. Su esposa, mi tía Elena, es muy bonita, ¿verdad? Pepe y Sarita son mis primos. Pepe tiene seis años y Sarita tiene ocho. Ay, ¡qué niños!

5

¿Ella? No, no es mi madre. Es Betty, la novia de mi padre. El hijo de Betty se llama Kevin. Tiene diecisiete años.

¿Por qué estamos todos aquí hoy?
¡Porque es el diecisiete de marzo!
Es el cumpleaños de abuelito. Y el diecinueve
de marzo es el cumpleaños de Lupe. ¡Hoy
celebramos los dos cumpleaños juntos!
¿Cuántos años van a cumplir?
Él, sesenta y ocho, y ella, catorce.

7

Mi familia es grande. Tenemos que celebrar muchos
cumpleaños. Mi cumpleaños, por ejemplo, es el treinta
de junio, y el cumpleaños de papá es el doce de enero.
¿Cuándo es el cumpleaños de mi tía Elena?

Cumpleaños

Rafael – 12 de enero
Elena – 27 de febrero
Patricio – 17 de marzo
Lupe – 19 de marzo
Tío Roberto – 21 de abril
Pepe – 13 de mayo
Ana – 30 de junio
Sarita – 18 de julio
Betty – 25 de agosto
Tía Juliana – 2 de septiembre
Paquito – 9 de octubre
Kevin – 15 de noviembre
Margarita – 1° de diciembre

Y tú, ¿cuándo es tu cumpleaños?

¿QUÉ DECIMOS...?

Al hablar de nuestra familia

1 ¡Feliz cumpleaños!

2 ¿Cuántos años tienes?

3 ¡Dale, dale, dale!

4 ¡Todos están invitados!

CHARLEMOS UN POCO

A. ¿Quién lo dice? ¿Quién dice esto en el video de Ana?

Patricio

Paquito

Rafael

1. Voy yo, voy yo.
2. ¡Su atención, por favor!
3. Hola, hermana. ¿Cómo estás?
4. ¡Espera, hijo! Primero tus primos.
5. Nos casamos el veinticuatro de junio.
6. Sesenta y ocho, niña, y todavía joven y fuerte.
7. Mira la piñata.
8. ¡Voy a romperla yo!

B. La familia de Paquito. Identifica a los miembros de la familia de Paquito.

MODELO **Elena es su tía.**

1. Roberto
2. Margarita
3. Elena y Roberto
4. Sarita
5. Rafael
6. Lupe y Ana
7. Pepe
8. Margarita y Patricio

Possessive adjectives: *su, sus*

	Singular	Plural
her/his	**su**	**sus**

Manuel es **su** hermano.
Elisa y Ramón son **sus** padres.

See **¿Por qué se dice así?**, *page G46, section 4.1.*

Male and female relatives

The masculine plural is used to refer to two or more relatives when the group includes both males and females.

abuelos = abuelo y abuela
padres = papá y mamá
hermanos = hermano(s) y
           hermana(s)
tíos = tío(s) y tía(s)
primos = primo(s) y
         prima(s)
sobrinos = sobrino(s) y
          sobrina(s)
nietos = nieto(s) y
         nieta(s)

C. ¿Cómo se llaman? Nombra a tus parientes.

MODELO   hermano
      Mi hermano se llama Scott Palmer. o
      No tengo hermanos.

1. abuelo materno
2. tíos
3. padre
4. primos

5. hermanos
6. abuela paterna
7. hermanas
8. madre

CH. ¿Y tu familia? Pregúntale a tu compañero(a) sobre su familia.

MODELO   Tú: **¿Cómo se llaman tus padres?**
        Compañero(a):   **Mi papá se llama _____ y mi mamá**
                       se llama _____. o
                       Mis padres se llaman _____ y _____.

D. ¿Y su árbol genealógico? Pregúntale a tu profesor(a) sobre sus parientes. Intenta construir su árbol genealógico.

EJEMPLO   **¿Tiene usted tíos?**
         ¿Cómo se llaman sus tíos?
         ¿Dónde viven?

abuelos maternos	tíos
abuelos paternos	primos
hermanos	sobrinos
hijos	nietos
padres	esposo(a)

E. ¿Qué pasó? During vacation, your classroom was painted and many items are now missing. As your partner plays the role of the teacher, ask where the missing items are.

MODELO   libros / biblioteca
        Tú: **¿Dónde están nuestros libros?**
        Compañero(a):   **Sus libros están en la biblioteca.**

1. cuadernos / oficina
2. carpetas / mesa grande
3. computadora / biblioteca
4. diccionarios / sala 37
5. mesas pequeñas / cafetería
6. papel / escritorio
7. videos / teatro
8. libros / sala 22

Possessive adjectives:
mi, mis, tu, tus, su, sus

	Singular	Plural
my	**mi**	**mis**
your	**tu**	**tus**
	su	**sus**

¿Cómo se llama **tu** tío?
Mi tío se llama Arturo.

¿Dónde están **tus** primos?
Mis primos están en México.

Sus padres viven en Guadalajara y **su** abuela en la capital, ¿no?

*See **¿Por qué se dice así?,***
page G46, section 4.1.

Possessive adjectives:
nuestro(a), nuestros(as)

	Singular	Plural
our	**nuestro**	**nuestros**
	nuestra	**nuestras**

Nuestro colegio está en la Calle Ocho.
Nuestras mochilas están en la sala 21.

*See **¿Por qué se dice así?,***
page G46, section 4.1.

Counting: 30–100

30	treinta
31	treinta y uno
40	cuarenta
42	cuarenta y dos
50	cincuenta
53	cincuenta y tres
60	sesenta
64	sesenta y cuatro
70	setenta
75	setenta y cinco
80	ochenta
86	ochenta y seis
90	noventa
97	noventa y siete
100	cien

See **¿Por qué se dice así?,**
page G48, section 4.2.

Tener años

Talking and asking about age

¿Cuántos años tienes?
Tengo catorce años.

¿Cuántos años tiene tu tío?
Tiene veintinueve.

¿Qué edad tiene usted?
Sesenta y ocho.

Es el [día] de [mes]

Giving dates:

Mi cumpleaños **es el 5 de julio.**
Hoy **es el primero de enero.**
Nuestro aniversario **es el 26 de octubre.**

Writing dates:

6-9-97: **el seis de septiembre**

See **¿Por qué se dice así?,**
page G50, section 4.3.

F. ¡Vamos a México! The Spanish Club is selling candy to raise money for a trip to Mexico. How much money have the students already collected?

MODELO   Gloria / $52
Gloria ya tiene cincuenta y dos dólares.

1. Clara / $34
2. Ramón / $97
3. Rafael / $61
4. Inés / $56
5. Nicolás / $49
6. Raquel / $75
7. Víctor / $100
8. Cecilia / $83

G. ¿Y el bebé? Ésta es la familia Chacón. ¿Cuántos años tiene cada persona?

MODELO   **Ernesto tiene nueve años.**
Gilberto tiene . . .

Julio y Herlinda - edad 71, 65   Javier y Cecilia - edad 40, 35

Arturo - edad 18   Ernesto - edad 9   Isabel - edad 16   Gilberto - edad 13

H. ¿Cuándo es tu cumpleaños? Pregúntales a varios compañeros cuántos años tienen y cuándo es su cumpleaños. ¿Quién cumple años el mismo mes que tú?

 MODELO   Tú: ¿Cuántos años tienes?
Compañero(a): **Tengo _____ años.**
Tú: ¿Cuándo es tu cumpleaños?
Compañero(a): **Es el _____ de _____.**

I. Edad y fecha de nacimiento. Carlos is helping his boss look up the following employees' ages and birth dates in the office files. What does he find?

MODELO   Norma Vargas   5-7-69
           Norma Vargas tiene _____ años.
           Su cumpleaños es el cinco de julio.

Javier Barrios	18-6-71
Elena Valdez	29-10-42
Mario Flores	15-2-59
José Alvarado	30-8-75
Lisa Rodríguez	10-11-53
Eduardo Chávez	8-4-74
María Lemos	13-1-63
Sara Blanco	4-3-40

J. Los sábados. Pregúntale a un(a) compañero(a) si algunos miembros de su familia hacen estas actividades los sábados.

 MODELO   Tú: **¿Trabaja tu padre?**
           Compañero(a):   **Sí, mi padre trabaja.** o
                            No, mi padre no trabaja.

descansar	estudiar
leer el periódico	visitar a amigos
pasear en bicicleta	ir de compras
limpiar la casa	escribir cartas
ver televisión	trabajar
escuchar música	tocar un instrumento
practicar deportes	musical

CHARLEMOS UN POCO MÁS

A. Nuestras familias.   As you describe your family, your partner will draw your family tree. Then reverse roles and you draw while your partner describes his or her family.

EJEMPLO   **Mi abuelo materno se llama Andrés.**

B. La familia ideal.   You and your partner are siblings. Make up a family tree of famous people the two of you would like to have as your grandparents, parents, brothers and sisters. Don't forget to include yourselves! Describe your family tree to the class.

EJEMPLO   **Nuestros padres son Batman y . . .**
          Nuestros abuelos son . . .

C. Crucigrama.   Your teacher will give you and your partner a cooperative crossword puzzle. One of you will have only the vertical clues, and the other one will have only the horizontal clues. First, complete your part of the crossword puzzle; then ask your partner for his or her clues and fill in the remaining part of your puzzle. By exchanging clues, you should be able to solve the entire puzzle. Don't look at each other's puzzles!

EJEMPLO   Tú: **¿Cuál es el número cinco horizontal?**
          Compañero(a): **Mis primos son los _____ de mis tíos.**
          Answer: **hijos**

CH. Todos somos parientes.   Work in groups of five. Your teacher will give each of you a biography card. Assume the identity on your card and try to find out how everyone in your group is related. Ask each other questions and answer each question honestly according to the information on your card. As you gain information about the other members of your group, draw a family tree to show how all of you are related.

EJEMPLO   **¿Cómo te llamas?**
          ¿Cuántos años tienes?
          ¿Dónde vives?

D. Las cuatro estaciones. Your teacher will label each corner of the room with a different season.

- Go stand in the corner that represents the season during which your birthday falls.
- Find out the birth dates of each person in your corner and arrange yourselves in chronological order.
- Find out what everyone in your corner likes to do to celebrate his or her birthday.

Dramatizaciones

A. ¡Fiestas! You are talking about parties in the United States with an exchange student from Colombia. What does the student ask, and what do you say?

Exchange Student	**You**
- Ask what parties are like in the United States.	- Describe a typical party in detail.
- Ask if parties are held on the weekend or during the week.	- Tell when parties are usually held.
- Find out where parties are held.	- Say where you usually go to parties.
- Ask if there is going to be a party in [*this month*].	- Respond. Also mention that you are going to have a party on your birthday. Give the date.

B. ¿Sábado, 23? You and two friends are trying to find a three-hour period when you can get together to plan a surprise birthday party for your best friend. Role-play the situation. Each of you should suggest a couple of dates, times, and places before you can come to an agreement.

C. ¡Feliz cumpleaños! You and a friend are at your grandmother's sixtieth birthday celebration. Two cousins from out of town are also there. In groups of four, role-play the situation. Your partners will decide who will play the roles of your friend and your cousins. Be sure to greet your cousins and introduce them to your friend. Find out whether your cousins are enjoying the party and why, and how your friend's family celebrates birthdays.

¡No me digas!

¡Toda la familia!   Mary Ann is visiting a Hispanic friend, Teresa, in San Antonio, Texas. Read their conversation. Then answer the question that follows to explain Mary Ann's reaction.

Mary Ann: **Tu familia es muy simpática, Teresa. Y me gusta tu hermano. ¡Es muy guapo! Pero, ¿quién es la señora rubia?**

Teresa: **Es mi tía Francisca. Ella vive aquí con nosotros.**

Mary Ann: **¿Ah, sí? Pero, ¿no vive tu abuela con ustedes?**

Teresa: **Sí. Abuelita está con nosotros también. Ella ya tiene setenta y cuatro años.**

Mary Ann: **¡Caramba! Hay muchas personas en esta casa — ¡tus padres, tu abuela, tu tía, tus tres hermanos y tú! ¡Qué raro!**

▶ Why does Mary Ann think that Teresa's family is unusual?

1. Mary Ann isn't used to households that include so many relatives.
2. Mary Ann doesn't think that Teresa's aunt looks like the rest of the family.
3. Mary Ann doesn't understand why the grandmother is not living in her own house or in a retirement home.   ❑ Check your answer on page 418.

Y ahora, ¡a leer!

Antes de empezar

1. List all the cognates you can find in the paragraph titled **Nombres.** Give their English equivalent.
2. How many of your friends have nicknames? Do you know where their nicknames came from?
3. List all the first names you can find in the paragraph titled **Apellidos.** Then list all the last names you can find in the same paragraph.

¿Cómo te llamas?

Nombres

Algunos nombres — César, Augusto, Carlota, Maximiliano — corresponden a famosos personajes históricos. Otros nombres comunes — Jesús, Pedro, Benjamín, Rita, Ester, Miriam — son nombres de santos o nombres de origen bíblico.

En el calendario hispano, hay un santo diferente para cada día del año. Para los hispanos, el día de su santo es una fecha muy importante. Es común recibir tarjetas y también regalitos en el día del santo.

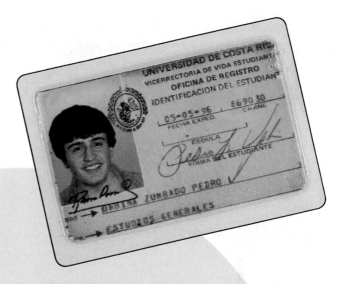

Sobrenombres

Los sobrenombres son nombres informales que usamos con amigos y parientes. Casi siempre son derivados del nombre de pila de la persona: Toño (Antonio), Lupe (Guadalupe), Juanita (Juana), Juancho (Juan), Maribel (María Isabel). Pero no todos los sobrenombres son derivados del nombre de pila: Paco o Pancho (Francisco), Pepa (Josefa), Pepe (José). En general, los sobrenombres son muy populares entre los hispanos.

Apellidos

Rosa Leyva Rocha, Ignacio Torres Velázquez, Beatriz Gutiérrez López. Generalmente, en los países de habla española, las personas tienen dos apellidos: Leyva Rocha, Torres Velázquez, Gutiérrez López . . . El primero es el apellido del padre; el segundo es el apellido de la madre.

enero

1 San Justino
2 San Macario
3 San Daniel
4 San Prisciliano
5 Sta. Amelia
6 Los Stos. Reyes
7 San Luciano
8 San Apolinar
9 San Julián
10 San Gregorio
11 San Higinio
12 San Alfredo
13 San Hilario
14 Sta. Macrina
15 San Mauro
16 Sta. Priscila
17 San Antonio
18 Sta. Margarita
19 San Mario
20 Sta. Cristina
21 Sta. Inés
22 San Vicente
23 San Ildefonso
24 San Francisco
25 Sta. Elvira
26 Sta. Paula
27 Sta. Ángela
28 Sto. Tomás de Aquino
29 San Sulpicio
30 Sta. Martina
31 Sta. Marcela

marzo

1 San Albino
2 San Carlos
3 San Emeterio
4 San Casimiro
5 San Cristóbal
6 Sta. Coleta
7 Sta. Teresa
8 San Juan
9 Sta. Francisca
10 San Pablo
11 San Máximo
12 Sta. Josefina
13 Sta. Patricia
14 Sta. Matilde
15 San Clemente
16 San Abraham
17 San Patricio
18 San Eduardo
19 San José
20 Sta. Eufemia
21 San Roberto
22 San Zacarías
23 San Fidel
24 San Rómulo
25 San Humberto
26 San Manuel
27 Sta. Lidia
28 San Castor
29 San Victorino
30 San Fernando III
31 San Benjamín

mayo

1 San José Obrero
2 San Germán
3 Sta. Violeta
4 San Silvano
5 San Ireneo
6 Sta. Floriana
7 San Reynaldo
8 San Benedicto
9 San Nicolás
10 Sta. Leonor
11 San Máximo
12 San Aquileo
13 Sta. Imelda
14 Sta. Justina
15 Sta. Cecilio
16 San Honorato
17 San Pascual
18 Sta. Claudia
19 San Pedro Celestino
20 San Bernardino
21 Sta. Virginia
22 San Emilio
23 San Miguel
24 Sta. Susana
25 Sta. Sofía
26 San Felipe
27 Sta. Carolina
28 San Luciano
29 San Esteban
30 San Félix
31 Sta. Petronila

julio

1 San Aaron
2 San Martiniano
3 Sta. Bertha
4 Sta. Isabel
5 Sta. Filomena
6 San Isaías
7 Sta. Claudia
8 San Adrián
9 Sta. Blanca
10 Sta. Amalia
11 San Abundio
12 San Hilario
13 San Joel
14 San Camilo
15 San Donaldo
16 Ntra. Sra. del Carmen
17 Sta. Generosa
18 San Federico
19 San Arsenio
20 Sta. Margarita
21 San Daniel
22 Sta. María Magdalena
23 Sta. Brígida
24 Sta. Cristina
25 Santiago Apóstol
26 Sta. Ana
27 Sta. Natalia
28 San Víctor
29 Sta. Lucila
30 San Abel
31 San Ignacio de Loyola

septiembre

1 San Augusto
2 San Antolín
3 Sta. Basilisa
4 Sta. Rosalia
5 San Bertín
6 San Donacio
7 Sta. Regina
8 Sta. Adela
9 San Gorgonio
10 San Teodardo
11 San Jacinto
12 San Tobías
13 San Amado
14 Sta. Salustía
15 Ntra. Sra. de los Dolores
16 San Cornelio
17 Sta. Ariadna
18 San Eustorgio
19 Sta. Constanza
20 Sta. Fausta
21 San Mateo Apóstol
22 San Mauricio
23 San Liberio
24 San Gerardo
25 Sta. Aurelia
26 San Cosme y Damián
27 Sta. Judith
28 San Wenceslao
29 San Miguel, Gabriel, Rafael
30 San Jerónimo

noviembre

1 Sta. Cirenia
2 San Justo
3 San Martín de Porres
4 San Carlos Borromeo
5 San Teotimo
6 San Francisco Gil
7 San Ernesto
8 San Victorino
9 Sta. Eustolia
10 San León
11 Sta. Ernestina
12 San Josafat
13 San Diego
14 San Laurencio
15 San Eugenio
16 San Edmundo
17 Sta. Victoria
18 San Teodulfo
19 Sta. Inés
20 San Octavio
21 San Demetrio
22 Sta. Cecilia
23 San Clemente
24 Sta. Flora
25 San Moisés
26 San Conrado
27 San Virgilio
28 San Rufo
29 Beato Federico
30 San Andrés

febrero

1 Sta. Brígida
2 Sta. Caterina
3 San Blas
4 San Gilberto
5 San Isidoro
6 Sta. Dorotea
7 San Ricardo
8 San Esteban
9 Sta. Apolonia
10 San Guillermo
11 Ntra. Sra. de Lourdes
12 San Benito
13 Sta. Beatriz
14 San Valentín
15 Sta. Jovita
16 San Simón
17 San Teodulo
18 San Simeón
19 Sta. Lucía
20 San Silvano
21 Sta. Irene
22 Sta. Margarita
23 Sta. Romana
24 San Alberto
25 San Sebastián
26 San Néstor
27 Sta. Honorina
28 San Román
29 San Rufino

abril

1 Sta. Jaquelina
2 Sta. Ofelia
3 San Sixto
4 San Isidoro
5 Sta. Emilia
6 San Timoteo
7 San Juan Bautista
8 San Alberto
9 Sto. Tomás
10 San Ezequiel
11 Ntra. Sra. de la Piedad
12 San Andrés
13 San Martín
14 San Lamberto
15 Sta. Anastasia
16 Sta. Julia
17 San Rodolfo
18 San Perfecto
19 San Crescencio
20 San Cesareo
21 San Anselmo
22 San Bartolomé
23 Sta. Elena
24 San Alejandro
25 Sta. Antonieta
26 San Marcelino
27 Sta. Zita
28 San Vidal
29 San Severo
30 San Jaime

junio

1 San Segundo
2 San Erasmo
3 Sta. Olivia
4 San Rutilo
5 Sta. Eloisa
6 San Norberto
7 San Pablo Obispo
8 San Maximino
9 San Feliciano
10 San Getulio
11 Sta. Rosalina
12 San Nazario
13 San Antonio de Padua
14 San Rufino
15 San Vito
16 Sta. Alicia
17 San Isauro
18 San Teodulo
19 Sta. Juliana
20 San Silverio
21 San Luis Gonzaga
22 San Paulino
23 San Pelayo
24 San Fermín
25 San Salomón
26 San David
27 Ntra. Sra. del Socorro
28 San Plutarco
29 San Pedro y San Pablo
30 Sta. Luciana

agosto

1 San Alfonso
2 Ntra. Sra. de los Ángeles
3 San Nicodemus
4 San Aristarco
5 San Osvaldo
6 San Esteban
7 San Cayetano
8 Sto. Domingo de Guzmán
9 San Román
10 San Lorenzo
11 Sta. Clara
12 San Fortino
13 San Hipolito
14 San Calixto
15 La Asunción de María Santísima
16 Sta. Serena
17 San Jacinto
18 San Lauro
19 San Luis Obispo
20 San Samuel
21 San Camerino
22 San Sinforiano
23 San Claudio
24 Sta. Micaela
25 San Luis Rey
26 San Alejandro
27 Sta. Mónica
28 San Agustín
29 Sta. Cándida
30 Sta. Rosa de Lima
31 San Ramón

octubre

1 Sta. Teresita del niño Jesús
2 San Gerino
3 Sta. Ma. Josefa
4 San Francisco de Asís
5 San Plácido
6 San Bruno
7 San Marcos
8 San Demetrio
9 Sta. Sara
10 San León
11 Sta. Clemencia
12 Ntra. Sra. del Pilar
13 San Fausto
14 San Rolando
15 Sta. Teresa
16 San Florentino
17 San Salomón
18 San Lucas
19 San Noel
20 San Artemio
21 Sta. Celina
22 Sta. María Salomé
23 Sta. Agustina
24 Sta. María Cloret
25 Sta. Daría
26 San Luciano
27 Sta. Antonieta
28 San Judas Tadeo
29 San Teodoro
30 San Cenobio
31 San Quintín

diciembre

1 San Eloy
2 Sta. Eva
3 San Lucio
4 Sta. Bárbara
5 San Cirano
6 San Emiliano
7 San Ambrosio
8 La Inmaculada Concepción
9 Sta. Delfina
10 Sta. Eulalia
11 San Damaso
12 Ntra. Sra. de Guadalupe
13 San Bartolo
14 San Juan de la Cruz
15 Sta. Cristina
16 Sta. Adelaida
17 Sta. Yolanda
18 San Salvador
19 San Adán
20 San Julio
21 San Severiano Obispo
22 San Demetrio
23 Sta. María Luisa
24 Sta. Irma
25 La Natividad del Sr.
26 San Dionisio
27 San Teodoro
28 Stos. Inocentes
29 San Saturnino
30 San Bonifacio
31 Sta. Paulina

1. Busca tu nombre o el nombre de tus amigos en el calendario. ¿Cuál es la fecha de tu santo? ¿Del santo de algunos de tus amigos?
2. ¿Cuáles son algunos sobrenombres de personas hispanas que tú conoces?
3. Combina estos nombres con sus sobrenombres.

Chicos		**Chicas**	
Alejandro	Manolo	Teresa	Marilú
Rafael	Beto	Cristina	Lola
Guillermo	Nacho	María Luisa	Meche
Ignacio	Rafa	Isabel	Tere
Manuel	Quico	Dolores	Chavela
Enrique	Alex	Mercedes	Pepa
Roberto	Memo	Josefa	Tina

4. ¿Cuál es el apellido del padre de César Vargas García? ¿De su madre? ¿Cuál es el apellido del padre de Alicia Chávez Moreno? ¿De su madre?

César Vargas García + Alicia Chávez Moreno

Juan Ramón Vargas Chávez

5. Completa los nombres de Susana y Alfonso.

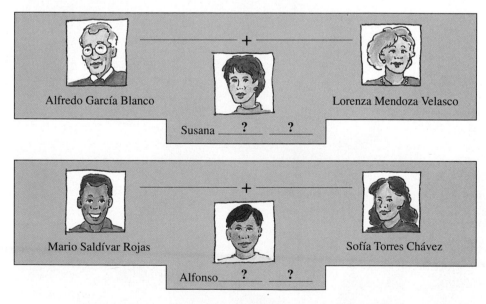

Alfredo García Blanco + Lorenza Mendoza Velasco

Susana _____ ? _____ ? _____

Mario Saldívar Rojas + Sofía Torres Chávez

Alfonso _____ ? _____ ? _____

6. ¿Cuál es el apellido de los abuelos maternos de Susana y Alfonso? ¿De sus abuelos paternos?

¿Quieres conocer a mi nueva familia?

Patricio + Margarita

† + Elvira

Rafael + Betty

Elena + Roberto

Paquito   Lupe   Ana   Kevin

Pepe   Sarita

ATLANTIS
Calle Las Flores 160, Ofic. 1-B, Santurce, P.R. 00911
250-0606
Fax: 721-1069

Flores exóticas para su boda

FLOWERWORKS OF ATLANTIS
Arreglos y decoraciones florales

¿NECESITA UN PLOMERO O CARPINTERO?
Búsquelo primero en las PÁGINAS AMARILLAS

MANTENGA BRILLANTE SU SONRISA...
VAYA AL DENTISTA

La Mejor Música para su Boda.
Combo
Los Latinos
768-8431 / 762-8153

Cásate conmigo
y nos quedamos en el Caribe Hilton ¡gratis! *
Tu lista de regalos....
Solicite nuestra tarjeta de crédito. Aceptamos Visa, Master Card, Carte Blanche, American Express, Diners Club, Plaza Card e Ideal. Plaza Las Américas 759-9494
es de Velasco

¿Qué piensas tú ?

1. You already know most of the people in the photo. Who are they? Who do you think the older woman next to Betty is?

2. Now that Betty and Rafael are married, there are some new family relationships. What are they?

3. Look at the advertisements on this page. What professionals or services were needed to make this wedding a success? Can you name others that might have been needed?

4. Which of the advertised services would not be needed in planning and having the wedding? Why not?

5. How many different jobs and professions are represented in your extended family?

6. What do you think you will be able to talk about when you have finished this lesson?

1

Éstas son las fotos de la boda de mi padre. ¿Quieres conocer a mis nuevos parientes?

Patricio, Margarita, Paquito
Rafael, Betty, Elvira, Kevin
Ana, Lupe

2

La nueva esposa de mi padre se llama Betty. Betty es mi madrastra. Ella es profesora de español. Es muy inteligente y . . . muy bonita, ¿no? Doña Elvira, la madre de Betty, es viuda. Su esposo está muerto.

3

¿Conoces a Kevin? Kevin es mi hermanastro. Es muy guapo, ¿no? Él quiere ser actor de cine. Mi papá es el nuevo padrastro de Kevin . . . y Lupe y yo somos sus hermanastras.

4

¿Quién es este muchacho? ¿Es un pariente nuevo? ¡Ah, no! Es Diego, el fotógrafo de la boda. Es muy buen fotógrafo. Siempre saca excelentes fotos.

Tía Juliana, la secretaria, Pepe, Diego, Lola, Mario

5

¡Qué bonita!, ¿verdad? Es nuestra prima Lola. Lola es una cantante muy buena. Es divorciada, pero tiene un novio muy guapo. Yo también quiero ser cantante. ¿Qué quieres ser tú?

6

Éste es Mario, el novio de Lola. Mario es futbolista. ¿Conoces a mi primo Pepe? ¡Pepe también quiere ser futbolista!

7

Esta señora es mi tía Juliana. Es una escritora muy famosa. Tiene sesenta y nueve años y vive en México. No es casada; es soltera. La otra señora es su secretaria.

¿QUÉ DECIMOS...?

Al hablar de la nueva familia

1 **¿Conoces a mi hermanastro?**

2 **¿Ya están todos listos?**

CHARLEMOS UN POCO

A. ¿Quiénes son? Ésta es la nueva familia de Kevin. Con un(a) compañero(a), trata de identificar a los parientes de Kevin.

 MODELO **Su primo es Pepe.**

Relatives by remarriage
-astro(a) endings

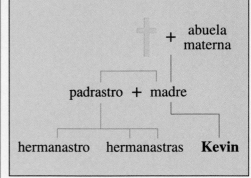

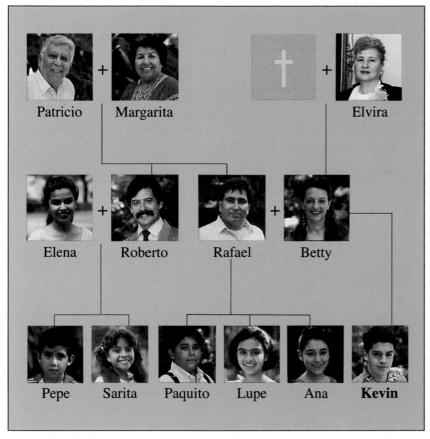

1. abuela materna
2. hermanastras
3. primos
4. hermanastro
5. tíos
6. padrastro
7. madre
8. abuelos

a. Betty
b. Elena y Roberto
c. Patricio y Margarita
ch. Rafael
d. Elvira
e. Lupe y Ana
f. Pepe y Sarita
g. Paquito

B. Sus parientes. Prepara cinco preguntas sobre cinco parientes de Kevin. Luego en grupos pequeños lean las preguntas y contéstenlas.

 EJEMPLO **¿Cómo se llama el tío de Lupe?** o
¿Quién es la madre de Sarita?

Profesiones

abogado(a)

hombre/mujer de negocios

agricultor

ingeniero(a)

artista

maestro(a)

bombero

mecánico(a)

camarero(a)

médico(a)

cocinero(a)

músico(a)

dependiente

programador(a)

enfermero(a)

reportero(a)

escritor(a)

secretario(a)

Conocer (a)
Used when talking about knowing people

conozco	conocemos
conoces	
conoce	conocen
conoce	conocen

¿**Conoces a** mi hermana?
No, pero **conozco a** tu hermano.

¿**Conocen** ustedes **al** profesor?
Sí, y **conocemos a** su esposa.

Note: You must use **a** when **conocer** is followed by a person.

See ¿**Por qué se dice así?,**
pages G51–G52, sections 4.4 and 4.5.

C. ¿Qué hacen?   Pregúntale a tu compañero(a) qué hacen estas personas.

 MODELO   Tú: **¿Qué hacen los médicos?**
Compañero(a): **Los médicos trabajan en hospitales.**

1. músicos   escribir cartas
2. cocineros   hacer la tarea
3. escritores   hacer dibujos
4. secretarios   trabajar con computadoras
5. estudiantes   cultivar la tierra
6. programadores   tocar música
7. camareros   preparar comida
8. agricultores   trabajar en restaurantes
9. artistas   escribir libros

CH. Tú debes ser . . .   Con un(a) compañero(a), selecciona una profesión para estos estudiantes.

 MODELO   Lisa estudia química y biología. Le gusta visitar hospitales.
En mi opinión, Lisa debe ser médica.

1. A Joaquín le gusta trabajar con los niños. Él es muy paciente y siempre explica todo muy bien.
2. Laura es buena en matemáticas y en arte.
3. A Roberto le gusta trabajar al aire libre y cultivar plantas. También le gustan los animales.
4. A Sara le gusta mucho la comida. Prepara unos platos especiales.
5. A Manuel le gustan las computadoras. Tiene módem y cuando sus amigos tienen problemas de hardware y software, siempre hablan con él.
6. A Patricia le gusta ir a las fiestas y bailar. También canta.
7. A Rafael le gusta hacer gimnasia. Él es grande y muy fuerte.
8. María escribe a máquina muy rápido. Ella es muy buena en sus clases de inglés.
9. A Elodia le gustan mucho los coches. Cuando sus amigos tienen problemas con sus coches, siempre hablan con Elodia.

D. ¿A quiénes conoces?   Tienes que presentar a un estudiante nuevo. Pregúntale si ya conoce a estas personas.

 MODELO   profesor de inglés
Tú: **¿Conoces al profesor de inglés?**
Compañero(a): **Sí, conozco al profesor de inglés.**
Se llama ____. o
No, no conozco al profesor de inglés.

1. director(a) de la escuela
2. profesores(as) de español
3. maestro(a) de arte
4. secretario(a) de la escuela
5. enfermero(a) de la escuela
6. maestro(a) de música
7. profesores(as) de historia
8. cocinero(a)

E. ¿Quiénes son?   ¿Conocen ustedes a estas personas?

MODELO   Beto
Sí, conocemos a Beto. o

Lilia
No, no conocemos a Lilia.

1.
Kevin

2.
Mónica

3.
Sr. Ramos

4.
Lupe

5.
Óscar

6.
Riqui

7.
Kati

8.
Sra. Castellano

F. ¡Feliz cumpleaños!   ¿Qué quieren estas personas para su cumpleaños?

MODELO   **Mi papá quiere un libro.**

1. mi amigo
2. mis amigas
3. yo
4. tú
5. mi hermano(a)

6. nosotros(as)
7. mi papá
8. mis abuelos
9. mi mamá
10. ¿ . . . ?

Querer

quiero	queremos
quieres	
quiere	quieren
quiere	quieren

See **¿Por qué se dice así?**, *page G54, section 4.6.*

Querer ser

Used when talking about what you want to be

Y tú, ¿qué **quieres ser**?
¡**Quiero ser** presidente!

*See ¿**Por qué se dice así?**,*
page G54, section 4.6.

Venir

vengo	venimos
vienes	
viene	vienen
viene	vienen

Note that **venir** is irregular in the **yo** form. Also note that its stem vowel changes from **e → ie**.

*See ¿**Por qué se dice así?**,*
page G54, section 4.6.

de + el → del

The word **de** followed by **el** becomes **del.**

¿Vienen **del** gimnasio?
Yo vengo **del** laboratorio y Tere viene de la biblioteca.

G. Planes profesionales. Pregúntales a varios amigos qué quieren ser.

 MODELO Tú: **¿Qué quieres ser tú?**
Compañero(a): **Yo quiero ser mecánico(a).**

H. ¡Hay reunión! Hay una reunión del club de español después del colegio. ¿De dónde vienen todos?

MODELO Carlitos <u>viene</u> del gimnasio.

1. Mis hermanos _____ de la biblioteca.
2. Tú _____ de la clase de música.
3. Yo _____ de la oficina.
4. Elena _____ del teatro.
5. Nosotros _____ del laboratorio de química.
6. Inés y Roberto _____ de la cafetería.
7. Martín _____ de la sala de computación.
8. Ustedes _____ de la clase de inglés.

I. ¿A qué hora? Hay una fiesta en el parque. Pregúntale a tu compañero(a) a qué hora vienen los otros invitados.

 MODELO Juan

`3:30`

Tú: **¿A qué hora viene Juan?**
Compañero(a): **Viene a las tres y media.**

1. el profesor García

`12:30`

2. Susana y Fernando

`2:45`

3. Luis

`3:00`

4. tus primos

`4:15`

5. la directora y su familia

`1:00`

6. la banda

`2:15`

7. tú

`3:30`

8. tus hermanos

`3:45`

J. El reportero.
Working with a partner, figure out what questions a reporter asked in order to get the following information from these four professionals.

> Me llamo Carmen González. Soy maestra de escuela primaria. Trabajo en la escuela Cabrillo. Enseño los grados 3° y 4°. Me gusta mucho trabajar con los niños.

> Soy Elena Cabrera Hidalgo. Soy dependienta en una tienda grande. Trabajo en el departamento de música. Trabajo ocho horas al día, desde las 2:00 de la tarde hasta las 10:00 de la noche. Escucho música toda la tarde. Me encantan las canciones de José José.

Question words

¿Quién?
¿Quiénes?

¿Qué?
¿Cuál?
¿Cuáles?

¿Dónde?
¿Adónde?
¿De dónde?

¿Cuánto?
¿Cuántos?

¿Cuándo?
¿Cómo?
¿Por qué?

Note that all question words require a written accent.

*See ¿**Por qué se dice así?**,*
page G56, section 4.7.

1. ¿ _____ se llama usted?
   ¿ _____ es su profesión?
   ¿ _____ trabaja?
   ¿ _____ enseña?
   ¿ _____ le gusta?

2. ¿ _____ se llama usted?
   ¿ _____ trabaja?
   ¿ En _____ departamento trabaja?
   ¿ _____ horas al día trabaja?
   ¿ _____ hace por la tarde?
   ¿ _____ es su artista favorito?

> Soy Fernando Lobato. Soy programador en una compañía muy grande. Escribo software para clientes y uso el módem. Siempre hay mucho trabajo.

> Soy Felipe Herrera. Soy ingeniero civil. A veces estoy todo el día en una oficina, pero generalmente trabajo al aire libre. Prefiero trabajar al aire libre.

3. ¿ _____ se llama usted?
   ¿ _____ es su profesión?
   ¿ _____ trabaja?
   ¿ _____ hace?
   ¿Para _____ escribe *software?*

4. ¿ _____ se llama usted?
   ¿ _____ hace usted?
   ¿ _____ trabaja?
   ¿ _____ prefiere trabajar,
   en una oficina o al aire libre?

CHARLEMOS UN POCO MÁS

A. Profesiones. Ask your classmates about their parents' occupations. How many different professions can you find? Make a list of them, then beside each one, write whose parent is in that profession. List as many different professions as possible.

B. Somos reporteros. As reporters for the school newspaper, you and your partner will be interviewing an Olympic soccer player. Prepare four or five questions that you want to ask.

C. ¡Encuesta! Your teacher will give you an interview grid. Complete the grid by asking your classmates about their families. When you find a classmate who meets the description in one of the squares, write his or her name in that square. Your goal is to put a name in every square. Just remember, you can't put the same person's name in more than two squares!

EJEMPLO **¿Tienes dos hermanas?**

Dramatizaciones

A. ¡Aniversario! You are at a family party. Act out the situation below with your partner. One of you plays the role of the friend who is visiting.

You	**Friend**
■ Ask if your friend knows your cousins.	■ Say that you know one of them but not the other.
■ Ask if your friend likes to dance.	■ Say yes and that you want to invite his or her cousins to dance.
■ Say that you want to dance with someone else. Indicate who.	■ Say what you are going to do.

B. Yo voy a ser . . . With a friend, discuss the professions that you are both interested in.
- Tell what you want to be and why.
- Tell where you would like to work.
- Ask about your partner's preferred profession.
- Comment on your partner's preferred profession.

C. Dos profesionales. As part of "Career Week," your Spanish class has invited two business or professional people from the community to come and talk about their work. Form groups of four or five students. Two of you will play the role of the guests, while the others will interview you.

¡No me digas!

¡No está en la guía!   In a café in Mexico, Claudio meets his American friend, Larry, who appears to be very upset. Read their conversation. Then answer the question that follows.

Claudio:	**Hola, Larry. Pero, hombre, ¿qué te pasa?**
Larry:	**Ay, perdona, Claudio. Necesito hablar con Jorge urgentemente y no puedo encontrar su número de teléfono.**
Claudio:	**Pero . . . sí está en la guía telefónica. Estoy seguro.**
Larry:	**¡Qué va! ¡No está! No hay un Jorge Salinas Chacón. Hay un Héctor Chacón y un Julio Chacón y una . . .**
Claudio:	**¿Chacón? ¡Pero, Larry, . . . por favor!**

What was Larry's mistake?

1. He was not spelling **Chacón** correctly.
2. He did not know that Jorge had an unlisted number.
3. He does not know how to use a Hispanic telephone directory.

❑ Check your answer on page 418.

Y ahora, ¡a leer!

Antes de empezar

Prepare a chart similar to the one below and fill in the information requested about phone companies and telephone books in the United States and Mexico. If you don't know the answers, make reasoned guesses.

La guía telefónica	En EE.UU.	En México
1. Besides the phone number, what other information about subscribers appears in the telephone book?	1. ____ 2. ____ 3. ____	1. ____ 2. ____ 3. ____
2. After you call, how long do you think you have to wait for the phone company to install a phone in your home?	(day, week, month, year, longer)	(day, week, month, year, longer)
3. List the following names alphabetically as you would expect them to appear in a phone book. María Luisa Carrillo Corella Lupe Llanos Carrión Manuel Cruz Cernuda Ricardo López Cabrera Enrique Chávez Castro Marta León Cuadrado	1. ____ 2. ____ 3. ____ 4. ____ 5. ____ 6. ____	1. ____ 2. ____ 3. ____ 4. ____ 5. ____ 6. ____

Verifiquemos

Answer the questions that follow by scanning this information taken from a Mexico City phone book.

CASTRILLÓN LEONOR VALDEZ DE 　HOMERO 1837-D-701 ZP 10 ....395-0684 CASTRILLÓN LUZ AGUILAR DE 　E PALLARES PORTILLO 65-2 ZP 21 ....544-1587 CASTRILLÓN MA TERESA LEÓN DE 　TEHUANTEPEC 144-12 ZP 06 564-5062	CASTRILLÓN MA TERESA V VDA DE 　HERSCHELL 10 ZP 5 ....545-9507 CASTRILLÓN Y LUNA VÍCTOR M 　COLORINES 49-401 CP 04380 ....574-1194 CASTRILLÓN YOLANDA FERNÁNDEZ VDA DE 　EL GRECO 39-202-B CP 03910 598-1931

1. Hay sólo un hombre en esta lista. ¿Cómo se llama? ¿Cuál es su dirección? ¿Su número de teléfono?
2. Una de las María Teresas es viuda. ¿Cuál es su número de teléfono?
3. ¿Cuál es el apellido del esposo de la otra María Teresa?
4. ¿Hay otras viudas? ¿Quiénes son?
5. ¿Es casada o soltera Luz Aguilar? Explica tu respuesta.

Datos personales

Un soltero acaba de conocer a una mujer muy interesante en una fiesta. Ahora él quiere invitarla a salir pero, antes de llamar, decide informarse un poco sobre ella. ¿Es divorciada o viuda? ¿Dónde vive? ¿Cuál es el apellido de sus padres? ¿El de su ex-esposo, si fue casada? ¿Cuál es su número de teléfono? ¿Su zona postal?

Toda esta información está a mano, para cualquier persona que tenga un teléfono instalado en su casa bajo su propio nombre. ¿Dónde? ¡En la guía telefónica, por supuesto!

La guía telefónica en países hispanos incluye muchos más datos personales que la guía telefónica en Estados Unidos, especialmente sobre las mujeres. Y también hay otras diferencias. Por ejemplo, los nombres de individuos están bajo el primer apellido, no el segundo.

Probablemente, usted ahora está pensando que es muy fácil conseguir información personal en un país hispano . . . pero hay un pequeño problema. En Estados Unidos todo el mundo tiene teléfono pero en los países hispanos, ¡no! En muchos países hispanos es difícil y caro conseguir una línea telefónica. A veces hay que esperar dos o tres años, y aún más, antes de que le puedan instalar un teléfono en casa. Por eso, mucha gente ni tiene teléfono en casa ni está incluida en la guía telefónica.

Consulte la Sección Amarilla

Ciudad de México
Directorio Telefónico 126
Octubre 19

3

¡Los novios están bailando !

¿ Qué piensas tú ?

1. Look carefully at the photo on the left and at the drawing above. How many different activities can you find people doing? Name as many as you can.

2. Can you find the boy standing on his head in the drawing? Describe where he is to someone in the class who can't find him.

3. Look again at the people in the photo and the drawing. How do you think these people feel? What words come to mind when you try to describe how they feel?

4. Where do you think the photo on the left was taken? Could it be in any city in the United States? Why or why not?

5. Which cities in the United States have strong Hispanic influences? Which Spanish-speaking countries do you think have influenced these cities? Why?

6. What do you think you will be able to talk about when you have finished this lesson?

Hola. Éstos son mis dibujos de la boda de papá.

1 Betty está lista para entrar en la iglesia. Está muy nerviosa. Ana y Lupe no están nerviosas. Están contentas porque les gustan las bodas.

2 Mi abuela y la madre de Betty están llorando. Pero no están tristes; están emocionadas. ¡Qué ridículas son las bodas!

4 Pepe está furioso. Quiere comer pastel pero abuela no le permite comer nada.

3 ¡Qué ridícula es la recepción! La banda está tocando música romántica y la cantante está cantando canciones de amor. ¡Pero nadie está bailando, . . . sólo Papá y Betty!

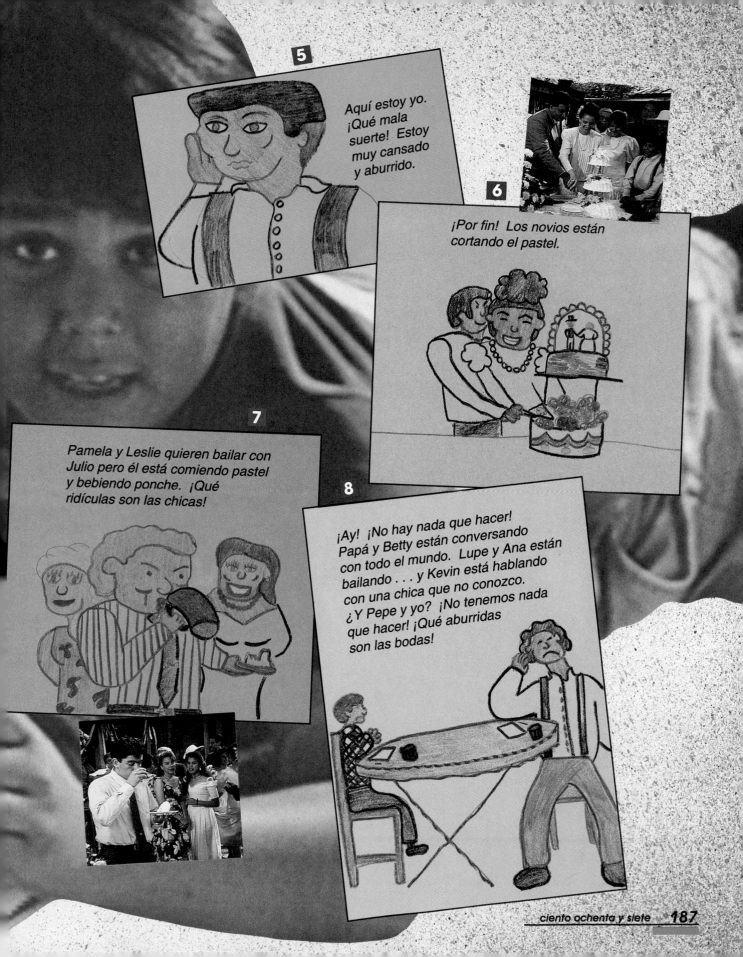

5

Aquí estoy yo. ¡Qué mala suerte! Estoy muy cansado y aburrido.

6

¡Por fin! Los novios están cortando el pastel.

7

Pamela y Leslie quieren bailar con Julio pero él está comiendo pastel y bebiendo ponche. ¡Qué ridículas son las chicas!

8

¡Ay! ¡No hay nada que hacer! Papá y Betty están conversando con todo el mundo. Lupe y Ana están bailando . . . y Kevin está hablando con una chica que no conozco. ¿Y Pepe y yo? ¡No tenemos nada que hacer! ¡Qué aburridas son las bodas!

¿QUÉ DECIMOS...?

Al hablar de lo que está pasando

1 **¡Ay! Es tan guapo.**

2 ¡Y ahora están bailando!

3 ¿De veras?

CHARLEMOS UN POCO

A. ¿Quién está hablando? ¿Quién dice esto, Pamela, Leslie, Kevin o Julio?

Pamela

Leslie

Kevin

Julio

1. ¿Por qué no estás comiendo?
2. ¡Kevin, nuestro primo nuevo!
3. ¡Qué tonta eres!
4. ¿Hacia nosotras? ¿De veras?
5. ¡Estoy tan nerviosa!
6. Hola, primas. ¿Cómo están?
7. Gracias, pero estoy cansada.
8. Leslie, ¿quieres?

B. ¡Una boda! Mañana es la boda de tu primo. ¿Cómo está la familia del novio?

 EJEMPLO **La novia está muy nerviosa pero muy contenta.**

1. yo
2. su mamá
3. sus abuelos
4. su padrastro
5. sus hermanastros
6. la novia
7. el novio

- cansado
- contento
- aburrido
- nervioso
- listo
- emocionado
- furioso
- triste
- ocupado

C. ¿Qué emoción? Imagínate que tú y estas personas están en estos lugares o situaciones. ¿Cómo se sienten?

 EJEMPLO tú: en la clase de español
Estoy un poco nervioso(a), pero no estoy aburrido(a).

1. tú y un(a) amigo(a): en una fiesta
2. tú: en un examen final
3. tú: en la oficina del director
4. tu familia: en una boda
5. tú y tu novio(a): en una discoteca
6. tu padre: en el trabajo
7. tus amigos: en el recreo
8. tú: en el gimnasio

Estar + *adjective*
Saying how you feel

Estoy furioso con los niños.
Mamá **está** muy **emocionada**.
Estamos contentos pero **cansados**.

*See ¿**Por qué se dice así?**,
page G59, section 4.8.*

The present progressive

Used to describe an action in progress

estar + -ndo verb form

-ar verbs: **-ando**
> ¿Están estudi**ando**?
> No, estamos descans**ando**.

-er/-ir verbs: **-iendo**
> ¿Qué estás hac**iendo**?
> Estoy v**iendo** la tele y
> le**yendo*** el periódico.

*In **-er/-ir** verbs, **-iendo** changes to **-yendo** if the verb stem ends in a vowel.

See **¿Por qué se dice así?**, *page G62, section 4.9.*

CH. Rin, rin . . . Un(a) amigo(a) te habla por teléfono y quiere saber qué estás haciendo. ¿Qué le dices?

 MODELO descansar / comer
> Compañero(a): **¿Estás descansando?**
> Tú: **No, estoy comiendo.**

1. leer el periódico / estudiar español
2. descansar / aprender un baile nuevo
3. hacer la tarea / ver la tele
4. descansar / escuchar la radio
5. practicar el piano / leer un libro
6. preparar la comida / estudiar
7. comer / escribir una carta
8. ver un programa en la tele / leer un libro
9. practicar el piano / descansar
10. escuchar discos / preparar la comida

D. ¡Todos están ocupados! ¿Qué están haciendo estas personas?

MODELO Natalia y Alicia
Natalia y Alicia están estudiando.

1.

Jorge

2.

Samuel y Marcos

3.

Susana

4.

Alfredo y Marta

5.

Mari Carmen

6.

Paco y Beatriz

7.

Arturo

8.

Teresa y Anita

E. ¡Qué trabajo! Son las diez de la mañana. ¿Qué están haciendo estas personas?

MODELO **Los políticos están hablando con la gente.**

reporteros
maestros
secretarios
artistas
músicos
cocineros
políticos
enfermeros
escritores
futbolistas

{ preparar comida
jugar fútbol
hacer ejercicio
hablar con la gente
leer libros
trabajar en los hospitales
calificar exámenes
escribir libros
hacer dibujos
hablar por teléfono
escribir un artículo
tocar instrumentos musicales

F. ¿Sus parientes? Estás en una recepción de bodas. ¿Qué están haciendo los parientes de la novia? Pregúntale a un(a) amigo(a).

MODELO prima / cortar el pastel
Tú: **¿Qué está haciendo la prima de la novia?**
Compañero(a): **Está cortando el pastel.**

1. padre / sacar fotos
2. tíos / tomar refrescos
3. hermana / bailar con su novio
4. madrastra / saludar a los invitados
5. abuelos / hablar con los novios
6. hermanos / comer pastel
7. sobrino / tocar el piano
8. tía / charlar con amigos

CHARLEMOS UN POCO MÁS

A. ¿Qué están haciendo?   Es el fin de semana y estás en el parque.
¿Qué están haciendo estas personas?

B. ¡Qué divertido! Write down five things that you might do at a party. Then, in small groups, take turns acting out the activities on your list, while your classmates identify them.

EJEMPLO Compañero(a): **¿Estás tocando el piano?**
Tú: **Sí, estoy tocando el piano.** o
No, no estoy tocando el piano.

C. ¡Video! You and your partner made a video to send to a friend in another state. Prepare the narration that will be added to the video. Tell what you and your friends are doing and feeling in each shot. Be as creative as possible.

EJEMPLO tú y dos amigos: en un jardín zoológico
Aquí estamos caminando y mirando los animales. Hay muchas personas aquí hoy. David y Roberto están comiendo pizza. Estamos muy contentos.

1. un amigo: en la cafetería
2. tu familia: en una boda
3. tú: en un baile
4. tú y varios amigos: en el parque
5. dos amigas: en un centro comercial
6. tú y . . . : en . . .

CH. ¿Cuál es la diferencia? Your teacher will give you a drawing almost identical to the one below. Describe it to your partner. Your partner, in turn, will describe the drawing in the text to you. Without looking at each others' drawings, find five differences between them.

EJEMPLO Tú: **La novia está bailando. Está bailando con su abuelo.**
Compañero(a): **Sí, la novia está bailando con su abuelo.** o
No, la novia no está bailando con su abuelo.

Dramatizaciones

A. ¡Estoy solo!   You are at home alone and two relatives drop by for a visit.   What do you do?

You	Relatives
■ Greet them.	■ Ask where various members of the family are.
■ Say where they are and what each person is doing.	■ Ask at what time the parents will return (**regresar**).
■ Respond.	■ Say the two of you will return at that time also.

B. ¡Una fiesta!   A friend of yours is ill and is missing a great party.   Call him or her from the party.   Be sure to do the following:

■ Greet your friend and identify yourself.
■ Find out how your friend is feeling.
■ Explain where you are and describe what is happening.
■ Answer your friend's questions about who is at the party and what they are doing.
■ Say how you are feeling at the moment.
■ End the conversation politely.

C. ¡Preséntame!   You are at a party talking to a friend when you see someone you just have to meet.   Your friend, it turns out, knows that person very well.   Role-play the situation.   Find out as much as you can about the person you are interested in: name, family, school, interests, etc.

CH. ¿Quién está hablando?   You are with your friend having a soft drink at a favorite after-school hangout.   However, you are in a corner booth with your back toward everyone else.   Role-play the situation as you ask your friend who is there and what they are doing.

LEAMOS AHORA

Reading strategy:
Identifying the main idea

A. Anticipemos. Before you read the following selection, record your impressions of Hispanics in the United States by indicating if you agree (**Estoy de acuerdo**) or disagree (**No estoy de acuerdo**) with the statements that follow. After you read the selection, come back and change any of your answers, if necessary.

1. Muchos estados, ríos, montañas, ciudades, calles y vecindades en Estados Unidos tienen nombres hispanos.
2. El inglés tiene muchas palabras de origen español.
3. Todos los hispanos en Estados Unidos viven en California, Texas y la Florida.
4. Todos los hispanos en Estados Unidos vienen de México.
5. Estados Unidos ya no acepta a inmigrantes latinos.

B. La idea principal. When reading, it is important to identify the main ideas expressed by the author. Usually each paragraph expresses one or two main ideas. Often the main idea is stated in the first sentences of a paragraph.

Before you begin to read, look at the main ideas listed below. Then scan the first sentence of each of the four paragraphs to find the main ideas. Match the main ideas listed below with the appropriate paragraphs. Work *very quickly*. Do not read every word at this point.

1. Hay hispanos en muchas regiones de Estados Unidos.
2. La población hispana es de gran importancia ahora y va a ser de gran importancia en el futuro de Estados Unidos.
3. En Estados Unidos hay mucha influencia hispana.
4. Hay hispanos de muchos países en Estados Unidos.

C. EE.UU. hispano. Now read the article and then answer the questions.

Verifiquemos

1. Name as many rivers, mountains, states, and cities in the United States as you can with Spanish names.

2. **Los hispanos en Estados Unidos: Presente y futuro** is about
   a. the history of Hispanics in the United States.
   b. the influence of Hispanics in United States culture.
   c. the influence of the United States in Hispanic culture.
   ch. None of the above.

3. The influence of the Spanish language on American English
   a. is apparent in the names of foods and architectural styles.
   b. can only be heard in the southwestern United States.
   c. is limited to the names of foods.
   ch. All of the above.

Los hispanos en Estados Unidos: Presente y futuro

Hoy día es imposible visitar Estados Unidos y no ver, por todas partes, la influencia hispana. Ríos, montañas, siete estados y un gran número de ciudades, calles y vecindades llevan nombres hispanos. Ni la lengua del país ha escapado la influencia hispana. En el oeste, hablamos de **rodeo, lasso, corral** y **bronco;** en la construcción, de **adobe** y **patio;** en la cocina, de **tomate, chocolate, chile** y recientemente de **tapas, nachos** y **fajitas.**

La mayoría de los hispanos en Estados Unidos viven en el suroeste del país. Pero esto está cambiando. En los últimos años, nuevos grupos de hispanos se han establecido en otras partes del país, en particular en la Florida y en Nueva York.

La mayor parte de hispanos en Estados Unidos vienen de México. Pero también hay cantidades impresionantes de puertorriqueños, cubanos, salva-

> **Hoy día es imposible visitar Estados Unidos y no ver, por todas partes, la influencia hispana.**

doreños, nicaragüenses y otros. El crecimiento de la población hispana influye en la realidad política del país. Esto es verdad, en particular, en estados como California, Texas, la Florida e Illinois.

Sin duda, la población latina ya es una fuerza vital en Estados Unidos. Pero, ¿cuál va a ser su importancia en el futuro de este país? Las proyecciones de la Oficina del Censo indican que esta comunidad va a tener una extraordinaria importancia política y social.

Distribución geográfica de EE.UU. hispano

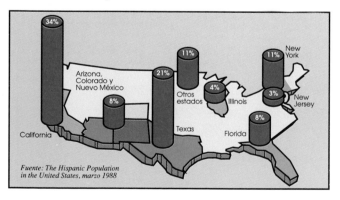

Fuente: The Hispanic Population in the United States, marzo 1988

Origen de la población hispana de EE.UU.

Crecimiento de la población hispana

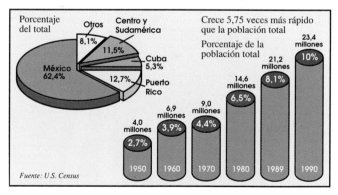

Fuente: U.S. Census

---

4. The majority of Hispanics in the United States live in the
  a. east.
  c. southwest.
  b. south.
  ch. northeast.

5. Over 50% of the Hispanics living in the United States come from
  a. South America.
  c. Cuba.
  b. Central America.
  ch. Mexico.

6. The Hispanic population has already been politically influential in
  a. California and Texas.
  b. Illinois.
  c. Florida.
  ch. All of the above.

ESCRIBAMOS UN POCO

Writing strategy:
Organizing information

A. Planeando. Read and discuss the following composition about José Medina Sánchez. The composition was written by his nephew, Antonio. How does Antonio feel about his uncle?

> ### Mi tío
>
> Mi tío favorito se llama José Medina Sánchez. Tiene 45 años. No es ni alto ni bajo: es mediano. Tiene el pelo negro como yo.
>
> Mi tío es mecánico. Es especialista en coches importados. En particular, repara coches Mercedes Benz, BMW y Porsche. Trabaja para una compañía muy grande. Hay 30 mecánicos en la compañía.
>
> La familia de mi tío es muy simpática. Él tiene dos hijas y tres hijos. Mis primos y mi tío son mis mejores amigos. Mi tía Isabel, su esposa, es muy simpática también. Tío José es mi tío favorito.

B. Empezando. Before writing this composition, Antonio assembled all his ideas in the brainstorming cluster that follows. Based on what you read, complete the missing parts in Antonio's cluster.

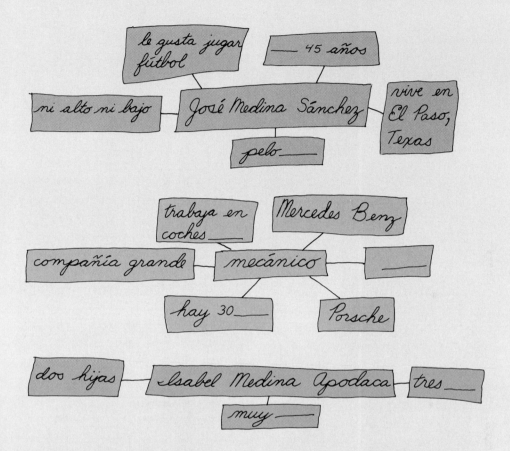

C. Escribiendo. Now plan a composition about your family. You may choose to write about a specific family member or the whole family. Organize your thoughts using a cluster. Then use the information to write a short composition.

CH. Compartiendo. Share the first draft of your composition with two classmates. Ask them what they think of it. Is there anything they don't understand? Is there anything you have not mentioned that they would like to know? Do they think you should change something?

D. Revisando. Based on your classmates' comments, rewrite your composition, changing anything you want. You may add, subtract, or reorder what you had originally written. Before you turn it in for grading, share your composition with two other classmates. Ask them to focus on your grammar, spelling, and punctuation. Correct any errors they notice before turning it in to your teacher.

¡Bienvenidos a Madrid!

PORTUGAL

ESPAÑA

Segovia

Barcelona

Madrid

Córdoba

Sevilla

0   150 Kilómetros

0   100 Millas

¡Toma el metro!

ANTICIPEMOS

EXCHANGE		
DOLAR U.S.A.	1	115
DOLAR CANADIENSE	1	97
FRANCO FRANCES	1	18
LIBRA ESTERLINA	1	180
FRANCO SUIZO	1	71
FRANCOS BELGAS	100	295
MARCO ALEMAN	1	61
LIRAS	100	8
FLORIN	1	54
CORONA SUECA	1	17
CORONA DANESA	1	16
CORONA NORUEGA	1	15
MARCO FINLANDES	1	25

¿Qué piensas tú?

1. ¿Qué buscan las personas en las fotos? ¿Por qué dices eso?

2. Si un turista norteamericano cambia 50 dólares a pesetas en el banco, ¿cuántas pesetas le dan? ¿Si un turista francés cambia 200 francos? ¿Si un turista alemán cambia 100 marcos? ¿Si un turista inglés cambia 300 libras?

3. En tu opinión, ¿qué lugares de la ciudad van a interesarles a los turistas? ¿Por qué crees eso?

4. En tu opinión, ¿qué le preguntan los jóvenes al policía? ¿Qué contesta el policía?

5. ¿Qué preguntas cuando necesitas direcciones para llegar a un lugar? ¿Qué expresiones usas para dar direcciones?

6. ¿Es tu ciudad similar a esta ciudad o diferente? Explica las semejanzas y diferencias.

7. En tu opinión, ¿qué factores determinan la apariencia física de una ciudad? ¿Por qué crees que las ciudades españolas se ven diferentes de las ciudades norteamericanas?

8. ¿De qué vas a poder hablar al final de la lección?

1

Carla tiene que ir al almacén. ¿Por qué? Porque quiere comprarle un regalo a su novio.

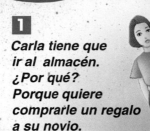

¿Dónde queda el almacén?

CORREOS

CALLE

No queda lejos de aquí. Queda muy cerca. Debes doblar a la derecha y caminar una cuadra. El almacén está a la derecha. Enfrente del almacén hay una tienda y un café.

ALMACÉN ALCALÁ

ALCALÁ

MUSEO

REINA

TIENDA

BIBLIOTECA NACIONAL

Café

CALLE   DEL

2

Enrique necesita regresar al hotel inmediatamente pero está muy lejos. ¿Qué hace? Tiene que tomar el autobús número 6. El autobús va por la calle de Alcalá. Dobla a la derecha en la calle del Conde y sigue derecho.

¿Dónde debo bajarme?

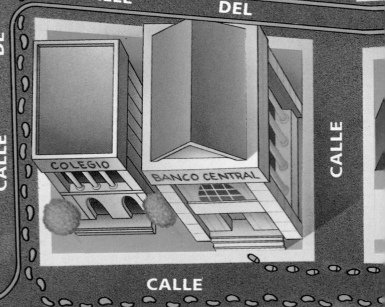

CALLE DE

CALLE

COLEGIO

BANCO CENTRAL

CALLE

CALLE

Bájate enfrente del restaurante. Cruza la calle y camina hasta la esquina de la calle Goya. Luego dobla a la izquierda y camina media cuadra. Allí está el Hotel Goya.

CERVANTES

BILBAO

GOYA

IGLESIA SANTO TOMÁS

HOTEL GOYA

CONDE

CALLE

CALLE

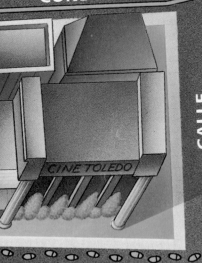

CINE TOLEDO

RESTAURANTE

HOSPITAL

CLAVEL

3

Mariseta necesita cambiar un cheque de viajero.

¿Cómo llego al banco?

Hay que caminar una cuadra y doblar a la izquierda. Luego camina dos cuadras más y dobla a la derecha. El banco está en la esquina de Reina y Clavel.

4

Luis necesita enviar unas tarjetas postales. Busca la oficina de correos para comprar sellos.

¿Dónde queda correos?

Tienes que seguir por la calle Clavel hasta la calle de Alcalá. Dobla a la derecha y camina dos cuadras. Cruza la calle y correos está detrás de la fuente.

¿QUÉ DECIMOS...?

Al pedir direcciones

1 ¿Tengo que llevar a Víctor?

2 ¿Cómo llego a correos?

3 *Tenemos que cambiar un cheque.*

CHARLEMOS UN POCO

A. ¿Quién habla? Identifica a la persona que habla.

Recepcionista   **Papá**   **Manolo**   **Víctor**

1. Primero, deben ir a la oficina de correos.
2. ¿Salgo por esa puerta?
3. Tengo que comprarle un regalo a mi novia.
4. Bájate en la estación Banco de España.
5. Tenemos que cambiar un cheque de viajero.
6. Manolo, baja a la recepción y pregunta cómo se llega.
7. Camina dos manzanas más.
8. ¡Vamos de compras!
9. Toma el metro para Ventas.
10. ¿Cómo llego a correos?

B. ¿Dónde están? Contesta las preguntas.

MODELO   ¿Dónde está Javier?
         Está detrás de su padre.

1. ¿Dónde está Anita?
   ¿Dónde está la madre de Anita?

2. ¿Dónde están Javier y Anita?
   ¿Dónde está su madre?

3. ¿Dónde está Javier?
   ¿Dónde está Anita?

4. ¿Dónde está el padre?
   ¿Dónde están Javier y Anita?

LECCIÓN 1

Prepositional phrases
Used to show location

¿Dónde están los niños?

Está **enfrente de** sus padres.   Está **detrás de** sus padres.

Están **al lado de** su madre.   Está **entre** sus padres.

Están **a la izquierda de** su madre.   Está **a la derecha de** su madre.

Está **cerca de** su padre.   Está **lejos de** su padre.

C. **¿Dónde queda?**   Según Alicia, ¿dónde están los lugares mencionados abajo?

 MODELO   almacén
Está entre el café y la tienda.

1. plaza
2. museo
3. iglesia
4. parque
5. hospital
6. colegio
7. biblioteca
8. almacén
9. café

a. Está al lado del almacén, cerca de la plaza.
b. Está al lado del hotel, enfrente del museo.
c. Está enfrente de la iglesia.
ch. Está lejos de mi casa, al lado de la tienda.
d. Está enfrente de mi casa.
e. Está entre el hotel y el colegio.
f. Está enfrente del hospital.
g. Está entre mi casa y el parque.
h. Está al lado del hospital, enfrente del café.

CH. Van a . . .   Varios jóvenes reciben estas instrucciones del policía en la **Plaza Constitución.** ¿Adónde van?

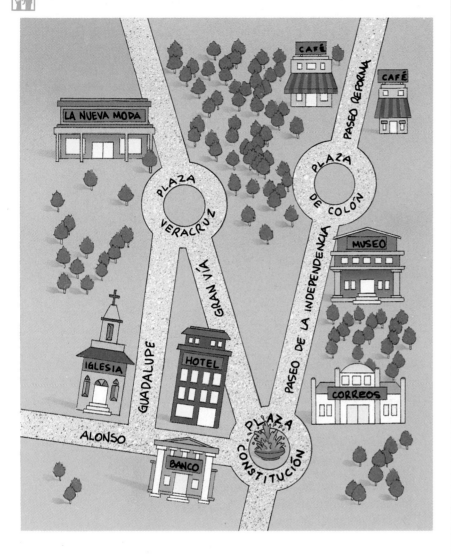

Commands used when giving directions

Dobla a la derecha (izquierda).
Sigue derecho.
Camina media (una, dos, . . .) cuadra(s).
Toma el autobús (metro, tren).
Pasa por el parque.
Cruza la calle.

See **¿Por qué se dice así?,** *page G65, section 5.1.*

1. Camina por todo el Paseo de la Independencia. Está a la derecha, antes de llegar a la primera plaza.
2. Está cerca. Sigue derecho por la calle Alonso. Cruza la calle Guadalupe. Está a la derecha, en la esquina. *Iglesia*
3. Está allí mismo, detrás de la fuente.
4. Sigue media manzana por Alonso. Queda a la izquierda, enfrente del hotel. *Banco*
5. Toma el autobús que va por el Paseo de la Independencia. Al cruzar la Plaza de Colón, la calle se llama Paseo Reforma. Hay dos en esa calle. *Café*
6. Está un poco lejos. Toma el autobús por Gran Vía hasta llegar a la Plaza Veracruz. Pasa por la plaza y el almacén está a la izquierda.

D. ¡Primero a correos! José tiene que ir a muchos lugares hoy. ¿Qué instrucciones le da su mamá?

MODELO casa de José → correos
Para ir a correos, dobla a la derecha en la calle A y camina dos cuadras y media.

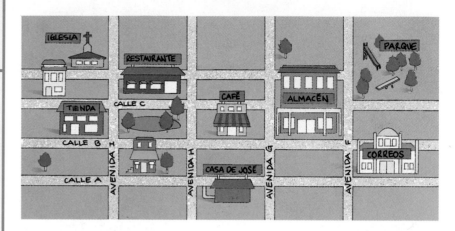

1. casa de José → correos
2. correos → almacén
3. almacén → tienda
4. tienda → iglesia
5. iglesia → restaurante
6. restaurante → parque
7. parque → café
8. café → casa de José

E. ¡Pobre Federico! Todo el mundo le da órdenes a Federico. ¿Qué le dicen?

MODELO comprar sellos.
Compra sellos.

1. estudiar para la clase de español
2. escribir tu composición
3. buscar un regalo para tu tía
4. correr al banco
5. llamar a tu abuela
6. limpiar la casa
7. practicar el piano
8. leer tu libro de historia
9. cambiar un cheque de viajero
10. tomar el autobús

F. ¿Cuánto tengo? Tienes que cambiar dólares a pesetas. ¿Cuántas pesetas te dan?

MODELO 1.000
Mil pesetas.

1. 1.100
2. 7.300
3. 500
4. 1.700
5. 5.900
6. 1.000
7. 6.500
8. 4.600

Tú commands
Used when telling people what to do

Infinitive	-ar	-er, -ir
Ending	-a	-e

Estudia más.
Lee el capítulo para mañana.
Escribe esto en la pizarra.

See **¿Por qué se dice así?**, *page G65, section 5.1.*

Números: 100–1.000.000

100	cien
210	doscientos diez
320	trescientos veinte
430	cuatrocientos treinta
540	quinientos cuarenta
650	seiscientos cincuenta
760	setecientos sesenta
870	ochocientos setenta
980	novecientos ochenta
1.090	mil noventa
2.200	dos mil doscientos
3.400	tres mil cuatrocientos
4.600	cuatro mil seiscientos
5.800	cinco mil ochocientos
10.900	diez mil novecientos
51.000	cincuenta y un mil
100.000	cien mil
1.000.000	un millón

Necesito trescient**as** peset**as**.
Tienen dos mil seiscient**os** pes**os**.

See **¿Por qué se dice así?**, *page G66, section 5.2.*

G. ¿Adónde van? ¿Adónde van estos vuelos?

MODELO Tú: **¿Adónde va el vuelo setecientos sesenta y siete?**

     Compañero(a): **El vuelo setecientos sesenta y siete de Iberia va a Perú.**

SALIDAS		
LÍNEA AÉREA	VUELO	DESTINO
Iberia	767	Lima - Peru
TWA	150	Buenos Aires - Argentina
Lan Chile	2500	Bogotá - colombia
Avianca	950	Caracas venezuela
Iberia	575	Miami - los unidos - US.
Aeroméxico	1165	Managua - nicaragua
Avianca	700	Quito - ecuador
Lan Chile	1500	Santiago chile
Aeroméxico	6336	San José - costa rica

H. Caja de cambio.
¿Cuántos dólares le dan estas personas al cajero y cuántas pesetas reciben en cambio?

MODELO Sr. Jones: $10 / 1.150 ptas.
     El Sr. Jones le da diez dólares y recibe mil ciento cincuenta pesetas.

1. yo: $20 / 2.300 ptas.
2. Adán y Gregorio: $45 / 5.175 ptas.
3. Sra. Carrera: $60 / 6.900 ptas.
4. tú: $35 / 4.025 ptas.
5. mi hermana y yo: $50 / 5.750 ptas.

I. Reunión familiar.
¿A qué hora salen tú y tus parientes de la reunión familiar?

MODELO tus tíos / 22:00
     Compañero(a): **¿A qué hora salen tus tíos?**
     Tú: **Salen a las diez de la noche.**

1. tus padres / 19:30
2. tu tía Isabel / 20:00
3. tú y tu hermana / 18:00
4. el esposo de tu prima / 11:45
5. los abuelos de tu primo / 14:00
6. tú / 20:30

Dar

doy	damos
das	
da	dan
da	dan

Notice the irregular **yo** form.

See **¿Por qué se dice así?,** *page G68, section 5.3.*

Salir

salgo	salimos
sales	
sale	salen
sale	salen

Notice the irregular **yo** form.

See **¿Por qué se dice así?,** *page G68, section 5.3.*

Saber

sé	sabemos
sabes	
sabe	saben
sabe	saben

Notice the irregular **yo** form.

See **¿Por qué se dice así?**, *page G68, section 5.3.*

J. Madrid.   ¿Cuánto saben ustedes de Madrid?

EJEMPLO   yo / saber que Madrid / ser / capital / España
Yo sé que Madrid es la capital de España.

1. yo / saber que Madrid / estar / centro / país
2. Silvia y Samuel / saber que Madrid / tener / metro excelente
3. tú y Carlos / saber que Madrid / ser / ciudad más grande de España
4. él y ella / saber que el Rey Juan Carlos no / vivir / Palacio Real
5. Alicia / saber que / Museo del Prado / ser uno de los mejores del mundo
6. usted y yo / saber que la Plaza Mayor / tener cafés al aire libre, tiendas y oficinas

CHARLEMOS UN POCO MÁS

A. ¡Mucho talento!   The Spanish Club is planning to have a talent show. With a partner, prepare a list of students in your class and what they know how to do.

EJEMPLO   **Gloria sabe bailar el tango.**
Yo sé contar hasta un millón en español.

B. ¡Donaciones!   The business community in your town has decided to help your school by donating specific items. In groups, decide what each group of professionals gives the school. Some groups were very generous, so use large amounts.

EJEMPLO   **La Asociación de Secretarias le da diez mil lápices al colegio.**

Los cocineros de [tu ciudad]	computadoras
La Asociación de Músicos	lápices
El Partido Demócrata	guitarras
El Partido Republicano	libros
La Asociación de Mujeres de Negocio	teléfonos
La Asociación de Profesores	pizzas
Unos abogados muy ricos	$$$

C. Reunión familiar.   All of your relatives are coming to a family reunion at your house on Sunday. Tell from where and at what time they leave in order to arrive by noon.

EJEMPLO   **Mis tíos Roberto y Rita salen de Reno a las ocho.**

CH. Plano de Madrid. Use the **Metro** map below to tell your partner how to get from one stop to another.

EJEMPLO   de Ventas a Cuatro Caminos

Toma el número 5 a Diego de León. Cambia en Diego de León al número 6 hasta Cuatro Caminos.

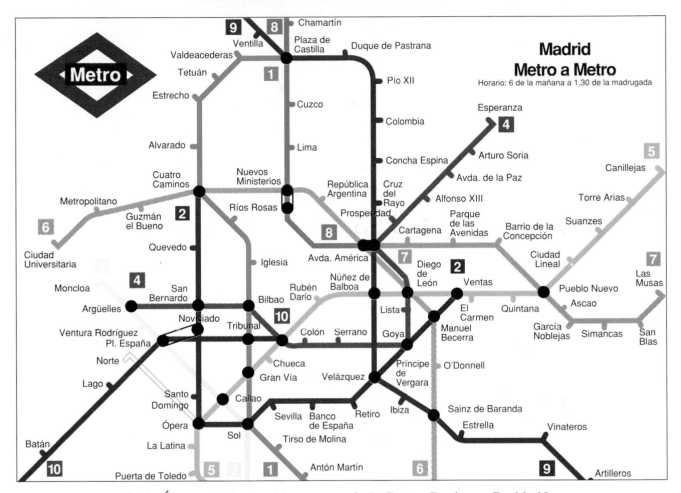

1. de Ópera a Avda. América
2. de Gran Vía a Plaza de Castilla
3. de Ópera a Ciudad Universitaria
4. de Cuatro Caminos a Pueblo Nuevo
5. de Argüelles a Ciudad Universitaria
6. de Cuatro Caminos a Goya

D. ¡Mi perro perdido! You and your partner are trying to find your lost dog, Bombón. Your teacher will give each of you a town map. One of the maps shows where Bombón has gone. The partner with that map describes how to follow Bombón's tracks, while the other draws the route on the unmarked map. When you find Bombón, compare the two maps.

E. ¡Necesito ir a . . . ! Use the map your teacher gives you to tell your partner how to get from the train station to the places specified on the map your teacher gives him or her. Then ask your partner how to get to the following places: **hotel, correo, tienda, hospital, restaurante, teatro.**

Dramatizaciones

A. Nuevos amigos. A new friend calls you from the center of town and needs directions to your house. Role-play the phone call.

Amigo(a)
- Ask if the house is far.
- Ask how to get to the house.

- Repeat the instructions to make sure you understood.

Tú
- Say it is [near/far].
- Be specific in your answer. Mention any landmarks.

B. ¿Dónde queda? You agreed to meet your parents for lunch at a new restaurant but have lost the address. You ask a police officer for directions. Role-play the situation with a partner.

Tú
- Ask where the restaurant is located.
- Ask for directions to that address.
- Find out if you should walk or take the bus, taxi, or metro.
- If you must use public transportation, ask how much it is.

Policía
- Give address of the restaurant.
- Give directions.
- Suggest the most appropriate form of transportation.
- Indicate the fare.

C. ¿Son hermanos? You and a friend are discussing two new students at your school.

Tú
- Ask if your friend knows the names of the new students.
- Ask if your friend knows where they live.
- Ask for their phone numbers.
- Ask at what time the new students leave school.
- Say good-bye to your friend until tomorrow morning.

Amigo(a)
- Tell their names.
- Answer that you don't but that you know their phone numbers.
- Give their phone numbers.
- Tell when they leave.

- Respond appropriately.

CH. Perdón, necesito ayuda. A newcomer to the city asks you for directions to a place you know well. Give directions and answer the newcomer's questions about how to get there. If appropriate, include information about what bus or metro line to take and at which stops to get on or off. Mention landmarks and how close or far this place is.

¡No me digas!

Madrid de noche.   Tom is taking an evening stroll with his friend Martín in Madrid. Read their conversation. Then answer the question that follows.

Tom:	**¡Qué noche más formidable! Dime, Martín, ¿qué hora es?**
Martín:	**Creo que son las nueve y media.**
Tom:	**¿Las nueve y media de la noche? ¡Imposible! Mira cuánta gente hay en la calle . . . y cuántos niños también. (*Pasa un niño corriendo.*)**
Martín:	**Pues, Tom, te digo que son las nueve y media de la noche. (*Mirando el reloj*)**
Tom:	**Entonces, no entiendo. ¿Qué pasa hoy? ¿Es un día festivo o qué?**
Martín:	**Pues no, no pasa nada . . . ¿No te gusta la gente?**

▶ Why is Tom surprised?

1. He is amazed to see the streets crowded at that late hour.
2. He does not realize that large families live in that part of town.
3. He doesn't think it's safe for children to be on the streets after dark.

❏ Check your answer on page 418.

Y ahora, ¡a leer!

Antes de empezar

1. En tu opinión, ¿cuáles de estas actividades hacen diariamente los jóvenes norteamericanos y cuáles hacen los jóvenes españoles?

Actividades diarias	Estados Unidos	España
1. Salir a pasear con la familia por la tarde.	sí / no	sí / no
2. Ir de compras por la tarde con un pariente.	sí / no	sí / no
3. Conversar y observar a la gente con un pariente mientras caminan por la calle.	sí / no	sí / no
4. Salir en auto con un(a) amigo(a) a tomar un refresco.	sí / no	sí / no
5. Tomar un helado o un refresco con tu familia caminando por la calle o en un parque cerca de tu casa.	sí / no	sí / no
6. Pasear en auto con un grupo de amigos una o dos horas por la tarde.	sí / no	sí / no
7. Salir a caminar con un grupo de amigos.	sí / no	sí / no

2. Prepara una lista de las palabras afines en la lectura.

Verifiquemos

Primero lee la lectura sobre *El paseo* en la siguiente página. Luego, contesta las preguntas a continuación.

1. ¿Existe el paseo o algo similar en tu ciudad? Explica.
2. ¿Sale tu familia a caminar? ¿Adónde van ustedes?
3. ¿Dónde y cuándo se juntan tus padres con otros adultos para conversar o comentar las últimas noticias?
4. ¿Qué hacen tú y tus amigos para conocer a otros jóvenes? ¿Adónde van? ¿Cómo comienzan una conversación?
5. ¿Creen que el paseo es una buena manera de conocer a otras personas? ¿Por qué sí o por qué no?

EL PASEO

Dar un paseo antes o después de cenar es una tradición en muchas ciudades hispanas. Los domingos por la noche, familias, novios y amigos salen a dar un paseo: caminan y conversan mientras observan a los otros caminantes.

Familias enteras salen a pasear. Los adultos conversan sobre las últimas noticias o simplemente comentan los precios en los escaparates de las tiendas. Los niños corren por todos lados jugando con sus hermanos, primos o amigos. A veces, después de caminar un rato, los niños (y los adultos también) toman un helado en la calle o entran en un café a tomar algo.

Los jóvenes también salen de paseo. A veces salen con sus familias, pero, por lo general, a ellos les gusta pasear en grupo con sus amigos. Es común ver grupos de chicos o chicas paseándose. A veces los grupos se juntan a conversar. De esta manera se conocen y hacen planes para el paseo siguiente.

¿ Qué quieres comprar ?

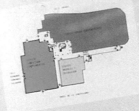

El Corte Inglés

CENTRO COMERCIAL CASTELLANA

CONFECCION
COMPLEMENTOS

6ª	JUVENTUD. CAFETERIA. RESTAURANTE.	
5ª	JUVENTUD.	
4ª	DEPORTES. ZAPATERIA.	
3ª	NIÑOS - NIÑAS. BEBES. JUGUETES.	HOGAR SUPERMERCADO
2ª	CABALLEROS. AGENCIA DE VIAJES. ADMINISTRACION. PELUQUERIA. MALETAS.	HOGAR - MENAJE. ELECTRODOMESTICOS. AUTOMOVIL. LISTAS DE BODA.	MUEBLES Y DECORACION
1ª	SEÑORAS. PELUQUERIA.	HOGAR - TEXTIL. MERCERIA - TEJIDOS.	MUEBLES. COORDINACION DEL HOGAR. CUADROS Y LAMINAS. GALERIA DE ARTE.
B	COMPLEMENTOS DE MODA.	SUPERMERCADO DE ALIMENTACION. LIMPIEZA - PLASTICO. ANIMALES - PLANTAS. CAJA DE APARCAMIENTO.	MUEBLES. ANTIGÜEDADES. LAMPARAS.
S/S	COMPLEMENTOS. DISCOS - LIBRERIA. ELECTRONICA. CAJAS DE APARCAMIENTO. FOTOGRAFIA - TURISMO. CARTA DE COMPRA.		
S	OPORTUNIDADES.		
S			

ESTA USTED AQUI

APARCAMIENTO NARANJA

APARCAMIENTO AMARILLO

APARCAMIENTO NARANJA

APARCAMIENTO AMARILLO

APARCAMIENTO VERDE

APARCAMIENTO NARANJA

APARCAMIENTO AMARILLO

Promoción válida del 25 de enero al 15 de febrero

NFECCIÓN
0%
ZAPATERÍA

El Corte Inglés

CHICOS CHICAS 12 - 15	
1 JERSEY	2.975
2 CHAQUETA	6.900
BLUSA	3.200
BERMUDAS	3.700
3 CAZADORA	7.675
4 CHAQUETA	9.500
5 JERSEY	2.975

¿ **Q**ué piensas tú ?

1. ¿Dónde están los dos jóvenes? ¿Qué están haciendo?

2. ¿Qué tipo de información hay en el directorio? ¿En qué planta hay ropa para jóvenes? ¿Libros y discos? ¿Algo para comer? ¿Ropa para hombres?

3. Mira el anuncio en esta página. ¿Cómo se llama el almacén? ¿Es una promoción especial? ¿Cuáles son las fechas de la promoción? ¿Qué cosas están en oferta? ¿Para personas de qué edad son estas cosas?

4. ¿En qué departamento de El Corte Inglés están las cosas anunciadas? ¿En qué planta?

5. En tu opinión, ¿son similares los almacenes de España a los almacenes de Estados Unidos? ¿Cuáles son algunas diferencias? Explica tu respuesta.

6. ¿Qué tipo de ropa te gusta llevar? ¿Cuáles son tus colores favoritos? ¿Por qué?

7. En tu opinión, ¿se visten los jóvenes españoles más formalmente que los jóvenes norteamericanos? Explica tu respuesta.

8. ¿De qué vas a poder hablar al final de la lección?

Hay dos espías aquí— una mujer y un hombre.
¿Quiénes son? ¿Qué llevan? Llevan impermeables
beige y sombreros negros. ¡Pero todos llevan los
mismos impermeables y sombreros! Entonces,
¿cuáles son los dos espías?

Los espías van de compras.
Hay mucha ropa de moda en
este almacén. ¡Pero es muy
cara! Por ejemplo, ese vestido
es muy elegante, ¿no? Pero, ¡qué caro!
Y ese traje le gusta mucho al espía.

Ahora los espías están en el departamento
de hombres. Están mirando las camisetas.
Hay camisetas de muchos colores—
amarillas, anaranjadas, azules, blancas,
rojas, negras y verdes. El espía prefiere la
camiseta amarilla y la compra. Luego el
dependiente le recomienda unos
pantalones grises. El espía compra los
pantalones grises y también un par de
calcetines azules.

4

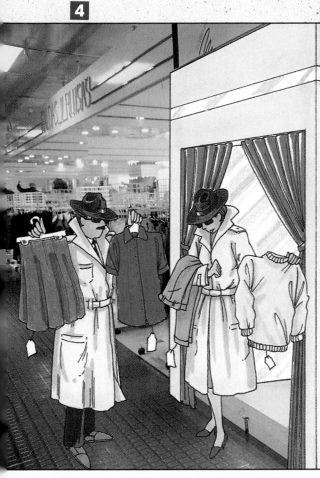

Ahora los espías están en la segunda planta, en el departamento de mujeres. El espía encuentra una falda rosada y una blusa roja para la espía. Pero la blusa roja no combina muy bien con la falda. Además, la espía prefiere ropa deportiva. Entonces se prueba unos jeans y una sudadera gris. La talla es perfecta. Ella decide comprarlos.

5

En el departamento de deportes la espía se prueba unos zapatos deportivos. ¿Cuánto cuestan los zapatos deportivos? ¿Son caros? No, no cuestan mucho. Hoy están en oferta. Ella decide comprar los zapatos. El espía paga en la caja.

Esta noche hay una fiesta y mucha gente está aquí. ¿Puedes encontrar a los dos espías? ¿Qué llevan?

6

¿QUÉ DECIMOS...?

Al ir de compras

1 ¿Qué le piensas comprar?

2 ¿Cuánto cuesta?

3 ¿Cuál es tu talla?

4 ¿Cómo que no tenemos dinero?

¡En oferta!
Ropa de invierno

pantalones
4.500

chaqueta
9.500

zapatos
4.000

blusa
3.200

camisa
2.900

falda
6.000

suéter
3.975

traje
14.000

vestido
9.000

sombrero
3.000

camisetas
2.400

sudaderas
1.500

calcetines
500

anaranjado   blanco   marrón

amarillo   azul   gris

morado   rojo   verde

negro   rosado

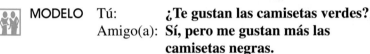

CHARLEMOS UN POCO

A. ¡De compras!   Estás en el almacén. ¿Quién está hablando, un **cliente** o un **dependiente**?

1. Estas camisetas son muy populares.
2. Perdón. No puedo encontrar los suéteres.
3. ¿Qué color prefiere usted?
4. ¿Cuál es tu talla?
5. Busco un regalo para mi novia. ¿Qué me recomienda?
6. ¿Puedo ayudarte?
7. ¿Dónde pago?
8. ¿Cuánto cuesta esa chaqueta?
9. Prefiero los pantalones negros.
10. El rojo cuesta 2.700 pesetas.

B. ¡Gustos diferentes!   Tú y un(a) amigo(a) están mirando un catálogo. ¿Qué dicen?

MODELO   Tú: **¿Te gustan las camisetas verdes?**
Amigo(a):   **Sí, pero me gustan más las camisetas negras.**

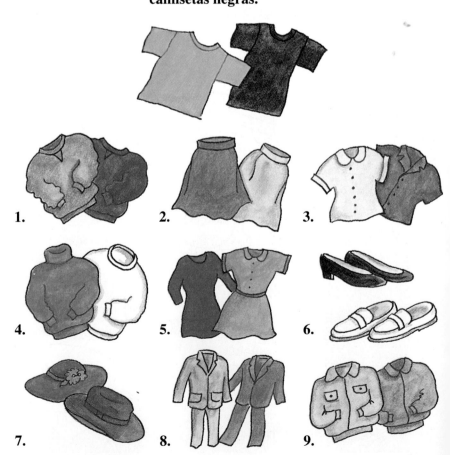

1.   2.   3.

4.   5.   6.

7.   8.   9.

C. Los jóvenes norteamericanos. Un(a) dependiente hispano(a) quiere saber qué les gusta a los jóvenes norteamericanos. Contesta sus preguntas.

MODELO   Compañero(a): ¿Les gustan los jeans?
Tú: **Sí, nos gustan los jeans.** o
Nos encantan. o
No, no nos gustan los jeans.

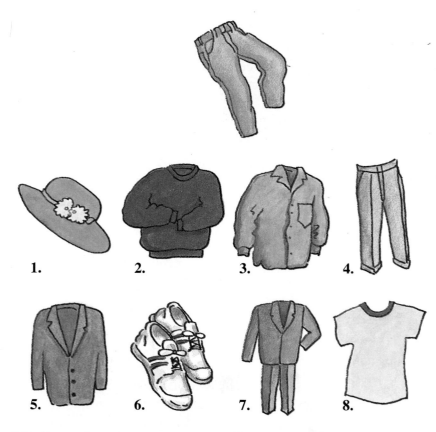

1.   2.   3.   4.

5.   6.   7.   8.

CH. Ropa favorita.   ¿Cuál es la ropa favorita de los miembros de tu familia?

EJEMPLO   **A mamá le gustan los sombreros blancos.**

a mi tía
a mi abuelo
a mis primos
a papá
a mí
a mi hermana
a mi mamá y a mí

sombreros blancos
faldas largas
ropa elegante ✓
pantalones azules
ropa cara
camisetas feas
vestidos bonitos
jeans
ropa informal
blusas azules
¿ . . . ?

Gustar / Encantar
Used to talk about likes and dislikes

me
te
le
nos
les

gusta(n)
encanta(n)

For one thing:
gusta or **encanta**

For more than one thing:
gustan or **encantan**

*See ¿***Por qué se dice así?**,
page G70, section 5.4.

A + noun / pronoun
Used to clarify or emphasize

A + a name, noun, or pronoun is used to clarify or emphasize.

A Elena
A mi tía
A ella

le gusta.

*See ¿***Por qué se dice así?**,
page G79, section 5.9.

Pensar: e → ie

pienso	pensamos
piensas	
piensa	piensan
piensa	piensan

Querer and **preferir** follow the same **e → ie** pattern.

*See ¿***Por qué se dice así?**, *page G71, section 5.5.*

Poder: o → ue

puedo	podemos
puedes	
puede	pueden
puede	pueden

Encontrar follows the same **o → ue** pattern.

*See ¿***Por qué se dice así?**, *page G71, section 5.5.*

D. ¡Feliz cumpleaños!   Es el cumpleaños de una amiga. ¿Qué le van a comprar todos?

MODELO   mi amiga . . . / camiseta / amarillo
Mi amiga Lupe piensa comprarle una camiseta amarilla.

1. mi amigo . . . / sombrero / rojo
2. mi amiga . . . y yo / falda / blanco
3. mis amigos . . . y . . . / sudadera / rosado
4. mis amigas . . . y . . . / blusa / negro
5. tú / suéter / morado / ¿verdad?
6. su mamá / vestido / verde
7. su hermano / libro / interesante
8. yo / bolígrafo / caro
9. su papá / zapatos / negro
10. su primo / mochila / rojo

E. Otro fin de semana.   Tú y tus amigos están hablando de lo que prefieren hacer este fin de semana. ¿Qué dicen?

EJEMPLO   **Esteban prefiere leer novelas.**

yo mis amigos tú mi amigo . . . mi amiga y yo mi amiga . . .	querer preferir pensar	ver la tele pasear en bicicleta alquilar un video ir a bailar comer pizza ir de compras leer novelas hablar por teléfono escuchar música salir con unos amigos ¿ . . . ?

F. ¡Hay fiesta!   Tú vas a dar una fiesta. Pregúntale a un(a) amigo quién puede ayudarte.

MODELO   Laura: limpiar la casa
Tú: **¿Quién puede limpiar la casa?**
Compañero(a): **Laura puede limpiar la casa.**

1. Paco: preparar los sándwiches
2. Gloria y Fito: enviar las invitaciones
3. tú y Silvia: llamar a los amigos
4. Beto: buscar la música
5. Ana y Susana: tocar la guitarra
6. tú y yo: cantar para los invitados
7. yo: comprar los refrescos
8. tú: hacer el pastel

G. ¿Dónde está? Tú y tus amigos están en el almacén Alarcón, pero no cncuentran lo que buscan. ¿Qué le preguntan al dependiente?

 MODELO   mi amiga y yo
            Tú: **Perdón, señor, pero mi amiga y yo no encontramos las blusas.**
     Compañero(a): **Están en el departamento de señoras.**

1. mi amiga

2. mis amigas

3. mis amigos

4. yo

5. mi amigo y yo

6. mi amiga y yo

H. La nueva dependiente. El director del almacén Alarcón está hablando con una nueva dependiente. ¿Qué le dice?

MODELO   departamento de niños
          El departamento de niños está en el tercer piso.

1. departamento de electrónica
2. departamento de señoras
3. departamento de jóvenes
4. joyería
5. cafetería
6. departamento de caballeros
7. perfumería
8. departamento de deportes
9. zapatería
10. departamento de niños

**Almacén Alarcón
Departamentos**

Planta / Piso
10 Departamento de electrónica
 9 Departamento del hogar
 8 Cafetería
 7 Departamento de caballeros
 6 Departamento de señoras
 5 Departamento de jóvenes
 4 Departamento de deportes
 3 Departamento de niños
 2 Zapatería
 1 Perfumería
PB Joyería

Ordinal numbers
Used to establish order

*primero	sexto
segundo	séptimo
*tercero	octavo
cuarto	noveno
quinto	décimo

***Primero** and **tercero** change to **primer** and **tercer** before a masculine singular noun.

See **¿Por qué se dice así?**, *page G74, section 5.6.*

I. En el almacén. Varias personas van de compras. ¿Qué hacen allí?

EJEMPLO **Mamá encuentra una blusa roja en el departamento de señoras.**

		suéter
		jeans
papá		falda
yo	querer comprar	vestido
Paquito	encontrar	camisa
mamá y yo	buscar	zapatos
mis tíos	preferir comprar	sudadera
tú		blusa
		camiseta
		pantalones

J. ¿Yo millonario(a)? You have just inherited a large sum of money and are on a shopping spree in a large department store. Buy *everything* in the store window.

Costar

Costar is an **o → ue** stem-changing verb used mostly in the third person singular and plural.

La falda **cuesta** quinientas mil pesetas. ¿Cuánto **cuestan** las blusas?

See **¿Por qué se dice así?,** *page G71, section 5.5.*

MODELO pantalones

Tú: **Quiero comprar los pantalones grises. ¿Cuánto cuestan?**

Compañero(a): **¿Los pantalones grises? Cuestan catorce mil novecientas noventa y nueve pesetas.**

1. zapatos	**4.** falda	**7.** suéter	**10.** blusa
2. vestido	**5.** camiseta	**8.** trajes	**11.** jeans
3. camisa	**6.** chaqueta	**9.** botas	**12.** sudadera

CHARLEMOS UN POCO MÁS

A. Vamos de compras. You won a **1.000.000 peseta** shopping spree! Using this advertisement, make a list of the items you want to buy for each member of your family. Next to each item, write the color and the price. Compare your list with your partner's. Recommend other items or colors or comment on whether you also want to buy those items.

B. ¿Quién es el detective? A member of your class is an undercover detective, but only your teacher knows the person's identity. Find out who it is by asking yes/no questions about the person's clothing.

EJEMPLO   You: **¿Lleva pantalones azules?**
                 Teacher: **Sí, lleva pantalones azules.**

C. Desfile de modas.   In groups of five or six, prepare a fashion show commentary for each member of your group. Take turns modeling the clothing you have worn to school today while a group member describes your outfit to the class. Alternate roles so that everyone in the group has an opportunity to both model and describe.

CH. ¡Mi talento especial!   Everyone has special talents. What special talents do you have? Write two or three things that you can do that make you particularly proud.

EJEMPLO   **Yo puedo tocar la guitarra.** o
Yo puedo hacer un pastel de chocolate.

D. ¡Nos encanta!   Write down two things that you like to do and two things that you love to do. In groups of four, read your lists to each other. Identify the person whose list is most similar to yours. Go to the board and write what the two of you have listed in both categories.

E. ¿Son los mismos?   You and your partner are at a party, where your partner has met four interesting people. (Your teacher will provide your partner with a drawing of these four people.) You have met the four people pictured below, whose names you can't remember. Are they the same four people your partner met? Describe them and then decide whether or not you have met the same four people.

F. En orden, por favor.   List ten things that you do on school days in the order in which you do them. Include the classes you attend during the day.

EJEMPLO   **Primero, voy al colegio. Segundo, voy a mi clase de historia. Tercero, ...**

Dramatizaciones

A. ¡Es mi favorita! Take notes as you interview four or five classmates to find out . . .

- what their favorite outfit is.
- what color or colors it is.
- when they wear it.
- if it is old or new.

B. ¡Qué elegante! You and your mother (or father) are shopping for a new jacket for you. Role-play the situation with a partner.

Tu mamá (papá)
- Recommend a jacket.

- Ask what he or she thinks about another jacket.
- Ask if he or she likes it.
- Ask how much it costs.
- Indicate if you think it is expensive or inexpensive.

Tú
- Say you prefer a different color than the one he or she recommends.
- Respond.

- Respond and comment on the style.
- Respond.
- Say that you like it and that you want to buy it.

C. En la tienda. You are shopping for a complete new outfit. You know what you want and in what colors, but you don't want to spend a great deal of money. Role-play your conversation with a clerk.

- Tell the clerk what you are looking for.
- Ask the prices of various items.
- Find out what colors are available.
- Decide what to buy and ask the clerk for the total price.

CH. Vamos de compras. It is a rainy Saturday afternoon, and you want to go shopping. Call your friend and make plans.

Tú
- Invite your friend to go shopping.

- Say where you want to shop and what you want to buy.
- Indicate four stores at which you want to shop, naming them in the order in which you will go to them.
- Explain the best way to get there. Be specific.

Amigo(a)
- Indicate that you do want to go but you have to do something first.
- Tell what you need to buy.

- Ask directions to the first store where you will meet.

- Ask questions to be sure you understand the directions.

¡No me digas!

La planta baja.   Rick and Betty are American tourists shopping
in Madrid. Read their conversation. Then answer the question that
follows.

Rick:	**Mira, Betty, hay zapatos deportivos en oferta. Vamos a verlos.** *(Entran en el almacén.)* **Perdón, señor. ¿En qué planta está el departamento de deportes?**
Señor:	**En la primera planta.**

Después de un rato . . .

Rick:	**¡Qué raro! Deben estar por aquí pero no los encuentro.**
Betty:	**¿Los zapatos? ¡Hombre! Están en la primera planta.**
Rick:	**Sí, ya sé.**
Betty:	**Bueno. Vamos a subir.**
Rick:	**¿Subir? ¿Para qué? Sube tú si quieres. ¡Yo no voy a subir hasta encontrar el departamento de deportes!**

▶ Why does Rick refuse to go up one floor?

1. He thinks Betty is trying to distract him so she can do her own
   shopping.
2. He doesn't understand how the floors are numbered.
3. The tennis shoes are not really on sale. The sign on the window
   was meant only to get the shoppers' attention.   ❏ Check your answer on page 418.

Y ahora, ¡a leer!

Antes de empezar

1. ¿Cuántos pisos tiene el almacén más grande de tu ciudad? ¿Cuántos
   pisos tiene este almacén?
2. ¿Hay aparcamiento en los almacenes de tu ciudad? ¿Es aparcamiento
   subterráneo? ¿Sabes cuántos pisos de aparcamiento hay?

Guía de departamentos

P-4 **Servicios:** Aparcamiento.

P-3 **Servicios:** Aparcamiento.

P-2 **Servicios:** Aparcamiento.

P-1 **Servicios:** Aparcamiento. Caja de Aparcamiento. Taller de Montaje de Accesorios del Automóvil. Carta de Compras. Objetos Perdidos. Consigna del Supermercado. Foto-Matón.

SALIDA: Aparcamientos P-2, P-3 y P-4.

SEMI-SOTANO **Departamentos: Hogar Menaje.** Artesanía. Cerámica. Cristalería. Cubertería. Accesorios del Automóvil. Loza. Orfebrería. Porcelana (Lladró-Capodimonte). Platería. Electrodomésticos (grandes y pequeños). Muebles de cocina. Plásticos. Artículos de limpieza.

PLANTA BAJA **Departamentos: Complementos de moda.** Perfumería. Cosmética. Joyería. Bisutería. Relojería. Fumador (Cartier, Dupont). Librería. Papelería. Rincón del pintor. Bolsos. Cinturones. Marroquinería.

Imagen y Sonido. Discos. T.V. Vídeo. Hi-Fi. Micro-Informática. Instrumentos musicales. Radioaficionados. **Plantas y flores, Animales.** Accesorios. Animales. Peces y tortugas.

1.ª PLANTA **Departamentos: Hogar Textil.** Mantelerías. Toallas. Tapicería. Visillos y cortinas. Alfombras y moquetas. Colchones y cojines. Ropa de cama y mesa. Persianas. **Zapatería.** (Señoras, Caballeros, Jóvenes y Niños).

2.ª PLANTA **Departamentos: Caballeros.** Boutiques internacionales. Pantalones. Americanas. Trajes. Camisería. Coordinados sport. Prendas de abrigo. Punto. Ropa interior. Piel. Baño.

Complementos moda. Tallas especiales. Sastrería a medida. Artículos de viaje. Zapatería caballero.

3.ª PLANTA **Departamentos: Infantil: Niños/Niñas (4 a 10 años).** Pantalones. Camisería. Ropa interior. Punto. Complementos. **Bebés.** Confección. Punto. Ropa interior. Zapatería.

4.ª PLANTA **Departamentos: Señoras.** Boutiques internacionales. Boutique alta peletería. Ante y napa. Faldas y blusas. Pantalones. Pronovias. Punto. Sport. Vestidos. Chaquetas. Abrigos. Tallas especiales. Priscille. Lencería y corsetería. Futura mamá. Uniformes de Servicio. Tienda del baño sras. Zapatería sra. y complementos.

5.ª PLANTA **Departamentos: Moda Joven Ella.** Tiendas jóvenes. Faldas y blusas. Pantalones. Vestidos. Bañadores. Lencería y corsetería. Prendas de abrigo. **Moda Joven El.** Tienda Peter Lord. Tienda Pietro Peretti. Tienda Miguel Beruel. Prendas de abrigo. Camisería. Bañadores. Ropa interior. Pantalones. **Zapatería joven** (Camper y Rover). **Discos.** Complementos moda.

6.ª PLANTA **Departamentos: Deportes.** Zapatería deportiva. Tenis. Esquí. Hípica. Golf. Montaña. Caza y pesca. Gimnasia y atletismo. Ciclismo y moto. Armería. Boutique Surf. Tiempo libre. Tienda Lacoste. **Supermercado.**

7.ª PLANTA **Departamentos: Oportunidades.** Tienda de Regalos (Cosas). Promociones especiales.

El Corte Inglés

MADRID - PRINCESA

Verifiquemos

1. Indica a qué planta de El Corte Inglés Princesa debes ir para comprar las cosas que buscas.
    a. Mañana tu prima va a cumplir seis años y le buscas un regalo.
    b. Este año tú piensas regalarle una chaqueta a tu padre el Día del Padre. Sabes que en El Corte Inglés tienen chaquetas muy bonitas.
    c. La próxima semana tú vas a una discoteca por primera vez. Quieres ropa nueva para la ocasión.
   ch. Tu madre es tu mejor amiga y quieres comprarle un regalito.
    d. Tu tía se va a casar y tú necesitas comprarle un regalo de bodas.
2. ¿En qué planta encuentras las siguientes cosas?
   libros   zapatos deportivos   ropa interior   trajes de baño
   perfume   zapatos de mujer   comida   bicicletas

¿Qué pedimos?

CAFÉ BILBAO

Bocadillos variados

- Jamón serrano — 250 Ptas.
- Jamón york — 250 Ptas.
- Queso — 225 Ptas.
- Hamburguesa — 300 Ptas.
- Sándwich — 225 Ptas.
- Sándwich mixto — 250 Ptas.
- Patatas fritas — 200 Ptas.

Bebidas

Refrescos variados *pop*	115 Ptas.
Limonada	115 Ptas.
Zumo de naranja	150 Ptas.
Agua mineral	125 Ptas.
Leche *milk*	100 Ptas.
Café con leche	110 Ptas.
Té *tea*	100 Ptas.

Postres *dessert*

Fruta	85 Ptas.
Helado	200 Ptas.
Flan	175 Ptas.
Bizcocho	150 Ptas.

¿**Q**ué piensas tú ?

1. Estudia el menú. ¿Crees que este menú es para una comida principal? ¿Por qué crees que sí o que no?

2. ¿Es como los menús en Estados Unidos? ¿Cuáles son las semejanzas y las diferencias?

3. ¿Crees que es la hora de la comida principal del día? ¿Qué están comiendo las personas en la foto? Explica tu respuesta.

4. ¿Cuánto crees que va a costar la comida en dólares? ¿Cuánto deben dejar de propina para el camarero?

5. En tu opinión, ¿cuál es la diferencia entre un café y un restaurante?

6. ¿Qué tipo de restaurante en Estados Unidos es más similar a un café español?

7. ¿De qué vas a poder hablar al final de la lección?

Hola. Buenas tardes, amigos. Soy Antonio, camarero de aquí de El Rincón. Hoy van a ver que la vida de un camarero no es fácil.

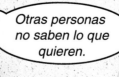

1

2

Camarero: ¿La carta, señor?

Cliente: No. Tengo mucha prisa. ¿Qué hay de beber?

Camarero: Café, café con leche o . . .

Cliente: ¡No, no! Tengo calor. No quiero tomar nada caliente. Prefiero algo frío.

Camarero: Sí, señor. Hay refrescos, agua mineral . . .

Cliente: Vale. Agua mineral, sin gas.

Camarero: ¿Nada más, señor? ¿Algo para comer?

Cliente: ¡No, no! No tengo hambre. Tengo sed—y mucha prisa. Puede traerme la cuenta también.

Camarero: Sí, señor.

Hay personas que siempre tienen prisa.

Ahora, los turistas.

3

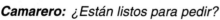

Camarero: ¿Están listos para pedir?

Señor: Creo que sí. ¿Tiene jamón serrano?

Camarero: Sí, señor, claro.

Señor: Un bocadillo de jamón serrano y un café. ¡No! Una limonada. ¡No! Café. Sí, sí. Quiero un café con leche.

Camarero: Un bocadillo de jamón serrano y un café con leche. Gracias, señor. ¿Y para la señora?

Señora: ¿Tienen fruta?

Camarero: Sí. Manzanas, naranjas y melón.

Señora: ¿Nada más?

Camarero: Lo siento, señora. El bizcocho es la especialidad de la casa.

Señora: Muy bien, un bizcocho . . . y melón. Y me trae una cuchara para comer el melón, por favor.

Camarero: Gracias. Perfecto.

Otras personas no saben lo que quieren.

4

Camarero: ¿Están listos para pedir?

Mamá: Sí. ¿Ya sabes lo que quieres, Luisito?

Luisito: Sí. Un perrito y un refresco.

Mamá: Pero, Luisito, siempre pides un perrito y un refresco. ¿No quieres algo diferente hoy?

Luisito: ¡No, no y no! ¡Quiero un perrito y un refresco!

Camarero: ¿Y para usted, señora?

Mamá: Sí, una hamburguesa, por favor, y una limonada.

Camarero: Está bien. Gracias.

Hay gente que sabe exactamente lo que quiere.

5

¡Los turistas nunca saben cuánto dejar!

¿Jamón o queso? ¡Jamón y queso! Es la solución perfecta.

Camarero: Hola. Buenas tardes, señorita. ¿Qué le puedo traer?

Señorita: Un sándwich de . . . ¡Ay, no sé! Me gusta mucho el queso. Pero también me gusta el jamón.

Camarero: Entonces, ¿un sándwich mixto?

Señorita: Sí, claro. Un sándwich mixto.

Camarero: Muy bien. Gracias.

6

Señor: ¿Cuánto debemos? Aquí está el total—son dos mil trescientas cincuenta pesetas.

Señora: Dejamos propina, ¿no?

Señor: No, no creo. Aquí dice que el servicio va incluido.

Señora: Tienes razón, mi amor.

7

No, señor, no tiene razón. ¡Siempre hay que dejar algo para el camarero! ¡La vida de un camarero no es nada fácil!

¿QUÉ DECIMOS...?

Al tomar algo en un restaurante

1 ¡Tengo mucha hambre!

2 ¡Siempre pides lo mismo!

¿Qué les puedo traer?

4 ¿Qué dinero? ¿Qué zapatos?

5 La cuenta, por favor.

CHARLEMOS UN POCO

A. ¡En el restaurante! ¿Qué pasa cuando Víctor y Manolo van con sus padres a un restaurante? Para contarlo, pon estas oraciones en orden cronológico.

La familia sale del restaurante.   La familia come.
El camarero les sirve la comida.   Papá encuentra una mesa libre.
La familia llega al restaurante.   Papá pide la cuenta.
El camarero les presenta la carta.   La familia pide la comida.
Todos deciden qué quieren pedir.

B. ¿Qué desean? Eres camarero(a) en un café. ¿En qué orden haces estas preguntas?

¿Y para beber?   ¿Quieren algo más?
¿Les traigo sándwiches mixtos?   ¿Están listos para pedir?
¿Una limonada grande o pequeña?   ¿Desean ver la carta?

C. ¡Vamos a comer! José y Rosa están almorzando en una cafetería. Completa la conversación entre el camarero, José y Rosa con las siguientes frases.

No, sólo la cuenta.   ¿Tienen bizcocho?
Muy ricos.   Gracias.
Sí, queremos dos   Agua mineral.
   sándwiches mixtos.   Dos, por favor.

BUENAS TARDES. AQUÍ TIENEN LA CARTA.

¿ESTÁN LISTOS PARA PEDIR?

¿Y PARA BEBER?

¿CÓMO ESTÁN LOS SÁNDWICHES?

¿LES TRAIGO ALGO MÁS?

SÍ. EL BIZCOCHO ESTÁ MUY BUENO HOY. ¿LE GUSTARÍA UNA PORCIÓN?

¿DESEAN ALGO MÁS?

Pedir
Used to ask for something

pido	pedimos
pides	
pide	piden
pide	piden

See **¿Por qué se dice así?**, *page G75, section 5.7.*

Servir

sirvo	servimos
sirves	
sirve	sirven
sirve	sirven

See **¿Por qué se dice así?**, *page G75, section 5.7.*

Traer

traigo	traemos
traes	
trae	traen
trae	traen

CH. ¿Qué van a pedir? Tú y unos amigos van a un café después de clase. ¿Qué pide cada uno?

MODELO Tina / refresco
Tina pide un refresco.

1. Alicia / melón
2. Julio y Jorge / patatas fritas
3. yo / hamburguesa
4. Maricarmen / sándwich de jamón
5. todos nosotros / la cuenta
6. ustedes / café con leche
7. tú / agua mineral
8. tú y yo / la cuenta

D. Comida vegetariana. Estás en un restaurante vegetariano por primera vez. Pregúntale al camarero si sirven estas comidas.

MODELO hamburguesas
Tú: **¿Sirven hamburguesas?**
Camarero: **No, señor(ita). No servimos hamburguesas.**

1. sándwiches de queso
2. sándwiches mixtos
3. sándwiches de jamón
4. refresco de naranja
5. limonada
6. papas fritas
7. melón
8. manzanas — *apple*
9. bizcocho — *sponge cake*
10. naranja — *orange*

E. ¿Otro pastel? Mario va a dar una fiesta y todos deciden traer algo. ¿Qué traen?

MODELO Rosamaría: el pastel
Rosamaría trae el pastel.

1. Maricarmen: unos discos
2. yo: mucha limonada
3. Lorenzo: dos pizzas
4. tú: un pastel de chocolate
5. Víctor y Josefa: los refrescos
6. nosotros: las papas fritas
7. ustedes: las hamburguesas
8. Eduardo: su guitarra

F. La familia. Tú y tu familia van a su restaurante favorito. Describe lo que ocurre ahí.

EJEMPLO **Mamá pide agua mineral.**

mi hermano		hamburguesa
yo		bizcocho
mamá	pedir	papas fritas
tú	recomendar	helados
niños	servir	manzana
nosotros	preferir	agua mineral
papá	querer	melón
camarero	traer	naranja
mis hermanas	¿ . . . ?	jamón
camarera		leche — *milk*
¿ . . . ?		¿ . . . ?

G. ¿Qué pasa? Describe la situación de las personas en los dibujos.

MODELO   **No tiene razón.**

 1.
 2.
 3.
 4.

 5.
 6.
 7.
 8.

 9.
 10.

H. ¿Por qué? Lee lo que dice cada persona. Luego describe su situación según su comentario.

EJEMPLO   Mamá: No todos los hispanos en Estados Unidos son de México.
Mamá tiene razón.

1. Antonio: ¡Camarero! Tráeme algo para beber, por favor.
2. Panchito: Mamáaaa, ¿qué hay para comer?
3. Rubén y Lalo: $20 - 13 + 7 \times 2 = 27$
4. Gloria: ¡Huy! Mi clase de biología es a las 10:00 y ya son las 10:05.
5. Ramón y yo: Debemos ir al lago hoy. La temperatura va a subir a más de 105 grados Fahrenheit.
6. Papá: No hay hispanos en Nueva York.
7. yo: ¡Caramba! Está nevando y la temperatura está bajo cero.
8. Juanita: $5 \times 3 - 7 + 2 = 10$

LECCIÓN 3

Tener **idioms**

Tener calor   **Tener frío**

Tener hambre   **Tener sed** -thirst

Tener razón   **No tener razón**

Tener prisa

¿Tienes hambre?
No, pero **tengo sed.**

See **¿Por qué se dice así?**,
page G78, section 5.8.

Indirect object pronouns

me	nos
te	
le	les
le	les

See **¿Por qué se dice así?,** *page G79, section 5.9.*

Indirect object pronouns
Placement

Indirect object pronouns precede a conjugated verb.

Yo **le** escribo todos los días.
Ella siempre **nos** da el dinero.

See **¿Por qué se dice así?,** *page G79, section 5.9.*

Indirect object pronouns
Placement

Indirect object pronouns may follow and be attached to an infinitive or an **-ndo** form.

Quieren dar**nos** el dinero hoy.
Estoy escribiéndo**le** a mamá.

See **¿Por qué se dice así?,** *page G79, section 5.9.*

I. ¡Pobrecita! Juanita está muy enferma. ¿Qué hacen todos para ella?

MODELO su papá
Su papá le trae unos libros.

1. su hermano	**3.** el perro	**5.** su abuela y
2. su hermana	**4.** sus tíos	su mamá

J. ¡Qué negativo! Paquito está muy negativo hoy. ¿Qué le dice a su padre? ¿Cómo le contesta su padre?

 MODELO comprar regalos
Paquito: **Nunca me compras regalos.**
Padre: **¿Cómo? Siempre te compro regalos.**

1. traer helado	**5.** comprar ropa nueva
2. dar dinero	**6.** alquilar videos
3. servir hamburguesas	**7.** dar fiestas
4. preparar limonada	**8.** llevar al cine

K. ¡Le encanta! ¿Qué le dice un camarero al otro sobre los gustos de los empleados y algunos clientes?

MODELO Al señor Gamboa le encanta la fruta.
Debes servirle fruta.

1. A Mariela le gusta la pizza.
2. A los señores López les gustan las hamburguesas.
3. A Rafael y a mí nos gusta el melón.
4. A Miguel y a mí nos encanta el bizcocho.
5. Al profesor de español le encantan los tacos.
6. A mí me gustan las papas fritas.
7. A Nicolás le gusta la limonada.
8. A Sara y a Lucía les gusta el helado.

L. En un café. Tú y una amiga, Silvia, están en su café favorito. ¿Qué les dices a tu amiga y al camarero?

MODELO   pedir una pizza (a Silvia)
Silvia, ¿puedes pedirme una pizza?

traer un refresco (al camarero)
Camarero, ¿puede traernos un refresco?

1. buscar una mesa (al camarero)
2. servir helado (al camarero)
3. pedir un refresco (a Silvia)
4. explicar la carta (a Silvia)
5. dar la cuchara (a Silvia)
6. traer otra cuchara (al camarero)
7. pasar la pizza (a Silvia)
8. servir otro refresco (al camarero)

M. ¡Ya estamos listos! Tú estás en tu restaurante favorito con un grupo de amigos. Ya están listos para pedir. ¿Qué le dices al camarero?

MODELO   dos refrescos para Clara y Julio
Les puede traer dos refrescos a Clara y a Julio.

1. limonada para Eva
2. café con leche para Víctor
3. refresco de naranja para ti
4. agua para todos
5. papas fritas para todos
6. hamburguesas para Víctor y Julio
7. sándwich mixto para Clara
8. sándwich de jamón para ti

N. ¿Tú y tu familia? Tu amigo(a) quiere saber qué hicieron tú y tu familia durante la semana de vacaciones. ¿Qué le dices?

MODELO   lunes por la tarde: cine
Amigo(a): **¿Qué hicieron el lunes por la tarde?**
Tú: **Fuimos al cine.**

1. sábado por la mañana: universidad
2. sábado por la noche: teatro
3. domingo por la tarde: museo
4. lunes por la noche: concierto
5. martes por la mañana: centro comercial
6. miércoles por la tarde: parque
7. jueves por la noche: cine
8. viernes por la tarde: club deportivo

Hicieron / Fuimos

These two past tense verb forms are very useful when talking about what you did and where you went.

¿Qué **hicieron** tú y Toni?
Fuimos al cine.
Después **fuimos** a un café.

CHARLEMOS UN POCO MÁS

A. Lo siento, pero . . .   You and your friend are at a café. As you order, the waiter tells you that your choice is not available and asks you to select something else. Use the drawings below as a guide.

MODELO   Tú: **Quiero las papas fritas, por favor.**
Camarero: **Lo siento, señor. Hoy no tenemos papas fritas. ¿Le traigo otra cosa?**
Tú: **Sí. ¿Puede traerme un sándwich de jamón?**
Camarero: **Muy bien, señor.**

B. ¿Qué dicen?   With a partner, write a dialogue for this cartoon strip. Then read your dialogue to the class.

C. Fuimos a . . .   Ask your classmates what they did on the weekend. Respond using any of the cues in the drawing your teacher gives you.

EJEMPLO   Tú: **¿Qué hicieron tú y [*Marty*] este fin de semana?**
Amigo(a):   **[*Marty*] y yo fuimos al zoológico.**

CH. ¿Qué van a pedir? You are at a café where your partner is the waiter or waitress. Study the menu that your teacher gives you and note what you would like to order in the following situations. Check the cost of each item when you order. Your partner will consult the menu to answer your questions and to say what is available. Be prepared to choose again if something is unavailable or too expensive. Write down your final order, the cost of each item, and the total cost of the meal.

1. Order a snack and something to drink for you and your friend. Your friend hates chicken but you love it. You only have 890 pesetas and you are treating.
2. You invited your mother out to lunch. Since today is her birthday, you insist on treating. You want to order a combination plate for both of you, but you only have 850 pesetas.

D. Encuesta. Your teacher will give you a grid. Ask your classmates questions to find out if they fit any description in the grid. If they do, have them sign the appropriate square to verify it. Let your teacher know when you have completed a vertical, horizontal, or diagonal line on your grid.

EJEMPLO   Tú: **¿Tienes hambre ahora?**
              Compañero(a): **No, no tengo hambre.** o
                                  Sí, tengo mucha hambre.

Dramatizaciones

A. Entrevista. Interview six classmates about where they go and what they buy when they are hungry or thirsty. Also ask how much they spend. Write down their responses and report to the class the most popular places, foods, and drinks as well as the average amount your friends spend in one day on snack food.

B. Camareros por un día. Be the waiter or waitress as two classmates come to your restaurant.

- Greet the guests.
- Ask if they want to see the menu.
- Ask for their order.
- Suggest that you bring them dessert.
- Ask if they want anything more.
- Give them the bill and thank them.

C. El Café Madrileño. With three classmates, decide who will play the roles described below. Create a skit for the four characters.

- The waiter who gives outstanding service to earn a big tip
- The diner who cannot make up his or her mind
- The diner who doesn't have much money
- The diner who is very hungry

LEAMOS AHORA

Reading strategy: Reading aloud

A. Anticipemos.   Before reading this selection, glance at the format of this reading and answer the following questions.

1. What type of reading is this? How do you know?
2. Is this type of reading usually done alone at home, in the classroom, or elsewhere? Explain your answer.
3. How do you expect the reading to be handled in your class? Why?
4. What is the title of the work?
5. Who is the author of the work?
6. How many performers are required to put on this work?
7. As your teacher mimes the following stage directions, tell what you think they mean.

Gira a la derecha.	Finge acción con pan y agua.
Gira a la izquierda.	Finge comer pan.
Gira media vuelta.	Finge poner sopa en la mesa.
Cara al público.	Finge meter un dedo en la
Con énfasis.	sopa para probarla.
Espalda al público.	Se encoge de hombros.
Pisando violentamente.	Enfadada.
Quejándose.	Con voz exasperada.

B. Lectura dramatizada.   Readers' Theater is an approach to reading that results in performance. In Readers' Theater you are not required to act but will learn some simple acting procedures and stage directions. When the class prepares this play for presentation, you will not be required to memorize your parts, but repeated reading during rehearsals may result in memorization.

C. Un cuento español. Now listen as your teacher reads the play. Then answer your teacher's questions. Later you will be asked to participate in Readers' Theater.

La sopa castellana

Reparto: NARRADOR 1 NARRADOR 2 COMENTADOR LA MUJER

Al empezar, la mujer está sentada, cara al público. El comentador está sentado, espalda al público. Los narradores están de pie, Narrador 1 a la derecha de la Mujer, Narrador 2 a la izquierda del Comentador.

NARRADOR 1: La sopa castellana,

NARRADOR 2: un cuento español

LA MUJER: escrito por

COMENTADOR: *(Gira media vuelta a la derecha. Cara al público.)* Lope de Cervantes y Unamuno.

NARRADOR 1: Una mujer entra en un restaurante muy elegante.

NARRADOR 2: El camarero la lleva a una mesa. *(Comentador gira a la derecha. Cara al público.)*

NARRADOR 1: Ella lee la carta y pide la cena.

LA MUJER: La sopa castellana, por favor, con pan. Y para beber, agua mineral. *(Comentador gira a la izquierda. Espalda al público.)*

NARRADOR 1: Pone la servilleta en las rodillas. *(La mujer finge acción con la servilleta.)*

NARRADOR 2: El camarero trae el pan y el agua mineral. *(Comentador gira a la derecha. Cara al público. Finge acción con pan y agua. Gira a la izquierda. Espalda al público.)*

NARRADOR 1: La mujer prueba el pan. *(La mujer finge comer pan.)*

NARRADOR 2: El camarero trae la sopa castellana. *(Comentador gira a la derecha. Cara al público. Finge poner sopa en la mesa.)*

NARRADOR 1: La mujer no hace nada. Después de un momento, dice:

LA MUJER: No puedo tomar la sopa.

COMENTADOR: ¿Por qué no?

NARRADOR 2: El camarero prueba la sopa y dice:

COMENTADOR: *(Finge meter un dedo en la sopa para probarla.)* No está demasiado caliente.

LA MUJER: *(Quejándose.)* No puedo tomar la sopa.

NARRADOR 2: El camarero llama al cocinero.

COMENTADOR: La señora no puede tomar la sopa. *(Se encoge de hombros y gira a la izquierda. Da la espalda al público.)*

LA MUJER: *(Enfadada.)* ¡No puedo tomar la sopa!

COMENTADOR: *(Gira a la derecha pisando violentamente. Cara al público.)* ¿Por qué no?

NARRADOR 2: El cocinero prueba la sopa.

COMENTADOR: *(Finge meter un dedo en la sopa para probarla.)* No está demasiado salada.

NARRADOR 2: El cocinero llama al dueño del restaurante.

COMENTADOR: La señora no puede tomar la sopa.

LA MUJER: ¡No—puedo—tomar—la— sopa! *(Con énfasis.)*

NARRADOR 1: *(Finge ser el dueño.)* ¿Por qué no?

NARRADOR 2: El dueño prueba la sopa.

NARRADOR 1: *(Finge meter un dedo en la sopa para probarla.)* Mmm. ¡Qué rica!

LA MUJER: ¡No—puedo—tomar—la— sopa! *(Con énfasis.)*

NARRADORES Y COMENTADOR: ¿Por qué no puede usted tomar la sopa?

LA MUJER: *(Con voz exasperada.)* Porque no tengo cuchara. *(La mujer se para.)*

TODOS: Porque no tiene cuchara.

(Todos hacen una reverencia y salen.)

ESCRIBAMOS UN POCO

Writing strategy:
Making an outline

A. Empezando. Read and discuss the following composition about Madrid. The composition was written by Marisol in her Spanish class after visiting Madrid. How does she describe Madrid? Does she give enough information about the city?

Madrid

Madrid es la capital de España. Es una ciudad muy grande y muy hermosa. Está en el centro de España.

Hay muchos lugares que visitar en Madrid, por ejemplo, la Plaza Mayor, la Puerta del Sol, la Plaza de España, el Parque del Retiro, el Palacio Real y el museo del Prado. También hay un parque de diversiones y un zoológico.

A los madrileños les gusta mucho caminar por la ciudad. Por eso hay muchos parques y lindas avenidas. Por la noche, generalmente entre las 8 y las 10, la gente sale a dar un paseo. Padres e hijos, abuelos y jóvenes: todos salen a caminar por la ciudad.

A los madrileños les encanta su ciudad y a los turistas también.

B. Planeando. Now plan a composition about your hometown or a large city you have visited. Think about what there is to see and do and what your favorite places are. Organize your thoughts using a cluster.

C. Organizando. Organize the information in your cluster into an outline using the categories below. You may want to eliminate some categories or add others.

I.   Name of the city and one or two unique features
II. Geographical location
III. Things to see and do
IV. What residents think about their city or town

CH. Escribiendo. Use the information in your outline to write a short composition.

D. Compartiendo. Share a draft of your composition with two classmates. Ask them what they think of it. Is there anything they don't understand? Is there anything you have not mentioned that they would like to know? Do they think you should change something?

E. Revisando. Based on your classmates' comments, rewrite your composition, changing anything you want. You may add, subtract, or reorder what you had originally written. Before you turn it in for grading, share your composition with two other classmates. Ask them to focus on your grammar, spelling, and punctuation. Correct any errors they notice before you give it to your teacher.

¡Me encantó
Guadalajara!

ESTADOS UNIDOS

MÉXICO

Monterrey

Golfo de México

Guadalajara

México, D.F.

Océano
Pacífico

Oaxaca

BELICE

0   1000 Kilómetros

0   600 Millas

GUATEMALA

¡Qué linda es la ciudad!

¿Qué piensas tú?

1. Mira las tarjetas de embarque. ¿Quién es la chica que acaba de llegar? ¿De dónde viene? ¿Adónde va?

2. ¿Qué crees que va a hacer allá? ¿Por qué crees eso?

3. Si ella les manda estas tarjetas postales a sus padres, ¿qué crees que les va a decir?

4. Mira las fotos. Imagina que tú eres un(a) turista. ¿A cuáles de estos lugares te gustaría ir? ¿Por qué?

5. Después de un tour por esta ciudad, ¿qué diría un turista en una carta a sus amigos o familiares?

6. En tu opinión, ¿por qué quiere una chica de Chicago viajar a México?

7. ¿De qué vas a poder hablar al final de la lección?

1

La señora Domínguez empieza a preparar la comida cuando descubre que no hay papas. Llama a su hijo y le dice:

Madre: ¡Óscar! Óscar, hijo. ¿Puedes ir a comprarme unas papas?

Óscar: Sí, mamá.

Madre: Dos kilos, ¿eh?

2

Cinco horas más tarde . . .

Madre: ¡Cinco horas! ¿Qué te pasó? Y las papas, ¿dónde están?

Óscar: ¡Ay, qué tonto soy! ¡Las papas! Perdona, mamá . . .

Madre: ¿Y el dinero? Te di un billete de cincuenta mil.

Óscar: ¿El dinero? Ah, sí, el dinero. No vas a creerme, mamá, pero . . .

3

. . . cuando salí de la casa, me encontré con Javier.

4

Fuimos al centro, donde vimos a Lilia y a su amiga, Mónica. Ellas nos invitaron a pasear por la ciudad.

5

Visitamos el Teatro Degollado.

También vimos el mural en el Palacio de Gobierno. ¡Le encantó a Mónica!

6

Luego fuimos al mercado. Las chicas pasaron mucho tiempo mirando las artesanías. Finalmente, no compraron nada.

7

Luego, fuimos a la Plaza de los Mariachis. Pedimos unos refrescos y . . . como buen caballero, yo pagué las bebidas.

8

Cuando llegaron los mariachis, les pedí unas canciones para las chicas.

Fue tan emocionante, mamá. Tocaron y cantaron tan bien que Mónica empezó a llorar. Claro . . . Javier y yo pagamos la música.

9

Por fin, acompañamos a las chicas a su casa en taxi. Y por supuesto, el taxi lo pagué yo.

10

¿El dinero? ¿Es posible, mamá? Empecé con más de cien mil pesos, y ahora sólo tengo . . . a ver, ¡cinco, diez, quince mil pesos!

¿QUÉ DECIMOS...?

Al hablar de lo que hiciste

1 ¡Saludos de México!

MÓNICA, UNA CHICA MEXICANO-AMERICANA PASA EL VERANO EN MÉXICO.

QUERIDOS PAPÁS, ¡SALUDOS DE MÉXICO! ¿CÓMO ESTÁN TODOS? LOS EXTRAÑO MUCHO.

EL VUELO DE CHICAGO A LA CIUDAD DE MÉXICO FUE LARGO, PERO ME ENCANTÓ EL VUELO A GUADALAJARA. CUANDO SALIMOS DE LA CAPITAL VIMOS LOS DOS VOLCANES, POPOCATÉPETL E IZTACCÍHUATL. EL PILOTO NOS CONTÓ UNA ROMÁNTICA LEYENDA AZTECA SOBRE SU ORIGEN. EN OTRA OCASIÓN LES CUENTO LA LEYENDA.

2 Me recibieron con rosas.

EL PRIMER DÍA LILIA Y SU MAMÁ ME RECIBIERON CON UNA DOCENA DE ROSAS. ¡IMAGÍNENSE, ROSAS! ESA NOCHE CENAMOS EN CASA. LA COMIDA MEXICANA ES RIQUÍSIMA.

ESTOY MUY CONTENTA AQUÍ CON LA FAMILIA DE LILIA. TODOS SON MUY SIMPÁTICOS.

3 Paseamos en una calandria.

¡Y ME ENCANTA GUADALAJARA! LA CIUDAD ES MUY LINDA Y HAY TANTO QUE HACER. AYER LILIA Y YO DECIDIMOS HACER UN PEQUEÑO TOUR POR LA CIUDAD. POR LA MAÑANA ELLA ME LLEVÓ AL CENTRO.

PRIMERO, PASEAMOS EN UNA CALANDRIA. (ASÍ LLAMAN A LOS COCHES DE CABALLO) ¡QUÉ DIVERTIDO!

DESPUÉS NOS ENCONTRAMOS CON ÓSCAR Y JAVIER, LOS PRIMOS DE LILIA. ELLOS DECIDIERON ACOMPAÑARNOS AL TEATRO DEGOLLADO...

...Y AL PALACIO DE GOBIERNO, DONDE HAY UN MURAL MUY IMPRESIONANTE DE OROZCO.

4 ¡Caminamos hasta no poder más!

POR LA TARDE FUIMOS AL MERCADO LIBERTAD. ¡ES ENORME! HAY DE TODO.

CAMINAMOS Y CAMINAMOS HASTA NO PODER MÁS. VIMOS MUCHAS ARTESANÍAS MUY BONITAS, PERO ME RESISTÍ Y NO COMPRÉ NADA.

AL SALIR DEL MERCADO VI A UN VENDEDOR CON UNAS BLUSAS TÍPICAS. YA NO RESISTÍ MÁS. ME COMPRÉ UNA BLUSA HERMOSÍSIMA.

5 ¡Cantaron para nosotras!

DESPUÉS DE TANTO CAMINAR, FUIMOS A LA PLAZA DE LOS MARIACHIS. TOMAMOS UN REFRESCO Y ESCUCHAMOS LA MÚSICA.

DE REPENTE, UN MARIACHI EMPEZÓ A TOCAR Y CANTAR EN NUESTRA MESA. ¡QUÉ SORPRESA!

LOS PRIMOS DE LILIA PAGARON LA MÚSICA. ¡QUÉ SIMPÁTICOS! ¡Y ÓSCAR ES MUY GUAPO! ESPERO VERLO OTRA VEZ.

GUADALAJARA

PRONTO LES ESCRIBO MÁS. UN ABRAZO PARA TODOS DE MÓNICA.

CHARLEMOS UN POCO

A. **¿Dónde?**   Según Mónica, ¿dónde pasaron estas cosas: en **el Mercado Libertad,** en **el centro** o en **la Plaza de los Mariachis?**

1. Visitamos el Teatro Degollado.
2. Escuchamos a los mariachis.
3. Vimos muchas artesanías bonitas.
4. Los primos de Lilia pagaron la música.
5. Caminamos hasta no poder más.
6. Un mariachi cantó y tocó en nuestra mesa.
7. Paseamos en una calandria.
8. Tomamos un refresco.
9. Compré una blusa.

Preterite tense

Singular verb endings

-ar	-er, -ir
-é	-í
-aste	-iste
-ó	-ió

¿Qué **compraste**?
No **encontré** nada.
¿Dónde **comió** Antonia?
No **salí** del trabajo hasta las 7:30.

See **¿Por qué se dice así?,**
page G83, section 6.1.

B. **Ayer.**   Eres una persona muy curiosa. Pregúntale a tu compañero(a) qué hizo ayer.

 MODELO   tomar helado

Tú:	**¿Tomaste helado?**
Compañero(a):	**Sí, tomé helado.** o
	No, no tomé helado.

1. hablar por teléfono
2. comer un sándwich
3. estudiar español
4. pasear en bicicleta
5. escuchar música
6. escribir una composición
7. descansar
8. tomar un refresco
9. salir con un(a) amigo(a)
10. comprar algo nuevo

C. **¡Qué ocupada!**   La directora de la escuela es una persona muy ocupada. ¿Qué hizo ayer?

MODELO   **A las ocho, recibió a los nuevos estudiantes.**

23 de marzo			martes
(8:00) 8:30	recibir a los nuevos estudiantes	1:00 (1:30)	Preparar un informe para los profesores
9:00 (9:45) 9:30	hablar con Nico Muñoz	2:00 (2:30)	visitar la clase de español
(10:00) 10:00	escribir una carta a los padres de los estudiantes	(3:00) 3:00	alquilar un video para la clase de biología
11:00 (11:30)	comer con la Prof. Gómez	4:00 (4:30)	salir para casa
12:00 (12:30)	llamar al Sr. Blanco	5:00 5:30	(6:00) jugar tenis

CH. Una familia muy ocupada. Pregúntale a tu compañero(a) acerca de las actividades de su familia el fin de semana pasado.

MODELO   ver una película
          Tú: **¿Vieron una película?**
          Compañero(a):   **Sí, vimos una película.** o
                           No, no vimos una película.

1. comer en un restaurante
2. salir de la ciudad
3. correr juntos
4. pasear en el parque
5. caminar por el centro
6. hablar con los abuelos
7. comprar algo (nada)
8. preparar tacos
9. limpiar la casa
10. alquilar un video

D. Rin, rin. Suena el teléfono. Es abuelita. Quiere saber qué hicieron todos anoche. ¿Qué le dice su nieta?

MODELO   hermana: salir con unos amigos
          Mi hermana salió con unos amigos.

1. papá y yo: preparar la comida
2. mamá: ayudar a Rosita
3. Beto y Memo: jugar fútbol
4. mamá y yo: decidir descansar
5. yo: estudiar para un examen
6. tía Elena: salir de compras
7. mi hermanita: llorar mucho
8. Natalia: comer pizza

E. El domingo pasado. ¿Qué hicieron estas personas el domingo pasado?

MODELO   **el Sr. Muñoz**
          El Sr. Muñoz descansó.

1. Arturo y Rubén   **2.** Inés   **3.** la Srta. Ramos

4. Sofía y Gilberto   **5.** el Sr. Gamboa   **6.** Susana y Carolina

Preterite tense
Plural verb endings

-ar	-er, -ir
-amos	-imos
-aron	-ieron

Salieron esta mañana a las 6:00.
¿**Estudiaron** en la biblioteca?
No **bebimos** nada.

See **¿Por qué se dice así?**,
page G83, section 6.1.

LECCIÓN 1

F. Encuesta. Pregúntale a un(a) amigo(a) si le gustaron ciertas cosas.

No me gustó.	Me gustó.	Me encantó.
No me gustaron.	Me gustaron.	Me encantaron.

MODELO   Tú: **¿Te gustó el concierto en el parque?**
         Compañero(a):   **Sí, ¡me encantó!** o
                          No, no me gustó. o
                          Sí, me gustó.

1. las clases de baile
2. la fiesta de *[tu amiga(o) . . .]*
3. el programa de música
4. las películas *[título]* y *[título]*
5. la exhibición de arte
6. el concierto de *[grupo]*
7. el baile
8. los videos de *[artista]*
9. la comedia del club de teatro
10. la excursión a *[lugar]*

G. ¿ Adónde fuiste ? Pregúntale a tu compañero(a) si fue a varios lugares durante la semana.

MODELO   un concierto de rock
         Tú: **¿Fuiste a un concierto de rock anoche?**
         Compañero(a):   **Sí, fui a un concierto de rock anoche.** o
                          No, no fui a un concierto de rock anoche.

VOCABULARIO ÚTIL:

anoche	la semana pasada
esta mañana	el sábado pasado
ayer	el fin de semana

1. el cine
2. la biblioteca
3. un baile
4. el colegio
5. el parque
6. una clase de música
7. el gimnasio
8. una fiesta

Preterite of *ir*

fui	fuimos
fuiste	
fue	fueron
fue	fueron

*See **¿Por qué se dice así?**, page G86, section 6.2.*

Talking about the past

The preterite tense is often used with expressions such as:

esta mañana	*this morning*
ayer	*yesterday*
anoche	*last night*
la semana pasada	*last week*
el fin de semana	*the weekend*

H. Un día interesante. Ayer los turistas se pasearon por Guadalajara. ¿Adónde fueron?

MODELO Lorenzo Martínez (9)
Lorenzo Martínez fue a la Plaza de la Liberación.

1. los señores Rivera (3)
2. Margarita Valdez (6)
3. el señor Álvarez (2)
4. Guadalupe Silva y yo (8)
5. tú (4)
6. todos (7)
7. la familia Torres (5)
8. el guía (1)

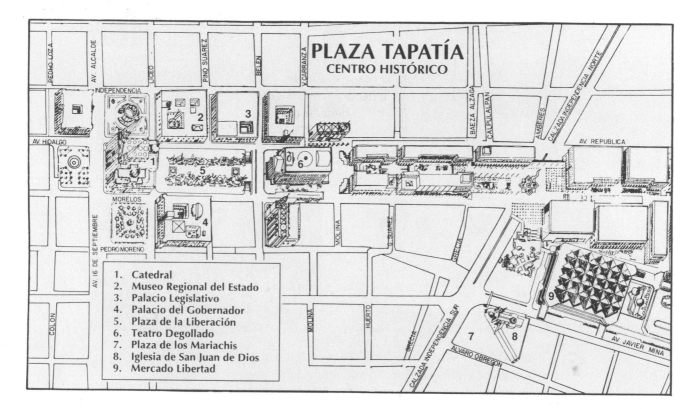

PLAZA TAPATÍA
CENTRO HISTÓRICO

1. Catedral
2. Museo Regional del Estado
3. Palacio Legislativo
4. Palacio del Gobernador
5. Plaza de la Liberación
6. Teatro Degollado
7. Plaza de los Mariachis
8. Iglesia de San Juan de Dios
9. Mercado Libertad

CHARLEMOS UN POCO MÁS

A. ¿Estudiaste ayer? Write eight things that you did yesterday. Tell your partner what you did and ask if he or she did the same things. Note what you both did. Be prepared to report to the class.

EJEMPLO Tú: **Yo estudié español y vi la tele. ¿Y tú?**
Compañero(a): **Yo vi la tele y limpié mi cuarto.**
Tú: **Los dos vimos la tele.**

B. El sábado pasado. Paco and Luis had a very busy day last Saturday. With your partner, recount their day by looking at the drawing below.

 EJEMPLO **Por la mañana Paco limpió la casa y Luis . . .**

C. ¿Viajó Ud.? What did your teacher do last summer? With a partner, prepare six to eight questions to ask your teacher about last summer. These should all be yes/no questions.

 EJEMPLO **¿Fue usted a México?**

CH. ¡A escribir! With a partner, create a children's storybook titled **La historia de Bombón.** Describe one of his many adventures as a puppy. Illustrate your story. Begin by saying: **Un día, Bombón fue a . . .**

Dramatizaciones

A. Mi telenovela favorita . . .   You missed your favorite soap opera yesterday and want to know what happened. Your partner saw it, so you have lots of questions to ask. Role-play the situation.

Tú	**Compañero(a)**
■ Ask if Carolina spoke with her boyfriend.	■ Say they spoke at her house, then they walked to school together.
■ Ask what they talked about.	■ Say they talked about Víctor Mario's party.
■ Ask what happened at the party.	■ Say that first, Víctor Mario danced with the brunette. Then he played the guitar and sang several very romantic songs to her.
■ Find out what happened then.	■ Say you don't know because Carmen called and you talked on the phone for an hour.

B. Saludos de México.   You are an exchange student in Mexico. After two days in Guadalajara, you call home to talk to your parents, but one of your brothers or sisters answers the phone. Role-play this situation.

Tú	**Tu hermano(a)**
■ Say hello and ask if your parents are at home.	■ Say hello. Say that your parents aren't home. Ask how your partner is.
■ Say that you are fine but that you miss the family. Ask how they are.	■ Respond. Ask if he or she likes Guadalajara.
■ Tell three or four things that you did on your first day.	■ Ask if he or she went out last night.
■ Respond that you went out. Tell where you went.	■ React.
■ Say that you have to leave to go somewhere. Say where.	■ Tell him or her to write about everything.
■ Promise to write. Say good-bye.	■ Say good-bye.

C. Entrevista.   You are writing an article for the school paper, and you need to find out what the principal and his or her family did during the weekend. Role-play this situation with your partner.

¡No metas la pata!

Te invito al ballet.   Paul está visitando a su amigo Óscar en
Guadalajara. Javier los invita al ballet folklórico el sábado.

Javier: **Óscar, Paul, fíjense. Tengo tres boletos para
el ballet folklórico el sábado.**

Óscar: **¡Fantástico! Lo vi el año pasado.**

Paul: **Uhhh. Lo siento pero . . . uh . . . uh no puedo ir.**

Óscar: **¿Por qué? ¿Qué vas a hacer?**

Paul: **Pues, la verdad es que prefiero quedarme en casa.**

Javier: **Pero hombre, no puedes visitar Guadalajara sin
ver el ballet folklórico. Es famosísimo.**

Paul: **Tal vez, pero no me gusta el ballet. No me
interesan ni las bailarinas ni la música clásica.**

Javier: **Pero, Pablo, nuestro ballet sí te va a gustar.**

Why does Javier insist that Paul will enjoy the **ballet folklórico?**

1. Because he knows that the **ballet folklórico** is famous.
2. He assumes that Paul has never seen a good ballet company.
3. He realizes that Paul has a mistaken idea of what the **ballet folklórico** is.

❏ Check your answer on page 419.

Y ahora, ¡a leer!

Antes de empezar

Mira las fotos de los mariachis e indica si estos comentarios parecen ciertos
(C) o falsos **(F).** Lee la lectura y cambia, si es necesario, tus respuestas.

C   F   **1.** Los mariachis son músicos.
C   F   **2.** Los mariachis tocan y cantan música religiosa.
C   F   **3.** Los mariachis siempre son muy jóvenes.
C   F   **4.** El traje tradicional de los mariachis es más formal que
el traje de los músicos de una orquesta sinfónica.
C   F   **5.** Con frecuencia los mariachis tocan en fiestas, bodas y bautismos.
C   F   **6.** La música de los mariachis es alegre y ruidosa.
C   F   **7.** El mariachi casi siempre lleva sombrero.

¡Viva el mariachi!

La música de los mariachis es, sin duda, la música nacional de México. Como los trovadores del pasado, los mariachis suelen aparecer en cualquier momento, dispuestos a serenar al público por unos cuantos pesos o, si les sonríe una chica hermosa, tocar y cantar toda la noche. Los vemos en todas partes: en fiestas, serenatas, bodas y bautismos. Su presencia basta para convertir una ocasión no especial en una fiesta improvisada.

Su música es ruidosa, rica, alegre y alborotada. Siempre crea un ambiente de fiesta y de carnaval. Las canciones de los mariachis son expresivas y están llenas de una emoción única e inolvidable.

El mariachi tradicional tiene su origen en el estado de Jalisco. Como el charro (el *cowboy* mexicano), lleva pantalones apretados, saco estilo bolero, corbata suelta y un sombrero ancho. Un cinturón, botas de cuero meticulosamente labradas y, a veces, espuelas de plata completan su traje típico.

Es interesante saber que la palabra "mariachi" no es ni de origen español ni de origen indio. ¡Es de origen francés! Según una explicación, durante la ocupación francesa, en el siglo XIX, un francés fue desesperadamente a la plaza a buscar músicos para la boda de su hija. Como no sabía español, decía *"mariage, mariage"* al llamar a los músicos mexicanos. La palabra francesa para "boda" es *mariage*. De allí, por extensión, estos músicos llegaron a llamarse "mariachis".

Verifiquemos

1. Nombra cuatro lugares donde los mariachis tocan y cantan normalmente.
2. Describe la música de los mariachis.
3. Describe el traje de los mariachis.
4. Describe las canciones de los mariachis.
5. Explica el origen de la palabra "mariachi".

¿Qué compraste?

Tlaquepaque,
Tierra de Artesanos

GUÍA TURÍSTICA

ANTICIPEMOS

¿Qué piensas tú?

1. ¿Qué tipo de información hay en la guía turística?

2. ¿Qué crees que compraron los jóvenes en la foto? En tu opinión, ¿para quiénes compraron estas cosas? ¿Por qué crees eso?

3. ¿Qué artesanías son típicas de esta región de México? ¿Por qué compran los turistas estas artesanías?

4. ¿De qué están hablando los dos jóvenes en esta página? ¿Qué crees que están diciendo? ¿Por qué crees eso?

5. ¿Para qué son los anuncios? ¿Cuáles te interesan más? ¿Por qué?

6. Un(a) amigo(a) te invita a uno de los lugares mencionados. ¿Quieres ir? ¿Por qué sí o por qué no? ¿Cómo le respondes a tu amigo(a)?

7. De qué vas a poder hablar al final de la lección?

1

¡Pobre Óscar!
Ayer fue al cine, ¿y sabes a quién vio?
¡Vio a su novia Mónica con otro chico!

2

Ahora Óscar está hablando con Marisa y Javier.
Ellos también vieron a Mónica con el otro chico.

3

Óscar: ¿Quién fue ese chico?

Marisa: No sé. Yo también vi a Mónica con él. Pero no fue en el cine, fue en el mercado. Él compró una figurita de vidrio y le dio la figurita a Mónica. Fue un gesto romántico, ¿no crees?

4

Javier: Yo también los vi en el mercado.

Óscar: ¿En serio?

Javier: Sí. Mónica compró un plato de cerámica. También compró una cacatúa de papel maché. Y bueno, pues . . . ¡le dio la cacatúa al chico!

Óscar: ¡Cómo es posible! ¡Ella nunca me dio nada a mí!

5

Ay, pobre Óscar. Está tan triste. Javier y Marisa quieren ayudarlo pero no saben qué hacer.

6

Marisa: ¿Tienes planes para esta tarde, Óscar?

Óscar: No, no tengo nada que hacer. ¿Por qué?

Marisa: ¿Quieres salir con nosotros?

Óscar: Lo siento, pero estoy demasiado triste. Prefiero estar solo.

Javier: ¡Óscar, por favor! ¡Qué tonto eres! Mónica no es la única chica del mundo. Ven, vamos a tomar algo.

7

Al llegar al café, Óscar, Marisa y Javier ven a Mónica y al chico.

Marisa: Mira quién está aquí.

Mónica: ¡Óscar! Mira, te quiero presentar a mi hermano, Toño. Acaba de llegar a Guadalajara.

Óscar: ¿Tu hermano?

¿QUÉ DECIMOS...?

Al describir un viaje

1 ¿Quieren venir con nosotros?

2 ¿Recibiste mi última carta?

3 ¡Compré un montón de cosas!

VI COSAS PRECIOSAS: FIGURITAS DE VIDRIO,

COSAS DE PAPEL MACHÉ,

Y ARTÍCULOS DE PIEL.

MÁS QUE NADA ME GUSTÓ LA CERÁMICA.

COMPRÉ UN MONTÓN DE COSAS A MUY BUEN PRECIO.

ENCONTRÉ REGALOS PARA TODA LA FAMILIA. Y, ¿SABES?, A TI TE COMPRÉ UN RECUERDO MUY BONITO.

¡SÉ QUE TE VA A GUSTAR!

4 Fue imposible subir.

FUE UN DÍA ESTUPENDO. LO PASAMOS MUY BIEN—HASTA LA HORA DE REGRESAR.

ÓSCAR, EL PRIMO GUAPÍSIMO DE LILIA, Y YO DECIDIMOS REGRESAR EN AUTOBÚS—O CAMIÓN, COMO LE DICEN AQUÍ. Y ESO SÍ QUE FUE UNA AVENTURA.

AL LLEGAR AL COCHE, TRATAMOS DE SUBIR LOS CUATRO, PERO FUE IMPOSIBLE. ES QUE COMPRÉ DEMASIADAS COSAS.

NO TE PUEDES IMAGINAR LO QUE PASÓ...

A. ¡Me encantó Tlaquepaque! ¿En qué orden pasaron estas cosas?

1. Después de tanto caminar, tomaron un refresco al aire libre.
2. El domingo los cuatro fueron a Tlaquepaque.
3. Óscar y Mónica decidieron regresar en autobús.
4. Mónica y Lilia aceptaron la invitación.
5. Vieron todo tipo de artesanías allí.
6. Compraron tantas cosas que fue imposible subir al coche pequeño de Javier.
7. Óscar y Javier invitaron a Mónica y Lilia a ir a Tlaquepaque.

B. ¿Contigo? Invita a tu compañero(a) a estos lugares.

 MODELO   al cine
Tú: **¿Quieres ir al cine conmigo?**
Compañero(a): **¿Contigo? ¡Claro que sí!** o **Gracias, pero tengo otros planes.**

1. a una fiesta
2. al baile
3. a la ópera
4. a un concierto de rock
5. a la biblioteca
6. a un restaurante
7. al zoológico
8. a un museo
9. a un café
10. a una discoteca

C. ¿Vamos? ¿Cómo responden estas personas a tu invitación?

MODELO   Carlota y Pepe: jugar tenis
Tú: Te **¿Les gustaría jugar tenis?** Me
Compañero(a): **¡Cómo no! Nos encantaría.** o **Gracias, pero no podemos.**
puedo?

1. Samuel y Mateo: ver un video
2. Ramona: cantar con la banda
3. Toni: salir esta noche
4. Jesús y Héctor: ir al cine
5. Fito: tomar un helado
6. Andrés y Jacobo: correr en el parque
7. Lina y Yolanda: escuchar música en casa
8. Carla: ir de compras
9. Hugo y María: venir a casa a comer
10. Elsa: tomar una clase de gimnasia

Conmigo / contigo

In order to express the idea of doing something *with* someone, use the following:

*conmigo
*contigo
  con usted / él / ella
  con nosotros(as)
  con ustedes / ellos / ellas

Ellos van **contigo,** ¿verdad?
No, van **con ustedes.**

*Note the special forms for **mí** and **ti.**

Extending, accepting, or declining an invitation

Extending an invitation:
  ¿Quieres ir conmigo?
  ¿Te gustaría ir a cine conmigo?

Accepting an invitation:
  ¡Claro que sí!
  ¡Me encantaría!
  ¡Cómo no!

Declining an invitation:
  Gracias, pero tengo otros planes.
  Gracias, pero no puedo.

CH. ¿Qué hicieron?   No fuiste a la fiesta de tu clase de español anoche. Pregúntale a un(a) compañero(a) qué hicieron en la fiesta.

EJEMPLO   tus amigos . . . y . . .
           Tú: **¿Qué hicieron . . . y . . .?**
           Compañero(a):   **Comieron muchos tacos.**

VOCABULARIO ÚTIL:

hacer la comida	cantar mucho
comer muchos tacos	saludar a todos
aprender un baile	tomar mucha
nuevo	limonada
bailar con todos	no hacer nada
recibir a los invitados	¿ . . . ?

1. el (la) profesor(a)
2. tú y . . .
3. un(a) amigo(a)
4. . . . y . . .
5. tú
6. todos
7. el (la) director(a)
8. los padres

Preterite of *hacer*

hice	hicimos
hiciste	
hizo	hicieron
hizo	hicieron

¿Qué **hicieron** ustedes?
No **hicimos** nada.

¿Qué **hiciste** tú?
Jugué tenis.

See **¿Por qué se dice así?,** *page G87, section 6.3.*

TEATRO DEGOLLADO
125 Aniversario
Opera

Filarmónica
DE JALISCO

CARMEN

Bizet

Director:
José Guadalupe Flores

11 y 13 abril   20:30 Hrs.

Abonos y boletos en Av. Juárez 638, Altos del Ex-convento del Carmen.
Informes en los Tels. 17-43-22, Ext. 51, 17-67-34 y 13-20-24.

LECCIÓN 2

D. ¿Y tú? Pregúntale a tu compañero(a) qué hicieron estas personas ayer.

MODELO Sara
    Tú: **¿Qué hizo Sara ayer?**
    Compañero(a): **Fue al cine.**

MODELO   **1.** nosotros   **2.** Elena y Carmen

3. tú   **4.** yo   **5.** ustedes

E. ¿Te gustó? Tú y tu compañero(a) están hablando de sus actividades. ¿Qué dicen?

EJEMPLO la exhibición de arte
    Tú: **¿Te gustó la exhibición de arte?**
    Compañero(a): **Fue interesante.**

la película de anoche	interesante
las fiestas	aburrido
el concierto de rock	fácil
la boda	difícil
los bailes del colegio	divertido
la exhibición de arte	emocionante
la clase del profesor . . .	impresionante
los exámenes	agradable
	cómico
	romántico
	bueno
	malo

Preterite of *ser*

fui	fuimos
fuiste	
fue	fueron
fue	fueron

La fiesta **fue** muy divertida.
Nosotros **fuimos** los primeros en llegar.

See **¿Por qué se dice así?**, *page G87, section 6.3.*

F. ¿Quién fue? Tres compañeros de clase le mandaron rosas al (a la) profesor(a). ¿Quiénes fueron? Pregúntales a tus compañeros.

 MODELO Tú: **¿Fuiste tú?**
Compañero(a): **No, no fui yo.** o
Sí, fui yo.

G. ¡Regalos! Ayer fue el cumpleaños de Susana. ¿Qué le dieron sus amigos y su familia?

MODELO Beto y Alicia
Beto y Alicia le dieron un libro.

Preterite of *dar*

di	dimos
diste	
dio	dieron
dio	dieron

Nosotros le **dimos** dos libros.
¿Qué le **diste** tú?

See **¿Por qué se dice así?,**
page G87, section 6.3.

1. su papá   **2.** sus abuelos   **3.** yo   **4.** Elena

   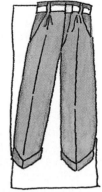

5. tú   **6.** Guillermo   **7.** nosotros   **8.** sus hermanas

H. Programas favoritos. Pregúntales a cinco compañeros de la clase qué programas de televisión vieron anoche.

 MODELO Tú: **¿Qué viste anoche?**
Compañero(a): **Vi . . .** o
No vi televisión anoche.

Preterite of *ver*

vi	vimos
viste	
vio	vieron
vio	vieron

¿**Viste** la nueva película?
Sí, la **vi.**

See **¿Por qué se dice así?,**
page G87, section 6.3.

CHARLEMOS UN POCO MÁS

A. El cine. Below is a list of eight popular movies. Identify them. Then, in groups, ask your classmates if they saw these movies. Note the names of who saw which films.

 EJEMPLO   Tú: **¿Viste *Batman eternamente?***
          Compañero(a): **No, pero vi *Pocahontas*.**

Pocahontas	Parque Jurásico	Batman eternamente
La guerra de las galaxias	La bella y la bestia	Congo
Lo que el viento se llevó	El mago de Oz	El rey león

PELIGRO INMINENTE

Máxima calidad de imagen y sonido para vivir, junto a Harrison Ford, la más peligrosa lucha contra el narcotráfico.

Forrest Gump

La película de los seis Óscars merece ser disfrutada, también en el salón de su hogar, con el máximo realismo.

Mentiras Arriesgadas

Los efectos especiales de esta trepidante película de acción le parecerán más espectaculares que nunca si los disfruta con el LaserDisc.

B. ¡Yo fui el príncipe! Last night your Spanish class performed a version of **La Cenicienta** at your school's open house. You and your partner are trying to reconstruct the program. Tell who played each part. Two boys and five girls participated.

 EJEMPLO   **Eileen fue el hada madrina.**
          Jackie fue una hermanastra.

C. ¡Está furioso! Your teacher is furious because last night no one did the homework assignment. With a partner, tell what excuses eight classmates (including the two of you) gave for not doing the work.

 EJEMPLO   **Bob y Rick no hicieron la tarea porque fueron al cine.**

Mary y Val no hicieron la tarea porque hablaron por teléfono con Ryon y Chris

CH. Le dio flores.   Write a list of gifts that you gave to your family and friends last year. Then, in groups, compare lists and report to the class any gifts that more than two of you gave. Tell who received the gifts.

EJEMPLO   Tú: **¿A quiénes les diste regalos?**
Compañero(a):   **Le di una foto a Lee y a mi tía le di . . .**

D. ¿Qué necesitamos hacer?   Your parents were gone all day and left a list of chores for you and your brother or sister. Each of you has done some of the chores, but not all of them. Using the lists your instructor provides, ask your partner what he or she has done in order to find out what still needs to be done. Do not look at each other's lists.

EJEMPLO   Tú: **¿Alquilaste un video?**
Compañero(a):   **No, no alquilé un video.**

- limpiar tu cuarto
- darle de comer al perro
- prepararle la comida a tu hermano
- ir al correo
- limpiar el baño
- comprar comida para el perro
- hacer la tarea
- alquilar un video
- visitar a Abuelo
- trabajar en el patio

E. ¿Qué hicieron?   Your teacher will provide you and your partner with an activity chart. The drawings on the chart represent what five students, including yourself, did last Saturday. With your partner, figure out who did exactly the same things each of you did by asking each other questions.

EJEMPLO   Compañero(a):   **¿Quién bailó?**
Tú: **Alberto y Ramona bailaron.**
Compañero(a):   **¿Alguien más?**
Tú: **Sí, Cruz también bailó.**

Dramatizaciones

A. ¿Qué pasa? You and your partner are talking about school and activities. Role-play this conversation.

Tú

- Ask your partner if his or her math teacher gave an exam yesterday.
- Say that Greg says it was hard.
- Ask if your partner went to the concert last night.
- Ask if your partner enjoyed it.
- Ask where he or she is going now.

Compañero(a)

- Answer yes. Say that it was easy.
- Say that Greg always says that exams are hard.
- Answer yes. Say who went with you.
- Answer that you loved it.
- Answer and ask your partner if he or she wants to go with you.

B. ¡Mira lo que compré! You and two friends run into each other in a café after each having been on a shopping spree. Two of you have lots of packages. Role-play the situation as you talk about . . .

- where you went.
- the things you bought.
- the price.
- the things you saw but didn't buy.

C. ¿Qué película viste? With your partner, discuss a movie that both of you saw recently. Find out . . .

- when your partner saw it.
- if he or she liked it.
- why he or she did or did not like it.
- where he or she saw it.
- with whom he or she saw it.

¡No me digas!

¡Huy, qué caro!   Al salir del Mercado San Juan de Dios, Paul se encuentra con su amigo Javier. Lee su conversación con Javier y luego contesta la pregunta.

Javier:	¡Hola, Pablo! Pero, hombre, parece que compraste todo el mercado.
Paul:	Tienes razón, Javier. Pero no es todo para mí. Compré varios regalos para mi familia.
Javier:	A ver, ¿qué compraste? Ah, ¡qué bonitos! Me gusta el gato de papel maché. ¿Fue caro?
Paul:	¡No, al contrario! Me costó solamente sesenta pesos.
Javier:	¿Sesenta pesos? Es mucho, ¿no crees?
Paul:	Pues, primero el vendedor me pidió noventa pesos. Yo le ofrecí sesenta y lo aceptó en seguida. Creo que es muy buen precio.
Javier:	Hmmm. No estoy convencido. Alguien te dio gato por liebre aquí.

Why does Javier react the way he does?

1. He obviously doesn't like the cat.
2. He thinks Paul paid too much for the cat.
3. Javier is offended that Paul didn't buy him a gift.

❏ Check your answer on page 419.

Y ahora, ¡a leer!

Antes de empezar

Complete the statements that follow to find out how much you know about mural art. If you don't know the correct answer, make a reasoned guess. After you have read the selection, re-read your answers to see if you would change any of them.

1. Un mural es . . .
- **a.** una pintura hecha o aplicada sobre una pared.
- **b.** una pintura más grande que una pared.
- **c.** una pintura en una ventana.
- **ch.** una pintura en un almacén.

2. Los primeros muralistas probablemente fueron . . .
- **a.** franceses e italianos.
- **b.** ingleses.
- **c.** maya y aztecas.
- **ch.** artistas mexicanos del siglo XX.

3. Por lo general, los muralistas pintan . . .
- **a.** temas religiosos.
- **b.** temas clásicos.
- **c.** con colores brillantes.
- **ch.** sólo en blanco y negro.

4. En Estados Unidos . . .
- **a.** no hay muralistas.
- **b.** hay murales en muchos lugares.
- **c.** es ilegal pintar un mural en una pared.
- **ch.** todos los muralistas son mexicanos.

Verifiquemos

Después de leer el artículo sobre José Clemente Orozco, contesta las preguntas.

1. ¿Qué es un mural? ¿Cuál es el origen de los murales en México?
2. ¿Quiénes son los muralistas contemporáneos más conocidos?
3. Describe un elemento de los murales de José Clemente Orozco.
4. ¿Hay murales en tu comunidad? Si los hay, descríbelos y di dónde están.
5. Selecciona uno de los murales e interprétalo.

El muralista José Clemente Orozco

*E*l arte de los murales, es decir de las pinturas hechas o aplicadas sobre un muro o pared, es una de las contribuciones más importantes que ha hecho México al arte contemporáneo. El mural es un arte que tiene su origen en tiempos precolombinos, con los impresionantes murales de los mayas y los aztecas, y que florece en este siglo durante la Revolución de 1910. Como la Revolución, el arte muralista es de carácter nacionalista, vigoroso y explosivo, con colores brillantes y temas sociopolíticos.

*L*os tres artistas sobresalientes del movimiento muralista son, sin duda, Diego Rivera (1886-1957), David Alfaro Siqueiros (1899-1974) y José Clemente Orozco (1883-1949). Frecuentemente considerado el mejor de los tres, Orozco fue un satirista sin igual, en particular cuando sus murales trataban temas sociopolíticos.

*L*os murales de Orozco son notables por lo universal de sus temas. A pesar de ser muy nacionalista y de pintar temas mexicanos, Orozco va más allá de lo mexicano en sus murales y su mensaje tiene significado para todos.

*E*ntre 1927 y 1934, Orozco vivió en Estados Unidos. Durante su estadía aquí, pintó murales en Pomona College en California, en la Universidad de Dartmouth en New Hampshire, y en la New York School for Social Research en Nueva York.

*P*robablemente uno de los mejores murales de Orozco es el que está en el Hospicio Cabañas, en Guadalajara. Allí se ve la verdadera fuerza de su arte: denuncia la manipulación política contrastando severamente los colores rojo y negro.

¿Qué pasó?

GOLFO DE MÉXICO

YUCATÁN

Mérida ●

Uxmal

Chichén Itzá

Kabah

QUINTANA ROO

MORELOS

VERACRUZ

CAMPECHE

México, D.F.
PUEBLA

TABASCO

OAXACA

MÉXICO

Oaxaca

BELI

Monte
Albán

Mitla

CHIAPAS

GUATEMALA

HONDUR

OCÉANO
PACÍFICO

EL SALVADOR

0   300 Kilómetros

0   300 Millas

ANTICIPEMOS

Agencia de Viajes Amalia Portillo

Porfirio Díaz Nº. 858   México, D.F.

Nombre: Familia Gabriel Orozco **Viaje:** 2 de julio al 17 de julio
Número de pasajeros: 4 **Hotel:** ****

Itinerario

12 de julio	17,20	Llegada a Oaxaca
		Alojamiento: Hotel Señorial
13 de julio	8,00	Desayuno
	9,00	Autobús a Monte Albán
		Almuerzo: sándwiches
	16,30	Regreso a Oaxaca
		Cena: libre
14 de julio	8,00	Desayuno
	9,00	Autobús a Mitla
		Almuerzo: sándwiches
	16,30	Regreso a Oaxaca
		Cena: libre
15 de julio	7,30	Desayuno
	8,30	Taxi al aeropuerto
	12,30	Llegada a Mérida
		Tarde: libre
16 de julio	8,00	Desayuno
	9,00	Autobús a Uxmal y Kabah
		Almuerzo: Rancho Herrera
	16,30	Regreso a Mérida
	20,00	Cena: Hotel Las Hamacas
17 de julio	8,00	Desayuno
	9,00	Autobús a Chichén Itzá
		Almuerzo: sándwiches
	16,30	Regreso a Mérida
	20,00	Cena: libre
18 de julio	7,30	Desayuno
	8,30	Taxi al aeropuerto
	13,30	Llegada a México, D.F.

¿Qué piensas tú?

1. ¿Qué información hay en el itinerario?

2. ¿Qué hicieron los Orozco el segundo día? ¿El sexto día?

3. ¿Qué partes de México visitaron? ¿Puedes encontrar esos lugares en el mapa?

4. Estudia los nombres en el mapa. ¿Cuáles crees que son de origen español? ¿De qué origen son los otros?

5. ¿Crees que hubo una sola cultura indígena en México o hubo varias? ¿Por qué crees eso?

6. Dile a la clase todo lo que sabes de las antiguas culturas indígenas mexicanas. ¿Qué sabes de las culturas indígenas contemporáneas en México?

7. ¿De qué vas a poder hablar al final de la lección?

UNA LEYENDA AZTECA

1

A unos veinticinco kilómetros de la Ciudad de México, hay dos volcanes, Popocatépetl e Iztaccíhuatl. Una leyenda azteca explica su origen.

2

Cuando nació Iztaccíhuatl, su padre, el rey de los aztecas, dijo, "Mi hija es la joya más preciosa del mundo".

3

Dieciocho años más tarde, durante una guerra, el rey se enfermó y no pudo dirigir a sus soldados.

7

Popocatépetl se fue a la guerra, donde luchó valientemente. Por fin, conquistó a los enemigos del rey.

8

Pero ese día, un hombre malo vino al palacio del rey. Iztaccíhuatl le preguntó, "¿Qué pasó en la batalla de hoy?" Él le dijo, "Popocatépetl murió hoy en manos del enemigo". La princesa se puso tan triste que se enfermó . . . y murió.

4

Entonces el rey tuvo que buscar un soldado fuerte y valiente para poner a cargo de sus soldados. Desafortunadamente, no pudo encontrarlo.

5

Entonces el rey declaró, "Al soldado que conquiste a mis enemigos le daré mi trono y mi hija".

6

Un joven soldado desconocido dijo, "Yo soy Popocatépetl, el soldado más fuerte y valiente de toda la tierra. Yo voy a conquistar a los enemigos de mi rey". Iztaccíhuatl se enamoró de Popocatépetl inmediatamente.

9

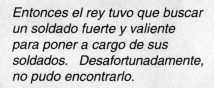

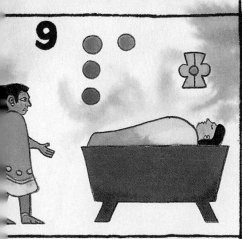

Cuando Popocatépetl regresó victorioso a la ciudad, le dijeron de la muerte de su querida Iztaccíhuatl.

10

El joven Popocatépetl construyó una pirámide donde puso a descansar a la princesa. Al lado construyó una segunda pirámide para proteger a Iztaccíhuatl.

11

Los dioses por compasión convirtieron las dos pirámides en volcanes. Desde entonces, Popocatépetl e Iztaccíhuatl duermen a poca distancia de la capital.

¿QUÉ DECIMOS...?

Al describir una aventura

1 *Tuvimos que regresar en camión.*

2 *No le dije nada a Óscar.*

3 ¡Cuéntame!

4 ¡Es como Popocatépetl!

A. ¿Cierto o falso?   Indica si lo siguiente es cierto o falso. Si es falso, corrígelo.

1. No pudieron subir todos al coche. T
2. Óscar y Javier tuvieron que regresar en camión. F
3. No tuvieron problemas. F
4. Mónica y Óscar tuvieron que esperar el autobús. T
5. Hay muchos camiones que pasan por Tlaquepaque. T
6. Al salir de la tienda, Mónica no vio a Óscar. F
7. Mónica decidió comprar otro regalo. T
8. Óscar y Mónica vinieron en el mismo autobús. F

B. ¡Buenas excusas!   Nadie fue al concierto. ¿Por qué?

MODELO   Javier: hablar por teléfono toda la noche
           **Javier no pudo ir porque habló por
           teléfono toda la noche.**

1. los López: salir con otra familia
2. yo: decidir alquilar un video
3. Manuel: trabajar con su papá
4. tú: ir de compras
5. papá: trabajar cuatro horas
6. ustedes: ir al cine
7. Sonia: salir a comer
8. tú y yo: limpiar la casa

C. ¡No tuvimos tiempo!   Todos tenemos buenas intenciones pero no siempre hacemos lo que queremos hacer. ¿Qué cosas no tuvieron tiempo de hacer estas personas?

MODELO   Javier
           Javier no tuvo tiempo de ver el programa.

MODELO

1. Ernesto

2. yo

3. Andrés y yo

4. tú y Carla

5. Juana y María

Preterite of *poder*

pude	pudimos
pudiste pudo	pudieron
pudo	pudieron

¿**Pudo** ayudarte Javier?
Los niños no **pudieron** ir.

See **¿Por qué se dice así?**,
page G91, section 6.4.

Preterite of *tener*

tuve	tuvimos
tuviste tuvo	tuvieron
tuvo	tuvieron

No **tuve** bastante dinero.
¿Ustedes **tuvieron** que ir?

See **¿Por qué se dice así?**,
page G91, section 6.4.

CH. ¿Por qué no?   Pregúntale a tu compañero(a) por qué no hizo estas cosas anoche.

 MODELO   hacer la tarea
     Tú: **¿Por qué no hiciste la tarea?**
     Compañero(a):   **No pude hacer la tarea**
                          porque tuve que . . .

1. ver televisión
2. practicar el piano
3. estudiar para un examen
4. escribir la composición
5. limpiar tu cuarto
6. ir a la fiesta de . . .
7. leer el libro de historia
8. salir con nosotros
9. llamar a un amigo
10. pasear en bicicleta

D. ¿Por qué no fueron?   Pregúntale a un(a) compañero(a) por qué no fueron estas personas a la fiesta anoche.

 MODELO   Roberta: estudiar
     Tú: **¿Por qué no fue Roberta a la**
                          fiesta anoche?
     Compañero(a):   **No fue porque tuvo que estudiar.**

1. Carlos: leer un libro
2. tú: escribir una composición
3. tus amigos: ir a otra fiesta
4. Elena: trabajar con su padre
5. los otros estudiantes: estudiar para el examen de matemáticas
6. la directora: hablar con los padres de un estudiante
7. tú y Mateo: preparar la comida
8. Ana: limpiar la casa
9. Nicolás: estar en casa con su hermano

E. ¿Con quién viniste?   El baile de la escuela fue el viernes pasado. ¿Quién vino con quién?

MODELO   Sarita y su mamá
             Sarita vino con su mamá.

1. José Antonio y Susana
2. los futbolistas y el director
3. los señores Medina y los García
4. Jorge y Nena
5. el profesor López y su señora
6. los hermanos Muñoz y yo
7. la Srta. Guillén y su novio
8. Alicia y tú

Preterite of *venir*

vine	vinimos
viniste	
vino	vinieron
vino	vinieron

Yo **vine** sola.
¿**Vinieron** todos los invitados?

See **¿Por qué se dice así?**,
page G91, section 6.4.

Medios de transporte

en auto/coche/carro - *car*
en autobús/bus - *bus*
en avión - *plane*
en bicicleta - *bike*
en calandria -
en motocicleta/moto - *motorcycle*
en tren - *train*
a pie - *walk*

Preterite of *decir*

dije	dijimos
dijiste dijo	dijeron
dijo	dijeron

No **dijo** la verdad.
¿Qué **dijeron** sus padres?

See **¿Por qué se dice así?**,
page G91, section 6.4.

F. Aniversario. ¿En qué tipo de transporte vinieron los invitados a celebrar el aniversario de tus padres?

MODELO   Norma
Norma vino en bicicleta.

1. Inés   **2.** Luis y Luz   **3.** yo   **4.** los Méndez

5. tú   **6.** nosotras   **7.** ustedes   **8.** Samuel

G. ¡Exageraciones! ¿Cuánto saben tus compañeros de ti? Di dos o tres cosas que hiciste, unas ciertas y otras falsas. Tus compañeros tienen que decidir si dijiste la verdad o no.

 EJEMPLO   Tú: **Ayer comí una pizza grande. ¿Dije la verdad?**
Clase: **Sí, dijiste la verdad.** o **No, no dijiste la verdad.**

H. ¡Dijeron que sí! Pregúntales a tres compañeros de clase si hicieron estas cosas durante el fin de semana. Luego dile a la clase qué dijeron todos.

 EJEMPLO   limpiar la casa
Tú: **¿Limpiaste la casa?**
Compañero(a):   **Sí, limpié la casa. ¿Y tú?**

1. ver un video
2. escribir una carta
3. hacer la tarea
4. ir al cine
5. comer en un restaurante
6. salir con unos amigos

I. ¿Qué hubo? Tu amigo fue a otra ciudad la semana pasada. Dile lo que pasó en tu ciudad en su ausencia.

 MODELO   una boda muy grande
Hubo una boda muy grande.

1. una fiesta en casa de . . .
2. un concierto de rock
3. un accidente de coches muy serio
4. una exhibición de arte moderno
5. un baile en la escuela
6. unos programas culturales en el centro de la ciudad
7. una exhibición de coches antiguos
8. un carnaval para los niños

Hubo: The preterite of *hay*

Hubo is both singular and plural. It means *there was* or *there were.*

Hubo un concierto excelente.
Hubo varios problemas.
No **hubo** buenas fiestas este verano.

CHARLEMOS UN POCO MÁS

A. ¡Imposible!   Marta and Estela are recounting to their friend Mario how they saw him with another girl. With your partner, decide what they said.

B. ¿Qué hicieron? Form groups of three or four. Your teacher will give you exactly four minutes to write down as many things as you can that members of your group did last week. Each activity that you list must include *who* did it and *what* they did.

EJEMPLO **Jack fue al cine con su familia.**
Nancy y Clara jugaron fútbol.

C. ¿Viniste . . . ? To find out more about your classmates, use the interview grids provided by your teacher. Find a classmate who fits each of the categories listed. When you find a person matching one of the categories, have him or her sign your paper in the appropriate square. Remember that each classmate may only sign one of your squares.

CH. ¿Qué hiciste tú? In groups of four, discuss what each of you did last week. Find one thing that you did that the other three did not. Also try to discover one thing that the others did that you did not. Write down your findings.

Dramatizaciones

A. ¿Adónde fuiste? On your way to school, you run into somebody you haven't seen for a while. Role-play the situation.

Tú	**Compañero(a)**
■ Greet each other; then ask what's new.	■ Say that a relative (specify who) is visiting your family.
■ Find out when the relative came to visit.	■ Say when, and add that your relative celebrated his or her birthday last week. Tell how old he or she is.
■ Respond.	■ Mention that you went shopping yesterday.
■ Ask where your friend went shopping and what he or she bought.	■ Tell where you went shopping and what you bought.

B. ¿Qué pasó? A friend who has been ill has called you on the phone to find out what happened at school today. Role-play this conversation.

C. El "mall". You spent the whole day at the mall yesterday. You saw several interesting things that you are now dying to tell your best friend. Role-play the conversation with your partner.

Reading strategy:
Identifying the main idea

A. Anticipemos. Answer the questions to see how much you already know about the conquest of Mexico by the Spaniards. If you do not know the correct answers, make reasoned guesses.

1. Los españoles llegaron a Tenochtitlán, la capital de México . . .
    a. en 1492.
    b. antes de 1492.
    c. después de 1492.
    ch. No se sabe cuándo llegaron los españoles.

2. Cuando los españoles llegaron a Tenochtitlán por primera vez, París y Londres eran . . .
    a. más grandes que Tenochtitlán.
    b. más pequeños que Tenochtitlán.
    c. similares a Tenochtitlán.
    ch. grandes ciudades elegantes mientras Tenochtitlán era un pueblo pequeño, poco sofisticado.

3. Moctezuma, el rey de los aztecas, pensó que Hernán Cortés era . . .
    a. un amigo.
    b. un enemigo.
    c. un dios azteca.
    ch. el presidente de una nación.

4. Cuando los españoles llegaron a Tenochtitlán, . . .
    a. Moctezuma los recibió como invitados.
    b. Moctezuma los atacó como enemigos.
    c. decidieron destruir la ciudad inmediatamente.
    ch. Todas las respuestas son correctas.

5. Hernán Cortés y sus soldados . . .
    a. vivieron más de ocho meses en el palacio de Moctezuma como sus invitados.
    b. destruyeron completamente la ciudad de Tenochtitlán.
    c. asesinaron a Moctezuma y a cientos de aztecas.
    ch. Todas las respuestas son correctas.

B. La idea principal.　In *Unidad 4* you learned that it is important to identify the main ideas expressed by the author, and that often the main idea in a given paragraph is stated in the first sentences of the paragraph.

Before you begin to read, look at the main ideas listed below. Then scan the first sentence of each of the six paragraphs to find the main ideas. Match the main ideas listed below with the appropriate paragraphs. Work *very quickly.* Do not read every word at this point.

Número de párrafo

_3_　1. Los aztecas invitaron a los españoles a su capital, como amigos, no enemigos.

_6_　2. La Tenochtitlán moderna es ahora la ciudad más grande del mundo.

_4_　3. En defensa de su rey, los aztecas atacaron a los españoles.

_1_　4. Los españoles descubrieron la gran capital de los aztecas en el año 1519.

_2_　5. Los aztecas pensaron que los españoles eran seres sobrenaturales.

_5_　6. Cortés y unos indios enemigos de los aztecas conquistaron la capital de los aztecas.

C. Tenochtitlán.　Now read the article on page 301 and verify your responses.

Verifiquemos

After you read the article, change any answers to **Anticipemos** (p. 299) that you think you answered incorrectly and be prepared to explain.

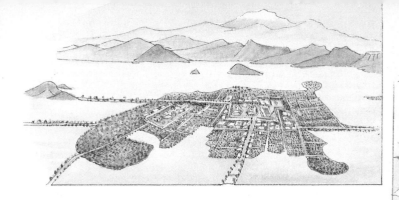

Tenochtitlán

En 1519, el conquistador Hernán Cortés llegó a Tenochtitlán, la capital del imperio azteca. Encontró allí una hermosa ciudad de más de 300.000 habitantes, más grande que las grandes ciudades europeas de la época.

Cuando los soldados aztecas vieron los barcos de Cortés por primera vez, pensaron que eran pirámides flotantes. Moctezuma, el rey de los aztecas, pensó que Cortés era Quetzalcóatl, un dios azteca que se fue en barco al este y prometió regresar algún día.

Pensando que era un dios, Moctezuma invitó a Cortés y a sus soldados a Tenochtitlán y los recibió con muchos regalos de oro y de piedras preciosas. Los españoles vivieron en el palacio de Moctezuma en Tenochtitlán por ocho meses. Pero cuando Cortés salió de la ciudad por unos días, sus soldados, temiendo una rebelión, tomaron prisionero a Moctezuma y asesinaron a cientos de indígenas.

Cuando los indígenas descubrieron que Moctezuma era prisionero, se rebelaron y atacaron a los españoles. Esa noche, llamada la Noche Triste, los españoles asesinaron a Moctezuma. Al tratar de salir de la ciudad, hubo una gran batalla en la que murieron cientos de indígenas y españoles.

En agosto de 1521, Cortés regresó a Tenochtitlán con los soldados españoles que sobrevivieron la Noche Triste y con cientos de indígenas tlaxcalanes, enemigos de los aztecas. Poco a poco, y destruyendo todo en su camino, Cortés conquistó Tenochtitlán. Sobre sus ruinas construyó una ciudad de estilo europeo, la ciudad que hoy llamamos la Ciudad de México.

Hoy, México, D.F. es la ciudad más grande del mundo, con 20 millones de habitantes. Recientemente, más de tres siglos después del descubrimiento de América, se empezaron a descubrir antiguos monumentos de la original Tenochtitlán.

Writing strategy:
Writing a free-form poem

A. Planeando. Sandra Alemán found a fun way to write a self-portrait in the form of a poem. Read her poem below and notice the form she used. Make a list of the elements she included. What do you think she did before she actually began to write her poem?

¿Quién soy?

Soy una chica única.
No soy ni **A**lta ni baja.
Mis amigos dice**N** que soy cómica.
Pero no creo que es ver**D**ad.
Tengo dos hermanos y una he**R**mana.
Tengo un gato y un perro t**A**mbién.

Me gust**A** leer, cantar y bailar.
No me gusta ni cocinar ni arreg**L**ar mi cuarto.
Quiero ser profesora de **E**spañol.
Estudio **M**ucho en mis clases.
Me encant**A** viajar.
Te**N**go dieciséis años.

¿Quién soy? ¡Soy **SANDRA ALEMÁN**!

B. Empezando.   Brainstorm all the things you might want to say about yourself. It might be helpful to make a cluster diagram of your list under topics such as: what I look like, my personality, my friends, my family, my likes and dislikes, what I want to do, etc.

C. Escribiendo.   Now write a self-portrait poem about yourself. Begin and end your poem the way Sandra began and ended hers.

CH. Compartiendo.   Share the first draft of your poem with two classmates. Ask them what they think of it. Is there anything they don't understand? Is there anything you have not mentioned that they would like to know? Do they think you should change something?

D. Revisando.   Based on your classmates' comments, rewrite your poem, changing anything you want. You may add, subtract or modify what you had originally written. Before you turn it in for grading, share your composition with two other classmates. Ask them to focus on your grammar, spelling and punctuation. Correct any errors they notice before turning it in to your teacher.

E. Publicando.   Prepare your poems for "publication" by writing them on large pieces of paper using your favorite colors. You may even want to mount them on cut-out silhouettes of yourself or something you mentioned in your poem.

¡Vamos al partido!

Alabama

Georgia

★ Tallahassee

Océano
Atlántico

Orlando

FLORIDA

Golfo de México

Miami

0   200 Kilómetros

200 Millas

¡Va a meter un gol!

El mundo de los deportes

sábado
HOY EN LA TELE

12:00 ATLETISMO
22 Campeonato Mundial

13:00 VOLIBOL
20 Campeonato Nacional de México
Cuartos de final, Mujeres

14:00 BÉISBOL DE LAS GRANDES LIGAS
18 Medias Blancas de Chicago
vs.
Yanquis de Nueva York

VÍA SATÉLITE

15:00 FÚTBOL AMERICANO COLEGIAL
8 Fuerza Aérea
vs.
Webster State

FÚTBOL AMERICANO PROFESIONAL
19:30 Delfines de Miami
24 vs.
Pieles Rojas de Washington

23:00 Vaqueros de Dallas
14 vs.
Osos de Chicago *(En directo)*

domingo
HOY EN LA TELE

10:00 AUTOMOVILISMO
8 Rally de Montecarlo

11:15 ESGRIMA
24 Torneo Internacional
Abierto Femenino

11:30 BOXEO
18 *(En directo)*

12:30 TORNEO DE SOFTBOL
16 15 equipos de la
Categoría de Tercera Fuerza

14:00 CLAVADOS
22 Trampolín: Exposición juvenil
Plataforma: Pruebas preolímpicas

VÍA SATÉLITE

15:00 PATINAJE ARTÍSTICO:
20 Juvenil femenino y masculino
PATINAJE DE VELOCIDAD

17:00 ESQUÍ ALPINO *(En directo)*
14 Descenso combinado masculino
Eslalom: Mujeres

¿**Q**ué piensas tú ?

1. ¿Qué deportes representan los símbolos de esta página? ¿Hay algún símbolo que no reconoces? ¿Cuál?

2. ¿Para qué es este anuncio? ¿Cómo sabes? ¿Puedes combinar un símbolo con cada deporte en *El mundo de los deportes*?

3. ¿Qué deportes se practican en tu colegio? ¿En tu ciudad?

4. ¿Qué oportunidades tiene la gente joven para participar en los deportes? Explica tu opinión.

5. ¿Son muy importantes los deportes en Estados Unidos? ¿Por qué?

6. ¿Qué importancia tienen los deportes en tu escuela? En tu opinión, ¿deben tener más o menos importancia? ¿Por qué?

7. ¿Es importante estar en buen estado físico en Estados Unidos? ¿Por qué?

8. En tu opinión, ¿cuáles son las actitudes en los países hispanos hacia los deportes y hacia el estado físico? ¿Por qué crees eso?

9. ¿De qué vas a poder hablar al final de la lección?

Deportes

BALONCESTO

 ## OLIMPÍADA ATLÉTICA Y ACADÉMICA

24 de mayo

Ayer se celebró en Miami la quinta Olimpíada Atlética y Académica de la división sur. Aquí representamos algunos de los grandes triunfos atléticos y académicos de los jóvenes que participaron en las competencias.

Para los aficionados al baloncesto, hubo un formidable partido entre los equipos femeninos de South Miami y de Sunset. Aquí vemos al árbitro echar la pelota al comienzo del partido. South Miami defendió su título con habilidad, derrotando a Sunset 69 a 58.

FÚTBOL

En el campo de fútbol, hubo un gran partido entre los equipos de Killian y Palmetto. Los estudiantes de Killian ganaron 1 a 0. El único gol del partido lo metió el jugador "estrella", Juan Colón, con un brillante cabezazo. Después del partido, el entrenador de los vencedores dijo, "¡Sin duda, estos dos equipos son los mejores del estado!"

ATLETISMO

En el campo deportivo, Rafaela Delgado y Paula Wilson corrieron una carrera increíble. Delgado salió primero y mantuvo su posición hasta el último momento, cuando Wilson la pasó y ganó la carrera de 55 metros.

Samuel Rodríguez, un joven atleta de Coral Gables, saltó 6 pies con 9 pulgadas y ganó la competencia de salto de altura masculino.

JUEGOS ACADÉMICOS

Finalmente, en los juegos académicos, los chicos de segundo año de Killian High School sorprendieron a todo el mundo y ganaron la competencia de historia. ¡Bien hecho, chicos!

JAI ALAI

Este año, por primera vez, una exhibición de jai alai fue parte de nuestra Olimpíada. Jorge Campos, el número 37, jugó brillantemente para South Dade High School. Este joven de 17 años fue nombrado el jugador más valioso de la exhibición.

OTROS EVENTOS

8 Para otros resultados, véase **La Olimpíada** en la página 8.

 ciclismo

 natación

 lucha libre

 tenis

 béisbol

 gimnasia artística

 golf

¿QUÉ DECIMOS...?

Al hablar de los deportes

1 **¿Quién es ese señor?**

2 ¡Dale, dale!

3 ¡Es un gran deportista!

4 ¿Estás lastimado?

CHARLEMOS UN POCO

A. ¡Gol!   ¿Quién dijo estas cosas en el partido de ayer, un **jugador** o un **espectador?**

1. Ayer practiqué el cabezazo todo el día.
2. Soy más aficionado al béisbol.
3. Nosotros somos mejores.
4. Ya empieza el partido.
5. El árbitro les cobró una falta.
6. Metió tres goles en el último partido.
7. ¡Dale, dale!
8. ¡Dios mío, está tendido en el campo!
9. Está allí, junto al entrenador.
10. ¡Paco, haz algo!

B. ¿Cuánto cuesta?   Tú estás en una librería. ¿Qué te dice el dependiente?

MODELO

Este diccionario de francés cuesta nueve dólares, noventa y cinco centavos.

1.   2.   3.

4.   5.   6.

7.   8.   9.

Demonstratives
Pointing out things close to you

este	estos
esta	estas

Esta blusa es muy cara.
Me gustan **estos** zapatos.

See **¿Por qué se dice así?**,
page G94, section 7.1.

Demonstratives

Pointing out things far from you

ese	**esos**
esa	**esas**

Ese chico es mi primo.
¿Ves a **esas** señoras?

See **¿Por qué se dice así?,**
page G94, section 7.1.

Demonstratives

Pointing out things farther away

aquel	**aquellos**
aquella	**aquellas**

Me gusta **aquella** chaqueta.
Aquellos chicos son del equipo de fútbol.

See **¿Por qué se dice así?,**
page G94, section 7.1.

C. ¿Quién es? Estás en una boda y hay muchas personas que no conoces. Pregúntale a tu amigo(a) quiénes son.

 MODELO señor / pantalones grises

> Tú: **¿Conoces a ese señor de los pantalones grises?**
> Compañero(a): **Sí. Es ingeniero. Es el Sr. . . .**

1. señoras / vestidos verdes **2.** señores / trajes elegantes **3.** mujer / falda blanca **4.** señorita / chaqueta morada

5. señora / blusa con flores **6.** hombre / camisa rosada **7.** señoritas / sombreros rojos **8.** jóvenes / trajes negros

CH. ¿Ésa o aquélla? A tu amiga le encanta el color azul. ¡Toda su ropa es azul! ¿Qué prendas prefiere?

 MODELO Tú: **¿Te gusta esa blusa verde?**
Compañero(a): **No. Prefiero aquella blusa azul.**

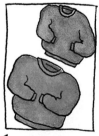

1. **2.** **3.** **4.**

  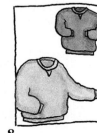 

5. **6.** **7.** **8.**

D. ¡Es feo! Tú y tu amigo(a) van de compras. ¿Qué comentarios hacen ustedes sobre las cosas que ven?

MODELO blusa / feo
>Tú: **¿Qué piensas de esta blusa?**
>Compañero(a): **¿Ésa? Es muy fea.**

1. vestido / elegante
2. falda / corto
3. zapatos / lindo
4. disco / aburrido
5. video / interesante
6. relojes / caro
7. camisa / grande
8. calcetines / feo

E. ¡Qué entusiasmo! Acabas de conocer a un(a) joven. Pregúntale si es aficionado(a) a estos deportes.

MODELO Tú: **¿Eres aficionado(a) al baloncesto?**
>Compañero(a): **Sí, me encanta el baloncesto.** o
>**No, no me gusta el baloncesto.**

1.

2.

3.

4.

5.

6.

7.

8.

9.

Los deportes

atletismo

baloncesto / básquetbol

béisbol

lucha libre

ciclismo

esquí

fútbol

fútbol americano

gimnasia

golf

jai alai

natación

tenis

volibol

Spelling changes: *i → y*

leer

leí	leímos
leíste	
leyó	**leyeron**

An unaccented **i** becomes **y** when it occurs between two vowels.

¿**Leyeron** la novela?
Nosotros la leímos pero Anita no la **leyó**.
Ellas no me **creyeron**.

See ¿**Por qué se dice así?**, *page G96, section 7.2.*

Spelling changes in verbs ending in *-car*

practicar

practiqué	practicamos
practicaste	
practicó	practicaron

The letter **c** changes to **qu** when it comes before **e** or **i**.

Practiqué el piano todo el día.
Yo **saqué** fotos en la boda de mi hermano.

See ¿**Por qué se dice así?**, *page G96, section 7.2.*

Spelling changes in verbs ending in *-gar*

The letter **g** changes to **gu** when it comes before **e** or **i**.

Hoy no **jugué** golf.
Yo **llegué** a las tres, ¿y tú?

See ¿**Por qué se dice así?**, *page G96, section 7.2.*

F. ¡No me digas!   En una revista famosa salió un artículo extraordinario sobre la mala influencia de los deportes. ¿Cómo reaccionaron tú y tus amigos cuando lo leyeron?

MODELO   Anita
   Anita leyó el artículo pero no lo creyó.

1. mi amigo . . .
2. tú
3. mis amigas . . . y . . .
4. mis papás
5. el entrenador
6. los jugadores
7. yo
8. usted y yo
9. los profesores de educación física

G. ¡Eres la estrella!   Eres el (la) mejor deportista de tu escuela. Tu compañero(a) es reportero del periódico estudiantil. Ahora está hablando contigo sobre tu participación en varios deportes. ¿Qué le dices?

MODELO   Compañero(a):   **¿Qué deportes practicaste el año pasado?**
   Tú: **Practiqué tenis, baloncesto y béisbol el año pasado.**

1. ¿Por qué no jugaste en el equipo de fútbol?
2. ¿Cuándo hiciste atletismo, el año pasado o el año antepasado?
3. ¿Practicaste otros deportes durante el verano?
4. ¿A qué deporte le dedicaste más tiempo?
5. ¿Qué deportes practicaste en el invierno?
6. ¿Qué deportes no te gustan, o te gustan todos?
7. ¿Cómo afectan los deportes a tus estudios? ¿Sacaste buenas notas el semestre pasado?
8. ¿En qué deportes piensas participar el año próximo?

H. Entrevista.   Formen grupos de cuatro o cinco. Pregúntales a tus compañeros con qué frecuencia practicaron estos deportes el año pasado.

MODELO   béisbol
   Tú: **¿Jugaste béisbol con frecuencia?**
   Compañero(a):   **Sí, jugué béisbol con frecuencia.** o
   No, jugué béisbol raras veces. o
   No, no jugué béisbol nunca.

con frecuencia	raras veces	nunca

1. volibol
2. golf
3. tenis
4. fútbol
5. ping pong
6. jai alai
7. fútbol americano
8. béisbol

I. ¿Lo terminaron? ¿Qué les preguntan sus padres a ti y a tus hermanos cuando piden permiso para salir? ¿Qué contestan ustedes?

MODELO   tú: limpiar / cuarto
              Compañero(a): **¿Limpiaste tu cuarto?**
              Tú: **Empecé a limpiar mi cuarto pero no terminé.**

1. tú y tu hermana: estudiar / examen
2. hermana: lavar / coche
3. tú: leer / periódico
4. hermano: preparar / comida
5. todos nosotros: hacer / tarea
6. tú: lavar / ropa
7. tú y tu hermana: limpiar / baño
8. hermanos: trabajar en / patio

J. ¿Yo? ¿Qué dicen estas personas cuando les preguntas qué hicieron la semana pasada?

MODELO   practicar el cabezazo
              Practiqué el cabezazo.

1. pagar las cuentas   2. calificar exámenes   3. llegar a México

4. jugar fútbol   5. tocar la guitarra   6. sacar fotos

7. buscar un regalo
    para mi novia   8. comenzar unas
        clases de baile   9. empezar a estudiar
        computación

Spelling changes in verbs ending in *-zar*

The letter **z** changes to **c** when it comes before **e** or **i**.

Ya **empecé** mi clase de baile.
Me **especialicé** en biología.

*See **¿Por qué se dice así?,** page G96, section 7.2.*

CHARLEMOS UN POCO MÁS

A. ¡Éstos no son mis calcetines! While shopping, you accidentally bump into two other shoppers, and all of your purchases get mixed up. Based on the illustrations that your teacher gives you, decide to whom each item belongs.

EJEMPLO   Shopper #1: **¿De quién son estos calcetines?**
Shopper #2: **Ésos no son mis calcetines.**
Shopper #3: **Ésos son mis calcetines.**

B. ¿Qué hizo Claudio? The drawings below show what your friend Claudio did last Saturday. However, they are not in the correct sequence. With a partner, discuss what Claudio did and in what order.

C. ¿Jugaste béisbol?   Your teacher will give you an interview grid. Interview your classmates to find out who did each of the activities on the grid. When you find a classmate who has participated in an activity, write his or her name in that square. Then fill in the verb that describes what your classmate did. Your goal is to put a name in every square. Just remember, you can't put the same person's name in more than one square!

CH. ¡Qué ocupados!   You and your partner didn't see each other all week. Now, when you finally meet, you have to tell each other every single detail about your week's activities. Consult the schedules provided by your teacher.

D. El partido de fútbol.   You and a friend are looking at the photos taken for the school newspaper at last Saturday's soccer game. After discussing what happened, decide the order in which you want the pictures to appear in the paper. Then write captions for each picture describing the game.

Dramatizaciones

A. ¿Qué nota sacaste? You and your friend are discussing grades. Role-play this situation.

Tú

- Ask your partner if he or she heard that Julio got an A in English.

- Ask if Julio read *Huckleberry Finn.*
- Say that he always plays soccer. Ask when he studied.

- Ask what grade your partner got.

- Say that you got a B because you played tennis all day Saturday and Sunday.

Compañero(a)

- Answer yes and that you helped him. Tell what you did to help him.
- Answer no but that he saw the movie.
- Say that he began to study Saturday morning and that he studied all day Saturday and Sunday.
- Say that you got an A also. Ask what grade your partner got.
- Say that's too bad.

B. El picnic. You and your partner are looking at pictures from your family's picnic last weekend. Your partner wants to know about some of the people and what they did. Role-play this situation.

Compañero(a)

- Point to the picture of the two boys playing soccer and ask who they are.
- Point to the picture of the woman in a red hat and ask who she is.
- Ask why they had a picnic and what they did there all day.
- Ask who the man wearing the white shirt and pants is.
- Tell your partner that he or she has a very interesting family.

Tú

- Respond that they are your relatives. Specify the relationship.
- Tell who she is.

- Respond appropriately.

- Say he is another relative and tell what he did at the picnic.
- Agree.

C. ¿Qué pasó? Imagine that you are one of the two teens in the drawing your teacher gives you. Both of you have just returned home from your school's football game, and your mother or father wants to know what happened. Role-play this situation with two classmates. One of them should play the part of a parent.

¡No me digas!

¿Béisbol en Latinoamérica?   Cliff Curley, un maestro de primaria en Estados Unidos, está en Santo Domingo por dos días durante su viaje al Caribe. Está en un parque, hablando con un niño dominicano que acaba de conocer. Lee su conversación y luego contesta la pregunta que sigue.

Cliff: **Yo soy Cliff Curley. Y tú, ¿cómo te llamas?**

Niño: **Pepe Torres. ¿De dónde es usted?**

Cliff: **Soy de Estados Unidos. Estoy aquí de vacaciones. ¿Tú vienes al parque con frecuencia?**

Niño: **Todos los días. Mis amigos y yo venimos aquí a jugar.**

Cliff: **Ah. ¿Y qué juegan ustedes?**

Niño: **¡Béisbol! Yo soy el mejor bateador entre todos mis amigos.**

Cliff: **¡Ya lo creo! ¡Qué bien! Te felicito. Pero, ¿béisbol? Dime, ¿dónde aprendiste a jugar béisbol?**

Niño: **Mi papá me enseñó.**

Cliff: **¿Tu papá? ¡Qué interesante! Me sorprende que todo el mundo se interese tanto en el béisbol aquí.**

▶ ¿Por qué le sorprende a Cliff que a Pepe y a su padre les interese el béisbol?

1. Cliff, como maestro de primaria, no considera al béisbol un buen deporte para niños. Lo considera un deporte para adultos.

2. Cliff cree que los niños dominicanos no deben jugar deportes norteamericanos.

3. Cliff no sabe que el béisbol es un pasatiempo muy popular en Santo Domingo.

❏ Check your answer on page 419.

Y ahora, ¡a leer!

Antes de empezar

Answer these questions before reading the selection. If you do not know a
particular answer, make a reasoned guess.

1. ¿Cuántos jugadores hay en un equipo de béisbol?
   a. nueve   **b.** diez   **c.** once   **ch.** doce

2. En tu opinión, ¿quiénes son los jugadores más importantes de un equipo
de béisbol? ¿Por qué?
   a. el lanzador y el receptor
   b. los jugadores de primera, segunda y tercera base
   c. el jardinero corto y el jugador de primera base
  ch. los tres jardineros o guardabosques

3. ¿Por qué crees que el béisbol es tan popular en los países latinos?

Verifiquemos

Read the following selection, **Nuestras estrellas en el béisbol,** then answer
the questions below.

1. Según la lectura, ¿quiénes son los cuatro mejores bateadores entre estos
jugadores?
2. Dos jugadores se comparan a otros jugadores legendarios. ¿Quiénes son?
¿A quiénes se comparan?
3. Según la lectura, dos de estos jugadores no tienen igual. ¿Quiénes son?
4. ¿De qué mes a qué mes es la temporada de béisbol?
5. ¿Por qué no se menciona el nombre de este equipo ni dónde juega?

NUESTRAS ESTRELLAS EN EL BÉISBOL

Ofrecemos el equipo ideal para la próxima temporada con las figuras latinas más destacadas de la actualidad

─ DATOS ─

INAUGURACIÓN DE LA TEMPORADA PRINCIPIOS DE ABRIL	PARTIDO DE ESTRELLAS MES DE JULIO	FIN DE LA TEMPORADA FINALES DE SEPTIEMBRE

JOSÉ CANSECO
Boston Red Sox
Jardinero: es el Babe Ruth del béisbol latino, corpulento y mítico, el único en sumar 40-40.

JUAN GONZÁLEZ
Texas Rangers
Jardinero: una fuerza que inspira a cualquier equipo con su guante y bate.

SAMMY SOSA
Chicago Cubs
Jardinero: será el candidato para el "MVP" si su equipo llega a los finales.

ROBERTO ALOMAR
Toronto Blue Jays
Segunda base: sigue en la tradición de su papá y hermano, es la fuerza principal de su equipo.

CARLOS BAERGA
Cleveland Indians
Jardinero corto: temor de los lanzadores de la Liga Americana, un bateador constante con la derecha o la izquierda.

EDGAR MARTÍNEZ
Seattle Mariners
Tercera base: el poder de Roberto Clemente, está a punto de batear más de .360, el record desde 1938.

DENNIS MARTÍNEZ
Cleveland Indians
Lanzador: ayuda a Cleveland en convertirse en un equipo ganador.

RAFAEL PALMEIRO
Baltimore Orioles
Primera base: con guante o bate, es una fuerza sin igual.

IVÁN RODRÍGUEZ
Texas Rangers
Receptor: el más valioso de su equipo, nadie tiene mejor brazo.

ANDRÉS GALARRAGA
Colorado Rockies
Bateador designado: no perdona cualquier pelota mal lanzada.

ROBERTO HERNÁNDEZ
Chicago White Sox
Relevista: un lanzador muy valorado, capaz de lanzar muchas entradas y perder pocos partidos.

SUPER EQUIPO Nº 2

Receptor: Santos Alomar, Jr., *Cleveland Indians*
Lanzador abridor: Juan Guzmán, *Toronto Blue Jays*
Relevista: Alejandro Peña, *Atlanta Braves*
Primera base: Tino Martínez, *Seattle Mariners*
Segunda base: José Lind, *California Angels*
Jardinero corto: Tony Fernández, *New York Yankees*
Tercera base: Bobby Bonilla, *Baltimore Orioles*
Guardabosque: Rubén Sierra, *New York Yankees*
Guardabosque: Bernie Williams, *New York Yankees*
Guardabosque: Moises Alou, *Montreal Expos*

¡Me duele muchísimo!

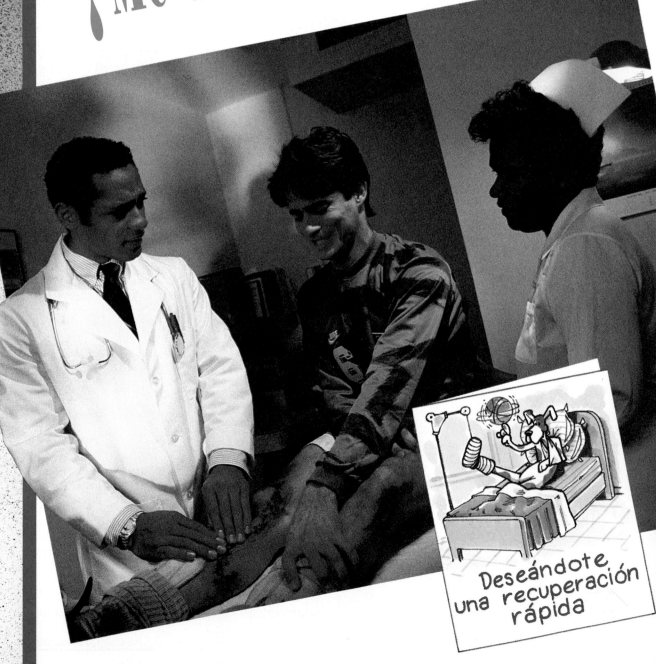

Deseándote
una recuperación
rápida

Chonchón   Quetzalcóatl

Lamia   Xochipilli

¿Qué piensas tú?

1. Mira las figuras en esta página. ¿Qué te parece raro o extraño de cada figura? ¿Por qué crees que tienen características físicas diferentes?

2. ¿Cuántas partes humanas puedes identificar en ellas? ¿Cuáles son?

3. ¿Conoces otros seres mitológicos con características físicas que son parte animal y parte humanas? ¿Quiénes son? Descríbelos.

4. En tu opinión, ¿qué representan estos personajes? ¿Por qué crees eso?

5. Mira la foto. ¿Qué le pasó al joven en la cama? ¿Qué le duele? ¿Qué crees que dice la tarjeta?

6. ¿Qué crees que está pensando o diciendo el joven?

7. ¿De qué vas a poder hablar al final de la lección?

Son las siete de la mañana y María Teresa no quiere ir a la escuela. ¿Por qué?

1

7:00 AM

2

12:30 AM

Porque no hizo su tarea anoche. Vio un programa de televisión que terminó muy tarde y luego no durmió bien.

3

María Teresa: Mami, creo que estoy enferma. Me duele mucho la cabeza. Y también tengo dolor de estómago.

Mamá: ¡Ay, amor mío! ¿Qué te pasa?

4

Mamá: ¿Tienes fiebre? ¿Por qué no tomas unas aspirinas?

María Teresa: No, mamá. No quiero tomar nada.

Mamá: Ay, hija. Entonces come algo. Si no te sientes mejor después del desayuno, llamamos al médico.

Después del desayuno . . .

María Teresa: ¡Ay, qué dolor! ¡Mamáaa! Mírame la pierna, por favor. Me duele tanto. Creo que la tengo rota. No puedo ni caminar. . . ¡ayyy!

Mamá: ¡Hija! Pero, ¿qué te pasa? ¿Qué te hiciste ayer?

María Teresa: Durante el partido de fútbol, choqué contra otra chica y cuando me caí, sentí un dolor tremendo en la pierna . . . y también en el pie.

Mamá: Pero, hija, ¿cómo no me dijiste nada anoche?

Mamá: Déjame ver . . . ¿puedes mover los dedos del pie?

María Teresa: Sí.

Mamá: Y el pie, ¿lo puedes mover también?

María Teresa: Sí, pero me duele, ¡ayyy!

Mamá: Ahora la pierna. Levántala un poco. Bien. Ahora bájala. Me parece que no tienes nada roto. Pero de todos modos, voy a llamar al médico.

Doctor: Hoy debes guardar cama todo el día.

María Teresa: ¡Ay, cuidado, doctor! También me duelen el brazo y la mano. Apenas la puedo abrir.

Mamá: Estoy furiosa contigo, María Teresa. ¿Cómo no me dijiste nada anoche? A ver, muéstrale al doctor, ¿puedes levantar el brazo?

María Teresa: Un poquito.

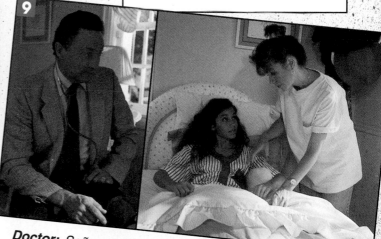

Doctor: Señora, no es nada. No fue golpe serio.

Mamá: Ay, hija. Pasa el día en cama hoy y, si mañana estás mejor, vamos a misa. Y después . . . ¿por qué no hacemos un picnic en el parque?

María Teresa: ¿A misa? ¿Al parque? Es que . . . ¡hoy es SÁBADO! ¡Ayyy, no!

¿QUÉ DECIMOS...?

Al hablar con el médico

1 *Ya viene el doctor.*

2 ¡Una pierna rota!

3 No se preocupe, señora.

PUEDEN ESTAR TRANQUILOS. SU HIJO SÓLO TIENE UNA PIERNA ROTA Y UN DOLOR DE CABEZA.

¡DIOS MÍO! MI POBRE HIJO.

NO ES MUY SERIO LO DE LA PIERNA, PERO COMO TAMBIÉN LE DUELE LA CABEZA, NECESITA PASAR LA NOCHE EN EL HOSPITAL. QUEREMOS TENERLO EN OBSERVACIÓN ESTA NOCHE.

¡PERO...NO COMIÓ NADA ANTES DEL PARTIDO! Y PARECE QUE YA SIRVIERON LA COMIDA.

NO, NO SE PREOCUPE, SEÑORA. LA ENFERMERA LE PIDIÓ ALGO LIGERO.

GRACIAS, DOCTOR.

MUCHAS GRACIAS, DOCTOR.

DE NADA.

4 Debe guardar cama.

DOCTOR...¿Y CUÁNDO PODEMOS PASAR A BUSCARLO?

MAÑANA DESPUÉS DE LAS ONCE.

MIENTRAS TANTO, VOY A RECETARLE UNAS PASTILLAS PARA EL DOLOR. DEBE TOMARLAS SEGÚN MIS INDICACIONES.

¿Y...NO VA A PODER ANDAR?

AL PRINCIPIO DEBE GUARDAR CAMA. Y LUEGO VA A NECESITAR ANDAR CON MULETAS.

UN MILLÓN DE GRACIAS, DOCTOR.

Y NO SE PREOCUPE, SEÑORA. SU HIJO VA A ESTAR BIEN.

ADIÓS.

HASTA MAÑANA, JOSÉ LUIS.

CHARLEMOS UN POCO

A. Pues, primero . . . ¿En qué orden ocurrieron estas cosas?

1. José Luis no pudo levantar la pierna derecha.
2. El doctor dijo, "Sólo tienes una pierna rota".
3. José Luis explicó lo que le pasó.
4. El doctor empezó a examinar al paciente.
5. José Luis pasó la noche en el hospital.
6. La enfermera pidió algo de comer para José Luis.
7. José Luis y sus papás fueron al hospital.
8. El doctor le recetó unas pastillas.
9. Los padres de José Luis salieron del cuarto.
10. Llegó el doctor.

B. ¡Ay, ay, ay! ¿Qué información sobre los pacientes le da la enfermera al médico?

MODELO   Sra. Durango
A la Sra. Durango le duele el estómago.

1. Sr. Gómez

2. Srta. Ortiz

3. Lorenzo

4. Sarita

5. Juanita

6. Alfredo

El cuerpo humano

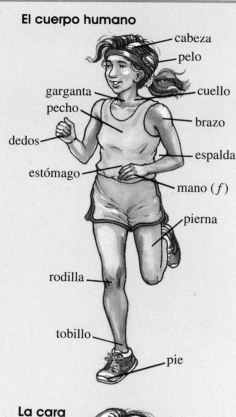

cabeza
pelo
garganta
cuello
pecho
brazo
dedos
espalda
estómago
mano (*f*)
pierna
rodilla
tobillo
pie

La cara

nariz
ojo
oreja
oído
dientes
boca

Doler (ue)
Used to talk about what hurts

Like the verbs **gustar** and **encantar**, the verb **doler** is always used with the indirect object pronoun and is usually in the third person singular or plural.

duele   duelen

¿**Te duele** la cabeza?
No, pero **me duelen** los ojos.

Direct object pronouns

me	nos
te	
lo	los
la	las

Cómpra**la** en El Corte Inglés.
Lláma**nos** esta tarde.

Note that object pronouns always follow and are attached to affirmative commands.

*See ¿***Por qué se dice así?**,
page G100, section 7.3.

Placement of direct object pronouns

Object pronouns usually precede the verb. They may also follow and be attached to an infinitive or to the **-ndo** form of the verb.

Yo **la** conozco muy bien.
¿**Lo** vas a hacer esta tarde?
Tenemos que llevar**los**.
Estamos preparándo**la** ahora.

*See ¿***Por qué se dice así?**,
page G100, section 7.3.

C. En el hospital. El (La) doctor(a) te está examinando. Haz lo que te dice.

 MODELO levantar los brazos
Compañero(a): **Levanta los brazos.**
Tú:

1. mover la cabeza a la izquierda, a la derecha
2. tocar el pie izquierdo, derecho
3. abrir y cerrar la mano izquierda, la mano derecha
4. levantar la pierna derecha, la izquierda
5. levantar y doblar la pierna derecha, la pierna izquierda
6. tocar la nariz con la mano izquierda, derecha
7. levantar el brazo derecho, el brazo izquierdo
8. bajar el brazo izquierdo, el derecho
9. mover los dedos del pie derecho, del pie izquierdo
10. abrir la boca

CH. ¡Yo no! Tu hermano(a) es muy irresponsable. ¿Qué dice cuando le das un mandato?

 MODELO limpiar su cuarto
Tú: **Limpia tu cuarto.**
Compañero(a): **¡No, yo no! Límpialo tú.**

1. preparar la limonada
2. alquilar un video
3. pedir unas pizzas
4. ayudar a mamá y papá
5. buscar el correo
6. comprar la leche
7. lavar los platos
8. servir los tacos

D. ¿Son responsables? En esta familia, un hijo es muy responsable y el otro es algo irresponsable. ¿Cómo contestan las preguntas de sus padres?

 MODELO hacer tu tarea
Tú: **¿Cuándo van a hacer la tarea?**
Compañero(a) 1: **Yo ya la hice.**
Compañero(a) 2: **Yo voy a hacerla más tarde.**

1. limpiar su cuarto
2. escribir la composición de inglés
3. estudiar español
4. practicar el piano
5. tomar las vitaminas
6. leer la lección de historia
7. hacer los ejercicios
8. empezar el proyecto

E. ¿Amigos? Tu mejor amigo(a) requiere mucha atención. ¿Qué le dices cuando insiste en que le prestes más atención?

MODELO   invitar a comer
             Compañero(a): **¡Nunca me invitas a comer!**
             Tú: **¡Te invité a comer la semana pasada!**

semana pasada	fin de semana	ayer	anoche	esta mañana

1. llamar por teléfono
2. visitar los fines de semana
3. ayudar con la tarea
4. llevar a un partido
5. saludar por la mañana
6. acompañar al cine
7. buscar antes de la clase
8. comprar un regalo

F. ¡Adiós! Tu familia va a mudarse a Alaska en septiembre y tus amigos quieren saber si los vas a recordar. ¿Qué te preguntan?

MODELO   visitarnos
             Compañero(a): **¿Vas a visitarnos?**
             Tú: **Sí, voy a visitarlos.** o
                         No, no los voy a visitar.

1. extrañarnos
2. llamarnos por teléfono
3. invitarnos a visitar
4. acompañarnos a México
5. vernos durante las vacaciones
6. recordarnos
7. visitarnos con frecuencia
8. vernos a todos antes de irte

G. ¡Ganaron! Los Tigres tienen muchos aficionados pero no todos siguieron sus partidos el año pasado. ¿Los siguieron estas personas?

MODELO   María Luisa: no
             María Luisa no los siguió.

1. Norberto: sí
2. Miguel y Mariano: no
3. yo: sí
4. ustedes: sí
5. Alicia: sí
6. tú: no
7. Gonzalo y Martita: sí
8. nosotros: sí

Stem-changing -ir verbs in the preterite: e → i

Note that **e → i** stem-changing verbs change in the **usted/él/ella** and **ustedes/ellos/ellas** forms in the preterite.

Luisa **siguió** a Alberto y luego **seguí** yo.

Ellos **pidieron** un refresco; yo no **pedí** nada.

See ¿Por qué se dice así?, page G103, section 7.4.

H. ¡Qué rico! Después del partido, todos fueron a comer a un restaurante mexicano. ¿Qué hicieron allí?

EJEMPLO   **Paco pidió enchiladas.**

Paco		la cuenta
yo		una mesa
los camareros	conseguir	más sillas
la familia López	pedir	tacos
tú	servir	bebidas
todos		enchiladas
la camarera		café
nosotros		bizcocho

Stem-changing -ir verbs in the preterite: o → u

Note that **o → u** stem-changing verbs change in the **usted/él/ella** and **ustedes/ellos/ellas** forms in the preterite.

Yo **dormí** muy bien.
¿Cómo **durmieron** ustedes?

See **¿Por qué se dice así?**, *page G103, section 7.4.*

I. Tengo sueño. Hubo una fiesta anoche en casa de Lupita. Hoy todos sus parientes están furiosos porque no pudieron dormir a causa del ruido. Según Lupita, ¿cuántas horas durmieron?

MODELO   papá: 3
        Papá durmió tres horas.

1. mi primo Fernando: 5
2. mamá: 2
3. mi tío Adolfo: 6
4. mis primas Isabel y Tina: 4
5. mis abuelos: 7
6. mi hermana Panchita: 3
7. yo: 1
8. el perro: toda la noche

J. Vacaciones. ¿Qué hicieron tú y tus amigos durante las vacaciones de primavera?

MODELO   Mi amiga Berta _____ muchos videos.
        Mi amiga Berta vio muchos videos.

VOCABULARIO ÚTIL:

tocar	preparar	leer	dormir
empezar	jugar	comprar	ver
trabajar	pedir	ir	tener

1. Inés y Amalia _____ diez horas cada noche.
2. Yo _____ fútbol todos los días.
3. Pedro _____ dos novelas históricas.
4. Teresa y Toño _____ pizza todos los días.
5. Yo _____ la guitarra en el parque.
6. Nosotros _____ de compras dos veces.
7. Leopoldo _____ que limpiar la casa.
8. Yo _____ a tomar clases de karate.

CHARLEMOS UN POCO MÁS

A. ¿Qué les duele? After a strenuous week of hiking in the country, everyone has aches and pains. Your teacher will give you a list of the people you are to check on and the condition of people you have already seen. Ask your partner about the condition of the people on your list. Then answer your partner's questions about the people pictured on your list.

 MODELO   Tú: **¿Qué le duele a Dolores?**
                  Compañero(a): **Le duelen los pies.**

B. ¡Somos mejores amigos! Make a list of six things that you do for your best friend. Then read your list to your partner. Check the items on your lists that you both do for your best friends.

VOCABULARIO ÚTIL:

ver	escuchar	saludar	buscar	encontrar	llamar
esperar	ayudar	acompañar	invitar	visitar	extrañar

MODELO   Mi mejor amiga, Teresa
               La invito a mi casa.
               La ayudo con la tarea.

C. ¿Somos individualistas? Are your classmates individualistic, or do they tend to do the same things? Your teacher will divide the class into groups of four. Using the grid your teacher provides, interview each member of your group and write his or her name in the appropriate boxes. Then allow the other members of your group to interview you. After you have surveyed the members of your group, answer the same questions yourself and enter your name in the appropriate boxes. Share your group's results with the class once everyone has finished.

CH. ¿Son muy organizados? To find out which of your classmates are procrastinators, prepare a sheet of paper with three columns as shown below. In the **Preguntas** column, write five questions concerning weekly duties that you know your classmates should have done already. Then ask several classmates the questions. Record the names of your classmates in the appropriate column, according to their answers.

Preguntas	Sí	No
¿Empezaste el proyecto para la clase de historia?	Randy ya lo empezó.	Randy va a hacerlo más tarde.

Dramatizaciones

A. ¿Qué pasó?   Your friend didn't meet you at the library last night. When you run into each other, you try to find out what happened. Role-play this situation with your partner.

Tú	Compañero(a)
■ Greet your partner and ask him or her what happened last night.	■ Answer that your cousins came to visit and you took them to Café de México.
■ Ask what they ate.	■ Say that your cousin Paco ordered five tacos and Sergio ordered an enchilada.
■ Ask who served them.	■ Say that your friend Lupe served you.
■ Ask if they liked the food.	■ Say they loved it. Explain that Paco ate too much and his stomach began to hurt at night.
■ Ask if Paco is all right now.	■ Say that he is fine and that he slept ten hours last night.

B. En el café.   Yesterday afternoon you worked as a waiter or waitress in a café near school. Several of your classmates and three of your teachers came in for a snack. Today you are telling your best friend what happened at work. As your partner asks questions, tell who came by the café, what they ordered, and what you served them. Role-play this situation.

C. Me duele . . .   You are a doctor, and your partner is your patient. The patient must describe a physical problem and explain what may have caused it. The doctor will interview the patient, giving him or her appropriate instructions depending on the ailment. Afterwards, the doctor will tell the patient what to do to get better.

CH. ¡Pobre Bombón!   You are a veterinarian, and your partner, Bombón's owner, brings the dog in for his yearly checkup. Role-play Bombón's examination. Look at the drawing of Bombón that your teacher gives you. Note that, in Spanish, the names for some animal body parts are different from the names for human body parts.

¡No me digas!

¿Cómo vamos?   Gabriel, un mexicano que acaba de mudarse de México a Miami, habla con Pedro Báez, un amigo cubano que vive en Miami.

Gabriel: **¿Qué vamos a hacer esta noche, Pedro?**

Pedro: **No te preocupes. Ya lo tengo todo organizado. Primero vamos a Scratch, la mejor discoteca de Miami. Y después vamos al Versailles, en la Calle Ocho, a tomar un café. Todo el mundo va allí.**

Gabriel: **¡Fantástico! Pero, mi carro no funciona. ¿Podemos ir en el tuyo?**

Pedro: **¡Qué mala suerte! Mi hermana va a usarlo esta noche. Pero no importa. Podemos ir en guagua.**

Gabriel: **¿En guagua? ¡Hombre, habla español, por favor!**

▶ ¿Por qué cree Gabriel que Pedro no está hablando español?

1. Gabriel cree que la pronunciación y la gramática de Pedro no son buenas.
2. Pedro usa expresiones cubanas que Gabriel no entiende.
3. Gabriel cree que él habla español mejor que Pedro.

❏ Check your answer on page 420.

Y ahora, ¡a leer!

Antes de empezar

1. How often do you listen to rock music?
2. How do you like your music played: as soft background music or loud enough to drown out surrounding conversation?
3. Do you like to listen to music with earphones? Why?
4. When using earphones, how do you know if the music is too loud?

Verifiquemos

¿Sí o no?   Read the magazine article on the next page. Then, indicate if you agree or disagree with the following statements and explain why.

1. Un estudio que se hizo en el Hospital Universitario de la Universidad de Iowa indicó que es mejor escuchar la música rock con el volumen elevado para no poder oír a las otras personas hablar.
2. El estudio se hizo con dieciséis personas: ocho jóvenes y ocho adultos.
3. En el experimento, las dieciséis personas escucharon música rock con audífonos a un volumen bastante alto por un período de tres horas.
4. Después de las tres horas, todas las personas tuvieron dificultad en oír por un tiempo no especificado.
5. El resultado del experimento es que el escuchar música con audífonos diariamente por mucho tiempo no afecta el oído permanentemente.
6. Noventa decibeles es considerado el nivel máximo de resistencia para el oído humano.
7. Los audífonos, por ser pequeños, no pueden aumentar el volumen a más de noventa decibeles.
8. Si después de escuchar música con audífonos sientes dolor de oídos o ecos, debes dejar de escuchar música.

¡Cuidado con el volumen de tus audífonos!

En el Hospital Universitario de la Universidad de Iowa, Estados Unidos, se llevó a cabo un experimento con dieciséis jóvenes. ■ Todos estuvieron escuchando música rock con audífonos durante tres horas, a un volumen bastante alto.

■ Después de concluido este tiempo, seis de los jóvenes, ya sin audífonos, seguían oyendo un eco de los sonidos o experimentaron pérdida temporal de la audición.

■ De acuerdo a la investigación, esta pérdida temporal puede convertirse en un hecho permanente si nos dedicamos diariamente — y por mucho tiempo — a escuchar música con audífonos a un volumen alto.

■ El doctor Phillip Lee, que dirigió el estudio, explicó: "Generalmente, noventa decibeles es considerado el nivel máximo de resistencia a que debe ser sometido el oído. ■ Sin embargo, los audífonos concentran más el volumen que un equipo de

sonido normal (sin audífonos), alcanzando sonidos de más de ciento cincuenta decibeles".

■ Para tu seguridad auditiva, ten muy presente estos consejos:

✓ Nunca mantengas el volumen de tus audífonos tan elevado que no puedas oír fácilmente a los otros hablar a tu alrededor.

✓ Deja de escuchar música con audífonos al primer síntoma de dolor de oídos, sordera temporal o ecos, después de apagado el equipo.

Tú Internacional,
Año 11, no. 9

¡Ponlo allí !

¿ **Q**ué piensas tú ?

1. José Luis necesita sus zapatillas pero no las encuentra. ¿Dónde en su cuarto debe buscarlas?

2. Éste es el cuarto de José Luis. Sus padres quieren arreglarlo para que José Luis esté lo más cómodo posible. ¿Cómo sugieres tú que lo arreglen? Di dónde crees que deben poner los muebles y otros artículos.

3. Dada su condición, ¿qué va a tener que pedirles a sus padres que hagan por él? ¿Qué debe hacer él mismo? ¿Por qué?

4. ¿Cuándo es necesario reorganizar los muebles en el cuarto de un enfermo? ¿Por qué?

5. ¿Tendrías que cambiar algo en tu cuarto si te rompieras la pierna como José Luis? ¿Qué cambiarías? ¿Por qué?

6. ¿De qué vas a poder hablar al final de la lección?

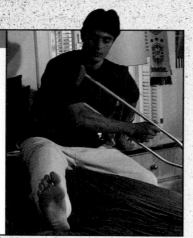

1

¡Pobre José Luis! Tiene la pierna rota. Por eso vienen a visitarlo sus amigos. Todos le traen regalos. Ahora él tiene que decidir dónde ponerlos.

4

Silvia llega con un ramo de flores.

José Luis: Gracias, Silvia. ¡Qué lindas!

No puede ponerlas en el estante porque está cubierto de tarjetas.

José Luis: Ponlas en esta mesa. Sí, ahí a la derecha de la lámpara. Así puedo verlas mejor.

2

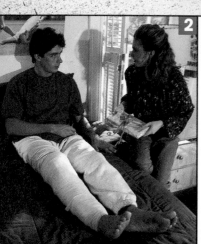

Rita: ¿Te duele mucho la pierna?

José Luis: No tanto, Rita, pero el yeso es muy incómodo.

Rita: Pues, mira. Estos bombones son para ti. A ver, ¿dónde los pongo?

José Luis: Gracias, Rita. Ponlos aquí en la cama. Los quiero tener muy cerca. ¡Ábrelos, por favor!

5

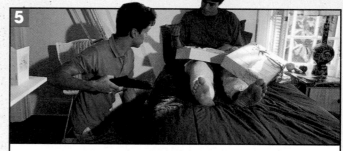

José Luis abre el regalo de su amigo Alfredo.

José Luis: Pero, ¿cómo? ¡Sólo hay una zapatilla!

Alfredo: ¡Claro! Tú no necesitas dos ahora. Voy a darte la otra para tu cumpleaños.

José Luis: ¡Qué amable eres, Alfredo! Por favor, ponla debajo de la cama.

3

Rubén le trae una revista de deportes. La va a poner sobre el escritorio.

José Luis: No, Rubén. Allí no. El escritorio está demasiado lejos. Ponla aquí en la mesita al lado de la cama.

6

Su prima Carla le trae una bata.

José Luis: Gracias, Carla. ¡Me encanta! Necesito una bata nueva. Pero no en el armario, por favor. Ponla aquí, en la silla.

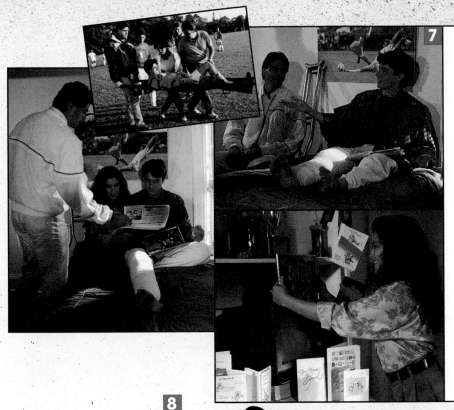

7

El entrenador llega con otro regalo para José Luis.

Entrenador: Ahora sí que eres famoso, José Luis. Mira esta foto. El fotógrafo del periódico estudiantil la sacó.

José Luis: ¡Ay, no! ¡Es terrible! ¡Me están llevando al hospital! No va a salir en el periódico, ¿verdad? ¡Qué vergüenza!

Entrenador: Al contrario, José Luis; ya salió. Eres un héroe ahora.

Carla: Es verdad, José Luis. Todo el mundo está hablando de ti.

José Luis: ¿Ah, sí? ¿De veras? Entonces ponla allá, Carla, encima del televisor. Así que, ¿no ganamos anoche?

Entrenador: No, pero tampoco perdimos. Empatamos: 1 a 1.

8

El regalo de Paco es en broma. Es un trofeo para el jugador más cómico del partido.

José Luis: Gracias, Paco. ¡Eres un verdadero amigo! Ponlo en el estante, detrás de los otros trofeos. ¡No quiero recordar lo que me pasó!

Pero, muévete, hombre. Estás enfrente del televisor. Ya va a empezar el partido entre España y Argentina. Ven acá. Siéntate aquí. Podemos verlo juntos.

9

Papá: ¡Vaya, José Luis! Tienes amigos muy generosos, pero . . . ¡ya no hay espacio para más visitas!

¿QUÉ DECIMOS...?

Al dar órdenes

1 *Pon el sillón más cerca.*

2 *Ven acá, mamá.*

3 *Fue un empate.*

CHARLEMOS UN POCO

A. ¿Quién habla? Estamos en la casa de José Luis después de su accidente. ¿Quién dice estas cosas: su mamá, su papá, Alfredo o José Luis?

> **MODELO** Ven acá, mamá.
> **José Luis lo dice.**

1. ¡No puedo hacer todo a la vez! *papá*
2. ¿Qué pasó en el partido anoche? ¿Perdimos? *José Luis*
3. Pues, podemos moverla. ¿Dónde la quieres? *papá*
4. Fue un empate. *Alfredo*
5. La bata está sobre el sillón. *mamá*
6. No ganó nadie. *Alfredo*
7. Pon la mesita al lado de la cama. *mamá*
8. Por favor, abre la ventana. *José Luis*
9. Ten paciencia, mi amor. *papá*
10. Tus zapatillas están debajo de la cama. *Mamá*
11. Ve a la cocina y prepárame una limonada. *Jose Luis*
12. El arquero me bloqueó el cabezazo. *Alfredo*

B. Dime, mamá. Pedro tiene que ayudar a su mamá hoy porque está enferma. ¿Qué le dice su mamá?

> **MODELO** venir acá
> **Ven acá.**

1. salir por la puerta de atrás
2. ir a la tienda de don Gustavo
3. ser siempre cortés con él
4. decirle a don Gustavo que estoy enferma
5. hacer las compras en esta lista
6. poner las cosas en el carro
7. tener cuidado con el tráfico
8. venir directamente a casa

HAZ TU PARTE.
CONSERVA EL AMBIENTE.

Irregular affirmative *tú* commands

Infinitive	Command
decir	**di**
poner	**pon**
salir	**sal**
tener	**ten**
venir	**ven**
hacer	**haz**
ir	**ve**
ser	**sé**

See **¿Por qué se dice así?**, *page G105, section 7.5.*

C. ¿Cómo?   Estamos en casa de los Fernández. ¿Qué están diciendo los miembros de la familia? Usa estas frases para formar un mandato apropiado para cada dibujo.

 MODELO

venir acá   decir "¡Hola!"
poner el sillón allí   salir de aquí
ir a la tienda   hacer la tarea
ser buena   tener cuidado
hacer los sándwiches

Haz los sándwiches.

1.

2.

3.

4.

5.

6.

7.

8.

CH. ¡Pobrecito! Tu amigo(a) es muy desorganizado(a). Quiere hacer una fiesta en su casa el viernes por la noche. Dile cuándo debe hacer estas cosas.

MODELO **Haz la lista de los invitados el domingo por la mañana.**

pedir las pizzas 7
escoger la música para la fiesta 3
ir al mercado para comprar refrescos 5
llamar a los invitados 1
decirles "Bienvenidos" a los invitados 8
llevar las invitaciones al correo 2
poner los refrescos en el refrigerador 6
venir a mi casa por los discos 4

1. domingo por la tarde
2. lunes por la mañana
3. lunes por la tarde
4. martes por la tarde
5. miércoles por la tarde
6. jueves por la noche
7. viernes por la tarde
8. viernes por la noche

D. Me encanta mi cuarto. ¿Cómo describe tu amigo(a) su cuarto?

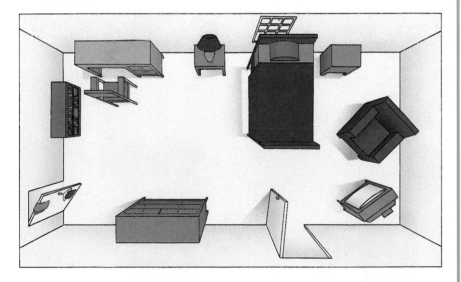

MODELO **La lámpara** está en la mesita.

1. _____ está debajo de la ventana.
2. _____ está delante del escritorio.
3. _____ está detrás de la cama.
4. _____ están a la derecha y a la izquierda de la cama.
5. _____ está entre el armario y la puerta.
6. _____ está a la izquierda del armario.
7. _____ está al lado del televisor.
8. _____ está cerca de la puerta.

Prepositions of location
Used to tell where things or people are located

a la derecha de - right
a la izquierda de - left
al lado de - next to
cerca de - near
lejos de - far
debajo de - under
encima de - above / on top
sobre - on top
delante de - in front of
enfrente de
detrás de
en
entre

Ponlo **encima de** la mesita.
Las zapatillas están **debajo de** la cama.

*See ¿**Por qué se dice así?**,*
page G107, section 7.6.

E. ¿Qué decidió? Le pediste ayuda a un(a) amigo(a) a mover los muebles. ¿Qué dijo cuando le hiciste estas preguntas?

 MODELO

Tú: **¿Dónde ponemos el sillón?**
Compañero(a): **Debemos ponerlo enfrente del televisor.**

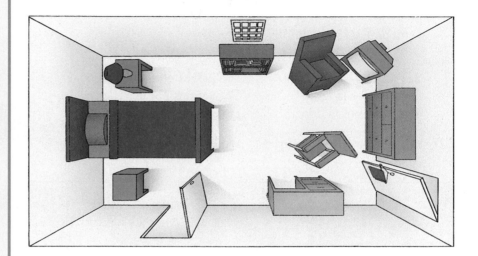

1.

2.

3.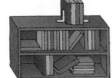

4.

5.

6.

7.

8.

F. Tengo mucha prisa.   Tu amigo(a) tiene mucha prisa y no puede encontrar sus cosas. ¿Puedes ayudarlo(la)?

MODELO   Compañero(a):   **No encuentro mi sombrero. ¿Lo ves por aquí?**

Tú: **Está en el piso.**

1.

2.

3.

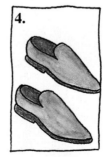

4.

5.

6.

7.

8.

Preterite of *poner*

puse	pusimos
pusiste puso	pusieron
puso	pusieron

G. ¿Dónde las pusiste? Para tu cumpleaños, tu hermano(a) limpió tu cuarto. El problema es que ahora no puedes encontrar varias cosas. Pregúntale dónde las puso.

 MODELO cuaderno de biología

Tú: **¿Dónde pusiste mi cuaderno de biología?**

Compañero(a): **Lo puse debajo de la cama.**

1. zapatillas	**4.** discos compactos	**7.** libros
2. bolígrafos	**5.** radio	**8.** mochila
3. reloj	**6.** bata	

H. ¡Trofeos! Todos los miembros del club atlético recibieron trofeos este año. ¿Dónde los pusieron?

MODELO

José y Anita
José y Anita pusieron sus trofeos en el escritorio.

1. Blanca

2. los hermanos Suárez

3. tú

4. Sergio

5. Raquel y su hermano

6. yo

7. Joaquín

8. Carla

CHARLEMOS UN POCO MÁS

A. La alcoba.   Your teacher will give you and your partner drawings of a partially furnished bedroom. The rest of the furniture appears along the margin of the page. Ask your partner where to place the missing furniture and draw it where he or she tells you. Answer your partner's questions about the furniture that he or she needs to place in the bedroom. Don't look at each other's drawings!

EJEMPLO   Tú: **¿Dónde pongo la cama?**
Compañero(a):   **Ponla entre las dos ventanas.**

B. ¿Dónde ponemos . . . ?   During the summer break, your Spanish teacher is planning to rearrange the classroom. Describe where you think the furniture should be placed while your partner diagrams the new arrangement. **¡En español, por supuesto!**

C. ¿Qué es?   Look around the classroom and select three specific items (e.g., a classmate's backpack, the teacher's pen, your jacket). Write down what they are. Do not let anyone see your list. In small groups, take turns giving the location of the items on your list without naming them. The other group members should try to identify them.

EJEMPLO   Tú: **Está detrás del escritorio de la profesora.**

CH. ¿Qué hiciste anoche?   Write down everything you did between six and eight o'clock last night. Then, in groups of three or four, compare your lists of activities within the group. Make one list of the activities that all of you had in common. Then compare your group's list with those of other groups in the class. Now make a master list of all the activities everyone in the class had in common.

D. ¡Mandatos y más mandatos!   Make a list in Spanish of all the commands your teachers have given you today. Compare your list with your partner's. On the chalkboard, write all the commands that both you and your partner listed.

E. ¿Por qué no fuiste conmigo? Your friend wants to know why you didn't go with him or her last week to the places pictured under **Tú.** You want to know why your friend was not able to go with you to the places pictured under **Compañero(a).** Take turns giving excuses.

Tú

Compañero(a)

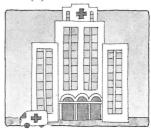

Dramatizaciones

A. ¡Ten cuidado! You are babysitting your little brother or sister. He or she has reached the questioning stage and is not very cooperative. Role-play this situation with a partner.

Tú	**Compañero(a)**
■ Tell your partner to come here.	■ Ask why.
■ Say that you are both going to the store.	■ Say that's okay.
■ Tell him or her to wear a sweater.	■ Ask why.
■ Answer that it's cold.	■ Ask when you are leaving.
■ Tell him or her to be patient and to be careful.	■ Ask why.
■ Say that there is a lot of traffic.	■ Ask why.
■ Ask him or her to be good.	■ Say okay.

B. ¡Pero, papá . . . ! Your parents have decided that you need to rearrange the furniture in your bedroom. As they suggest where to put certain items, you have conflicting ideas about where they should go. Role-play this situation with two classmates.

LEAMOS AHORA

Reading strategy: Skimming

A. Anticipemos.   In this section, you will read about Miami. Before reading this selection, look at the photos and the title of the reading on the next two pages. Then answer the following questions.

1. What are two topics that you would expect to be developed in this reading?
2. What is one topic that you would like to have mentioned?
3. What do you expect will be the main message of this reading?

B. Hojeando.   Skimming means reading quickly in order to get the general idea of a passage. Skimming requires noting only information and clues that reveal the central theme or topic of a passage.

Now quickly skim through the first paragraph of **La maravilla de Miami.** Decide which phrase listed below with Párrafo 1 expresses the central theme of the first paragraph and which phrases are simply clues that provide an idea leading to the central theme. Then repeat the same process with the second and third paragraphs.

Párrafo 1   **a.** El Hotel Intercontinental es latino.
   b. La joven de la recepción es latina.
   c. Miami es la ciudad más rica y moderna de Latinoamérica.
   ch. Los invitados van a beber champán, comer caviar y vestir los últimos diseños.
   d. "Estamos en la era del diseñador".

Párrafo 2   **a.** El visitante latino queda sorprendido y agradado.
   b. El castellano se habla tanto en los círculos más humildes como en los más elegantes.
   c. El castellano es prácticamente el idioma oficial de Miami.
   ch. No es necesario hablar inglés.

Párrafo 3   **a.** La Calle Ocho es la escena de una fabulosa fiesta en marzo.
   b. Los cubanos habitaron los barrios típicos como la Pequeña Habana.
   c. La transformación latina de Miami comenzó en los 60.
   ch. Cubanos y otros latinoamericanos viven en todos los barrios de la ciudad.

C. Miami.   Read the selection on the next page and answer the questions that follow.

La maravilla de Miami

La ciudad más rica y moderna de Latinoamérica está en Estados Unidos

El muchacho que recibe el coche a la entrada del Hotel Intercontinental es latino. Nada nuevo. La joven de la recepción también. Pero, eso no es todo. El ejecutivo que llegó en el Mercedes al baile de etiqueta de esta noche es latino, como lo son los demás invitados que van a beber champán, comer caviar y vestir los últimos diseños de Europa. "Estamos en la era del diseñador", como dice la canción humorística del famoso artista local Willy Chirino. Estamos en la ciudad más rica y moderna de Latinoamérica. Estamos en Miami.

El visitante latino en esta ciudad queda sorprendido—y agradado—por un detalle: no es necesario hablar inglés. El castellano es prácticamente el idioma oficial de Miami y se habla tanto en los círculos más humildes como en los más elegantes.

La transformación latina de Miami la comenzaron en los 60 los exiliados cubanos. Éstos habitaron los barrios típicos, como la Pequeña Habana, dominada por la famosa Calle Ocho *(S.W. Eighth Street)*. La Calle Ocho es la escena de una fabulosa fiesta en marzo. Hoy día, cubanos y otros latinoamericanos viven en todos los barrios de la ciudad.

En cualquier época es fabuloso visitar los restaurantes cubanos más auténticos de Miami. Éstos incluyen el Casablanca, donde predominan los temas políticos cubanos, el Versailles y La Carreta, donde todo el mundo va después del baile, o La Casa Juancho, donde se reúnen los políticos y economistas del Miami latino.

Pero para el visitante, Miami es la playa. Paseándose de norte a sur, se visita primero la playa de Bal Harbor, donde está uno de los centros comerciales más lujosos y contemporáneos de Miami. Luego se llega al fastuoso Hotel Fontainebleau, escena de tantas películas, y representativo del exceso y lujo de los 50. Más al sur, en South Beach, se hallan las mejores discotecas, como Scratch, y los restaurantes de moda, como el Strand. De noche todo el mundo se viste de negro.

Pero aun aquí no hemos dejado el mundo latino. Estos muchachos con ropa tan *in* están conversando en español. ¿Por qué? ¡Porque son de la ciudad más rica y moderna de Latinoamérica: Miami!

Adapted from *Más* (invierno 1989)

Verifiquemos

Read each sentence and decide which answer is correct. Sometimes you will have to "read between the lines" or make inferences in order to select the right answer. Explain your answers.

1. En Miami . . . común ver a latinoamericanos trabajar en los mejores hoteles tanto como llegar a los hoteles en los coches más caros.
   a. no es
   b. es
2. El visitante latino . . . en comunicarse en Miami.
   a. no tiene ningún problema
   b. tiene muchos problemas
3. Ahora en Miami los latinos viven en . . .
   a. el barrio de la Pequeña Habana.
   b. todas partes de la ciudad.
4. En Miami, después de ir a bailar un sábado por la noche, muchos latinos van a . . .
   a. discutir política en el Casablanca o en La Casa Juancho.
   b. comer algo en el Versailles o La Carreta.
5. En el Fontainebleau, Scratch y el Strand, todo el mundo se viste . . .
   a. de negro.
   b. de ropa de invierno.

ESCRIBAMOS UN POCO

Writing strategy:
Retelling an event

A. Empezando. A newspaper reporter writes an article to retell an event. Read and discuss the newspaper article at the bottom of the page. Then answer the questions below.

1. What pieces of information are presented in the first paragraph?
2. What information is included in each of the next four paragraphs?
3. If the newspaper's editor had to shorten this article to fit a limited space, what would be the best way to cut the article without losing *essential* information?
4. What does the headline do? How does the "photo" add to the article?

¡LEÑADOR MATA UN LOBO Y RESCATA A ABUELA Y SU NIETA!

Bosque Encantado. La jovencita, Caperucita Roja, fue a visitar a su abuela el sábado. Le llevó una canastita de bizcocho y chocolate. Según ella, en camino se encontró con el lobo, pero esto no le preocupó porque el lobo le dijo que no tenía hambre.

La señorita Caperucita Roja tardó un poco más de lo normal en llegar a la casa de su abuela porque se detuvo a recoger flores en el bosque. Cuando llegó, vio que su abuela estaba en cama. Le pareció extraño porque su abuela tenía los ojos, las orejas y los dientes demasiado grandes. Pronto descubrió que no era su abuela sino el lobo en los pijamas de

su abuela. Gritó, pero el lobo no le hizo caso y empezó a comerse el bizcocho.

A este punto, Chucho Cortabosques la oyó gritar y corrió rápidamente a la casita de la abuela. Allí encontró al lobo comiendo bizcocho y tomando chocolate. Inmediatamente lo mató y rescató a la señorita Caperucita Roja y a su abuela, aterrorizadas, pero en buena salud.

"Yo siempre le digo a mi hija que no se detenga a hablar con desconocidos", dijo la madre de la jovencita. "¡Tal vez ahora va a creerme!"

El señor Cortabosques va a recibir una medalla de honor en una ceremonia especial en el ayuntamiento el martes próximo a las 8:00 de la noche.

B. Planeando. Now you will write a short article reporting a recent event that you witnessed. If you'd rather, you may choose to be another kind of editor and write about a different topic. For example:

- A society editor (the wedding in Unit 4)
- A travel editor (Víctor and Manolo's trip to Madrid in Unit 5 or Mónica's trip to Guadalajara in Unit 6)
- A sports editor (the soccer game in this unit)

Think about the key pieces of information you must include about the event: **quién, qué, dónde, cuándo, cómo,** y **por qué.** Think about description, details, and additional information that will make your article more interesting to your readers. Brainstorm a list of vocabulary you may need to write your article.

C. Organizando. Make a cluster diagram to help you organize before you write. Put the headline in the main circle, with the six vital pieces of information supporting it. Then cluster details and further explanations. Rank your supporting paragraph ideas from most to least important and write your article in that order.

CH. Escribiendo. Use your cluster diagram to write the first draft of your article. Include as much information as possible, remembering that the least important information should come last, in case your editor in chief has to shorten your article.

D. Compartiendo. Share your draft with two or three classmates. Is there anything they don't understand? Is there information you should have included? Is there anything they think you should change?

E. Revisando. Revise and refine your article based on your classmates' suggestions. Before you publish your final version, share your article with two more classmates. This time ask them to edit for grammar, spelling, and punctuation.

¡En camino a Segovia!

Segovia

Barcelona

PORTUGAL

★ Madrid

ESPAÑA

• Córdoba
• Sevilla

0   150 Kilómetros
0   100 Millas

¡Es hora de levantarte!

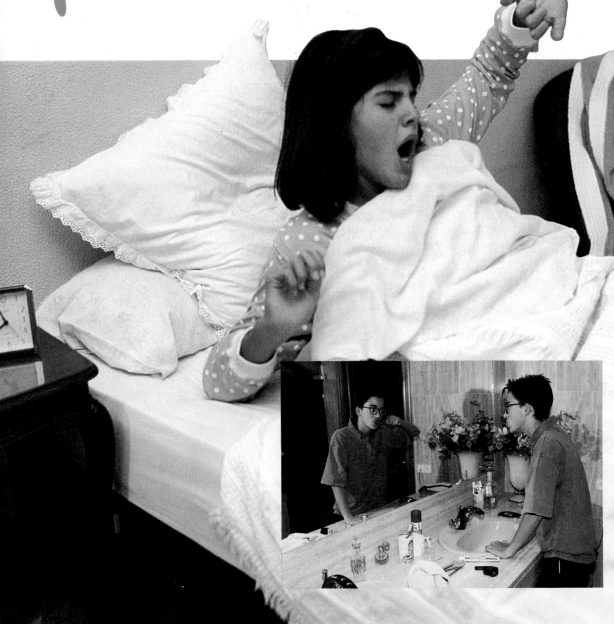

SEGOVIA

RELACION DE MONUMENTOS

1. Acueducto romano
2. Iglesia de San Clemente
3. Iglesia románica de San Millán
4. Casa de los Picos
5. Palacio de los Condes de Alpuente
6. Casa señorial de Lozoya
7. Iglesia de San Martín
8. Catedral
9. Iglesia de San Andrés
10. Alcázar
11. Iglesia de San Esteban
12. Iglesia de la Trinidad
13. San Juan de los Caballeros
14. Iglesia de San Justo
15. Torre de San Lorenzo
16. Convento de la Santa Cruz
17. Monasterio de El Parral
18. Torre de Hércules

¿Qué piensas tú?

1. ¿Qué tiene que hacer la chica en la foto para estar lista a las 8:30?

2. ¿Cómo tiene que hacer estas cosas?

3. ¿Qué tiene que hacer el chico en la foto para estar listo a las 8:30?

4. ¿Cómo va a tener que hacer estas cosas?

5. ¿Cuál es la ciudad en este mapa?

6. ¿Qué lugares en el mapa te gustaría visitar? ¿Por qué?

7. ¿De qué vas a poder hablar al final de la lección?

Marta Molina y su familia viven en Madrid.

1 Esta tarde, Marta va a una fiesta en casa de su amiga Inés, pero ya son las seis y Marta todavía está durmiendo la siesta.

Ven a mi casa. Hay una fiesta el viernes a las 19:00
Inés

2

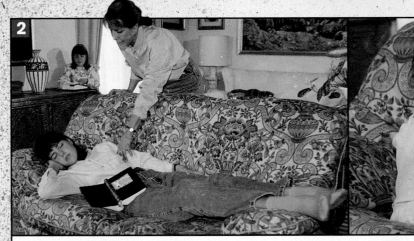

Mamá: Despiértate, hija. Ya son las seis. La fiesta es a las siete y todavía tienes que arreglarte.

Marta se levanta lentamente y va a su cuarto.

3

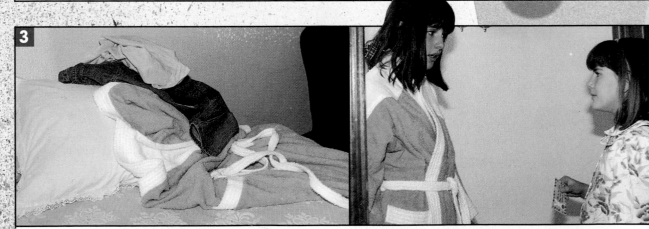

Se quita la ropa para bañarse.

Marta: Tere, ¡quítate! No tengo tiempo para hablar ahora. Tengo prisa.

4

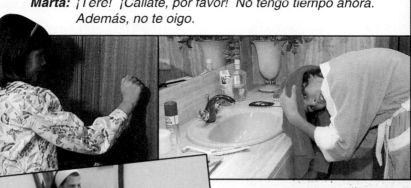

Mientras se seca el pelo, Tere llama a la puerta y empieza a decir algo.

Tere: ¡Marta! ¡Marta!

Marta: ¡Tere! ¡Cállate, por favor! No tengo tiempo ahora. Además, no te oigo.

Marta se baña y se lava el pelo.

Después se lava los dientes.

5

En su cuarto Marta se pinta. Tere entra y se sienta al lado de Marta y empieza a pintarse también.

Marta: ¡Tere! ¡No!

Tere: ¡Mamáaa!

6

Luego, Marta se viste. Se pone su nuevo suéter azul.
Se sienta frente al espejo y se peina.

7

Marta entra en la cocina para despedirse de su madre. Tere la sigue.

Mamá: Hija, ¡qué guapa estás!

Marta: Gracias, mamá. Pero ya es tarde. ¿Puedes llevarme en el coche?

Mamá: Sí, sí, pero primero quiero que me ayudes un momentito.

Marta: Ay, mamá.

Luego se levanta y se mira en el espejo.

Mamá: Mira, aquí tengo todo para la excursión a Segovia mañana: la ensaladilla rusa, la tortilla, el chorizo y el pan para los bocadillos . . . ¿Falta algo más?

Tere: Sí, faltan los cubiertos: las cucharas, los tenedores, los cuchillos y también las servilletas, los vasos, y los platos . . .

Mamá: Ya, Tere.

Mamá: Mira, hasta el desayuno para mañana está listo: el pan, la mantequilla, la mermelada . . .

Marta: ¡Mamá! ¡Tengo que irme!

Marta: ¡Tere! ¿Qué quieres? ¡Tengo prisa!

Tere: Quiero decirte que no hay fiesta.

Marta: ¿Cómo? ¿No hay fiesta?

Tere: No. La madre de Inés llamó y dijo que Inés está enferma y que no hay fiesta esta tarde.

¿QUÉ DECIMOS...?

Al describir la rutina diaria

1 *Un día muy especial.*

ESTA MAÑANA, COMO TODAS LAS MAÑANAS, ANDRÉS MOLINA SE DESPIERTA MUY TEMPRANO...

...Y SE LEVANTA INMEDIATAMENTE.

SE VISTE RÁPIDAMENTE.

SE LAVA LOS DIENTES...

...SE PONE EL RELOJ...

...Y SALE A CORRER.

PERO HOY NO ES UN DÍA TÍPICO. HOY LA FAMILIA MOLINA PIENSA HACER UNA EXCURSIÓN A SEGOVIA.

ENTONCES, ¿DÓNDE ESTÁN LOS OTROS? ¿TODAVÍA ESTÁN DURMIENDO?

2 *Ya me levanto.*

3 *Pásame el pan.*

4 *Corta el chorizo.*

CHARLEMOS UN POCO

A. ¿Qué hacen primero? ¿Cómo se preparan los miembros de la familia Molina para hacer una excursión? Pon en orden cronológico esta lista de actividades.

1. Se lavan los dientes después de comer. 6
2. Se sientan a la mesa para desayunar. 4
3. Se visten. 3
4. Preparan el almuerzo. 7
5. Se despiertan temprano 1
6. Empacan los cubiertos. 8
7. Todos toman pan y chocolate o café. 5
8. Se levantan y se bañan. 2

B. Primero me pongo... Pregúntale a un(a) compañero(a) qué ropa se pone primero.

 MODELO   Tú: **¿Qué te pones primero, los zapatos o los calcetines?**

Compañero(a): **Primero, me pongo los calcetines.**

1.   2.   3.

4.   5.   6.

C. ¿Qué me pongo?

C. ¿Qué me pongo? Según María, ¿qué se ponen ella y su familia para pasar la tarde en el parque?

MODELO hermano: ¿una camisa o una camiseta?
    Mi hermano se pone una camiseta.

1. mamá: ¿un vestido elegante o pantalones?
2. papá: ¿pantalones cortos o pantalones largos?
3. hermanos: ¿sandalias o zapatos elegantes?
4. yo: ¿pantalones cortos o un vestido?
5. mamá y papá: ¿gafas de leer o gafas de sol?
6. mi hermana y yo: ¿vestidos o pantalones cortos?
7. hermana: ¿zapatos deportivos o sandalias?
8. todos: ¿suéteres o impermeables?

Reflexive Pronouns

me pongo	**nos** ponemos
te pones	
se pone	**se** ponen
se pone	**se** ponen

See **¿Por qué se dice así?**, *page G110, section 8.1.*

CH. ¡Buenos días! La familia de Carlos sigue la misma rutina todos los días. Según Carlos, ¿qué hacen todos?

MODELO papá / despertarse a las 6:00
    Papá se despierta a las seis.

1. nosotros / levantarse temprano
2. yo / ponerse / pantalones cortos
3. tú / vestirse antes de comer
4. mi hermana / bañarse primero y / luego lavarse los dientes
5. papá / afeitarse primero y / luego lavarse el pelo
6. mamá y papá / sentarse a tomar el café *se sientan*
7. Roberto / acostarse temprano
8. por la noche, todos / dormirse inmediatamente

Reflexive pronouns: Placement

Like object pronouns, reflexive pronouns may follow and be attached to an infinitive, an affirmative command, or the **-ndo** form of a verb.

¿Qué van a poner**se** ustedes?
Acués**tate** temprano.
Estamos durmiéndo**nos** aquí.

See **¿Por qué se dice así?**, *page G110, section 8.1.*

Adverbs

Adverbs answer the questions *how, when,* and *where* about the verb. Most adverbs that tell *how* an action is done are formed by adding **-mente** to the end of the feminine form of an adjective.

rápida + **-mente**	rápidamente
alegre + **-mente**	alegremente

See **¿Por qué se dice así?**, *page G113, section 8.2.*

D. ¡Mando yo! Tus papás no están en casa y por un día mandas tú. ¿Qué le dices a tú hermanito(a)?

MODELO   6:30 despertarse
Despiértate. Ya son las seis y media.

1. 6:45 levantarse
2. 6:50 vestirse
3. 7:00 sentarse a la mesa
4. 7:15 lavarse los dientes
5. 7:25 ponerse el abrigo
6. 4:00 hacer la tarea
7. 9:15 quitarse la ropa y bañarse
8. 9:30 acostarse y dormirse

E. ¿Y tú? Pregúntale a tu compañero(a) acerca de su rutina de ayer.

MODELO   despertarse
Tú: **¿A qué hora te despertaste ayer?**
Compañero(a): **Me desperté a . . .**

1. levantarse
2. bañarse
3. peinarse
4. desayunar
5. salir para la escuela
6. sentarse en su primera clase
7. regresar a casa
8. acostarse

F. Ve a la tienda. La mamá de Angelita quiere preparar una tortilla española pero no hay huevos. ¿Qué le dice a Angelita?

MODELO   rápido
Ven acá **rápidamente.**

1. inmediato
2. directo
3. sólo
4. paciente
5. cortés
6. cuidadoso
7. lento

Sal de la casa _1_ y ve _2_ a la tienda. _3_ necesito media docena de huevos. Espera _4_ hasta que te puedan atender. Saluda _5_ al dependiente y despídete antes de salir. Ah, y por favor, cruza la calle _6_ . No corras. Camina _7_ .

G. Rutina diaria. Pregúntale a tu compañero(a) cómo hace estas actividades diarias.

EJEMPLO   bañarse rápida o lentamente
Tú: **¿Te bañas rápida o lentamente?**
Compañero(a): **Me baño rápidamente.** o
                Me baño lentamente.

1. peinarse frecuente o infrecuentemente
2. despertarse fácil o difícilmente
3. arreglarse cuidadosa o rápidamente
4. peinarse rápida o lentamente
5. levantarse alegre o tristemente
6. vestirse informal o formalmente
7. hacer la tarea paciente o impacientemente

H. Somos diferentes. Describe la rutina diaria de tu familia.

EJEMPLO hermana / arreglarse
Mi hermana se arregla lenta y cuidadosamente.

VOCABULARIO ÚTIL:

rápido	lento
frecuente	infrecuente
cuidadoso	descuidado
informal	formal
elegante	normal
alegre	triste
¿ . . . ?	

1. yo / despertarse
2. hermana / lavarse los dientes
3. mamá / levantarse
4. hermano / bañarse

5. hermana / vestirse
6. hermanito / acostarse
7. papá / afeitarse
8. hermanos / peinarse

I. Pon la mesa. Marta le está enseñando a Tere a poner la mesa. ¿Qué le dice?

MODELO a la derecha de la cuchara
Pon la taza a la derecha de la cuchara.

1. a la izquierda del plato
2. cerca del cuchillo
3. debajo del tenedor
4. a la derecha del plato

5. debajo de la taza
6. al lado del cuchillo
7. entre los cubiertos
8. encima del platillo

When two or more adverbs are used together in a sentence, only the last one ends in **-mente**. The others end in the feminine form of the adjective.

Ella habla **cuidadosa, lenta** y **constantemente.**

*See ¿***Por qué se dice así?**, *page G113, section 8.2.*

Al poner la mesa

tenedor

cuchillo

cuchara

servilleta

plato

taza y platillo

copa

vaso

CHARLEMOS UN POCO MÁS

 A. Mi rutina diaria. For your health class, you are supposed to keep a record of your daily activities from the time you get up in the morning until you go to school and then from the time school is over until bedtime. Write down everything you do and indicate the time. Then ask your partner about his or her daily routine. Put an asterisk on your schedule anytime both of you do the same thing at the same time.

B. El fin de semana. With a partner, take turns telling what is happening in each drawing of the International Club's camping trip.

MODELO **Andrea**
Andrea se está lavando los dientes. o
Andrea está lavándose los dientes.

1. Pedro **2. Ana** **3. Alma y Berta** **4. Jorge** **5. tú**

6. Javier **7. Sr. Ortega** **8. Marta y yo** **9. Julio y Paco** **10. Srta. Montalvo**

C. Crucigrama. Your teacher will give to you and to your partner a cooperative crossword puzzle. You complete the vertical clues and then ask your partner for the horizontal clues. Your partner will ask you for the vertical clues. By cooperating, you will be able to solve the complete puzzle. Do not look at each other's puzzles. Ask each other definitions of the missing words.

EJEMPLO Tú: **¿Cuál es el número cuatro horizontal?**
Compañero(a): **Dijo "adiós" de una manera triste.**
Answer: *tristemente*

el bocadillo

CH. ¡Bocadillos! Your Spanish class has decided to have a picnic. Your teacher has asked each group to select and prepare one Spanish bocadillo from the choices below. Find out what your group members would prefer to eat. Decide if you will prepare it just as pictured or if you wish to doctor yours up with any of the following condiments.

VOCABULARIO ÚTIL:

tomate	mantequilla	mayonesa
mostaza	cebolla	sal o pimienta
lechuga	salsa de tomate	

chorizo

tortilla de patatas

jamón

jamón y queso

anchoas

tortilla francesa

salchichas fritas

atún

queso

perrito

D. ¿Tú también? Find out how many things you and your partner do every day at the same time. Using the schedules your teacher provides, ask your partner questions until you know exactly what he or she does and answer all of your partner's questions. Don't look at each other's schedules until you have finished.

E. ¡Qué creatividad! Your mother has asked you to set the table, and you are feeling very creative. Decide how you would set the table using the items pictured below. Draw a sketch, but do not show it to anyone. As you describe your table setting to your partner, he or she will draw it. Then, you draw as your partner describes his or her place setting to you. When you have finished, compare each drawing to your originals.

Dramatizaciones

A. ¡Ya es hora!　You can't seem to get your brother or sister to move quickly this morning. Role-play this situation with your partner.

Tú

- Tell your partner to wake up, that it is already 7:00.
- Tell your partner to get dressed.

- Tell your partner to come to breakfast.
- Say that you are leaving in five minutes.

- Say it's cool out and add that it is 7:45.

Compañero(a)

- Say that you are getting up.

- Tell what clothes you are putting on.
- Say that you are washing your face.
- Say that you are coming and that you are putting on your shoes. Ask what the weather is like.
- Say that you are coming but that you are going to take off your sweater and wear your jacket.
- Say that you are coming now.

B. El sábado.　You and your partner are discussing what you did last Saturday and how you did it. Role-play the situation as you go over all of that day's activities.

¡No metas la pata!

¡Es una tortilla!   Luisa is an exchange student from Guadalajara, Mexico. On her second day in Madrid, she and a Spanish friend are having lunch out.

UNA TORTILLA, POR FAVOR.

CAFE IBERICA

Julia: (*Al camarero*) Una tortilla, por favor. (*A Luisa*) Está bien contigo, ¿no? Las tortillas son riquísimas aquí.

Luisa: Me gustan las tortillas, pero . . . ¿no vamos a pedir algo más? Yo tengo bastante hambre.

Julia: Sí, no te preocupes. Las tortillas son bien grandes aquí.

(*El camarero sirve la tortilla.*)

Julia: Aquí está. Buen provecho, Luisa.

Luisa: Pero, ¿qué es esto? ¡Nosotras no pedimos un omelete!

Why is Luisa surprised when the waiter brings the Spanish **tortilla?**

1. She's very hungry and just doesn't think one omelet will be enough for the two of them.
2. She doesn't like omelets.
3. She doesn't really know what a Spanish tortilla is like.

❏ Check your answer on page 420.

Y ahora, ¡a leer!

Antes de empezar

In the United States, people in different regions have different names for the submarine sandwich—hoagy, grinder, garibaldi, etc. When people in different countries use the same language, such differences become even more noticeable. Look at the lists below and try matching each American English term with its British English equivalent.

American English

1. cookies
2. bell pepper
3. elevator
4. ground round
5. toilet
6. molasses
7. trunk of a car
8. (potato) chips
9. sausages
10. smoked ham

British English

a. lift
b. mince
c. crisps
ch. gammon
d. boot
e. bangers
f. biscuits
g. treacle
h. w. c. (water closet)
i. capsicum

Verifiquemos

After you have read the selection about food names, make a chart similar to the one below and give the appropriate name for each fruit or vegetable listed in the various Spanish-speaking regions.

Frutas y verduras			
EE.UU.	**México**	**Argentina**	**España**
avocado			aguacate
beans			
chili pepper			
corn on the cob			maíz en su mazorca
peach			
pineapple			
potato			

¿Durazno o melocotón?

Los nombres de muchos comestibles varían de país a país y aun de región a región. Estas variaciones pueden causar gran confusión para el turista, ¡especialmente en restaurantes! Es interesante observar estas diferencias en los nombres de varias comidas en los países de habla española.

En algunos casos, la misma palabra se refiere a diferentes cosas, como en el caso de la tortilla en México y la tortilla en España. Otro ejemplo es el taco. Para el mexicano un taco es un tipo de

tiene diferentes nombres en diferentes países. El español dice patata cuando el mexicano y el argentino dicen papa. Lo que el español conoce como melocotón, el

¿Durazno o melocotón?

mexicano y el argentino conocen como durazno. La palta del argentino es el aguacate del mexicano.

Hay muchos ejemplos más de este tipo de variación. En México sirven frijoles, en Argentina porotos y en España fríjoles (con el acento en la

primera sílaba), habichuelas y judías. Si quiere darle un sabor picante a una comida, el mexicano le añade chile, mientras el argentino le añade ají y el español, pimiento picante. Si quiere comer maíz tierno en su mazorca, el argentino pide choclo y el mexicano pide elote. La fruta que llaman piña en México, en Argentina es ananá. Y en España, le dicen piña americana.

¿Aguacate o palta?

¿Elote o choclo?

bocadillo hecho de una tortilla mexicana. Para el sudamericano, un taco es ¡el tacón de un zapato! Y un español dice ¡pero qué tacos! cuando oye a alguien decir malas palabras.

En otros casos, la misma fruta o verdura

¿Piña o ananá?

¿Cómo sabemos qué nos van a servir cuando viajamos a distintos países? No hay una respuesta fácil a esta pregunta. Uno simplemente tiene que ser un poco aventurero y reconocer que viajamos a otros países, no porque son idénticos al nuestro, sino precisamente porque son diferentes.

¡La vista es bellísima !

¿Qué piensas tú?

1. ¿Qué diferencias hay entre las casas en las fotos de esta página?

2. ¿Qué diferencias crees que hay en el interior de estas casas?

3. ¿Qué tipo de casa se ve en la página anterior? Se llama el Alcázar. ¿Quién crees que vive allí? ¿Cuándo crees que se construyó el Alcázar? ¿Por qué?

4. ¿Hay algo similar al Alcázar en tu estado? Si hay, descríbelo.

5. ¿Cómo crees que son las salas en el Alcázar—normales, grandes o grandísimas? ¿Y los muebles? ¿Los patios?

6. ¿De qué vas a poder hablar al final de la lección?

**Esta noche la familia Molina va a quedarse
en el Hotel Infanta Isabel en Segovia.**

1

*Es la primera vez que Tere y sus hermanos se quedan
en un hotel. Mientras sus padres se registran,*

*Tere, curiosísima, empieza a explorar.
"Hmmm . . . ¡qué interesante!" piensa Tere.*

2

*En el salón de entrada hay sillas, un sofá,
un espejo grandísimo, mesas y lámparas.
Tere está impresionada.*

*Se sienta en una silla elegante. Pero decide que
no le gusta porque es demasiado dura.*

*El sofá es más blando. Todos los muebles son
elegantísimos. Unos parecen más cómodos, otros
menos cómodos, pero todos son impresionantes.
No puede resistir tocar los otros muebles.
"¡Qué bonitos!"*

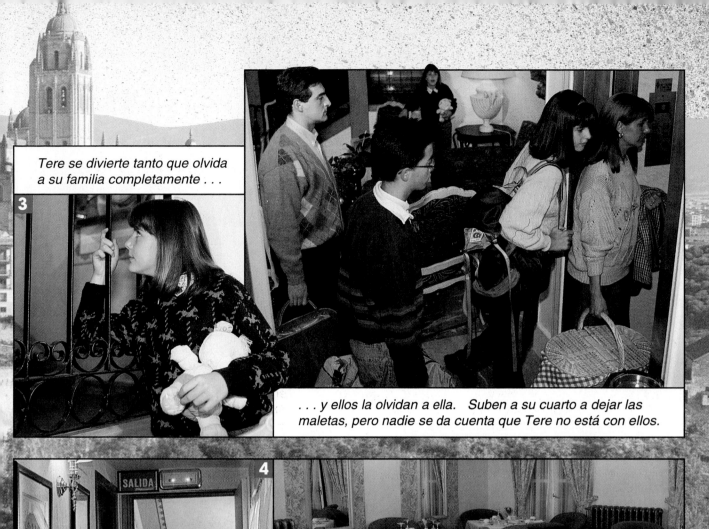

Tere se divierte tanto que olvida a su familia completamente . . .

. . . y ellos la olvidan a ella. Suben a su cuarto a dejar las maletas, pero nadie se da cuenta que Tere no está con ellos.

"¡Es precioso!"

Tere no puede evitar la tentación de explorar el hotel un poco más. Sigue por un pasillo que da al comedor.

5

Marta y Andrés están muy impresionados con la vista desde su habitación.

Marta: ¡La habitación es grandísima! ¡Es más grande que la sala de casa!
Mamá: Y mira la alfombra. Es bonita, ¿no?

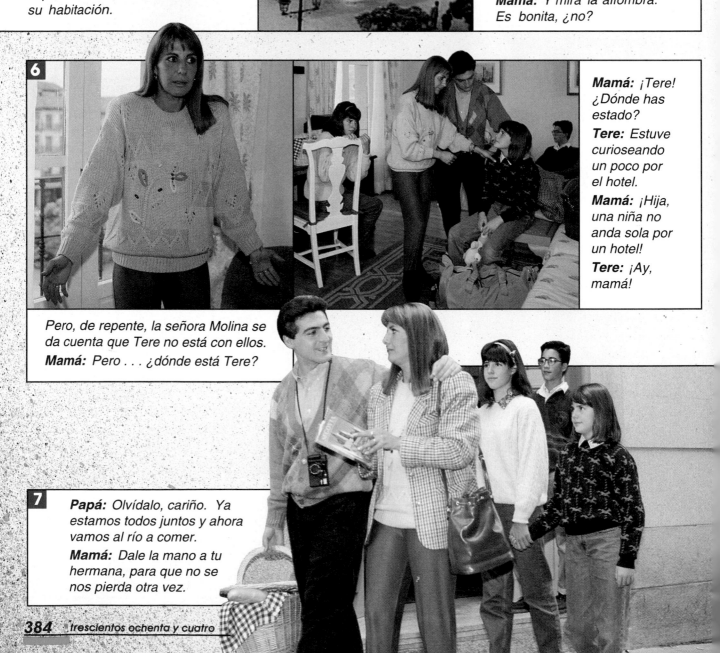

6

Mamá: ¡Tere! ¿Dónde has estado?
Tere: Estuve curioseando un poco por el hotel.
Mamá: ¡Hija, una niña no anda sola por un hotel!
Tere: ¡Ay, mamá!

Pero, de repente, la señora Molina se da cuenta que Tere no está con ellos.
Mamá: Pero . . . ¿dónde está Tere?

7

Papá: Olvídalo, cariño. Ya estamos todos juntos y ahora vamos al río a comer.
Mamá: Dale la mano a tu hermana, para que no se nos pierda otra vez.

¿QUÉ DECIMOS...?

Al hacer una excursión

1 *¡Estuvo riquísima!*

2 ¡Son viejísimos!

3 A ver si es más blanda que la mía.

4 ¡Qué vista!

CHARLEMOS UN POCO

A. De viaje. Los Molina están en Segovia. Según su conversación, qué están haciendo: ¿visitando el Alcázar o comiendo al aire libre?

1. ¿Dónde están los muebles?
2. ¿Prefieres una manzana o una naranja?
3. ¿Qué hay de postre?
4. Nadie vive aquí ahora.
5. A ver si son tan cómodos como nuestros sillones.
6. Creo que voy a ponerme enfermo.
7. ¡Subimos muchos escalones!
8. Ésta se llama la Sala de la Galera.
9. ¿Te gustó la ensaladilla?
10. Esta cama es más blanda que la mía.
11. Los bocadillos estuvieron excelentes.
12. Se puede ver la catedral y toda la ciudad.

B. En camino. ¿Cuántas horas estuvieron los miembros de la familia Molina haciendo estas actividades?

MODELO   mamá: preparándose para el viaje (3 horas)
Mamá estuvo tres horas preparándose para el viaje.

1. Andrés: corriendo por la mañana (20 minutos)
2. Marta: peinándose y arreglándose (45 minutos)
3. yo: viajando en coche a Segovia (1 hora y media)
4. Tere: subiendo a la torre del Alcázar (10 minutos)
5. nosotros: comiendo al aire libre (2 horas y media)
6. mamá y Marta: mirando el dormitorio del rey (15 minutos)
7. todos: observando los tronos (30 minutos)

C. ¿Dónde? ¿En qué cuarto haces las siguientes actividades?

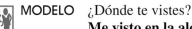

MODELO   ¿Dónde te vistes?
Me visto en la alcoba. o
Me visto en el baño.

1. ¿Dónde te bañas?
2. ¿Dónde te pones los zapatos?
3. ¿Dónde recibes a los invitados?
4. ¿Dónde ves televisión?
5. ¿Dónde desayunas?
6. ¿Dónde haces la tarea?
7. ¿Dónde almuerzas?
8. ¿Dónde te acuestas?
9. ¿Dónde te peinas?
10. ¿Dónde pones el coche?
11. ¿Dónde duermes?
12. ¿Dónde te lavas los dientes?
13. ¿Dónde arreglas la bicicleta?
14. ¿Dónde haces gimnasia?
15. ¿Dónde preparas la comida?

Preterite of *estar*

estuve	estuvimos
estuviste	
estuvo	estuvieron
estuvo	estuvieron

See **¿Por qué se dice así?**, page G114, section 8.3.

La casa

alcoba · alcoba · baño · pasillo · baño · alcoba · sala de familia · cocina · comedor · sala · garaje

CH. ¡Qué exagerado! ¿Qué dicen tus amigos cuando vienen a visitarte a tu nueva casa?

MODELO   sala / cómodo
La sala es comodísima.

1. cocina / moderno
2. alcoba / lindo
3. comedor / pequeño
4. pasillo / largo

5. baño / feo
6. sala / elegante
7. garaje / grande
8. patio / cómodo

Exaggerating physical qualities: -ísimo superlatives

Remove the **-o** ending of an adjective and add **-ísimo (-a, -os, -as)**.

bueno   buen**ísimo** (-a, -os, -as)
alto   alt**ísimo** (-a, -os, -as)
largo   *larg**uísimo** (-a, -os, -as)
rico   *riqu**ísimo** (-a, -os, -as)

Note the **g → gu** and **c → qu** spelling changes.

See **¿Por qué se dice así?,** *page G115, section 8.4.*

D. ¡Estuvo rico!   Tú y tus amigos fueron a comer a un restaurante anoche. ¿Cómo describen la comida?

MODELO   ensalada (bueno)
La ensalada estuvo buenísima.

1. fresas (rico)
2. pan (bueno)
3. tortilla (malo)
4. chorizo (sabroso)

5. jamón (bueno)
6. papas (malo)
7. café (rico)
8. quesos (sabroso)

E. ¡Es feísimo!   Tú y tu amigo(a) van con tus padres a comprar muebles. ¿Qué comentarios hacen ustedes?

 MODELO   Tú: **¿Qué piensas de este sofá?**
              Compañero(a): **¿Ése? Es feísimo.**

VOCABULARIO ÚTIL:

elegante   feo   bello   lindo   moderno
caro   pequeño   largo   grande   precioso

MODELO   1.   2.   3.   4.

5.   6.   7.   8.

Making unequal comparisons:
más and *menos*

Spanish expresses *more* with **más**
and *less* with **menos.**

Yo soy **más** alto.
Este video es **menos** interesante.

See ¿Por qué se dice así?,
page G116, section 8.5.

F. ¡Qué feos! Pregúntale a tu compañero(a) cómo se comparan el monstruo e Igor.

MODELO   manos más grandes
Tú: **¿Quién tiene las manos más grandes?**
Compañero(a): **El monstruo tiene las manos más grandes.**

1. pies más grandes
2. cara menos simpática
3. dedos más largos
4. cabeza más pequeña

5. piernas menos flacas
6. ojos más grandes
7. pelo menos corto
8. nariz menos larga

G. ¡Se vende! Héctor está hablando por teléfono con una persona interesada en comprar su casa. ¿Qué cuarto está describiendo?

Making unequal comparisons:
más . . . que and *menos . . . que*

más . . . que	*more . . . than*
menos . . . que	*less . . . than*

Ellas tienen **más dinero que** yo.
Tú tienes **menos tiempo que** él.

See ¿Por qué se dice así?,
page G116, section 8.5.

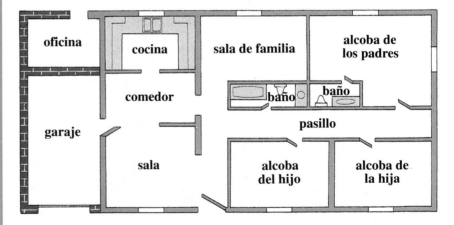

Making equal comparisons:
tan . . . como

tan . . . como	*as . . . as*

Nosotros estamos **tan contentos como** ustedes.

See ¿Por qué se dice así?,
page G116, section 8.5.

MODELO   Héctor (Tú):   **Es más pequeño que el otro baño, pero es útil.**
Compañero(a): **El baño de los padres**

1. Está cerca de la cocina y es tan grande como la sala de familia.
2. Es tan grande como la alcoba de la hija.
3. Es más grande que la sala de familia y es perfecto para recibir a las visitas.

4. Es casi tan largo como la casa y hay espacio para dos coches.
5. Es menos grande que la alcoba de los padres y tan grande como la alcoba del hijo.
6. Es casi tan grande como la cocina y es perfecta para la computadora.
7. Es más grande que la cocina y es donde servimos comidas especiales.
8. Es menos grande y menos formal que la sala y es ideal para el televisor.

H. ¡Es mucho mejor! ¿Cómo se compara tu escuela con la escuela de estos estudiantes?

 MODELO Mi escuela tiene oficinas lujosas.

Tú: **Mi escuela tiene oficinas lujosas.**
Compañero(a): **Es mejor que nuestra escuela.** o
Es peor que nuestra escuela. o
Es tan buena como nuestra escuela.

1. En mi escuela, la cafetería sirve comida buenísima.
2. Mi escuela no tiene gimnasio.
3. En mi escuela, hay un teatro enorme.
4. Mi escuela no tiene clases de computación.
5. En mi escuela, todos los estudiantes sacan "A".
6. En mi escuela, no hay tarea.
7. Mi escuela tiene un equipo de fútbol muy bueno.
8. En mi escuela, no hay recreo.

I. ¡Marcianos! Dos familias de extraterrestres acaban de llegar a tu patio. ¿Cómo los comparas?

MODELO activo
Los Rotunis son más activos que los Vertundos. o
Los Vertundos son menos activos que los Rotunis.

Los Vertundos   **Los Rotunis**

1. feliz	3. alto	5. grande	7. serio
2. tímido	4. atlético	6. organizado	8. divertido

Making unequal comparisons:
mejor que and *peor que*

mejor que   *better than*
peor que   *worse than*

Este sillón es **mejor que** esa silla pero es **peor que** el sofá.
Esas blusas son **mejores que** éstas.

See **¿Por qué se dice así?**,
page G116, section 8.5.

CHARLEMOS UN POCO MÁS

A. ¿Dónde estuviste?   Find classmates who match the description in each square on the grid that your teacher will provide. When you find a classmate who matches a description, write his or her name in the box. The goal is to have a name in every square. But remember, the same name may not appear more than once on your grid.

B. ¡Casas imaginativas!   Draw a diagram of the house where your favorite fairy tale or cartoon characters might live. Then draw the same diagram but show only where the kitchen is located. Give it to your partner. Describe the rest of the house to your partner so that he or she will be able to diagram it. Compare your diagrams when you finish.

C. ¡Es comodísima!   Look at the sketches below. With your partner share your opinions of each item.

MODELO   Tú: **¿Qué opinas del sillón?**
         Compañero(a):   **¡Parece comodísimo!**

CH. Un palacio real. Below is a diagram of a royal palace. With your partner, decide in what rooms the furniture around the diagram should be placed and how it should be arranged.

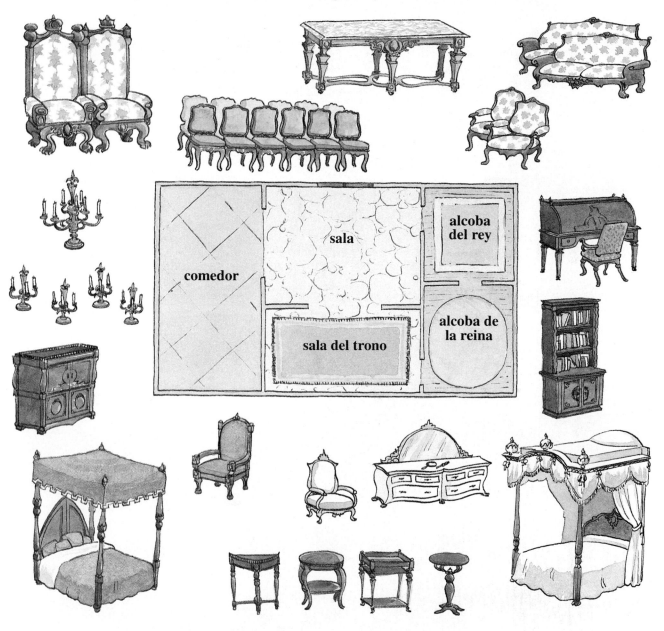

D. ¡Ay, la memoria! Your teacher will provide you and your partner with drawings of eight people you met at a party last weekend. You are both having difficulty remembering the names of all these people. Help each other identify each person by describing and comparing him or her with the others. You may ask each other questions, but do not look at each other's drawings until all eight persons have been identified.

EJEMPLO   **Alicia no es muy alta pero es más alta que . . .**

Dramatizaciones

A. Mansiones y palacios. You are telling your partner about the governor's house that you saw yesterday. Role-play this situation.

Tú

- Tell your partner that the house is huge.
- Answer the question. Add that the piano in the living room is very ugly.
- Answer that there are only two and that the TV set in the bedroom is bigger than the one in the living room.
- Answer and then say what you liked most.

Compañero(a)

- Ask if it is also elegant.

- Ask how many TV sets there are in the house.

- Ask if the furniture is modern or old.

- Say that it's obviously a very interesting house.

¡No me digas!

Una invitación a cenar. Claudia arrived this morning in Barcelona from the United States. Her Spanish friend Silvia just picked her up at her hotel and is expaining what she has planned for the day. Read their conversation and then answer the question that follows.

Silvia: ¡Te va a encantar Barcelona! Esta mañana vamos a visitar el Museo de Picasso. ¡Es increíble! De allí vamos a las Ramblas a caminar un rato. Es hermoso caminar allí. Allí también podemos almorzar, si quieres.

Claudia: Bien. ¿Por qué no? ¿Y por la tarde? ¿Qué vamos a hacer?

Silvia: Bueno, debemos regresar a tu hotel a descansar un rato. Pero a eso de las cinco y media vamos a visitar a mi amiga Pilar. Sé que te va a gustar. Es muy simpática. Ella va a acompañarnos al Pueblo Español. Es un barrio muy especial con casas representativas de toda España. Podemos pasar horas y horas allí.

Claudia: ¡Qué bien! Podemos cenar allí.

Silvia: No, porque mamá insiste en que regresemos a casa a las diez. Va a prepararte una zarzuela de mariscos riquísima.

Claudia: Ay, ya la puedo saborear. Pero, ¿a las diez de la noche?

Why does Claudia seem dismayed by the dinner hour?

1. She thinks that Silvia is deliberately planning a late dinner to see how late she can stay up.
2. She thinks that Silvia's family is strange because they eat so late.
3. She thinks that Silvia made so many plans for the day that they won't be able to eat earlier.

❏ Check your answer on page 420.

Y ahora, ¡a leer!

Antes de empezar

1. When someone is invited to dinnner at 6:00 P.M., how late may he or she arrive and still be "on time"?
2. What do you think of a person who agrees to meet you for lunch at noon and then shows up at 12:45 P.M.?
3. What would you do if you had agreed to babysit your next-door neighbor's child and then received an invitation to a good friend's birthday party on the same evening?

¿Hora latina u hora americana?

La hora para levantarse, desayunar, almorzar, cenar, salir del trabajo, ir al teatro o llegar a una fiesta depende totalmente de la cultura. Tal vez por eso los alemanes al hablar de la hora dicen que el reloj vuela, los norteamericanos dicen que el reloj corre y los españoles que el reloj anda.

Desde el punto de vista de un hispano, en Estados Unidos almorzamos y cenamos demasiado temprano. ¿Por qué? Porque en la cultura hispana, el almuerzo simplemente no se sirve antes de la 1:30 o las 2:00 de la tarde, y la cena puede ser tan tarde como las 9:00 o 10:00 de la noche. Con frecuencia, al viajar en países hispanos, los norteamericanos se sorprenden al entrar en un restaurante al mediodía o a las seis de la tarde y encontrarlo casi vacío. Lo que no saben es que los camareros probablemente están pensando que los norteamericanos son un poco raros por querer almorzar o cenar tan temprano.

A propósito, el concepto de **mediodía** es también distinto. Generalmente en Estados Unidos cuando decimos "Te veo al mediodía" quiere decir que las dos personas

Verifiquemos

¿Sí o no?   After you read the article below, indicate whether or not the following behavior would be appropriate if you were living in a Spanish-speaking country or Hispanic community. Explain your answer.

1. llegar media hora tarde a una cena
2. aceptar una invitación a una fiesta y luego llegar dos horas tarde
3. hacer una cita al mediodía para estudiar para un examen
4. invitar a un amigo a almorzar contigo a las 12:30
5. hacer una reservación para cenar a las 10:00 de la noche
6. llegar una hora tarde a almorzar con un(a) amigo(a)
7. no aceptar una invitación a una fiesta porque vas a tener que llegar dos horas tarde
8. llegar tres minutos temprano a una cena

se van a ver a las doce en punto. Cuando dos hispanos dicen esto, es que piensan verse entre las 12:00 y las 2:00 de la tarde. Para el hispano el mediodía consiste en un par de horas y no en las doce en punto.

El norteamericano es muy puntual desde el punto de vista de un hispano—quizás demasiado puntual. ¿Por qué? Porque el norteamericano casi siempre se presenta a la hora indicada cuando recibe una invitación a cenar o a una fiesta. Para el hispano es natural y hasta apropiado llegar media hora o hasta una hora tarde a una función social.

El llegar a la hora exacta es para el hispano llegar a la "hora americana". Si se llega a la hora indicada, lo más probable es que las personas que lo invitaron todavía no estén listos.

Cuando un hispano recibe una invitación a una fiesta, lo más importante es presentarse a celebrar con los amigos que lo invitaron. Por eso, si uno tiene otro compromiso, es preferible llegar tarde a la fiesta después de cumplir con el otro compromiso, que rechazar la invitación y no presentarse.

¡ El cochinillo asado, por favor !

Chazz

Sopas
	Ptas.
Sopa de la casa	250
Sopa del día	250

Ensaladas
	Ptas.
Ensaladas de tu creación	
Jumbo	350
Para acompañar	200

Hamburguesas
	Ptas.
Hamburguesa 90 grs.	350
Hamburguesa 125 grs.	400
Hamburguesa 175 grs.	450
Hamburguesa de pollo	400

Menú del día
	Ptas.
Refresco, Sopa del día y Hamburguesa de pollo	700

Para acompañar
	Ptas.
Patatas fritas	200
Cebollas asadas	150

Dulces delicias
	Ptas.
Tarta de manzana	250
Tartaleta de fresa	250
Helados surtidos	275

Bebidas
	Ptas.
Refrescos	120
Refresco dietético	120
Naranjada/Limonada	120
Batidos/Malteadas	250
Café/Té	100

El Mesón de Cándido

Entremeses variados
Ensalada del tiempo
Tortilla Mesón de Cándido
Chorizo de la olla
Melón con jamón serrano
Menestra de verduras naturales

Sopa castellana siglo XV
Crema de espárrago
Gazpacho andaluz

Cochinillo asado
Faisán a la crema
Bistec a la parrilla
Paella valenciana

Flan al caramelo
Fruta del tiempo
Queso manchego en aceite

¿Qué piensas tú?

1. ¿Qué tipo de comida ofrecen los dos menús? ¿Cómo son diferentes los dos restaurantes que tienen estos menús? ¿Cómo lo sabes tú?

2. ¿Has comido cochinillo asado alguna vez? Si no, ¿crees que te gustaría? ¿Por qué?

3. ¿Qué tipo de comida crees que sirven en el restaurante en la foto? ¿Por qué crees eso?

4. En tu opinión, ¿cómo es la comida típica de España? ¿Por qué crees eso?

5. ¿De qué vas a poder hablar al final de la lección?

1

Bienvenidos a "Cocinando con Carlos", el programa favorito de toda España. Y ahora con ustedes, el famosísimo cocinero Carlos Sartén.

Tere: Ven, mamá. Mira, ya empezó "Cocinando con Carlos". ¡Es tan cómico! Tiene que ser el cocinero más cómico del mundo. ¿No crees, mamá?

2

Hoy vamos a preparar dos tapas, esos aperitivos tan típicamente españoles.

Mamá: Es algo desorganizado, pero sus recetas son realmente fabulosas. Ahora cállate, hija. Vamos a ver lo que hace.

3

Freí tres patatas cortadas así, una cebolla picada, seis huevos. Luego lo mezclo todo con los huevos, sal . . . al gusto. ¡Y nada de pimienta!

Tengo ya en marcha una riquísima tortilla española.

Luego se deja freír lentamente . . . y mientras tanto, preparamos la otra tapa.

4

| ¿Ya están listos? Bueno. ¡Sigamos con las albondiguitas! | Primero se corta la carne. Con cuidado, por favor. | ¡No se corten! | Luego se pica la carne. |

5

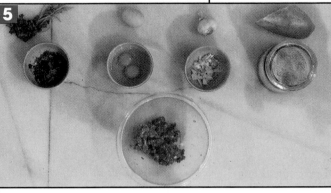 

| Ahora bien, se mezcla la carne con el pan, los huevos, el ajo y el perijil. | Todo bien mezclado, ¿eh? |

6

| Ahora se hacen bolitas con la mezcla. | Veinte a treinta bolitas. ¡Bolita! | Todas del mismo tamaño, ¿eh? |

7

| Ahora en una sartén se fríen lentamente las albóndigas con aceite de oliva. | Pero, ¡con cuidado! ¡Que no se queme la cocina! |

8 ¡Con calma, con calma! ¡Ay, la tortilla! Es importante no dejar freír la tortilla demasiado.

Cuando ya está hecha, se quita del fuego. Hay que darle la vuelta.

Finalmente, hay que pasarla a la sartén y luego al fuego unos minutos más.

9 ¡Caramba! ¡Tengan cuidado de no quemar las albóndigas!

Y ahora la salsa, ¡y ya está!

Qué fácil es, ¿verdad?

10 Miren este plato y esta tortilla. ¡Qué maravilla! Claro, preparados con cuidado, tendrán una tortilla exquisita y unas albondiguitas fenomenales.

11 Bueno, hasta la próxima semana, Carlos Sartén les desea "¡Buen apetito!"

Tere: ¡Qué cómico! ¿verdad, mamá?

Mamá: Sí, es muy cómico, hija, pero qué desastre. Hoy todo le salió mal.

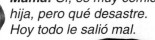

¿QUÉ DECIMOS...?

Al pedir la comida

1 *Así trajeron el agua.*

2 *¿Tienen una mesa reservada?*

3 *Cochinillo asado para todos.*

4 *Me está sonriendo.*

CHARLEMOS UN POCO

A. En Segovia.   Di si son ciertos o falsos estos comentarios sobre la excursión de la familia Molina a Segovia. Si son falsos, corrígelos.

1. El acueducto de Segovia es muy pequeño.
2. Los romanos construyeron el acueducto.
3. El acueducto sigue funcionando ahora.
4. La familia Molina no pudo comer en el Mesón de Cándido.
5. La familia no encontró mesa en el mesón.
6. La familia Molina pidió el cochinillo asado.
7. A Tere le encanta el jamón serrano.
8. Papá pidió los entremeses variados.
9. A papá más que nada le gustaron las tapas.
10. Tere quiere comer el cochinillo porque le está sonriendo.

B. ¿Te gusta?   Pregúntale a tu compañero(a) si le gusta estas cosas.

MODELO   Tú: **¿Te gustan los bocadillos?**
         Compañero(a):   **Me encantan.** o
                             Sí, me gustan. o
                             No, no los como nunca.

MODELO

1.

2.

3.

4.

5.

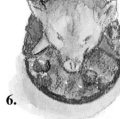

6.

7.

8.

9.

C. Mesón.   Acabas de entrar en el Mesón de Cándido. Completa la conversación con el camarero usando las siguientes frases.

Gracias, es perfecta la mesa.
Mélon y queso, por favor.
Sí, por favor. No conozco la comida aquí.
Sí, a nombre de . . .
Me trae la carne con patatas fritas, por favor.
¿Qué hay de postre?
Agua mineral, por favor.
Sí. La cuenta, por favor.
Sí, para empezar, el gazpacho y una ensalada mixta.
Buenas tardes.

Camarero: Buenas tardes, señor (señora, señorita).
Tú: . . .
Camarero: ¿Tiene una mesa reservada?
Tú: . . .
Camarero: Por aquí, por favor.
Tú: . . .
Camarero: ¿Desea ver la carta?
Tú: . . .
Camarero: ¿Está listo(a) para pedir?
Tú: . . .
Camarero: ¿Y de segundo plato?
Tú: . . .
Camarero: ¿Y para beber?
Tú: . . .
Camarero: ¿Quiere algo más?
Tú: . . .
Camarero: Fruta y queso o bizcocho.
Tú: . . .
Camarero: (*Más tarde.*) ¿Es todo?
Tú: . . .

CH. En el restaurante.   Cuando tú y tu familia van a un restaurante elegante, ¿qué pasa?

EJEMPLO   **Papá pide la sopa de ajo.**

papá	comer	restaurante
la camarera	pedir	comida
mis hermanos	servir	entremeses
yo	beber	mesa
el cocinero	entrar	ensalada
todos	traer	café
los camareros	buscar	postre
mamá	preparar	frutas
	recomendar	refrescos
		sopa de ajo

Requesting a table:
Una mesa para tres personas, por favor.
Tenemos una reservación a nombre de . . . .

Taking an order:
¿Desean ver la carta?
¿Está listo(a) para pedir?

Ordering a meal:
Para ella, la paella.
Quiero el gazpacho, por favor.
¿Tienen queso manchego?

Present tense
A summary

There are three types of regular verbs: **-ar, -er, -ir.**

Some verbs undergo a change in the stem vowel:

e → ie	empezar	Ya **empieza** el partido.
o → ue	poder	Roberto no **puede** ir.
e → i	pedir	Papá **pide** un postre.

Some verbs have irregular **yo**-forms:

Salgo de casa a las siete. *(salir)*
Voy a levantarme tarde mañana. *(ir)*

See **¿Por qué se dice así?,** *page G119, section 8.6.*

Present progressive
A summary

Estar + -ndo form of the verb:

Carla **está estudiando** ahora.
No **estamos comiendo** en este momento.

Some verbs undergo a vowel spelling change in the **-ndo** form.

dormir: **durmiendo**
leer: **leyendo**

See **¿Por qué se dice así?,** *page G122, section 8.7.*

D. En el extranjero. ¿Qué contesta tu amigo(a) español(a) cuando le preguntas sobre su rutina diaria en España?

MODELO   levantarse: 7:00 A.M.
           Tú: **¿A qué hora te levantas?**
           Compañero(a): **Me levanto a las siete de la mañana.**

1. desayunar: 7:30 A.M.
2. irse a la escuela: 7:45 A.M.
3. tener el recreo: 11:00 A.M.
4. volver a casa: 1:30 P.M.
5. comer: 2:00 P.M.
6. descansar: 3:00 P.M.
7. salir con amigos: 4:15 P.M.
8. tomar un café: 5:30 P.M.
9. hacer la tarea: 6:30 P.M.
10. cenar: 9:00 P.M.
11. ver televisión: 10:00 P.M.
12. acostarse: 11:00 P.M.

E. Ocupados. La familia Soler está muy ocupada esta tarde. ¿Qué están haciendo en cada cuarto?

MODELO   **La hija está viendo televisión en la sala.**

F. El verano pasado. ¿Con qué frecuencia hicieron ustedes estas actividades durante las vacaciones de verano? Pregúntale a tu compañero(a) y luego él o ella te lo va a preguntar a ti.

MODELO ir de compras

Tú: **¿Con qué frecuencia fuiste de compras el verano pasado?**

Compañero(a): **Fui de compras todos los días.** o **No fui de compras nunca.**

| todos los días | mucho | pocas veces | nunca |

---

1. jugar tenis
2. tocar la guitarra
3. almorzar en el parque
4. dormir hasta mediodía
5. leer novelas
6. hacer la tarea
7. ir al cine
8. practicar deportes
9. tener una fiesta en casa
10. comer pizza

Preterite tense
A summary

There are two sets of endings for regular verbs, one for **-ar** verbs and one for **-er** and **-ir** verbs.

There are many irregular verbs in the preterite, such as **ir (fui), ser (fui),** and **dar (di);** and **tener (tuv-), poner (pus-),** etc.

Some verbs undergo spelling changes in the preterite:

c → qu   buscar: **busqu-**
g → gu   llegar: **llegu-**
z → c   comenzar: **comenc-**

See **¿Por qué se dice así?,** *page G123, section 8.8.*

G. ¿Qué hicieron? Tú conoces bien a estas personas. ¿Qué hicieron durante el año?

MODELO soñar con el cochinillo asado
Tere soñó con el cochinillo asado.

1. hacer una excursión a Tlaquepaque
2. casarse en la iglesia de San Antonio de Padua
3. no poder entender su horario
4. tomar muchos helados
5. romperse la pierna
6. correr detrás del autobús
7. decir "¡Tere, tengo mucha prisa!"
8. hacer un video de Montebello High
9. ponerse el reloj antes de ir a correr
10. tener que trabajar en el restaurante de su padre
11. pedir direcciones a la oficina de correos
12. ir de compras a Plaza Universidad
13. encantarle su profesor de historia
14. no poder bailar con Julio

Tere   **Pilar**   **Carlos**

Carmen   **Sara**   **Alicia y Kati**

Riqui   **Rafael y Betty**   **Leslie**

Manolo   **Mónica y Lilia**   **Óscar**   **José Luis**   **Marta**   **Andrés**

CHARLEMOS UN POCO MÁS

A. ¿Te gusta . . . ? Discover what your classmates' food tastes are like by finding someone who fits each description in the grid your instructor gives you. Have each person fitting a description sign the appropriate box. Remember that each person's signature may only appear once on the grid.

EJEMPLO ¿Te gusta la tortilla española? o
¿Te gustan las hamburguesas?

B. ¿Los reconoces? Pictured below are places you will recognize in Spanish-speaking countries. With your partner, prepare a list of what these places are, where they are, and everything you can recall about them without going back to the units where they are presented.

C. ¿Quién? ¿Qué? You and your partner are editors of the school yearbook. Using the list your teacher provides, write captions telling which activity each person did, for each person whose name appears. Your partner will be able to describe the pictures missing on your page, and you should be able to describe the pictures missing on your partner's page. Ask each other questions but don't look at each other's yearbook pages until you have written all your captions.

CH. ¡Riesgo! In groups of three or four, prepare to play **Riesgo** (*Jeopardy*) by writing five questions and answers for each of the categories listed below. Then play **Riesgo** with another group. They will select a category and point value, and you will give them the answer to the question you had written for that slot. They, in turn, must respond with the correct question in order to receive the points. Then repeat the process by having your group select a category and point value from their gameboard. Keep alternating until your teacher calls time.

Deportes	Cultura	Profesores	Salud	Rutina diaria
20	20	20	20	20
40	40	40	40	40
60	60	60	60	60
80	80	80	80	80
100	100	100	100	100

Dramatizaciones

A. ¡A cenar! You are traveling in Spain with several students from your Spanish class. This evening you are on your own for dinner. You and two friends decide to try a restaurant across the street from your hotel. With three classmates, role-play this situation from the moment you arrive at the restaurant until you pay the bill. One of you will play the role of the waiter.

B. ¡Premios! It is the end of the school year. The principal, a teacher, and two students are discussing the year's events and trying to decide who should receive the following awards. With three classmates, role-play this situation.

el premio deportivo	**el premio dramático**
el premio escolástico	**el premio cómico**
el premio de español	**el premio de ciencias**

C. ¡No metas la pata! With three classmates, create a skit in Spanish that shows a cultural misunderstanding or resolves a problem.

Reading strategy:
Reading for detailed information

A. Anticipemos.   ¿Qué comen ustedes en sus fiestas?

1. Haz una lista de los ingredientes que necesitas para preparar tu entremés favorito.
2. ¿Crees que ese entremés es popular en España también? ¿Por qué?

B. Detalles importantes. Certain types of readings require the reader to focus on the details. When reading for detailed information, you will need to read the selection more than once and pay close attention to the procedure being described, and perhaps make notes of details that you must remember. In the Spanish recipes that follow, for example, you cannot skim over the information. You must understand each step and follow it carefully to end up with a delicious dish instead of a disaster!

Look at the following recipes carefully and answer these questions.

1. ¿Qué ingredientes ya tienes en casa y qué necesitas comprar para el gazpacho? ¿Y para la tortilla española?
2. ¿Cuántos pasos requiere cada receta? Descríbelos.

C. ¡Vamos a cocinar!   Read the authentic Spanish recipes on the next page, then answer the questions that follow. The **gazpacho,** which originated in southern Spain, is typically served during the summer months. The **tortilla** is usually served as a first course or an appetizer, throughout Spain.

Verifiquemos

1. El gazpacho es . . .
   a. una sopa.
   b. una ensalada.
   c. una bebida.
   ch. una caserola.

2. El ingrediente principal del gazpacho es . . .
   a. el aceite de oliva.
   b. el vinagre.
   c. el tomate.
   ch. el ajo.

3. El gazpacho se sirve . . .
   a. frío.
   b. con cebolla picada.
   c. con vegetales picados.
   ch. Todas estas respuestas.

Gazpacho andaluz

Ingredientes

12	tomates	1/2	taza de aceite de oliva
1	lata grande de jugo de tomate	6	cucharadas de vinagre
1	pimiento verde	4	cucharitas de sal
1	cebolla		pimienta al gusto
1	pepino		
4	dientes de ajo		

Preparación

En una licuadora se hace un puré con los tomates, el jugo, el pimiento, la cebolla, el pepino y los dientes de ajo.

Se combinan el aceite, el vinagre, la sal y la pimienta. Se agrega a la sopa y se pone en la nevera por 24 horas. Se sirve frío. Se acostumbra servirlo con cebolla, tomate, pimiento y pepino picados. Sirve a 20 personas, aproximadamente.

Tortilla española

Ingredientes

3-4	papas	aceite de oliva
5	huevos	sal y pimienta al gusto
1	cebolla	

Preparación

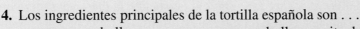

Se pelan y se pican las papas y se fríen en aceite de oliva hasta quedar doradas. Se agrega la cebolla picada por un minuto. En otro recipiente se baten los huevos y, poco a poco, se agregan las papas doradas. Se agregan sal y pimienta al gusto. Se fríe, muy despacio, con un poquito de aceite de oliva en una sartén. Cuando está bien firme, se quita del fuego y se le da la vuelta. Luego se pasa a la sartén de nuevo y se dora unos minutos más. Se sirve en un plato grande con ensalada y pan francés. Sirve de 3 a 5 personas.

---

4. Los ingredientes principales de la tortilla española son . . .

   a. papas y cebolla.   **c.** cebolla y aceite de oliva.

   b. aceite de oliva y huevos.   **ch.** huevos, papas y cebollas.

5. La preparación de la tortilla española requiere freír . . .

   a. todos los ingredientes.   **c.** las papas solamente.

   b. los huevos solamente.   **ch.** la cebolla y las papas solamente.

ESCRIBAMOS UN POCO

Writing strategy:
Retelling a story

A. Empezando. On the next page is a story from the American Hispanic Southwest. Read it and then discuss it. Does it remind you of other stories you have read? What do you think is the purpose of such stories? Describe the "form" of this story. How does the drawing enhance it?

B. Planeando. Now you will write a short story in the style of *El hombre, el burro y el perro.* You can retell a story such as the fable of the ant and the grasshopper, why the elephant has a trunk or how humans learned about fire. Or you may invent your own explanation for one of nature's mysteries. Possible beginning statements are:

"Cuando el mundo era muy joven . . ."
"En el momento en que nació el sol . . ."
"Cuando Dios se sentó a inventar el mundo, pensó . . ."

Decide what characters your story needs and how you will "set up" your surprise ending. Consider using dialog between the characters and a "twist" such as the repeated lines about *"días buenos y días malos."* Your ending should summarize the central idea:

"Y por eso, el sol sale todos los días".
"Y por eso, los pájaros pueden volar y los humanos no".
"Y por eso, los árboles son mucho más altos que el hombre".
"Y por eso, el hombre camina recto".

C. Organizando y escribiendo. Brainstorm vocabulary you may need to write your story. Then make a cluster diagram or an outline before you write. Identify the characters and their relationship to each other, and decide on the sequence of events or dialog exchanges. Now write your first draft!

CH. Compartiendo y revisando. Share your draft with two or three classmates. Is there anything they don't understand? Is there anything you need to add or change? Based on their suggestions, revise your story. Then share it with two other classmates and ask them to edit for grammar, spelling, and punctuation.

D. La versión final. Now write the final version. If you like, illustrate it with drawings or pictures cut out of magazines. Then turn it in for grading.

E. Publicación. When your stories have been returned, share them at an authors' reading and reception. Can you speak in Spanish the whole time?

El hombre, el burro y el perro

Cuando Dios creó la tierra, creó también al hombre, y le hizo dueño de la tierra. Luego Dios decidió darle unos compañeros al hombre, y creó un burro y un perro.

Dios le dijo al hombre: "Tú te llamas hombre. Eres dueño de la tierra y vas a vivir sesenta años. Vas a tener días buenos y días malos, pero vas a tener más días buenos que malos".

El hombre pensó: "Sesenta años no es mucho tiempo".

Luego Dios le dijo al burro: "Tú te llamas burro. El hombre es tu dueño. Tú vas a vivir treinta años. Vas a tener días buenos y días malos, pero vas a tener más días malos que buenos".

Y el burro le contestó a Dios: "Si mi vida va a ser tan difícil, no quiero vivir tantos años. No quiero vivir más de veinte años".

Entonces el hombre le dijo: "Dios, dame los diez años que el burro rechaza" y Dios le dio diez años más al hombre.

Al perro Dios le dijo: "Tú te llamas perro, y el hombre es tu dueño. Vas a vivir veinte años. Vas a tener días buenos y días malos, pero vas a tener más días malos que buenos".

El perro dijo: "Dios, si mi vida va a ser tan difícil, no quiero vivir tantos años. No quiero vivir más de diez años".

El hombre vio otra oportunidad para alargar su vida y dijo: "Dios, dame los diez años que el perro rechaza". Y Dios le dio diez años más.

Y por eso, los primeros sesenta años el hombre tiene una vida decente. De sesenta a setenta es vida de burro; y de setenta para arriba ya es vida de perro.

Adaptado de: ***El hombre, el burro y el perro***
Anaya, Rodolfo A. and Maestas, José Gregoria
Museum of New Mexico Press, Santa Fe, 1980

IMPACTO CULTURAL ANSWERS

Which number did you pick? Read the item that corresponds to that number. If you picked an incorrect answer, then go back to the correct page and try again.

Lección preliminar: ¡De Nuevo México a Nueva York!, página 11

1. We have no way of knowing if Yolanda's mother knows how to prepare tacos and enchiladas. Reread the conversation and try another answer.
2. This may be correct but there is no indication of this in the girls' conversation. You should not jump to conclusions. Try again.
3. Ellen doesn't say this, but she implies it. This is the correct answer. New Mexican food is heavily influenced by the foods of Mexico. Puerto Ricans don't eat many corn-based foods. Rather, their diet tends to consist of rice dishes, fried bananas, chicken, and pork.

UNIDAD 1: Lección 1 ¿Cómo estás?, página 27

1. Since Mr. Peña greeted both of the boys, it was not necessary for Fred to wait to be introduced. Try again.
2. Nothing in the dialogue reveals a negative attitude toward foreign students. Consider another answer.
3. Right! Fred should have used the more formal **usted** form to address a teacher. Can you think of an appropriate greeting?

UNIDAD 1: Lección 2 ¡Somos americanos!, página 40

1. Nothing is said to indicate that León's knowledge of geography is deficient. In fact, Latin American students are usually very knowledgeable about world geography. Try another answer.
2. Actually, North Americans, Central Americans, and South Americans are all Americans. When speaking Spanish, if you are trying to say that you are from the United States, refer to yourself as **norteamericano(a)** to avoid confusion. This is the correct answer.
3. There is no indication that León is trying to fool Jennifer about anything, especially since he just met her. Try another response.

UNIDAD 2: Lección 1   El horario de Andrea, página 71

1. There is no real basis in the dialogue for this assumption. Try again.
2. Carla is unfamiliar with class schedules in Latin American schools. It is not unusual for Latin American high school students to study twelve to fifteen different subjects a year. Classes do not meet every day, and, many schools have late afternoon and Saturday sessions. This is the correct answer.
3. There is nothing in the dialogue that implies that Andrea was exaggerating. If Tom thought that, he would probably have said something like "She must be exaggerating" or "She's got to be kidding." Try another response.

UNIDAD 2: Lección 2   ¡Qué inteligente!, página 85

1. You have selected the correct answer. **Colegio** refers to a secondary or even a primary school—*not* to a college.
2. That is not at all likely, since José Antonio is Sonia's younger brother. Bill actually says that José Antonio cannot be more than fifteen or sixteen years old. Try again.
3. There is no evidence that José Antonio is a whiz kid. Sonia even says that she and her brother attend the same high school. Try another response.

UNIDAD 3: Lección 1   De compras, página 116

1. There is no evidence in this dialogue that people don't work in the afternoon. Try another response.
2. In Spain, Mexico, and most Latin American countries, the principal meal of the day is lunch. Many businesses close between 2:00 and 4:00 so that employees may go home for their main meal. Currently, however, in the larger cities, major department stores and international businesses remain open throughout the afternoon. Most stores do close later in the evening to allow additional shopping time. This is the correct answer.
3. Shops in Mexico, as in most cities of the Western world, do close down on certain religious holidays, but no indication was given that Tom was shopping on a religious holiday. Try another response.

UNIDAD 3: Lección 2   ¡Hay tanta gente!, página 131

1. There is no indication that Tom knew what day it was. In fact, he kept asking Rosa what the special occasion might be. Try another response.
2. It is not unusual to see whole families—including aunts, uncles, and grandparents—enjoying themselves in the parks on any Saturday or Sunday. The parks are generally well-kept and provide very inexpensive entertainment for the whole family. This is the correct answer.
3. There is no indication that Tom believed Rosa was trying to fool him. He was simply surprised to see so many people in the park.

UNIDAD 4: Lección 1   ¡Toda la familia!, página 164

1. Mary Ann did not know that most Hispanics include not only parents and children in their family, but also aunts, uncles, and grandparents, and sometimes even cousins. This is the correct answer.
2. Nothing in the dialogue indicates that Mary Ann thought about this. This is not the correct answer.
3. This is a possible answer. However, Mary Ann did not mention anything about the grandmother living alone. Try another response.

UNIDAD 4: Lección 2   ¡No está en la guía!, página 181

1. There is no evidence that Larry didn't spell **Chacón** correctly. Try again.
2. Larry says that the number is not listed, but Claudio says that he is certain it is. There must be another reason.
3. Larry is looking for the number of Jorge Salinas Chacón under **Chacón** and not under **Salinas.** He has forgotten that names are alphabetized by the father's last name, not the mother's maiden name. This is the correct answer.

UNIDAD 5: Lección 1   Madrid de noche, página 219

1. Tom doesn't realize that an evening stroll (**un paseo**) is customary in many Hispanic cities. Entire families can be seen on the streets, even late into the evening. This is the correct answer.
2. Nothing in the dialogue indicates that Tom is unaware that large families live in that part of town. Consider another answer.
3. Tom may consider the streets unsafe, but the dialogue gives no indication that this is why he is surprised. Try again.

UNIDAD 5: Lección 2   La planta baja, página 236

1. Rick may well think that Betty is trying to distract him, since he is confused about what floor he is on. Actually, Betty knows that they are on the wrong floor. Try another answer.
2. In Spain, as in all Spanish-speaking countries, the ground floor of multi-story buildings is the **planta baja.** On elevators, the button for the ground floor is marked **PB. La primera planta** is the first floor above the ground floor. This is why Betty suggests they have to go up one floor.
3. The shoes are on sale according to the advertisement in the window. This is not the cause for the confusion.

UNIDAD 6: Lección 1   Te invito al ballet, página 270

1. It is true that Javier knows that the **ballet folklórico** is famous; he says so himself. However, this does not guarantee that Paul will like it. Reread the conversation.
2. There is no indication that Paul has never seen a good ballet company, only that he hasn't enjoyed the ballet performances that he has seen. This is incorrect.
3. Javier understands that Paul doesn't like classical ballet. However, the **ballet folklórico** presents colorful and lively folk dances from all regions of Mexico and Javier feels quite certain that Paul will enjoy it. This is the correct answer.

UNIDAD 6: Lección 2   ¡Huy, qué caro!, página 285

1. It is possible that Javier didn't like the cat. But if he didn't, he did not express this at all. He actually says he likes it. Try another response.
2. Paul feels that he got a bargain when he paid 30 pesos less than the vendor originally wanted. Javier, on the other hand, thinks that 60 pesos is too much to pay for a papier-mâché figurine. He obviously thinks Paul should have offered less than he did. This is the correct answer.
3. There is no indication that Javier even thought about Paul buying him a gift. This is not the correct answer.

UNIDAD 7: Lección 1   ¿Béisbol en Latinoamérica?, página 321

1. Cliff may consider baseball unsafe for children, but nothing in the dialogue indicates this. On the contrary, he congratulates Pepe for being the best batter among his friends. Try another answer.
2. Cliff never says this nor does he give any indication that he thinks this. He actually seems quite pleased that Pepe plays so well. This is not the correct answer.
3. Cliff is clearly surprised to see that both parent and child are interested in baseball. He seems to be unaware that baseball is rivaling soccer in popularity in several Latin American countries, particularly in the Dominican Republic, Cuba, and Puerto Rico.

UNIDAD 7: Lección 2   ¿Cómo vamos?, página 337

1. Gabriel may notice some differences between his own pronunciation and that of Pedro's, but he doesn't say anything about it in the dialogue. Pronunciation differences occur as much in Spanish as they do in English and are all equally valid. This is not the correct answer. Try another response.

2. Just as pronunciation will vary from country to country or region to region, so will certain vocabulary items. A **guagua** is a *bus* in Caribbean countries and a *baby* in some South American countries. Gabriel did not recognize the word because it is not commonly used in Mexico. This is the reason for his comment. This is the correct answer.

3. All of us tend to think that the way we speak is the norm, since that is what we have heard most often. Gabriel most certainly has noted differences between his Spanish and Pedro's, but he probably accepts them readily. There certainly is no indication in the dialogue that he feels that his Spanish is superior. Try another answer.

UNIDAD 8: Lección 1   ¡Es una tortilla!, página 377

1. Luisa did say that she was very hungry, but she seemed to accept Julia's comment that the **tortillas** are nice and big. Her reaction does not seem to refer to the size of the omelet, but to the idea of the waiter's having brought an omelet. Try another response.

2. There is no indication that she doesn't like omelets. Try again.

3. She says that she likes **tortillas** which indicates that she does know what they are. However, Luisa is from Mexico, where **tortillas** are pancake-thin corn flour or wheat flour breads. In Spain, a **tortilla** is an omelet. A **tortilla española** is made of eggs, sliced potatoes, and onions. This is the correct answer.

UNIDAD 8: Lección 2   Una invitación a cenar, página 395

1. Claudia may think this, particularly if she is tired, but she doesn't say so. Try again.

2. Claudia is evidently unfamiliar with Spanish mealtimes. It is not unusual for a family to dine at 10:00 or 11:00 o'clock at night. Lunch is the main meal of the day and is usually eaten about 1:30 or 2:00. Although customs are changing in the larger cities, many businesses and schools still close for two or three hours for lunch and reopen about 5:00 for three or four more hours. Consequently, dinner is eaten late. The evening meal is usually lighter than the midday meal. This is the correct answer.

3. Claudia gives no evidence that she thinks this. Try another answer.

¿POR QUÉ SE DICE ASÍ?

Manual de gramática

L E C C I Ó N
P R E L I M I N A R

LP.1 GENDER OF NOUNS: INTRODUCTION
Naming Objects

Nouns name people, places, things, or concepts. In Spanish, nouns are either masculine or feminine. You must learn the gender of nouns as you learn their meaning, but there are some general rules. Most nouns that end in **-o** are masculine, and most nouns that end in **-a** are feminine.

Masculine Nouns		Feminine Nouns	
libro	*book*	mochila	*backpack*
cuaderno	*notebook*	carpeta	*folder*
lápiz	*pencil*	clase	*class*
papel	*paper*	pizarra	*chalkboard*
escritorio	*desk*	mesa	*table, desk*
borrador	*eraser*	silla	*chair*

LP.2 INDEFINITE AND DEFINITE ARTICLES
Talking about Nonspecific and Specific Things

■ The indefinite article, *a* or *an* in English, is used to refer to nonspecific things. The Spanish equivalent depends on whether the noun it refers to is masculine or feminine. Masculine nouns use the form **un;** feminine nouns use **una.**

Masculine Nouns		Feminine Nouns	
un libro	*a book*	una mochila	*a backpack*
un cuaderno	*a notebook*	una carpeta	*a folder*
un lápiz	*a pencil*	una clase	*a class*
un papel	*a paper*	una pizarra	*a chalkboard*
un escritorio	*a desk*	una mesa	*a table, desk*
un borrador	*an eraser*	una silla	*a chair*

- The definite article, *the* in English, is used to talk about specific things. The Spanish equivalent depends on the gender of the noun it refers to. Masculine nouns use **el**; feminine nouns use **la.**

Masculine Nouns		Feminine Nouns	
el libro	*the book*	la mochila	*the backpack*
el cuaderno	*the notebook*	la carpeta	*the folder*
el lápiz	*the pencil*	la clase	*the class*
el papel	*the paper*	la pizarra	*the chalkboard*
el escritorio	*the desk*	la mesa	*the table, desk*
el borrador	*the eraser*	la silla	*the chair*

Vamos a practicar

a. ¡Caramba!   A puppy was left alone in this room for 15 minutes, and now everything is a mess. Which items listed below do *not* appear in the room? On a separate piece of paper, write down the items you could not find.

cuaderno	mochila	carpeta
lápiz	mesa	papel
bolígrafo	libro	escritorio

b. ¿Qué hay?   List as many school items as you can find in the puppy's messy room above. Make sure to include **un** or **una** before each item.

c. ¿Qué hay aquí?   A substitute teacher doesn't know where things are in your classroom, so she asks you. Complete her questions.

MODELO   ¿Dónde está **el** libro de español del profesor?

1. ¿Dónde está _____ cuaderno del profesor?
2. ¿Dónde está _____ silla del profesor?
3. ¿Dónde está _____ bolígrafo del profesor?
4. ¿Dónde está _____ papel del profesor?
5. ¿Dónde está _____ carpeta del profesor?

LECCIÓN 1

1.1 SUBJECT PRONOUNS: SINGULAR FORMS
Referring to People

Subject pronouns are used to talk to and about other people. In Spanish, the subject pronouns have the following forms:

Singular Subject Pronouns	
yo	*I*
tú	*you (informal)*
usted	*you (formal)*
él	*he*
ella	*she*
—	*it*

Yo (*I*) refers to the person speaking, **tú** or **usted** (*you*) to the person spoken to, and **él** or **ella** (*he, she*) to the person spoken about. The subject pronoun *it* in English is NEVER expressed in Spanish.

Yo soy Miguel.	*I am Miguel.*
Ella no es la profesora.	*She is not the teacher.*
¿Quién eres **tú**?	*Who are you?*
¿Es **usted** el Sr. Ramos?	*Are you Mr. Ramos?*
¿Quién es **él**?	*Who is he?*
¿Qué es? Es un perro.	*What is it? It is a dog.*

- **Yo** is not capitalized unless it comes at the beginning of a sentence.

- **Tú** and **usted** both mean *you*. **Tú** is the familiar form of address usually used with children, family, and friends. **Usted** is used to show respect or to indicate a more formal relationship with the person addressed. Customarily, **usted** is used to address teachers and elderly people, as well as adults you don't know well.

- **Usted** is always used with anyone referred to by title:

Sr. (señor)	Prof. (profesor[a])
Sra. (señora)	Dr. (doctor)
Srta. (señorita)	Dra. (doctora)

Buenas tardes, Sra. Ramos. ¿Cómo está **usted**?
Muy bien, gracias, Dr. Sánchez. ¿Y **usted**?

■ When addressing someone directly, the definite article is not used with the title.

Buenos días, Sr. Castillo.
¿Cómo está usted, Sra. Ramírez?

However, when talking *about* someone, the definite article **el / la / los / las** is always used in front of the title.

¿Cómo está **la** Sra. Castillo?
El Sr. Romero es mi profesor de matemáticas.

Vamos a practicar

a. **¿Quién es?**   Indicate which pronoun—**yo, tú, usted, ella, él**—you would use with the following people. Each pronoun may be used more than once.

1. your mother, when you are talking to her
2. your father, when you are talking about him
3. a male friend you are talking about
4. a close friend you are talking to
5. a female friend you are talking about
6. you, talking about yourself
7. a teacher you are talking to
8. your aunt, when you are talking about her

b. **¿Tú o usted?**   Would you use **tú** or **usted** to address the following people?

1. your sister
2. the principal of your school
3. your Spanish teacher
4. your teenage cousin
5. the classmate who sits behind you
6. a clerk at the store
7. your best friend
8. the guidance counselor

c. **Amigos y profesores.**   Which pronoun would you use to refer to the following people?

MODELO   *Pablo* es mi amigo.
         Él **es mi amigo.**

1. *Diana* es mi amiga.
2. *La Srta. Montero* es mi profesora.
3. *El Sr. Whitaker* es mi profesor de historia.
4. *Alicia* es mi amiga.
5. *Juan* es mi amigo.
6. *El Sr. Pérez* es el director de la escuela.
7. *La Sra. Ramos* es mi profesora de matemáticas.
8. *José* es mi amigo.

ch. Fotos.   A Mexican friend, Pilar, is showing you some photos she took at school. You are curious to know who the people in the photographs are. What would you ask her?

MODELO   Tú: **¿Quién es él?**
             Pilar: Es mi amigo Pablo.

1. Tú: ¿ . . . ?
   Pilar: Es mi profesora de español.

2. Tú: ¿ . . . ?
   Pilar: Es el Sr. Morales.

3. Tú: ¿ . . . ?
   Pilar: Es mi amigo Rafael.

4. Tú: ¿ . . . ?
   Pilar: Es mi amiga Teresa.

5. Tú: ¿ . . . ?
   Pilar: Es el profesor de matemáticas.

6. Tú: ¿ . . . ?
   Pilar: Es mi amigo Samuel.

7. Tú: ¿ . . . ?
   Pilar: Es Luisa, mi buena amiga.

8. Tú: ¿ . . . ?
   Pilar: ¡Caramba! ¡Soy yo!

1.2   THE VERB *SER*: SINGULAR FORMS

The singular forms of the verb **ser** (*to be*) are as follows:

Ser		
yo	**soy**	*I am*
tú usted	**eres** **es**	*you are*
él ella —	**es** **es** **es**	*he is* *she is* *it is*

■ **Ser** is used in the following ways:

To describe physical characteristics and personality traits
   Luis **es** alto y guapo.   *Luis is tall and good-looking.*
   No **es** muy modesto.   *He is not very modest.*
   Ana María **es** interesante.   *Ana María is interesting.*

To tell where someone is from
   Soy de California.   *I'm from California.*
   Usted **es** de Miami, ¿no?   *You're from Miami, aren't you?*

To identify someone or something
   Silvia **es** la nueva chica.   *Silvia is the new girl.*
   Es una escuela grande.   *It is a large school.*
   ¿**Eres** el amigo de Ricardo?   *Are you Ricardo's friend?*

a. ¿Quién es? Identify these people at your school by combining items from each column. Be sure to use the verb form that corresponds to the subject. There are many possible answers.

MODELO **Tú eres mi amiga.**

la Srta./Sra. . . .
tú
él
usted   soy
yo   eres
ella   es
el Sr. . . .
el (la) Prof. . . .
¿ . . . ?

el (la) profesor(a) de español
mi amiga
un (una) estudiante muy bueno(a)
mi amigo Andrés
un (una) profesor(a) excelente
el (la) director(a) de la escuela
un(a) buen(a) amigo(a)

b. Una nueva estudiante. Carlos and Alicia meet at school for the first time. Complete their conversation with the appropriate forms of **ser.**

Carlos: Buenos días. _____ Carlos.
Alicia: Hola. Mi nombre _____ Alicia.
Carlos: Tú _____ la nueva chica, ¿verdad?
Alicia: Sí. _____ de Los Ángeles.
Carlos: Pues, ¡pobrecita! ¡El primer día de clases _____ terrible!
Alicia: ¿Terrible? ¡No! ¡_____ estupendo!

c. La primera semana. Use the appropriate form of **ser** to see what this student can say after the first week of Spanish classes.

Mi nombre _____ Alicia. _____ de California. La señora Pérez _____ mi profesora de español. _____ una profesora excelente. Ella _____ puertorriqueña.

1.3   SUBJECT PRONOUNS: USE

In Spanish, the subject pronoun is not usually used because the verb ending indicates the subject. For example, **eres** means *you are.*

■ All forms of **ser** are used without a subject pronoun when the subject is clearly understood from the context or when the English subject is *it.*

Soy el nuevo estudiante.   *I am the new student.*
Eres mi amigo.   *You are my friend.*
Es la profesora de español.   *She is the Spanish teacher.*
Es hora de clase.   *It is time for class.*

■ Subject pronouns are used in order to be very clear (that is, for clarification) or for emphasis.

Clarification:

¿Quién es **él**? ¿Beto o Toni?	*Who is he? Beto or Toni?*
Él es el señor Pérez y **ella** es la señorita Montero.	*He is Mr. Pérez and she is Miss Montero.*

Emphasis:

Yo soy de Bogotá; **él** es de Caracas.	*I am from Bogota; he is from Caracas.*

Vamos a practicar

a. ¿De quién hablas?   Find out who María, Samuel, and Teresa are talking about by selecting the correct subject pronoun for each verb.

María: (1) soy María. ¿Quién eres (2) ?
Samuel: (3) soy Samuel.
María: ¿ (4) eres el nuevo estudiante?
Samuel: Sí. ¿Quién es tu amiga?
María: (5) es Teresa.
Samuel: Encantado. (6) soy Samuel Marín.
Teresa: Mucho gusto.

b. El primer día.   On the first day of school, you overhear this conversation in the hallway. Complete the conversation by choosing the word that best fits in each blank.

Rafael:	Mira a esa chica. ¿Quién (1) ?	**1.** soy	eres	es	
Tito:	(2) es mi amiga, Clara. ¡Hola Clara! ¿Cómo estás?	**2.** Tú	Ella	Él	
Clara:	Muy bien, ¿y (3) ?	**3.** tú	ella	él	
Tito:	Excelente, gracias. Profesora García, ¿cómo está (4) ?	**4.** tú	usted	ella	
Profesora:	Muy bien, Tito. ¿Quién (5) tu amigo?	**5.** soy	eres	es	
Rafael:	(6) Rafael Martínez, profesora.	**6.** Soy	Eres	Es	
Profesora:	¿ (7) el estudiante nuevo?	**7.** Soy	Eres	Es	
Rafael:	Sí, (8) soy el nuevo.	**8.** yo	tú	él	

LECCIÓN 2

1.4   ¿DE DÓNDE . . . ? AND SER DE . . .

Used to Talk about Where Someone Is From

In order to ask where someone is from, Spanish uses **¿De dónde . . . ?** and a form of **ser.**

¿De dónde es usted?	*Where are you from?*

In order to say where someone is from, Spanish uses

ser + de + *place*

Soy de San Francisco.   *I am from San Francisco.*
¿María? **Es de** México.   *María? She is from Mexico.*

■ The names of countries in Spanish, as in English, are always capitalized.

■ Sometimes the definite article is used with certain countries, although the tendency is to not use it. You should, however, recognize it if you hear or see it used with these countries.

la Argentina	el Paraguay
el Brasil	el Perú
el Ecuador	el Uruguay
los Estados Unidos	

■ The definite article is always used with El Salvador, because it is part of the country's name, and with la República Dominicana.

Vamos a practicar _____

a. ¡Sudamérica!   Tell where the following people are from.

MODELO   ¿De dónde es Carmen? (5)
          Carmen es de Bolivia.

1. ¿De dónde es Arturo? (4)
2. ¿De dónde es Enrique? (9)
3. ¿De dónde es Sara? (6)
4. ¿De dónde es Marta? (3)
5. ¿De dónde es Ana? (8)
6. ¿De dónde es Rafael? (1)
7. ¿De dónde es Mario? (5)
8. ¿De dónde es Lola? (10)
9. ¿De dónde es Samuel? (2)
10. ¿De dónde es Luisa? (7)

b. Capitales sudamericanas.   Complete the following sentences.

MODELO   Caracas es la capital de **Venezuela**.

1. Asunción es la capital de _____.
2. Bogotá es la capital de _____.
3. Lima es la capital de _____.
4. Buenos Aires es la capital de _____.
5. Quito es la capital de _____.

6. Montevideo es la capital de _____.
7. Brasilia es la capital de _____.
8. La Paz es la capital de _____.
9. Santiago es la capital de _____.
10. Caracas es la capital de _____.

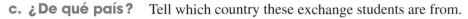

c. ¿De qué país?   Tell which country these exchange students are from.

MODELO   Ana es de San Juan.
   Es de Puerto Rico.

1. Tina es de San Salvador.
2. Beto es de La Habana.
3. Tomás es de Managua.
4. Silvia es de San José.
5. Sara es de Santo Domingo.

6. Mario es de la Ciudad de México.
7. Luisa es de Tegucigalpa.
8. Eduardo es de la Ciudad de Guatemala.
9. Arturo es de San Juan.
10. María es de la Ciudad de Panamá.

ch. ¿De dónde eres?   What do these exchange students say when asked
if they are from a particular country?

MODELO   Elena, ¿eres de Colombia?
   Sí, soy de Bogotá.

1. Bárbara, ¿eres de Chile?
2. Jorge, ¿eres de El Salvador?
3. Silvia, ¿eres de Costa Rica?
4. Carlos, ¿eres de Venezuela?
5. Marta, ¿eres de Cuba?

6. Víctor, ¿eres de Uruguay?
7. Beto, ¿eres de Puerto Rico?
8. Gloria, ¿eres de Paraguay?
9. Cristina, ¿eres de Nicaragua?
10. Ana, ¿eres de la República Dominicana?

d. ¡Bienvenidos!   At a party for exchange students, Elena meets several students.
Complete their conversation with the correct form of **ser, ¿De dónde . . . ?** or **ser
de.** You may wish to decide first whether to use **ser, ¿De dónde . . . ?** or **ser de,**
and then put the verb in the correct form.

Elena:	Buenas noches. Yo (1) Elena Romero. ¿Y tú?	**1.** soy	eres	es
Hilda:	Hilda Marín, mucho gusto. ¿Tú (2) aquí, Elena?	**2.** es de	eres	eres de
Elena:	Sí, y tú, ¿ (3) eres?	**3.** Cómo	De dónde	Dónde
Hilda:	(4) Bolivia, de la capital. Elena, quiero presentarte a mi amigo, Esteban. (5) muy simpático.	**4.** Eres de	Soy de	Eres
		5. Soy	Eres	Es
Elena:	Y (6) guapo también. ¿ (7) es él?	**6.** soy	eres	es
Hilda:	Esteban (8) Centroamérica, de Honduras.	**7.** Cómo	De dónde	Dónde
		8. Es de	Es	Eres de

L E C C I Ó N   3

1.5 GENDER OF NOUNS

In the **Lección preliminar,** you learned that a noun is a word that names a person,
animal, place, thing, event, or concept. You also learned that in Spanish, all nouns
have gender; they are either masculine or feminine. Most nouns that end in **-o** are
masculine, and most nouns that end in **-a** are feminine.

■ The gender of nouns that do not end in **-o** or **-a** must be learned as you learn their meaning.

Feminine Nouns	Masculine Nouns
la clase	el lápiz
la capital	el papel

■ Most nouns that refer to male people or animals are masculine; most nouns that refer to female people or animals are feminine.

Feminine Nouns		Masculine Nouns	
amiga	*friend*	amigo	*friend*
chica	*girl*	chico	*boy*
directora	*principal*	director	*principal*
mamá	*mom*	papá	*dad*
profesora	*teacher*	profesor	*teacher*
señora	*Mrs.*	señor	*Mr.*
gata	*cat*	gato	*cat*

■ Some nouns may be either masculine or feminine. When this is the case, only the definite article changes.

la estudiante   **el** estudiante
la turista   **el** turista
la artista   **el** artista

Vamos a practicar

a. ¿Masculino o femenino?   Indicate if the following words are masculine or feminine.

MODELO   chico   doctora
          masculino: el chico   **femenino: la doctora**

1. papá	**5.** mamá	**9.** señora
2. profesora	**6.** director	**10.** profesor
3. amigo	**7.** señor	**11.** directora
4. chica	**8.** amiga	**12.** doctor

b. ¿Quién es?   Answer the question according to the model.

MODELO   ¿Quién es? (director)
          Es el director.

1. profesor	**4.** señorita Téllez	**7.** señor López
2. profesora	**5.** señora Roque	**8.** mamá
3. padre	**6.** directora	**9.** amigo de papá

1.6 GENDER OF ADJECTIVES
Used to Describe

Adjectives are words that describe nouns. For example, in the sentence **Anita es alta** (*Anita is tall*), **alta** is an adjective because it describes **Anita.** Other examples are:

Daniel es **delgado.**	*Daniel is thin.*
Tú eres **simpática.**	*You are nice.*
Soy **estudioso.**	*I am studious.*

In Spanish, an adjective that describes a masculine noun must also be masculine; one that describes a feminine noun must be feminine. In order to make adjectives masculine or feminine, you may have to change the ending.

■ Most adjectives in Spanish have a masculine ending **-o** and a feminine ending **-a.**

Adjective Endings		
Masculine	**-o**	estudios**o**
Feminine	**-a**	estudios**a**

Some adjectives with **-o/-a** endings are:

aburrido(a)	*boring*
alto(a)	*tall*
antipático(a)	*unpleasant*
atlético(a)	*athletic*
bajo(a)	*short*
bonito(a)	*pretty*
bueno(a)	*good*
cómico(a)	*funny*
delgado(a)	*slender, thin*
desorganizado(a)	*disorganized*
feo(a)	*ugly*
flaco(a)	*skinny*
generoso(a)	*generous*
gordo(a)	*fat, chubby*
guapo(a)	*good-looking, handsome*
mediano(a)	*average*
moreno(a)	*dark (hair, complexion)*
organizado(a)	*organized*
pelirrojo(a)	*red-haired, redheaded*
pequeño(a)	*small*
romántico(a)	*romantic*
rubio(a)	*blond*
serio(a)	*serious*
simpático(a)	*nice, pleasant*
tímido(a)	*timid*
tonto(a)	*silly, dumb*

- Other adjectives have only one ending for both masculine and feminine nouns. These adjectives end in **-e** or in a consonant. Some of the adjectives that belong to this group are:

difícil	*difficult*
elegante	*elegant*
exigente	*demanding*
fuerte	*strong*
grande	*big, large*
inteligente	*intelligent*
interesante	*interesting*
joven	*young*
popular	*popular*

- When you use more than one adjective, the last one is connected by **y** (*and*).

   Él es grande **y** fuerte.
   Ella es alta, delgada **y** elegante.

- The word **y** becomes **e** whenever it is followed by a word beginning with **i** or **hi.**

   Carlos **e** Isabel son guapos **e** inteligentes.

Vamos a practicar _____

a. ¡Ideales!   Martín and Marta are going steady. Their friends say they are ideal for each other because they are so much alike. Describe them.

MODELO   Marta es alta y morena. (Martín)
Martín también es alto y moreno.

1. Marta es modesta y muy generosa. (Martín)
2. Martín es alto y simpático. (Marta)
3. Martín es inteligente y estudioso. (Marta)
4. Marta es delgada y muy guapa. (Martín)
5. Martín es interesante y muy romántico. (Marta)
6. Marta es organizada y seria. (Martín)
7. Martín es atlético y popular. (Marta)

b. ¡Qué diferentes!   Julio and Gloria are also going steady, but no one expects their relationship to last because they are total opposites. Can you describe them?

MODELO   Julio es alto. (Gloria)
Gloria es baja.

1. Julio es rubio. (Gloria)
2. Gloria es interesante. (Julio)
3. Julio es gordo. (Gloria)
4. Gloria es organizada. (Julio)
5. Julio es simpático. (Gloria)
6. Julio es tonto. (Gloria)
7. Gloria es pequeña. (Julio)
8. Gloria es guapa. (Julio)

c. Mis amigos. How does Lisa describe her friends?

MODELO Ana / alto / moreno
Ana es alta y morena.

1. Pablo / organizado / muy generoso
2. Lola / simpático / elegante
3. Silvia / atlético / fuerte
4. Arturo / alto / pelirrojo
5. María / tímido / modesto
6. Jaime / estudioso / interesante
7. Luisa / gordo / bonito
8. Carlos / guapo / cómico
9. Lisa / popular / inteligente
10. José / desorganizado / romántico

ch. ¿Cómo eres tú? Choose five characteristics that describe you. Then do the same for your best male friend and your best female friend.

1. Yo soy . . .
2. Mi mejor amigo es . . .
3. Mi mejor amiga es . . .
4. Mi mejor amigo y yo somos similares porque él es . . . y yo soy . . .
5. Mi mejor amiga y yo somos diferentes porque ella es . . . y yo soy . . .

d. Hablando de profesores... Norma and Raúl are talking about some teachers. To find out what they say, complete their conversation by choosing the word that best fits in each blank.

Norma: ¿Cómo es la profesora de biología?
Raúl: ¿La señorita Gómez? Es muy simpática, pero un poco (1) . Es exigente pero muy (2) . También es muy (3) . ¿Quién es el (4) profesor de español?
Norma: Es el señor Menéndez. Es un poco (5) pero también es inteligente y muy (6) . Es muy (7) .
Raúl: ¿Quién es ese profesor (8) ?
Clara: ¡Él no es un profesor! ¡Es mi papá!

1. tímido   tímida
2. buena   bueno
3. bonita   bonito
4. nueva   nuevo
5. desorganizado   desorganizada
6. simpático   simpática
7. buena   bueno
8. pelirroja   pelirrojo

L E C C I Ó N 1

2.1 NUMBERS 0–30

0 cero	**11** once	**22** veintidós
1 uno	**12** doce	**23** veintitrés
2 dos	**13** trece	**24** veinticuatro
3 tres	**14** catorce	**25** veinticinco
4 cuatro	**15** quince	**26** veintiséis
5 cinco	**16** dieciséis	**27** veintisiete
6 seis	**17** diecisiete	**28** veintiocho
7 siete	**18** dieciocho	**29** veintinueve
8 ocho	**19** diecinueve	**30** treinta
9 nueve	**20** veinte	
10 diez	**21** veintiuno	

- In addition to counting and giving numbers, these numbers can be used to tell how many things there are.

  dos clases
  catorce libros
  veinte estudiantes

- The number **uno** (including **veintiuno, treinta y uno,** etc.) becomes **un** before masculine nouns and **una** before feminine nouns.

Tengo **un** hermano y **una** hermana.	*I have one brother and one sister.*
El colegio tiene solamente veinti**una** computadoras.	*The school has only twenty-one computers.*
Hay veinti**ún** teléfonos.	*There are twenty-one telephones.*

Vamos a practicar

a. Seguro social. Some new students want to enroll in Colegio San José, Puerto Rico. What are their Social Security numbers?

MODELO 314-25-0921
tres, uno, cuatro, dos, cinco, cero, nueve, dos, uno

1. 119-28-2016

2. 015-23-1402

3. 516-09-2706

4. 327-10-2729

5. 925-17-1424

6. 021-21-1315

7. 525-19-2226

8. 319-11-3013

9. 517-12-2311

b. Códigos postales. Practice saying the following ZIP codes.

MODELO   Los Ángeles, CA 90078
nueve, cero, cero, siete, ocho

Madison, WI	53706
Ann Arbor, MI	48104
Sacramento, CA	95827
Las Cruces, NM	88001
Fort Worth, TX	79116
Lexington, MA	02173
Atlanta, GA	30327

c. ¿Cuántos hay?   Tell how many of the following items Carolina can see in her Spanish classroom.

1. 30 libros de español
2. 3 diccionarios
3. 21 cuadernos
4. 7 lápices
5. 15 bolígrafos

6. 9 mochilas
7. 20 chicas
8. 14 chicos
9. 1 profesora
10. 8 carpetas

2.2 NOUNS AND ARTICLES: SINGULAR AND PLURAL FORMS

In the **Lección preliminar,** you learned that a noun is a word that names a person, animal, place, thing, event, or concept. You also learned that nouns are either masculine or feminine. Nouns may also be either singular or plural.

Formation of Plural Nouns

Add -s to nouns that end in a vowel.

SINGULAR	PLURAL
chico	chicos
estudiante	estudiantes

Add -es to nouns that end in a consonant.

SINGULAR	PLURAL
profesor	profesores
capital	capitales

■ Nouns that end in **-z** change the **-z** to **-c** in the plural.

Hay un lápiz.   Hay cuatro lápices.

In the **Lección preliminar,** you learned that the definite article **el** is used before singular masculine nouns and **la** before singular feminine nouns. Articles, like nouns, have singular and plural forms.

Definite Articles	
Singular	Plural
el	**los**
la	**las**

  el libro **los** libros
  la carpeta **las** carpetas

Vamos a practicar

a. ¡Muchos! Make the following expressions plural.

MODELO la señora
    las señoras

1. la escuela
2. la profesora
3. la amiga
4. el profesor
5. la clase

6. el estudiante
7. el lápiz
8. la estudiante
9. la carpeta
10. el papel

b. Yo tengo más. María always insists that she has more of anything than anyone else. How does she respond when her friends say they have these things?

MODELO Tengo un cuaderno. (3)
    Yo tengo tres cuadernos.

1. Tengo un bolígrafo. (5)
2. Tengo una carpeta. (2)
3. Tengo un diccionario. (2)
4. Tengo un libro. (4)
5. Tengo un borrador. (3)

6. Tengo un profesor muy guapo. (2)
7. Tengo un mapa. (2)
8. Tengo un lápiz. (7)
9. Tengo un amigo en España. (4)
10. Tengo una mochila. (2)

c. ¿Cuántos hay? Tell how many people there are at the assembly.

MODELO señorita (6)
    Hay seis señoritas.

1. amigo (22)
2. profesor (19)
3. director (2)

4. chica (11)
5. profesora (13)
6. señor (17)

7. chico (18)
8. estudiante (29)
9. señora (7)

ch. ¿Por favor?   Your younger brother always borrows your things. Tell what he wants to borrow now.

MODELO   libro   o   libros
         el libro   **los libros**

1. mochila   3. lápices   5. bolígrafo   7. diccionario
2. cuadernos   4. carpetas   6. video   8. papeles

2.3 *TELLING TIME*

The hour, quarter hour, and half hour in Spanish are given as follows:

On the hour   Quarter hour   Half hour

Son las cinco.   **Son las nueve y cuarto.**   **Son las doce y media.**

The following expressions are used when telling time in Spanish:

Up to the half hour, add minutes to the hour using **y.**

          Son las [*hour*] **y** [*minutes*].
            3:20   Son las tres y veinte.
            11:05   Son las once y cinco.

After the half hour, subtract minutes from the next hour using **menos.**

          Son las [*next hour*] **menos** [*minutes*].
            9:49   Son las diez menos once.
            4:35   Son las cinco menos veinticinco.

■ When talking about 1:00 (between 12:30 and 1:30), **es** is used instead of **son.**

            1:14   **Es** la una y catorce.
            12:35   **Es** la una menos veinticinco.

■ *Noon* and *midnight* are expressed as **(el) mediodía** and **(la) medianoche.**

La clase es **a mediodía.**   *The class is at 12:00 noon.*
El programa es **a medianoche.**   *The program is at midnight.*

■ In Spanish, A.M. = **de la mañana,** and P.M. = **de la tarde** (from 12:00 noon to dark) and **de la noche** (after dark).

            9:15 A.M.   las nueve y cuarto **de la mañana**
            4:50 P.M.   las cinco menos diez **de la tarde**
            11:00 P.M.   las once **de la noche**

- When no specific hour is mentioned, the expressions **por la mañana, por la tarde,** and **por la noche** are used.

  Tengo matemáticas **por la mañana,** historia **por la tarde** y computación **por la noche.**

  I have math in the morning, history in the afternoon, and computer class in the evening.

- Be careful to distinguish between *what* time it is and *at* what time something occurs.

  ¿Qué hora es?　　　　　*What time is it?*
  Son las dos y cuarto.　　*It's two-fifteen.*

  ¿A qué hora es la clase?　*At what time is the class?*
  A las dos y media.　　　　*At two-thirty.*

- Many schedules—buses, trains, planes, theaters, museums—use a twenty-four-hour clock. In other words, after 12:00 noon, the hours are **13,00 h.** through **24,00 h.** (*1:00 P.M.–12:00 midnight*). Note: **h. = horas.**

  15,00 h.　=　**las tres de la tarde.**
  20,30 h.　=　**las ocho y media de la noche.**

  In order to convert back to twelve-hour time, you must subtract twelve from the hour.

  18,00 h.　　(18 minus 12 =)　　*6:00 P.M.*
  22,30 h.　(22,30 minus 12 =)　*10:30 P.M.*

Vamos a practicar

a. ¿Qué hora es?　Give the time according to the following clocks.

MODELO　**Son las nueve y cuarto de la mañana.**

1.

4.

6.

2.

5.

7.

3.

8.

b. ¿A qué hora? At what time of day do you do the following things?

MODELO brush your teeth
A las siete y cuarto de la mañana.

1. get up in the morning
2. leave for school
3. eat lunch
4. go home from school
5. eat dinner
6. do your homework
7. watch TV
8. go to bed

c. Antes de clase. You hear these people talking before class. To find out what they say, choose the word or phrase which best completes their statements.

Diana:	Hola, Julio. ¿Qué clases (1) ?	**1.**	tengo	tienes	tiene
Julio:	(2) álgebra. Y tú, ¿qué clases (3) ?	**2.**	Tengo	Tienes	Tiene
		3.	tengo	tienes	tiene
Diana:	Por (4) tengo español.	**4.**	11:30	el día	la tarde

ch. ¿Cuándo es? Julio is a very precise person. Pablo tends not to worry about details. How does each respond to the following questions?

MODELO ¿Cuándo es tu clase de matemáticas? (9,10 h.)
Julio: **A las nueve y diez de la mañana.**
Pablo: **Por la mañana.**

1. ¿Cuándo es tu clase de computación? (8,00 h.)
2. ¿Cuándo tienes educación física? (14,15 h.)
3. ¿Cuándo es tu clase de ciencias? (12,45 h.)
4. ¿Cuándo tienes español? (15,00 h.)
5. ¿Cuándo es tu clase de historia? (10,15 h.)
6. ¿Cuándo tienes música? (13,10 h.)
7. ¿Cuándo es tu clase de baile? (16,45 h.)
8. ¿Cuándo tienes inglés? (11,00 h.)

2.4 THE VERB TENER: SINGULAR FORMS

The verb **tener** (*to have*) is used to talk about things or activities that you have.

Tener	
yo	**tengo**
tú	**tienes**
usted	**tiene**
él, ella	**tiene**

Tienes español en la sala 22.
Eva **tiene** cinco clases hoy.
Tengo un problema.

You have Spanish in room 22.
Eva has five classes today.
I have a problem.

Vamos a practicar _____

a. Aficionado.   You love computing and always have extra computer things at home. Following the cues, tell what you have.

MODELO   almohadilla
Tengo (tres) almohadillas en casa. o
No tengo almohadillas.

1. computadora
2. ratón
3. audífono
4. teclado
5. parlantes
6. impresora láser

b. Horarios.   José, Julia, and Elvira are discussing their class schedules. Find out how these compare by completing the conversation with the appropriate forms of the verb **tener.**

MODELO   José **tiene** educación física a las tres.

Julia: Yo _____ matemáticas a las nueve.

Elvira: ¿Ah, sí? José también. José, ¿no _____ tú matemáticas a las nueve?

José: Sí. Y a las dos Julia _____ biología conmigo.

Elvira: Julia, ¿ _____ clase con la Srta. Gómez?

Julia: Sí, _____ inglés con ella. ¡Es mi profesora favorita!

c. ¿Cuál es tu horario?   Compare your schedule with the following students' schedules.

MODELO   Miguel **tiene** educación física a la una.
        Yo **tengo** educación física a las _____.

1. Sara _____ matemáticas a las nueve menos cuarto.
   Yo _____ matemáticas a las _____.

2. Ramón _____ historia a las nueve y media.
   Yo _____ historia a las _____.

3. Gloria _____ ciencias a las diez y cuarto.
   Yo _____ ciencias a las _____.

4. Estela _____ inglés a las once.
   Yo _____ inglés a las _____.

5. Carlos _____ español a las dos menos cuarto.
   Yo _____ español a las _____.

6. Martín _____ educación física a las dos y media.
   Yo _____ educación física a las _____.

LECCIÓN 2

2.5 ADJECTIVES: SINGULAR AND PLURAL FORMS
Used to Describe People and Things

Adjectives, like nouns, have both singular and plural forms.

Formation of Plural Adjectives	
If the singular form of an adjective ends in a vowel, add -s.	
SINGULAR	PLURAL
bueno	buenos
perfeccionista	perfeccionistas
excelente	excelentes
If the singular form of an adjective ends in a consonant, add -es.	
SINGULAR	PLURAL
popular	populares
fatal	fatales
difícil	difíciles

- In Spanish, adjectives must agree in number (*singular / plural*) and in gender (*masculine / feminine*) with the noun they modify. Note that adjectives usually follow the noun.

  Él es mi profesor favorito.　　He is my favorite teacher.
  Las clases son estupendas.　　The classes are fabulous.

- When one adjective describes two or more nouns, one of which is masculine, the masculine form of the adjective is used.

  La profesora y el director son altos.
  El patio y la cafetería son fantásticos.

- Words ending in **-ista** are either masculine or feminine.

  el artista
  la artista　　*the artist*

  el pianista
  la pianista　　*the pianist*

Vamos a practicar

a. Descripciones.   Choosing from the list of adjectives, tell how Sara describes her parents and her friends. There may be more than one correct answer in some instances.

Mi amiga Daniela es _____ .   desorganizadas
Mi mamá y mi papá son _____ .   simpáticas
Rafael es _____ .   guapos
Susana y Victoria son _____ .   tímida
Mi papá y yo somos _____ .   inteligentes
Tú y Carlos son _____ .   perfeccionistas
Mis amigas son _____ .   alto

b. Me gusta mi nueva escuela.   Help Elena complete this letter to her friend by providing the correct form of the adjective corresponding to each blank space.

1. excelente   **3.** bueno   **5.** fácil   **7.** divertido
2. exigente   **4.** interesante **6.** simpático   **8.** aburrido

> Querida Carolina,
>
>   ¡Hola! Mi nueva escuela es _1_. Me gustan mucho los profesores. Son _2_ pero son _3_ también. Mis clases son _4_ pero no son _5_. Los estudiantes son _6_. Hay muchos chicos. Son _7_. No son _8_.
>
>   ¿Cómo está todo en tu escuela? Escríbeme. Hasta pronto.
>
> > Tu amiga
> > Elena

c. ¿Cómo son?   Combine the following into complete sentences to tell how some students describe your school.

MODELO   Los profesores son _____ (bueno).
              Los profesores son **buenos.**

1. El colegio es _____ (estupendo).
2. La profesora de español es _____ (organizado).
3. Unos estudiantes son _____ (regular).
4. Otros estudiantes son _____ (estudioso).
5. Unas clases son _____ (fantástico).
6. Otras clases son _____ (aburrido).
7. Los profesores de matemáticas son _____ (exigente).
8. Las clases de educación física son _____ (bueno).

2.6 SUBJECT PRONOUNS: SINGULAR AND PLURAL FORMS

You know that **yo, tú, usted, él,** and **ella** are *singular subject pronouns* used to identify people without using or repeating their names. *Plural subject pronouns* are used when the subject of the sentence refers to two or more persons, places, or things.

Subject Pronouns			
	Singular	Plural	
I	**yo**	**nosotros** **nosotras**	*we* (masculine) *we* (feminine)
you (familiar) *you* (formal)	**tú** **usted**	**vosotros(as)** **ustedes**	*you*
he, it (masculine) *she, it* (feminine)	**él** **ella**	**ellos** **ellas**	*they* (masculine) *they* (feminine)

- **Yo** and **nosotros(as)** refer to the persons speaking, **tú, usted, vosotros(as),** and **ustedes** to the persons spoken to, and **él, ella,** and **ellos(as)** to the persons or things spoken about.

- **Nosotras** and **ellas** refer to groups of all females. **Nosotros** and **ellos** are used for mixed groups or groups of all males.

- As with singular pronouns, plural pronouns are used only for clarification or for emphasis.

  Clarification:
  No son **ellos**, son **ellas**.

  Emphasis:
  Nosotros somos inteligentes, **ellos** no.

- In Spain, **vosotros(as)** is used as the plural of **tú;** in Latin America, **ustedes** is used as the plural of both **tú** and **usted.**

Vamos a practicar _____

a. ¿Quiénes? What subject pronouns would you use to talk about the following people?

MODELO Carlos y yo
nosotros

1. Carlota y María	4. tú y tú	7. tú y Juan
2. mi amiga y yo	5. ustedes y el profesor	8. tú y yo
3. Manuel y Andrés	6. usted y yo	9. tú y ella

b. **¿Uno o más?** Make the singular pronouns plural and the plural pronouns singular.

MODELO ustedes
usted

1. yo
2. nosotros
3. tú
4. él
5. usted
6. ellas
7. ustedes
8. ellos
9. nosotras

2.7 THE VERB SER

In **Unidad 1** (section 1.2), you learned the singular forms of the verb **ser** (*to be*). Here are both the singular and plural forms.

Ser			
yo	**soy**	nosotros(as)	**somos**
tú	**eres**	vosotros(as)	**sois***
usted	**es**	ustedes	**son**
él, ella	**es**	ellos, ellas	**son**

Somos muy simpáticos, ¿no?
Ustedes **son** norteamericanos, ¿verdad?
Mis clases no **son** fáciles.

Vamos a practicar

a. **¿Cómo son?** Find out what Anita says about the people in her school by completing the blanks with the proper form of the verb **ser.**

MODELO Antonia y Andrea __son__ rubias.

1. Carlota y yo _____ inteligentes.
2. Elena _____ muy bonita.
3. Roberto y Laura _____ antipáticos.
4. Tú _____ desorganizada.
5. La profesora Estrada _____ exigente.
6. Nosotras _____ delgadas.
7. Ustedes _____ altos.
8. Yo _____ guapa.
9. El Sr. Nogales _____ interesante.

*The **vosotros(as)** form is presented in the verb charts of the *Gramática* section for awareness and recognition. The form does not appear in the exercises, and therefore students will not be expected to produce it.

b. **Compañeros de clase.** How does Mario describe the people in his Spanish class? There may be more than one correct answer in some instances.

MODELO **María es atlética.** o **Ellos son altos.**

ustedes	inteligente
Carlos	bonitas
yo	altos
tú y tu amigo	tímido
nosotros	interesantes
tú	guapos
María	fatal
Clara y Raúl	atlética
Marta y yo	simpático
el Sr. Nogales	romántica

c. **¡Somos fantásticos!** You are teasing a friend from a rival school. What do you say?

MODELO fantástico / fatal
Nosotros somos fantásticos; ustedes son fatales.

1. divertido / aburrido
2. simpático / antipático
3. organizado / desorganizado
4. guapo / feo
5. inteligente / tonto
6. bueno / malo

ch. **Mis amigos.** Carmen is describing people in her neighborhood. What does she say?

MODELO el Sr. González / alto
El señor González es alto.

1. Alicia / simpático
2. Raúl y Ernesto / alto
3. Paco y yo / delgado
4. la Sra. Álvarez / gordo
5. yo / moreno
6. ustedes / guapo
7. tú / pequeño
8. ellas / rubio

2.8 THE VERB ESTAR

The verb **estar** (*to be*) has the following forms:

Estar			
yo	**estoy**	nosotros(as)	**estamos**
tú	**estás**	vosotros(as)	**estáis**
usted	**está**	ustedes	**están**
él, ella	**está**	ellos, ellas	**están**

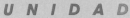

■ You already know that the verb **estar** is used in greetings and to talk about how people feel.

¿Cómo **está** usted?	*How are you?*
¿**Estás** bien?	*Are you OK?*
Sí, **estoy** bien.	*Yes, I'm fine.*

■ **Estar** is also used to tell the location of people and things.

¿Dónde **está** Lima?

Pedro **está** en la biblioteca.

¿Por qué **están** ustedes aquí?

Ellas **están** en México.

Vamos a practicar

a. ¿Dónde están todos?   Use the proper forms of the verb **estar** to help the school secretary locate the following people.

1. ¿Dónde _____ Marcos?

Marcos _____ en la clase de biología.

2. Y Alfredo, ¿dónde _____ él?

_____ en la clase de historia.

3. Y, ¿dónde _____ Tomás y Mario?

_____ en el gimnasio.

4. Y el otro profesor de educación física, ¿dónde _____?

_____ en la biblioteca.

5. Y, ¿dónde _____ tu amigo?

_____ en la clase de matemáticas.

b. ¿Dónde está?   Susana is helping her friend Clara unpack a new computer she just bought. How would she ask for the following items?

MODELO   audífonos

¿Dónde están los audífonos?

1. parlantes

2. disco compacto

3. módem

4. cables

5. software

6. disco duro

7. reproductor de CD-ROM

8. micrófono

9. diskette

10. monitor

c. El Agente 006. Agent 006 is in a meeting with his division chief. Complete their conversation with the appropriate forms of **estar.**

Jefe: ¿Dónde _____ el Agente 003?
Agente 006: El 003 _____ en Bolivia.
Jefe: ¿Dónde _____ los Agentes 014 y 002?
Agente 006: _____ en Panamá.
Jefe: ¿Dónde _____ el Agente 006?
Agente 006: ¿El 006? Yo _____ aquí con usted.
Jefe: ¿Y dónde _____ nosotros?
Agente 006: Es un secreto.

ch. Nuevos amigos. Felipe wrote a letter to his friend describing some new friends and their schedules. Complete his letter with the appropriate forms of **estar** and **ser.** You may want to decide which verb to use first and then decide on the correct form.

Raúl (1) un nuevo estudiante. Tiene álgebra a las nueve. Yo también. Raúl (2) muy simpático. Ahora (3) en la biblioteca. (4) muy estudioso. Susana y Clara (5) en mi clase de biología. Clara (6) alta y morena y Susana (7) baja y pelirroja. Las dos (8) muy bonitas y divertidas. (9) muy buenas amigas.

L E C C I Ó N   3

2.9 INFINITIVES

The basic form of the verb used to name an action is called the *infinitive*. This is the form that appears in Spanish dictionaries. In English, infinitives begin with *to*: *to work, to run, to write*. In Spanish, the infinitive always ends in **-ar, -er,** or **-ir: trabaj*ar*, corr*er*, escrib*ir*.**

Some common infinitives are:

-ar verbs			
alquilar	*to rent*	**mirar**	*to look at*
calificar	*to grade*	**participar**	*to participate*
estar	*to be*	**pasear**	*to take a walk, ride*
estudiar	*to study*	**practicar**	*to practice*
hablar	*to talk, speak*	**preparar**	*to prepare*
jugar	*to play* (a game)	**trabajar**	*to work*
limpiar	*to clean*	**viajar**	*to travel*

-er verbs	
comer	to eat
correr	to run
hacer	to do, make
leer	to read
ser	to be
tener	to have
ver	to see, watch

-ir verbs	
escribir	to write
ir	to go
salir	to go out, leave
subir	to go up, climb; to get into (a vehicle)
vivir	to live, exist

■ The infinitive is used to name activities. Notice that in English we often use the *-ing* form where Spanish uses the infinitive.

Mis pasatiempos favoritos son
jugar fútbol, **ver** la tele y **leer.**
Estar siempre en casa es aburrido.

*My favorite pastimes are playing
soccer, watching TV, and reading.
Always being at home is boring.*

Vamos a practicar

a. ¡Pasatiempos! What are your favorite pastimes? Select five from the list below.

MODELO **Mis pasatiempos favoritos son . . .**

alquilar videos	comer	ver la tele
hacer la comida	jugar fútbol	hablar por teléfono
pasear en bicicleta	leer	limpiar la casa
estudiar	ir al teatro	escribir composiciones

b. Probablemente . . . List five things you will probably do today after school.

c. ¿Y usted? List five things you think your teacher will do today.

2.10 THE VERB IR AND IR A + INFINITIVE

The verb **ir** (*to go*) is irregular. It has the following forms:

Ir			
yo	**voy**	nosotros(as)	**vamos**
tú	**vas**	vosotros(as)	**vais**
usted	**va**	ustedes	**van**
él, ella	**va**	ellos, ellas	**van**

■ To talk about what you are going to do, you can use:

ir + a + *infinitive*

¿Qué **vas a hacer**?   *What are you going to do?*
Voy a limpiar la casa.   *I'm going to clean the house.*
Van a jugar fútbol.   *They're going to play soccer.*

Vamos a practicar

a. ¿Qué van a hacer?   What are you and your friends planning to do after school today? Some may be planning to do more than one thing.

EJEMPLO   **Ramón y Eva van a ver televisión.**

Carlos y yo	va a alquilar un video
Arturo	van a preparar la comida
Ramón y Eva	voy a estudiar para un examen
tú y Julio	vamos a trabajar en el restaurante
tú y yo	van a salir con Mario y Ricardo
Natalia y Yolanda	van a ver televisión
yo	vamos a comer algo

b. Por la noche . . .   Complete the sentences with the correct form of **ir** to find out what this family is going to do this evening.

1. Mamá _____ a hacer la comida.
2. Nosotros _____ a comer.
3. Yo _____ a hacer la tarea.
4. Jaime y Marta _____ a alquilar una película.
5. Papá _____ a hablar con sus amigos.
6. Papá y mamá _____ a leer.
7. Tú _____ a jugar fútbol.
8. Ustedes _____ a hablar por teléfono.

c. ¿Y los profesores?   Complete the sentences to see what the principal says she and her staff are going to do after school today.

MODELO   la Sra. Estrada / ver televisión
         La señora Estrada va a ver televisión.

1. la Srta. Rivera / limpiar / casa
2. la Sra.Estrada / hacer / comida
3. yo / leer / libro
4. el Sr. Arenas y un amigo / alquilar / video
5. mi secretaria y yo / escribir / carta
6. la Srta. Rivera y la Sra. Estrada / calificar exámenes
7. mi secretaria y yo / jugar tenis
8. el Sr. Arenas / correr un rato

The verb **tener** (*to have*) has the following forms:

Tener			
yo	**tengo**	nosotros(as)	**tenemos**
tú	**tienes**	vosotros(as)	**tenéis**
usted	**tiene**	ustedes	**tienen**
él, ella	**tiene**	ellos, ellas	**tienen**

You already know that the verb **tener** is used to talk about things you have.

¿**Tienen** ustedes el video?　　*Do you have the video?*
Tengo matemáticas a las 9:00.　　*I have math at 9:00.*
No **tenemos** clase hoy.　　*We do not have class today.*

■ To talk about what you are obligated to do, you can use:

tener que + *infinitive*

Tengo que limpiar mi cuarto.　　*I have to clean my room.*
Tienes que trabajar.　　*You have to work.*
Tenemos que estudiar.　　*We have to study.*

Vamos a practicar

a. **¡Qué desorganizados!**　The Spanish teacher always finds that some students do not have the books or supplies they need. What did the following people forget today?

MODELO　Alicia no **tiene** bolígrafo.

1. Delia no _____ papel.

2. Yo no _____ lápiz.

3. Beatriz y Magdalena no _____ cuaderno.

4. Nosotras no _____ el libro.

5. Alejandro no _____ borrador.

6. Ustedes no _____ carpeta.

7. Raimundo y yo no _____ mochila.

8. Tú no _____ bolígrafo.

b. ¡Qué noche!   Tell what everyone has to do tonight by completing the sentences with the correct form of **tener.**

> MODELO   Estela / hablar con el director
> **Estela tiene que hablar con el director.**

1. Román / estudiar para un examen de biología
2. Francisca y Luisa / escribir una composición
3. yo / limpiar la casa
4. tú / estudiar para la clase de historia
5. nosotros / trabajar mucho
6. tú y yo / hacer la comida
7. ellos / ir a una clase
8. ustedes / practicar el piano

c. ¿Qué hacen el sábado?   What do you and your friends have to do this Saturday?

> MODELO   Ana y Eva / hacer la comida
> **Ana y Eva tienen que hacer la comida.**

1. Alicia / limpiar la casa
2. Mónica y yo / ir a la clase de baile
3. Roberto y Antonio / estudiar en la biblioteca
4. tú / practicar el piano
5. yo / estudiar para un examen
6. Paula / trabajar en el restaurante de su papá
7. ustedes / hacer la tarea
8. tú y yo / hablar por teléfono

ch. Tengo que . . .   At what time do you have to do the following?

> MODELO   comer: 6:00 P.M.
> **Tengo que comer a las seis de la tarde.**

1. ir a trabajar: 4:00 P.M.
2. practicar karate: 5:30 P.M.
3. estar en la escuela: 7:00 A.M.
4. salir de la escuela: 2:45 P.M.
5. hacer la tarea: 7:30 P.M.
6. hablar con el profesor: 10:50 A.M.

d. Planes.   Complete these friends' conversation about weekend plans with the appropriate form of **tener** or **ir.** You may want to decide which verb to use first, and then which form is correct.

María: Yo (1) a jugar tenis. Luego (2) que estudiar mucho. Raúl, ¿ (3) mucha tarea?

Raúl: Sí, (4) un examen de química el martes y (5) que estudiar mucho. Felipe, ¿ (6) a jugar fútbol el sábado?

Felipe: Sí, y el domingo (7) a ir al teatro.

L E C C I Ó N 1

3.1 IR A
Used to Talk about Destination

In **Unidad 2,** you learned that **ir a** is used with an infinitive to talk about what
you are going to do.

>**Vamos a correr** esta tarde.

Ir a is also used to talk about where you are going.

> ir a + place

Voy a mi clase de baile.	*I am going to my dance lesson.*
¿**Vamos a** la biblioteca hoy?	*Are we going to the library today?*

■ Note that when **a** is followed by **el,** the contraction **al** is formed.

> a + el = al

Mi familia va **al** parque los domingos.	*My family goes to the park on Sundays.*
¿Qué tal si vamos **al** cine?	*How about if we go to the movies?*

■ **Vamos,** the **nosotros** form, can also mean *let's.*

Vamos a alquilar un video.	*Let's rent a video.*
Vamos al cine.	*Let's go to the movies.*
¡Vamos!	*Let's go!*

Vamos a practicar

a. **¿Adónde van?**   Tell where the following people are going.

MODELO   Juanita **va** al Colegio San Martín.

1. María _____ al Colegio San Martín
   también.
2. Lisa y tú _____ al parque.
3. Felipe y yo _____ al gimnasio.
4. Yo _____ al cine.
5. Tú _____ a la clase de matemáticas.
6. Juanita _____ a la cafetería.
7. Hernán y Soledad _____ a la
   biblioteca.
8. Nosotros _____ al salón 21.
9. Enrique _____ al Lago Chapultepec.
10. Ustedes _____ al restaurante.

b. ¡Por fin, es viernes!   It's finally Friday, and you and some friends are discussing your plans for the weekend. Where is everyone going?

MODELO   Pancho y Ricardo van __al__ cine.

1. Lupe y María van _____ centro comercial.
2. Voy _____ Café Toluca.
3. Antonio y yo vamos _____ tienda.
4. Yolanda va _____ parque.
5. Vas _____ cafetería.
6. Vamos _____ zoológico.
7. Daniel va _____ gimnasio.
8. Voy _____ museo.
9. Tú y Carlos Javier van _____ fiesta.
10. Rosa María va _____ biblioteca municipal.

c. ¡Qué fin de semana!   Tell where these people are going on the weekend.

MODELO   Carlos / clase de karate
         Carlos va a la clase de karate.

1. papá / restaurante
2. Tina y Luisa / biblioteca
3. mamá / clase de baile
4. tú / gimnasio
5. yo / cine
6. usted / centro comercial
7. Carlos y tú / museo
8. usted y yo / zoológico
9. la profesora Pérez / parque
10. ustedes / fiesta de un amigo

ch. ¿Qué hacemos?   Suggest that you and your friend do the following activities. Your friend will agree.

MODELO   ¿Alquilamos un video?
         Sí, vamos a alquilar un video.

1. ¿Jugamos fútbol?
2. ¿Leemos libros?
3. ¿Vemos televisión?
4. ¿Compramos ropa?
5. ¿Hacemos ejercicio?
6. ¿Escuchamos música?
7. ¿Comemos pizza?
8. ¿Paseamos ahora?
9. ¿Hablamos español?

3.2   THE INDEFINITE ARTICLE AND *HAY*

The indefinite article has four forms in Spanish.

	Indefinite Articles	
	Singular	Plural
Masculine	**un** (*a, an*)	**unos** (*some*)
Feminine	**una** (*a, an*)	**unas** (*some*)

Ella tiene **un** libro nuevo.   *She has a new book.*
Es **una** profesora muy exigente.   *She's a very demanding teacher.*
Hay **unas** tiendas interesantes allí.   *There are some interesting stores there.*

Hay, a form of the verb **haber,** means both *there is* and *there are.* In a question, ¿**Hay?** means *Is there?* or *Are there?*

Hay un museo en el parque.	*There is a museum in the park.*
Hay unos refrescos aquí.	*There are some soft drinks here.*
¿**Hay** discos compactos en oferta?	*Are there compact disks on sale?*

■ The indefinite article is usually omitted when **hay** is used in the negative.

No hay cines en esta ciudad.	*There are no movie theaters in this city.*
¿**No hay** centros comerciales?	*Aren't there any shopping centers?*

Vamos a practicar

a. En mi ciudad. Form sentences to indicate that the following are found in your town.

MODELO restaurantes excelentes
Hay unos restaurantes excelentes.

1. cines buenos
2. tiendas de computadoras
3. gimnasio grande
4. restaurante mexicano
5. biblioteca
6. cafetería
7. tiendas de discos para jóvenes
8. laboratorios de ciencia
9. clases de karate
10. tiendas elegantes

b. ¡Muchas cosas! ¿Qué hay en tu mochila?

MODELO 3 libros
Hay tres libros.

1. 1 diccionario
2. 1 calculadora
3. 3 lápices
4. 2 carpetas
5. 2 cuadernos
6. 1 examen
7. 4 bolígrafos
8. muchos papeles

c. ¿Quiénes son? As you have lunch in the school cafeteria, your best friend is sitting with her back to the door and can't see who is walking into the cafeteria. What do you tell her?

MODELO profesores chica
Son unos profesores. Es una chica.

1. chicas
2. amigo
3. señor
4. señoras
5. chico
6. señores
7. profesor
8. profesoras

ch. Cerca de mi casa. Tell if there are any of the following near your house.

MODELO ¿Hay una tienda de discos?
Sí, hay una tienda de discos. o No, no hay tiendas de discos.

1. ¿Hay una escuela?
2. ¿Hay un gimnasio?
3. ¿Hay un cine?
4. ¿Hay una biblioteca?
5. ¿Hay una cafetería?
6. ¿Hay un parque grande?
7. ¿Hay un café?
8. ¿Hay un museo?
9. ¿Hay un restaurante?

3.3 THE VERBS GUSTAR AND ENCANTAR
Used to Express Likes and Dislikes

The verb **gustar** (*to like*) is used to express likes and dislikes. It is always preceded by **me, te,** or **le** to state that *I, you,* or *she* or *he* likes something.

Gustar		
I	(no) **me** gusta	(a mí)
you	(no) **te** gusta	(a ti)
	(no) **le** gusta	(a usted)
he	(no) **le** gusta	(a él)
she		(a ella)

¿**Te gusta** la profesora?	*Do you like the teacher?*
Me gusta mucho pero **no me gusta** la tarea.	*I like her a lot, but I don't like the homework.*
A Carlos **le gusta** bailar.	*Carlos likes to dance.*

■ **A + mí / ti / usted / él / ella** is frequently used to emphasize or clarify who is doing the liking or disliking.

A ella no le gustan.	*She doesn't like them.*
A mí me encanta el chocolate.	*I love chocolate.*
¿Le gusta **a usted**?	*Do you like it?*

Encantar (*to really like, love*) is used to talk about things you really like or love. Like **gustar, encantar** is always preceded by **me, te,** or **le** when stating that *I, you,* or *she* or *he* really likes something.

Gustar		Encantar
If one thing is liked:	*If one thing is disliked:*	*If one thing is really liked:*
me gusta	no **me** gusta	**me** encanta
te gusta	no **te** gusta	**te** encanta
le gusta	no **le** gusta	**le** encanta
If more than one thing is liked:	*If more than one thing is disliked:*	*If more than one thing is really liked:*
me gustan	no **me** gustan	**me** encantan
te gustan	no **te** gustan	**te** encantan
le gustan	no **le** gustan	**le** encantan

■ The verb ending for **gustar** and **encantar** always agrees with the thing or things that are liked. For this reason, these verbs are used mostly in the third-person singular and plural.

Profesor, ¿qué clase **le** gusta más?	*Professor, which class do you like better?*
¿**Te** gust**an** tus clases?	*Do you like your classes?*
Me encant**an.**	*I love them.*
Me encant**a** pasear en bicicleta.	*I love to go bike riding.*

■ If what is liked or disliked is expressed by an infinitive, then the third-person singular form of **gustar** or **encantar** is used:

¿Te gust**a** correr?	*Do you like to run?*
No, pero me encant**a** ir de compras.	*No, but I love to go shopping.*
Le gust**a** leer y escribir cartas.	*She likes to read and to write letters.*

■ **Gustaría** and **encantaría** are used to soften a request or to respond to a request. Their English equivalents are *would like* and *would love.*

¿**Te gustaría** ir conmigo?	*Would you like to go with me?*
No **me gustaría** ir a La Cueva pero **me encantaría** ir a La Posta.	*I wouldn't like to go to La Cueva, but I would love to go to La Posta.*

Vamos a practicar

a. ¡Me gusta!   Tell how you feel about each item listed below.

MODELO   recreo
> **Me gusta el recreo. o No me gusta el recreo.**

1. fútbol	**4.** teatro	**7.** música rock
2. tarea	**5.** español	**8.** televisión
3. pizza	**6.** cafetería de la escuela	**9.** literatura

b. ¿Y a tu mamá?   Tell if your mother (or another adult) likes the following.

MODELO   fiestas
> **Sí, le gustan las fiestas. o No, no le gustan las fiestas.**

1. videos	**4.** computadoras	**7.** tiendas de discos
2. películas	**5.** parques	**8.** casas grandes
3. restaurantes	**6.** centros comerciales	**9.** novelas románticas

c. ¿Te gusta?   Answer the questions to indicate if you like to do the following.

MODELO   ¿Te gusta ir al cine?
> **Sí, me gusta. o No, no me gusta.**

1. ¿Te gusta ir de compras?	**6.** ¿Te gusta hacer la tarea?
2. ¿Te gusta preparar la comida?	**7.** ¿Te gusta correr?
3. ¿Te gusta bailar?	**8.** ¿Te gusta mirar videos?
4. ¿Te gusta estudiar en la biblioteca?	**9.** ¿Te gusta escuchar música?
5. ¿Te gusta leer en casa?	**10.** ¿Te gusta hablar por teléfono?

ch. ¡Le encanta!   Tina is a very cheerful person who loves everything. How does she describe her feelings about the following?

MODELO   las clases   leer novelas
Me encantan las clases.   **Me encanta leer novelas.**

1. los animales
2. la escuela
3. los centros comerciales
4. escribir cartas
5. estudiar español

6. las tiendas
7. ir de compras
8. el cine
9. los bailes folklóricos
10. hablar por teléfono

d. ¡Hola!   Mario and Chela are talking about after school plans. To find out what they say, complete their conversation by choosing the word that best fits in each blank.

Chela:	¡Hola, Mario! ¿Adónde _(1)_ ?	**1.** voy	vas	va
Mario:	¡Hola, Chela! _(2)_ al centro comercial. ¿Te _(3)_ ir conmigo?	**2.** Voy	Vas	Va
		3. gustan	gustaría	vas
Chela:	¡Ay, sí! _(4)_ encantaría. Allí _(5)_ unas tiendas muy buenas. Y después, ¿_(6)_ al Café Acapulco a tomar algo?	**4.** Me	Te	Le
		5. van	gustan	hay
		6. Voy	Vamos	Van
Mario:	¡Estupendo! Me _(7)_ mucho los tacos de allí.	**7.** gusta	encanta	gustan
Chela:	¡A mí también, y me _(8)_ su chocolate!	**8.** encanta	gustan	encantan

L E C C I Ó N   2

3.4 *PRESENT TENSE: SINGULAR FORMS*

In **Unidad 2,** you learned that infinitives in Spanish end in **-ar, -er,** or **-ir.** To tell who performs an action, you must conjugate the infinitive. This means you replace the infinitive ending with the ending corresponding to the subject. The following chart shows the singular endings.

Singular Present-Tense Endings		
Subject Pronoun	Verb Endings	
	-ar	**-er/-ir**
yo	**-o**	**-o**
tú	**-as**	**-es**
usted	**-a**	**-e**
él, ella	**-a**	**-e**

Below are sample singular conjugations for **-ar, -er,** and **-ir** verbs.

	-ar bail**ar**	**-er** com**er**	**-ir** escrib**ir**
yo	bail**o**	com**o**	escrib**o**
tú	bail**as**	com**es**	escrib**es**
usted	bail**a**	com**e**	escrib**e**
él, ella	bail**a**	com**e**	escrib**e**

Como a las siete.   *I eat at seven o'clock.*
¿**Bailas** bien?   *Do you dance well?*
Ana **escribe** muchas cartas.   *Ana writes lots of letters.*

■ The present tense of any Spanish verb has three possible English equivalents:

Corro en el parque.
> *I run in the park.*
> *I am running in the park.*
> *I do run in the park.*

Vamos a practicar _____

a. Después de clase.   What do you do after class?

MODELO   tomar un helado
           Después de clase tomo un helado.

1. tomar un refresco   **4.** escribir cartas   **7.** leer un libro
2. correr veinte minutos **5.** hablar por teléfono **8.** tomar un helado
3. ver televisión   **6.** pasear en coche   **9.** comer un sándwich

b. ¿Qué haces?   What questions was this person asked in a survey?

MODELO   ¿ . . . ?   No, no canto muy bien.
           ¿Cantas bien?

1. ¿ . . . ? Sí, bailo muy bien.   **5.** ¿ . . . ? No, no leo muchos libros.
2. ¿ . . . ? No, no veo mucha televisión. **6.** ¿ . . . ? No, no preparo la comida.
3. ¿ . . . ? Sí, corro todos los días.   **7.** ¿ . . . ? Sí, tomo mucho helado.
4. ¿ . . . ? Sí, hablo español un poco. **8.** ¿ . . . ? Sí, estudio por la noche.

c. Todos los días.   Complete the following paragraph with the appropriate form of the verbs listed below to find out what José does every day after school.

1. salir   **3.** escuchar   **5.** hacer   **7.** estudiar
2. practicar   **4.** comer   **6.** escribir **8.** ver

José __1__ de clase a las 3:00 de la tarde. Él __2__ karate dos horas hasta las 5:00.
Luego él va a casa y __3__ sus discos compactos por media hora. __4__ entre las
5:30 y las 6:00 de la tarde. Después de comer, __5__ su tarea, __6__ composiciones
o __7__ para exámenes. Por la noche, José __8__ televisión.

ch. ¿Qué hacen? What do the following people do in their free time?

MODELO Enrique / escribir cartas
Enrique escribe cartas.

1. usted / escuchar música
2. él / trabajar en una tienda
3. yo / leer una novela romántica
4. María / ver televisión
5. tú / tomar refrescos
6. Roberto / escuchar sus discos compactos
7. ella / salir con sus amigos
8. José / correr en el parque
9. yo / mirar películas en la tele
10. tú / comer mucho

3.5 THE SEASONS AND WEATHER EXPRESSIONS

The four seasons in Spanish are:

el verano	*summer*	**el invierno**	*winter*
el otoño	*fall*	**la primavera**	*spring*

Es **otoño** ahora.   *It is fall now.*
No vamos al parque en **invierno.**   *We don't go to the park in the winter.*
La **primavera** es mi estación favorita.   *Spring is my favorite season.*

When talking about the weather in Spanish, the third-person singular of the verb **hacer** is frequently used.

¿Qué tiempo **hace**?   *What's the weather like?*
Hace buen tiempo.   *The weather is good.*
Hace mal tiempo.   *The weather is bad.*
Hace (mucho) sol.   *It's (very) sunny.*
Hace (mucho) viento.   *It's (very) windy.*
Hace (mucho) calor.   *It's (very) hot.*
Hace (mucho) frío.   *It's (very) cold.*
Hace fresco.   *It's cool.*

To indicate that it's raining or snowing, say **Está lloviendo** or **Está nevando.**

¿**Está nevando** ahora?   *Is it snowing now?*
No, pero **está lloviendo.**   *No, but it's raining.*

To make a general statement, however, use the third-person singular of the verbs **llover** and **nevar.**

Llueve mucho por aquí.   *It rains a lot around here.*
Nieva muy poco.   *It snows very little.*

¿POR QUÉ SE DICE ASÍ?

a. ¿Qué estación es?   The seasons in parts of South America are opposite those in the United States. What season is it in the cities followed by a question mark?

MODELO   Chicago, Illinois: verano .... Santiago, Chile: ?
         Es invierno en Santiago.

1. Miami, Florida: invierno .... Asunción, Paraguay: ?
2. Phoenix, Arizona: primavera .... La Paz, Bolivia: ?
3. Raleigh, North Carolina: otoño .... Lima, Perú: ?
4. Little Rock, Arkansas: verano .... Buenos Aires, Argentina: ?
5. Wichita, Kansas: ? .... Bogotá, Colombia: primavera
6. Norfolk, Virginia: ? .... Quito, Ecuador: otoño
7. Syracuse, New York: ? .... Montevideo, Uruguay: verano

b. ¿Qué tiempo hace?   Select the weather expression that most logically completes each sentence.

MODELO   En verano (hace calor / hace frío).
         En verano hace calor.

1. En primavera (hace buen tiempo / nieva).
2. En otoño (hace fresco / hace calor).
3. En verano (hace frío / hace mucho sol).
4. En invierno (nieva / hace fresco).
5. En verano (hace frío / hace buen tiempo).
6. En invierno (hace viento / hace mal tiempo).
7. En primavera (hace mucho frío / llueve).
8. En otoño (nieva / hace viento).

c. Las cuatro estaciones.   Pepe lives in Bolivia. How does he describe the weather during the various seasons?

MODELO   invierno / frío
         En invierno hace frío.

1. verano / calor
2. primavera / fresco
3. invierno / mal tiempo
4. verano / buen tiempo
5. primavera / buen tiempo
6. otoño / llueve
7. verano / sol
8. primavera / viento
9. invierno / nieva

ch. Querido(a) amigo(a). You have just received a letter from your penpal answering your questions about weekend activities. To find out what it says, complete the letter by choosing the word that best fits in each blank.

A veces mi familia (1) al parque.
Yo (2) con mis amigos mientras mi
papá (3) deportes en la radio y mi mamá
 (4) novelas románticas. Mi hermano
siempre (5) a la montaña rusa.
En (6) hace mucho calor durante
el día y (7) jugar tenis.

1.	trabaja	practica	va
2.	paseo	veo	bailo
3.	lee	escucha	corre
4.	come	baila	lee
5.	mira	sube	habla
6.	otoño	invierno	verano
7.	te gusta	me gustan	me gusta

LECCIÓN 3

3.6 PRESENT TENSE: PLURAL FORMS

The plural endings for present-tense **-ar, -er,** and **-ir** verbs are shown in the chart below.

Plural Present-Tense Endings			
	Verb Endings		
Subject Pronouns	**-ar**	**-er**	**-ir**
nosotros(as)	**-amos**	**-emos**	**-imos**
vosotros(as)	**-áis**	**-éis**	**-ís**
ustedes	**-an**	**-en**	**-en**
ellas, ellos	**-an**	**-en**	**-en**

The following chart gives sample plural conjugations for **-ar, -er,** and **-ir** verbs.

	-ar bail**ar**	**-er** com**er**	**-ir** escrib**ir**
nosotros(as)	bail**amos**	com**emos**	escrib**imos**
vosotros(as)	bail**áis**	com**éis**	escrib**ís**
ustedes	bail**an**	com**en**	escrib**en**
ellas, ellos	bail**an**	com**en**	escrib**en**

Comemos en la cafetería de la escuela todos los días.

We eat in the school cafeteria every day.

¿**Escriben** muchas cartas?

Do you write a lot of letters?

Bailamos en la discoteca los fines de semana.

We dance at the discotheque on weekends.

Remember that present-tense verbs in Spanish have three English equivalents, as follows:

Escriben muchas cartas.

$\left\{ \begin{array}{l} \textit{They write many letters.} \\ \textit{They are writing many letters.} \\ \textit{They do write many letters.} \end{array} \right.$

Vamos a practicar

a. ¿Y ustedes?   Tell if you and your family usually do these activities together.

MODELO   bailar
Bailamos juntos. o **No bailamos juntos.**

1. comer
2. leer
3. escuchar música

4. ver la tele
5. preparar la comida
6. pasear en bicicleta

7. salir a comer
8. alquilar videos
9. limpiar la casa

b. Profesionales.   Use the expressions on the right to tell how these dedicated professionals usually spend their weekends.

MODELO   **Los atletas practican horas y horas.**

pianistas	calificar exámenes
atletas	trabajar en su oficina
estudiantes	practicar horas y horas
profesores	tocar el piano
secretarias	escribir cartas
directores	estudiar

c. ¿Qué hacen todos?   Tell what you and your friends do on weekends.

MODELO   mi amiga y yo / tomar / refresco
Mi amiga y yo tomamos refrescos.

1. mis amigos y yo / practicar / karate
2. Elena y yo / mirar / película
3. mi amigo y yo / correr / parque
4. nosotros / comer / restaurante

5. mis amigos / ver / tele / noche
6. nosotros / leer / libro interesante
7. mamá y papá / alquilar / video
8. mis amigas / escuchar / discos

ch. Los sábados.   You receive a letter from María, a pen pal in Guatemala, telling you a little about her weekends. To find out what she says, complete María's letter with the appropriate form of the verbs listed below.

1. trabajar
2. limpiar
3. practicar

4. estudiar
5. salir
6. ir

7. visitar
8. comer
9. ver

10. estudiar
11. hacer
12. esperar

> Los sábados por la mañana mi papá _1_ en su oficina y mi mamá y yo _2_
> la casa. Elena _3_ el piano y Roberto _4_ con un amigo. Por la tarde, toda
> la familia _5_ al parque. Todos nosotros _6_ al parque de diversiones y
> Roberto _7_ el zoológico. Por la noche, nosotros _8_ juntos y _9_ la tele.
> Los domingos Roberto y yo _10_ para las clases del lunes. ¿Qué _11_ tú
> los fines de semana? Yo _12_ tu carta.
>
> Un abrazo muy fuerte de
> María

3.7 INDEFINITE AND NEGATIVE WORDS

In **Unidad 1,** you learned that the most common way to make a Spanish sentence negative is to put the word **no** before the verb.

No es verdad.	*It's not true.*
¿Por qué **no** vas con nosotros?	*Why don't you go with us?*
No es mi clase.	*It's not my class.*

Indefinite words are words that do not refer to anything or anyone specific. Certain indefinite words have contrasting negative forms.

Indefinite and Negative Words			
Affirmative Forms		Negative Forms	
algo	*something*	**nada**	*nothing, not anything*
alguien	*somebody*	**nadie**	*nobody, not anybody*
siempre	*always*	**nunca**	*never*
a veces	*sometimes*	**raras veces**	*seldom*

¿Van a comer **algo**?	*Are you going to eat something?*
Siempre como en casa.	*I always eat at home.*
Nunca estudio en la biblioteca.	*I never study at the library.*

■ In negative sentences, a negative word must always precede the verb. Note that when **no** precedes the verb, any other negative word follows it.

No hay **nadie** en el parque.	*There's nobody in the park.*
No vamos a comer **nada.**	*We're not going to eat anything.*
Nadie canta como ellos.	*Nobody sings like them.*
Nunca vamos a entrar.	*We're never going to get in.*

Vamos a practicar _____

a. ¡Qué ridículo! Eduardo likes to get on his sister's nerves by contradicting everything she says. What does Eduardo say when she makes these comments?

MODELO Papá nunca ve la tele por la noche.
Papá siempre ve la tele por la noche.

1. Los señores Romano nunca están en casa.
2. Los profesores nunca califican exámenes.
3. Carmen no come nada.
4. Ramón no estudia nunca.
5. Nadie tiene computación los miércoles.
6. Tú y yo nunca caminamos juntos.
7. La profesora no habla con nadie.
8. Elena nunca escribe cartas.

b. **¡Llueve!**   What do you do and what do you observe other people doing when it rains? Answer all the questions in the negative.

MODELO   ¿Escribes algo cuando llueve?
No, cuando llueve no escribo nada.

1. ¿Alguien escucha la radio cuando llueve?
2. ¿Haces algo para comer cuando llueve?
3. ¿Siempre vas al zoológico cuando llueve?
4. ¿Lees algo en casa a veces cuando llueve?
5. ¿Alguien corre en el parque cuando llueve?
6. ¿Tomas helado a veces cuando llueve?
7. ¿Siempre subes a las lanchas cuando llueve?
8. ¿Juegas fútbol con alguien cuando llueve?

c. **¡Qué confusión!**   Enrique always gets everything backward. Help straighten him out by making his negative statements affirmative and vice versa.

MODELO   Nadie come en el restaurante.
Alguien come en el restaurante.

1. A veces escriben cartas en clase.
2. Alguien espera el autobús.
3. María y Carmen siempre caminan a casa.
4. Nunca compra nada.
5. Francisca no come nada.
6. Los profesores nunca califican exámenes.
7. Nunca paseamos por el parque.
8. Le gusta escuchar algo.
9. Nadie visita los museos.
10. Alguien lee un libro.

ch. **Editor.**   As an editor for the school newspaper, you are always having to find ways to shorten the articles you are editing. How would you shorten these sentences?

MODELO   Elena no limpia la casa nunca.
Elena nunca limpia la casa.

1. No voy al parque nunca los viernes.
2. No estudia nadie los viernes.
3. No habla nadie como ella.
4. No me gusta nada.
5. No está nadie aquí.
6. Martín no sube a la montaña rusa nunca.
7. No come pizza nadie.
8. No pasa nada aquí.

d. **¡Me encantan los sábados!**   Betina is describing her Saturdays with family and friends. To find out what she says, select the word or phrase that best completes her statements.

Por la mañana, Mamá, Anita, Carlos y yo (1) la casa. Luego, papá y mamá (2) la comida mientras Carlos y Anita (3) su tarea. Yo (4) estudio por dos horas los sábados. Por la tarde mi amiga Paquita y yo (5) por teléfono y hacemos planes.

1. limpian   limpiamos   limpio
2. preparan   preparamos   prepara
3. hacemos   hacen   hace
4. siempre   nadie   nunca
5. hablan   hablo   hablamos

LECCIÓN 1

4.1 POSSESSIVE ADJECTIVES

Possessive adjectives are used to indicate that something belongs to someone or to establish a relationship between people or things.

Éste es **mi** libro, ¿verdad?	*This is my book, isn't it?*
¿Gregorio es **tu** primo?	*Gregorio is your cousin?*

Possessive Adjectives					
	Singular	Plural	Singular	Plural	
my	**mi**	**mis**	**nuestro(a)**	**nuestros(as)**	*our*
your	**tu** **su**	**tus** **sus**	**vuestro(a)** **su**	**vuestros(as)** **sus**	*your*
his *her* *its*	**su**	**sus**	**su**	**sus**	*their*

■ Possessive adjectives are placed before the noun they modify.

Ustedes ya conocen a **su** novia.	*You already know his fiancée.*
Nuestra casa es muy grande.	*Our house is very large.*

■ Unlike English, Spanish possessive adjectives agree with what is possessed and not with the possessor. Like other adjectives, possessive adjectives agree in number and gender with the noun they modify.

Él trabaja con **sus** hijos.	*He works with **his** sons.*
Ella estudia con **tus** hijos.	*She studies with **your** children.*
Ellos salen con **su** hijo.	*They go out with **their** son.*

■ Another common way of expressing possession in the third person is with the preposition **de.** This construction is especially useful if the meaning of **su/sus** is not clear from the context.

Su libro está en la mesa.	*His book is on the table.*
El libro **de David** está en la mesa.	*David's book is on the table.*
Sus primos son simpáticos. Los primos **de ella** son simpáticos.	*Her cousins are nice.*
Su boda es el sábado. La boda **de ellos** es el sábado.	*Their wedding is on Saturday.*

Vamos a practicar

a. Álbum.   Who are the people in the family album, according to Silvia?

MODELO   prima Anita
Es mi prima Anita.

1. abuela Sara
2. tíos Miguel y Patricia
3. primo Enrique
4. primos Beto y Raúl
5. tíos Leopoldo y Nora
6. abuelos Pablo y Dolores
7. hermano Pablito
8. papás
9. hermanas Anita y Tina
10. tía Paula

b. ¿Dónde están?   Where are the things these people misplaced?

MODELO   los libros de Sara: gimnasio
Sus libros están en el gimnasio.

1. las carpetas de Fernando y Pilar: cafetería
2. el bolígrafo de Ramón: clase de inglés
3. los lápices de Felipe: salón 23
4. la mochila de Anita: laboratorio de química
5. el libro de inglés de Betina: salón de español
6. los cuadernos de Elena y Clara: teatro
7. el reloj de Paco: biblioteca
8. cl disco de Jorge y Sara: clase de computación

c. Nuestra familia.   You and your sister are describing your family to a friend. What do you say?

MODELO   tía / rico / generoso
Nuestra tía es rica y generosa.

1. abuelo / exigente / antipático
2. primas / joven / bonito
3. mamá / inteligente / modesto
4. primos / atlético / fuerte
5. hermanos / alto / guapo
6. abuela / simpático / divertido
7. hermanas / rubio / delgado
8. padre / generoso / honesto

ch. ¡Incendio!   During a fire drill at school, everyone dashes out into the hallway with what they have in their hands. What does Luisa say that she and her friends have with them?

MODELO   yo
Yo tengo mis cuadernos.

1. David
2. Sara y Anita
3. tú
4. Raúl y yo
5. mis amigas
6. tú y Antonio
7. Alicia
8. yo

d. ¡Todos hablan a la vez!   At a Fourth of July community picnic, everyone seems to be talking with a relative. Can you tell who is talking to whom?

MODELO   Lupe habla con **su** prima Anita.

1. Enrique habla con _____ tío Joaquín.
2. Nora habla con _____ esposo Miguel.
3. Antonia habla con _____ sobrinos Beto y Raúl.
4. Lupe y yo hablamos con _____ tía Patricia.
5. Tú hablas con _____ prima Anita.
6. Julia habla con _____ tíos Leopoldo y Miguel.
7. Yo hablo con _____ abuela.
8. Nora y yo hablamos con _____ primos Paco y Angelita.

e. ¿Es verdad?   At the same picnic, how does Julia confirm the following relationships?

MODELO   ¿Son sus padres? (David)
      Sí, son los padres de David.

1. ¿Es su tía? (Carlos)
2. ¿Es su padre? (Ramón y Paloma)
3. ¿Es su hermana? (Pepe y Teresa)
4. ¿Son sus tíos? (Enrique y Lupe)
5. ¿Son sus primos? (Norma)
6. ¿Es su esposo? (Patricia)
7. ¿Son sus tías? (Lisa)
8. ¿Son sus abuelos? (Alberto)

4.2   NUMBERS FROM 30 TO 100

30	treinta	60	sesenta
31	treinta y uno	66	sesenta y seis
32	treinta y dos	70	setenta
33	treinta y tres	77	setenta y siete
34	treinta y cuatro	80	ochenta
40	cuarenta	88	ochenta y ocho
44	cuarenta y cuatro	90	noventa
50	cincuenta	99	noventa y nueve
55	cincuenta y cinco	100	cien

Tengo **noventa** dólares en el banco.   *I have ninety dollars in the bank.*

Mi abuelo tiene **setenta y ocho** años.   *My grandfather is seventy-eight years old.*

- When a number ending in **uno** is followed by a masculine noun, **uno** becomes **un;** when it is followed by a feminine noun, **uno** becomes **una.**

Papá va a cumplir **cuarenta y un** años.   *Dad is going to be forty-one years old.*

Hay **sesenta y una** bicicletas.   *There are sixty-one bicycles.*

a. ¿Cuántos cumplen hoy?   A Hispanic radio announcer is wishing a happy birthday to anyone over thirty celebrating a birthday today. How old are the people who receive birthday greetings?

MODELO   Lilia Sánchez / 55
Lilia Sánchez cumple cincuenta y cinco años.

1. Gloria Lara / 89
2. Francisco Granados / 45
3. Santiago Rojas / 72
4. Adela Guzmán / 38
5. Cristina Cordero / 57
6. Estela Espinosa / 66
7. Juan Gutiérrez / 93
8. Manuel Puentes / 100

b. ¿Cuál es su número?   You are helping a friend phone the guests who are being invited to your teacher's surprise birthday party. Read the phone numbers to your friend.

MODELO   Rafael Méndez / 922-7405
El número de Rafael Méndez es el nueve, veintidós, setenta y cuatro, cero cinco.

1. Eduardo Cordero / 757-9107
2. Linda Estévez / 444-7484
3. Humberto Ortiz / 235-7166
4. Amalia Montenegro / 941-5551
5. Samuel Caballero / 687-4690
6. María Inés Alarcón / 877-5775
7. Amanda Chávez / 278-6286
8. Ramón Lara / 898-0508

c. ¿Cuánto debemos?   María González, treasurer of the Spanish Club, is writing out checks to pay for the last club party. What amount does she write on each check?

MODELO   Florería Chávez: $38
treinta y ocho dólares

1. Heladería Montero: $67
2. Bebidas Quitased: $84
3. Mercado Véguez: $46
4. Pizzería Colón: $52
5. Banda Juventud: $95
6. Discos Fabia: $41
7. Papelería Lara: $39
8. Restaurante Tito: $53

ch. ¡Ganamos!   The school basketball team is doing very well this season. What does Kevin say as he reports the scores for several games?

MODELO   46–40
Nuestro equipo, cuarenta y seis; su equipo, cuarenta.

1. 72–53
2. 48–37
3. 51–50
4. 43–38
5. 85–69
6. 94–56
7. 76–68
8. 97–89

4.3 THE MONTHS OF THE YEAR

enero	**abril**	**julio**	**octubre**
febrero	**mayo**	**agosto**	**noviembre**
marzo	**junio**	**septiembre**	**diciembre**

- The months of the year are not capitalized in Spanish.
- To ask for today's date, use one of these questions:

¿Cuál es la fecha de hoy? 〉
¿Qué fecha es hoy? 〉   *What is today's date?*

- To give dates in Spanish, follow this formula.

$$\text{el} + (n\acute{u}mero) + \text{de} + (mes)$$

Hoy es **el cuatro de diciembre.**   *Today is December fourth.*
Mi cumpleaños es **el diecisiete**   *My birthday is July seventeenth.*
    de julio.

- The first day of the month is always expressed as **el primero.**

Mi cumpleaños es **el primero**   *My birthday is the first of May.*
    de mayo.

- In Spanish, when dates are written in numbers, the day comes before the month. The month may be written in Roman numerals.

el cinco de julio	**5-7**	o	**5-VII**
el veintitrés de mayo	**23-5**	o	**23-V**
el treinta de enero	**30-1**	o	**30-I**

Vamos a practicar _____

a. ¿En qué mes?   In what month do we celebrate the following holidays in the United States?

MODELO   el Día de la Raza *(Columbus Day)*
    Celebramos el Día de la Raza en octubre.

1. la Independencia de Estados Unidos
2. el Día de San Patricio
3. el Día de los Enamorados / el Día de San Valentín
4. el Día de los Inocentes *(April Fools' Day)*
5. el Día de Acción de Gracias *(Thanksgiving)*
6. la Navidad *(Christmas)*
7. los cumpleaños de George Washington y Abraham Lincoln
8. el Día del Trabajador *(Labor Day)*
9. Año Nuevo
10. la Noche Vieja *(New Year's Eve)*

b. ¿Cuándo cumplen años? When does Anita say her relatives celebrate their birthdays?

MODELO   tía Josefina: 4-V
   El cumpleaños de mi tía Josefina es el cuatro de mayo.

1. abuelita: 30-I
2. mamá: 26-XI
3. hermano Carlos: 28-II
4. tío Alfredo: 8-IV

5. papá: 12-VIII
6. tía Elena: 13-X
7. abuelito: 15-III
8. hermana Cristina: 23-VII

c. ¿Cuántos días? Which months have 30, 31, and 28 days?

1. 30 días (4 meses)   2. 31 días (7 meses)   3. 28 días (1 mes)

ch. ¡Bienvenidos! Paco Pérez, host of a popular game show, is interviewing a contestant. Find out what they say by completing their statements.

Paco:	¡Bienvenidos! Vamos a empezar <u>(1)</u> programa con María Teresa Aguirre. María, dime, ¿es muy grande <u>(2)</u> familia?
María:	¡Sí, somos siete: <u>(3)</u> esposo y yo vivimos con <u>(4)</u> hija, su esposo y <u>(5)</u> tres niños.
Paco:	¿Cuándo es su <u>(6)</u>?
María:	¡Es el treinta de <u>(7)</u>!

1. sus   nuestro   nuestras
2. mi   tu   nuestro
3. mi   tu   nuestro
4. tu   nuestra   nuestro
5. tu   su   sus
6. año   cumpleaños   fecha
7. enero   lunes   verano

L E C C I Ó N   2

4.4 PERSONAL A

The direct object is the word that answers the questions *whom?* or *what?* after the verb.

Pepe is reading *the newspaper.*
What is Pepe reading?   *The newspaper* is the direct object.

I see *María.*
Who(m) do I see?   *María* is the direct object.

In Spanish, the direct object of a sentence determines whether the personal **a** is necessary. If the direct object is a person, an animal, or a group of people, it is preceded by the preposition **a,** commonly referred to as the personal **a.**

Saluda **a** tu tía.	*Greet your aunt.*
¿Por qué no llamas **a** Lupe?	*Why don't you call Lupe?*
¿Invitamos **al** profesor?	*Shall we invite the professor?*
Veo **a** María y **a** su perro.	*I see María and her dog.*

- If the direct object is not a person, a pet, or a group of people, the personal **a** is not used.

Veo la tele todos los días.   *I watch TV every day.*
Pepe está leyendo el periódico.   *Pepe is reading the newspaper.*

- When **alguien** and **nadie** are direct objects, they are preceded by the personal **a.**

¿Ves **a** alguien?   *Do you see anybody?*
No veo **a** nadie.   *I don't see anybody.*
Inés no invita **a** nadie.   *Inés is not inviting anybody.*

Vamos a practicar

a. **¡Celebramos!** How does the Gómez family celebrate the children's birthdays? Use the personal **a** when necessary.

MODELO   Los tíos visitan **a** la familia Gómez.
          Elena compra ___ invitaciones.

1. Mamá invita _____ mis amigos.
2. María llama _____ sus abuelos.
3. Los niños rompen _____ la piñata.
4. Todos comen _____ helado.

5. Paco y Patricio sacan _____ fotos.
6. Papá mira _____ los niños.
7. Todos escuchan _____ la música.
8. Los jóvenes toman _____ refrescos.

b. **¿Qué ves?** Paquito, who is not very tall, is asking his friend Julio to tell him what he sees. How does Julio respond?

MODELO   novio   coche de la novia
         Veo al novio.   **Veo el coche de la novia.**

1. novia
2. fotógrafo
3. mucha comida
4. padres del novio

5. piano
6. pastel
7. Kevin
8. mi abuela

4.5   THE VERB CONOCER

The verb **conocer** (*to know, be familiar or acquainted with*) is a regular **-er** verb in all forms except the first person singular.

Conocer	
conozco	conocemos
conoces	conocéis
conoce	conocen
conoce	conocen

Ustedes **conocen** a mi novia, ¿verdad?	*You know my fiancée, don't you?*
¿**Conoces** San Antonio?	*Do you know San Antonio?*
No **conozco** ese libro.	*I am not familiar with that book.*

■ Note that you can be acquainted with a city or town, a book, a theory, someone's work, museums, and other sites, not just people. Remember, however, that the personal **a** is used *only* with people.

Vamos a practicar _____

a. ¿Conoces a mi tío José?   Tell what family members you know as you look at a friend's family album.

MODELO   tío José (no)
No conozco a tu tío José.

1. abuela (no)
2. tía Carmen (sí)
3. hermano Toño (sí)
4. perro Tulón (sí)

5. primas (no)
6. primo Carlos (sí)
7. hermanas (no)
8. padres (sí)

b. Es nueva.   Marta has just moved to town, and Rosalinda wants to help her get acquainted with the town. What does Rosalinda ask Marta?

MODELO   el colegio
¿Conoces el colegio?

1. la librería
2. el centro comercial
3. mi perro Yo-yo
4. el parque de diversiones

5. el profesor de español
6. la calle principal
7. la directora del colegio
8. el cine Cortez

c. En la escuela.   Your parents are visiting your school with you. What do they say when you ask them if they know the following people and places?

MODELO   Francisco / Ana
Conocemos a Francisco pero no conocemos a Ana.

1. Gerardo / Gloria
2. el profesor Díaz / su esposa
3. la biblioteca / la cafetería
4. Francisco / Rita
5. la directora / su esposo
6. la oficina de la directora / el laboratorio de ciencias
7. Paco / su prima
8. el teatro / la sala de computación
9. el gimnasio / el laboratorio de lenguas

ch. ¿Todos se conocen? While preparing the list of wedding guests, the bride's parents are trying to make sure each person knows at least one other guest. What do they say?

MODELO   Lourdes / Paco
          Lourdes conoce a Paco.

1. Estela / novia
2. yo / abuelos del novio
3. tía Angelita / Gerardo
4. mis padres / tío Gustavo
5. tú / Mariluz
6. nosotros / todos

4.6 THE VERBS **QUERER** AND **VENIR**

Querer (*to want*) and **venir** (*to come*) belong to a group of verbs called stem-changing verbs (**e→ie**). In this group of verbs, the **e** in the stem becomes **ie** in all but the **nosotros** and **vosotros** forms in the present tense. Look at the charts below.

Querer	
quiero	queremos
quieres	queréis
quiere	quieren
quiere	quieren

Venir	
vengo	venimos
vienes	venís
viene	vienen
viene	vienen

Note that in the **yo** form, **venir** has an irregular **-go** ending and has no change in the stem vowel.

Ellos **quieren** un coche nuevo.	*They want a new car.*
Todos **queremos** helado.	*We all want ice cream.*
¿**Vienes** mucho al parque?	*Do you come to the park much?*
Vengo todos los domingos.	*I come every Sunday.*

■ The verb **querer** may be followed by an infinitive.

¿Quieres **ser** abogado?	*Do you want to be a lawyer?*
Ella no quiere **ir.**	*She does not want to go.*

Vamos a practicar

a. ¿Qué quieren? What do the following people want for their birthdays?

MODELO   Paula: fiesta
          Paula quiere una fiesta.

1. Rafael: radio
2. Teresa y yo: discos
3. Carlos: computadora
4. José y David: libros
5. yo: bicicleta
6. ellos: guitarra
7. ustedes: coche
8. tú: piano
9. Juanito: perro

b. **¿Qué quieren hacer?** What do the following people want to do on Sunday afternoon?

MODELO   mis papás / escribir una carta
Mis papás quieren escribir una carta.

1. Rosa / subir a las lanchas
2. tú / leer
3. Ana y yo / tocar la guitarra
4. Teresa y José / escuchar música

5. yo / ir al cine
6. ustedes / visitar a unos amigos
7. los novios / hablar por teléfono

c. **¿Qué quieres ser?** What do the following students want to be?

MODELO   Clara **quiere ser** profesora.

1. Rafael y Teresa _____ cocineros.
2. Susana _____ programadora.
3. Julio y yo _____ mecánicos.

4. Claudia y Alicia _____ ingenieras.
5. Tomás _____ bombero.
6. Y tú, ¿qué _____?

ch. **Todos los domingos.** How often do the following people come to your house?

MODELO   **María viene todos los domingos.**

nunca   todos los días   domingos
verano   cuando hace sol   cuando hace buen tiempo
fines de semana   otoño   primavera

1. mi familia
2. David
3. mis primos

4. tú
5. tus hermanos
6. mis abuelos

d. **En el café.** In a cafe you overhear the following conversation. Complete the conversation using a form of **conocer, querer** or **venir.** Remember, there are two steps to the process: select the appropriate verb and then choose the form that agrees with the subject.

Ramona: María, ¿ (1) a ese chico?
María: Sí. Es el primo de Carlos. Se llama Felipe. ¿Por qué? ¿ (2) conocerlo?
Ramona: No sé. ¿Cómo es?
María: Es muy simpático e inteligente. Aquí (3) .
Ramona: Sí, (4) conocerlo.
María: ¡Hola, Felipe! Mira, (5) presentarte a mi amiga Ramona.
Felipe: Encantado.
Ramona: El gusto es mío.
Felipe: Voy a tomar café. ¿Por qué no (6) ustedes conmigo?
María: Gracias, ¿ (7) ir, Ramona?
Ramona: No puedo. Tengo mucha tarea.
Felipe: ¡Ay, Ramona! ¡Tú nunca (8) con nosotros!

4.7 QUESTIONS AND QUESTION WORDS: A SUMMARY

Spanish has three types of questions: tag questions, *yes/no* questions, and information questions.

■ Tag questions ask the listener to agree or disagree with what the speaker is saying. They are formed by adding **¿no?** or **¿verdad?** to the end of a statement. When the sentence is negative, only **¿verdad?** may be used.

Eres de Ecuador, **¿no?**	*You're from Ecuador, aren't you?*
Este libro es muy interesante, **¿verdad?**	*This book is very interesting, isn't it?*
Él no es muy fuerte, **¿verdad?**	*He is not very strong, is he?*

■ *Yes/no* questions can be answered with **sí** or **no.** These questions usually begin with a verb. The subject, if expressed, often comes at the end of the sentence.

¿Está bien usted?	*Are you all right?*
¿Te gusta la clase de inglés?	*Do you like English class?*
¿Conoce Julio a Paquito?	*Does Julio know Paquito?*
¿Ya están listos todos?	*Is everybody ready?*

■ The third type are questions that request information. These questions begin with a question word.

Question Words			
¿Quién(es)?	*Who?*	**¿Cuánto(a)?**	*How much?*
		¿Cuántos(as)?	*How many?*
¿Qué?	*What?*		
¿Cuál(es)?	*Which? What?*	**¿Cuándo?**	*When?*
		¿Cómo?	*How? What?*
¿Dónde?	*Where?*	**¿Por qué?**	*Why?*

■ Note that all question words have written accents.

■ While most question words have only one form, **quién** and **cuál** have two: singular and plural.

¿Quién es tu tía favorita?	*Who is your favorite aunt?*
¿Quiénes son esas chicas?	*Who are those girls?*
¿Cuál es tu abuelo?	*Which (one) is your grandfather?*
¿Cuáles son tus clases favoritas?	*What are your favorite classes?*

■ When **cuánto** modifies a noun, it must agree in number and gender with that noun. It has four forms: **cuánto, cuánta, cuántos,** and **cuántas.**

¿Cuánto helado quieres?	*How much ice cream do you want?*
¿Cuánta tarea tienes?	*How much homework do you have?*
¿Cuántos estudiantes hay?	*How many students are there?*
¿Cuántas horas practicas?	*How many hours do you practice?*

■ When **cuánto** does not modify a noun, it has only one form.

¿**Cuánto** es?	*How much is it?*
¿**Cuánto** cuesta?	*How much does it cost?*

■ Both **qué** and **cuál** correspond to the English word *what.* They are not always interchangeable, however.

Qué asks for a definition or an explanation.

¿**Qué** es un "mariachi"?	*What is a **mariachi**?*
¿**Qué** está haciendo ahora?	*What is he doing now?*

Cuál asks for a selection.

¿**Cuál** es la capital de Venezuela?	*What (which city) is the capital of Venezuela?*
¿**Cuál** es tu primo?	*Which (one) is your cousin?*

■ ¿**Cómo?** is used by itself to indicate disbelief or that the listener didn't hear what was said and wants it repeated. English usually uses *What?* in these instances.

¿**Cómo?** ¡Pero sólo tiene catorce años!	*What? But he's only fourteen years old!*
¿**Cómo?** Perdón, pero la música está muy fuerte.	*What? I'm sorry, but the music is too loud.*

Vamos a practicar

a. ¿No es verdad? What can you say to get a friend to agree or disagree with you as you make the following statements?

MODELO La fiesta es divertida.
La fiesta es divertida, ¿verdad? o
La fiesta es divertida, ¿no?

1. El profesor es muy inteligente.
2. Conchita es de la República Dominicana.
3. Hace calor.
4. Te gusta el helado.
5. Conoce a la señora Alba.
6. Tienes quince años.
7. Hace buen tiempo hoy.
8. Su cumpleaños es mañana.

b. La nueva escuela. What does the new student in school want to know?

MODELO La clase de álgebra es a las ocho.
¿Es a las ocho la clase de álgebra?

1. La señora Martínez es la profesora.
2. El gimnasio está cerca de la cafetería.
3. El almuerzo es al mediodía.
4. La clase de español es por la tarde.
5. La clase de computación es difícil.
6. Roberto está en la clase de español.
7. Sara trabaja después del colegio.
8. Los estudiantes escriben muchas composiciones.

c. **¿Qué le pregunta?**   You are at your friend's house and overhear only her part of a telephone conversation. Decide what she was asked by selecting the correct question word.

MODELO   *¿Qué/**Cómo** estás?* .... Bien, gracias, ¿y tú?

1. *¿Dónde/Adónde estás?* .... Estoy en mi cuarto.

2. *¿Cómo/Cuál está tu mamá?* .... ¿Mamá? Bien, muy bien. Pero no es posible hablar con ella ahora.

3. *¿Qué/Por qué?* .... Porque ella y papá no están aquí.

4. *¿Quién/Quiénes están en casa?* .... Mis hermanos, Julio, Manuel y yo.

5. *¿Cómo/Cuáles están todos?* .... Todos están bien pero Julio está un poco enfermo.

6. *¿Qué/Cuál tiene?* .... Tiene indigestión. No es serio.

7. *¿Cuánto/Cuándo regresan tus padres?* ..... A las 9:30 o las 10:00 de la noche.

ch. **¿Una boda?**   Someone is trying to get more information about an upcoming wedding. Read the answers on the right, then complete that person's questions.

1. ¿ _____ es la boda?   Es el sábado por la tarde.

2. ¿ _____ es?   En casa de la novia.

3. ¿ _____ es la dirección?   Es 733 Camino del Rey.

4. ¿ _____ se llama la novia?   Cristina Salas.

5. ¿ _____ es el novio?   Gustavo Díaz Ortiz.

6. ¿ _____ invitados van a la boda?   Más de cien.

7. ¿ _____ van a servir?   Mucha comida y bebidas.

8. ¿ _____ van a la boda?   Todos los amigos de los novios.

9. ¿ _____ es el baile?   A las ocho y media.

10. ¿ _____ van los novios después   Al Caribe.
    de la boda?

d. **Un nuevo amigo.**   You just met a new student. What do you ask him or her? Complete the questions.

MODELO   ¿ **Cómo** te llamas?

1. ¿ _____ vives?
2. ¿ _____ años tienes?
3. ¿ _____ hermanos tienes?
4. ¿ _____ clases tienes, seis o siete?
5. ¿ _____ tienes inglés, por la mañana o por la tarde?
6. ¿ _____ es tu profesor de español, el señor Moreno o la señorita Fowler?
7. ¿ _____ vas a hacer después de las clases?
8. ¿ _____ vas a estudiar, en casa o en la biblioteca?

e. **¿Qué escuchas?**   Riding the bus, you hear bits of conversation. Match the questions with the answers.

MODELO   ¿Cuál es tu número de teléfono?
Es el 7-32-75-46.

1. ¿Dónde está Manuel?
2. ¿Cuántos hermanos tienes?
3. ¿Qué es eso?
4. ¿Quién es esa mujer?
5. ¿Cuándo quieres ir?
6. ¿Cómo se llama ese chico?
7. ¿Por qué no comes pizza?
8. ¿Cuánto cuesta ese libro?
9. ¿Cuál es tu número de teléfono?
10. ¿Adónde va José?
11. ¿Cuáles son los meses de invierno?
12. ¿Por qué estudias?

a. No me gusta.
b. Ernesto.
c. Tengo un examen mañana.
ch. Es el 7-32-75-46.
d. En la clase de historia.
e. Va a casa.
f. Catorce dólares.
g. Tengo tres hermanos.
h. Mañana a las ocho.
i. Un lápiz.
j. Es mi madrastra.
k. Son enero, febrero y marzo.

L E C C I Ó N 3

4.8 *ESTAR WITH ADJECTIVES*

You have been using the verb **estar** to tell where people and things are located.

Colombia **está** en Sudamérica.
Elena **está** en el gimnasio.

You have also used **estar** to talk about how someone is doing.

¿Cómo **está** usted?
Todos **estamos** bien.

■ **Estar** is also used with adjectives to describe people's emotional and physical condition.

Paquito **está** muy contento.   *Paquito is very happy.*
Estoy furiosa.   *I am furious.*
¿**Estás** triste?   *Are you sad?*

■ **Estar** can also be used to describe tastes or appearances or to tell how something "seems" to the speaker.

La comida **está** rica.   *The food is delicious.*
¡**Estás** muy elegante!   *You look very elegant.*
El chocolate **está** delicioso.   *The hot chocolate is delicious.*

▪ Some adjectives frequently used with **estar** are:

aburrido	*bored*
cansado	*tired*
contento	*happy*
delicioso	*delicious*
emocionado	*excited, moved*
furioso	*furious*
listo	*ready*
nervioso	*nervous*
ocupado	*busy*
preocupado	*worried*
rico	*delicious* (food)
tranquilo	*calm*
triste	*sad*

Vamos a practicar _____

a. ¿Cómo están?   Judging from these situations, how might the people feel?

MODELO   Luisa está en una boda. ¿Está tranquila o emocionada?
Está emocionada.

1. Ernesto tiene un examen en media hora y no está bien preparado.
¿Está tranquilo o nervioso?
2. Son las 11:00 de la noche y Julia todavía tiene que escribir una
composición. ¿Está muy emocionada o muy cansada?
3. Antonio no tiene clases hoy. ¿Está contento o preocupado?
4. Tu mejor amiga vive en otra ciudad ahora. ¿Estás furiosa o triste?
5. No hay programas en la tele para tu hermanito. ¿Está tranquilo
o aburrido?
6. Tenemos el examen final hoy. ¿Estamos tranquilos o preocupados?
7. Son las 5:00 y el campeonato de fútbol es a las 5:30. ¿Están todos
emocionados o aburridos?
8. Estás en una boda. ¿Estás triste o aburrido?

b. Hoy hay examen.   Today there is a Spanish test. Tell how everyone feels.

MODELO   Juanita / nervioso
Juanita está nerviosa.

1. la profesora / tranquilo
2. Elena / aburrido
3. Mario / furioso
4. José y Manuel / triste
5. yo / contento
6. nosotros / cansado
7. tú / preparado
8. Pablo y Anita / preocupado

c. ¿Cómo están todos? Tell how these people feel at the wedding rehearsal.

MODELO novia: nervioso y cansado
La novia está nerviosa y cansada.

1. los padres de la novia: tranquilo y contento
2. el fotógrafo: contento y ocupado
3. mi hermano y yo: aburrido y cansado
4. la hermana de la novia: emocionado y triste
5. el novio: nervioso y preocupado
6. las primas del novio: tranquilo y contento

ch. En el café. After the game everyone goes for a bite to eat at their favorite hangout. What do various people say about the food?

MODELO la comida / deliciosa
La comida está deliciosa.

1. tacos / bueno
2. pizza / fatal
3. café / terrible
4. pastel / sabroso
5. sándwiches / delicioso
6. chocolate / rico
7. helado / excelente
8. comida / malo

d. La boda. Silvia is writing a note to her best friend describing her cousin's wedding reception. What does she say? Complete the note with the correct forms of **estar.**

> Querida Ana,
>
> ¿Cómo __(1)__? Yo __(2)__ muy contenta. __(3)__ en la boda de mi prima Sofía. Toda mi familia __(4)__ aquí. Mi hermanito __(5)__ aburrido, pero mis papás y yo __(6)__ muy contentos. Mamá __(7)__ muy emocionada. Los novios __(8)__ nerviosos y también __(9)__ cansados. ¡Ay! ¡Van a cortar el pastel! Te escribo más la semana próxima.
>
> Pero tú, ¿por qué no me escribes? ¿__(10)__ muy ocupada? ¿__(11)__ contenta?
>
> Recibe un abrazo de tu amiga
> Silvia

4.9 THE PRESENT PROGRESSIVE AND -NDO VERB FORMS
Describing Actions in Progress

In English, the present progressive is formed with the verb *to be* plus the *-ing* form of another verb.

> *I am watching TV.*
> *We are studying.*

In Spanish, the present progressive is formed with the verb **estar** plus the **-ndo** form of another verb.

Estoy pensando.	*I'm thinking.*
¿Qué **están haciendo**?	*What are you doing?*
Estamos bailando.	*We are dancing.*

-ndo Verb Forms
-ar verbs:
Drop the **-ar** ending and add **-ando** to the stem of the verb.
bail~~ar~~   bail**ando**
estudi~~ar~~   estudi**ando**
-er and **-ir** verbs:
Drop the **-er/-ir** ending and add **-iendo** to the stem of the verb.
com~~er~~   com**iendo**   escrib~~ir~~   escrib**iendo**
beb~~er~~   beb**iendo**   sal~~ir~~   sal**iendo**
When the stem of an **-er/-ir** verb ends in a vowel, **-iendo** changes to **-yendo**.
le~~er~~   le**yendo**   *reading*
cre~~er~~   cre**yendo**   *believing*

- In Spanish, the present progressive is used only to describe an action that is taking place *right at the moment.*

¿Qué **estás haciendo**?	*What are you doing?*
Estoy leyendo.	*I'm reading.*

An *-ing* expression in English does not automatically signal a progressive tense in Spanish. Consider the following examples:

Lola **sale** a las 8:00.	*Lola is leaving at 8:00.*
Vamos a estudiar juntos esta noche.	*We're going to study together tonight.*
Tienen una fiesta hoy.	*They're having a party today.*

- The verbs *come* and *go* are not ordinarily used in the progressive in Spanish.

Vamos a clase.	*We're going to class.*
Pablo **viene** a las cinco.	*Pablo is coming at 5:00.*

a. **¿Cómo están pasando la tarde?**   How are these people spending their afternoon? What are they doing right now?

> MODELO   Joaquín / jugar fútbol
> **Joaquín está jugando fútbol.**

1. Gregorio / estudiar
2. tú / jugar con los niños
3. Marcos / practicar el piano
4. Dolores y yo / ver la tele
5. Paco y Rafael / escuchar música
6. Clara / escribir cartas
7. Papá / preparar la comida
8. mi primo / leer una novela
9. Inés / pasear en bicicleta
10. nosotros / correr en el parque

b. **¿Qué están haciendo todos?**   Your grandmother called and wants to know what everyone is doing. What do you tell her?

> MODELO   Mi hermano **está escuchando** (escuchar) discos.

1. Mi hermano _____ (practicar) el piano.
2. Mi hermanita Elena _____ (escribir) una carta.
3. Mi hermana _____ (hacer) gimnasia.
4. Mi padrastro _____ (limpiar) la casa.
5. Mis primos, Javier y Jorge, _____ (ver) la tele.
6. Mi mamá _____ (leer) una novela.
7. Mi tía Isabel _____ (preparar) la comida.
8. Yo _____ (hablar) con usted.

c. **¿Qué están haciendo?**   You are watching people in the park. Describe what everyone is doing.

> MODELO   Nora / cantar
> **Nora está cantando.**

1. tú / sacar / fotos
2. un señor / hacer / gimnasia
3. dos muchachas / comer / sándwiches
4. una señorita / escribir / una carta
5. unos niños / correr
6. mis amigos / escuchar / la radio
7. una policía / caminar por el parque
8. mamá y yo / mirar / la gente
9. una señora / leer / un libro
10. un muchacho / jugar con / su perro

ch. Todos están ocupados.   Son las 7:00 de la tarde. ¿Qué está haciendo la familia de Raúl Romano?

EJEMPLO   sus hermanos
Sus hermanos están escuchando música.

1. su mamá

2. sus hermanos

3. su primo

4. su hermana y él

5. sus abuelos

6. su tío Paco

d. En la escuela.   Mario is on his way to the principal's office. What does he see happening as he walks down the hall?

MODELO   profesor / biología / escribir / pizarra
El profesor de biología está escribiendo en la pizarra.

1. profesora / matemáticas / explicar / problema
2. clase / español / mirar / video
3. estudiantes / inglés / leer / lección
4. clase / educación física / hacer ejercicio
5. estudiantes / economía doméstica / preparar / comida
6. estudiantes / computación / trabajar / mucho
7. estudiantes / francés / aprender / mucho
8. secretaria / hablar por teléfono

e. En el baile.   Elena is writing a note to Tina. To find out what she says, select the best completion for each statement.

Querida Tina,
  (1) esta carta en el baile de la escuela.
Es muy divertido. Todos (2) . David y
Jaime (3) con Lupe y Rosa. Jorge y
Sara (4) refrescos. ¡Ay, Tina! Estoy
  (5) . Tengo un nuevo amigo muy
simpático y muy guapo. Ahora (6) con
el profesor de inglés. ¡Ay! ¡Aquí viene!
Estoy un poco (7) pero también
  (8) muy contenta.

1. Estoy escribiendo   Estás escribiendo
2. están aburridos   están contentos
3. están tristes   están bailando
4. están tomando   estamos tomando
5. muy emocionada   muy triste
6. está cansado   está hablando

7. nerviosa   leyendo
8. está   estoy

LECCIÓN 1

5.1 AFFIRMATIVE *TÚ* COMMANDS: REGULAR FORMS
Used When Giving Directions or Ordering People to Do Something

To tell someone to do something, we use commands. Spanish uses special verb endings to give affirmative commands to anyone you would address as **tú.**

Affirmative *Tú* Commands		
estudi**ar**	**-a**	estudi**a**
com**er**	**-e**	com**e**
escrib**ir**	**-e**	escrib**e**

Escribe la carta.	*Write the letter.*
Cruza la calle allí.	*Cross the street there.*
¡Corre!	*Run!*

■ Note that the affirmative **tú** command form is the same as the present-tense form for **usted, él, ella.**

usted / él / ella form:	Ella **trabaja** muy poco.
affirmative **tú** command:	**¡Trabaja** más!

Vamos a practicar

a. ¡Qué mandón!   ¿Qué le dice Esteban a su hermanita?

MODELO   (tomar) el metro
Toma el metro.

1. (escribir) una carta
2. (leer) el mapa
3. (limpiar) tu cuarto
4. (preguntar) dónde podemos comprar sellos
5. (regresar) antes de las cinco
6. (cambiar) un cheque de viajero
7. (escribir) "correo aéreo" en las cartas
8. (comprar) las tarjetas

b. ¡Atención, por favor!   ¿Qué mandatos te dan tus profesores?

1. (abrir) el libro
2. (sacar) un lápiz
3. (escribir) con cuidado
4. (llegar) a clase temprano
5. (trabajar) más
6. (pasar) a la pizarra
7. (escuchar) por favor
8. (estudiar) para el examen

c. **¿Adónde?**   Lorenzo quiere saber cómo llegar a la casa de Carlota. ¿Qué le dice Carlota?

| **1.** cruzar | **3.** doblar | **5.** caminar | **7.** doblar | **9.** abrir |
| **2.** caminar | **4.** pasar | **6.** cruzar | **8.** caminar | |

Primero _1_ la Avenida Méndez y _2_ una cuadra hasta llegar a la biblioteca. _3_ a la izquierda en la Avenida Ibarra. _4_ la iglesia y _5_ media cuadra más. _6_ la Calle Sotelo. _7_ a la derecha y _8_ media cuadra más. _9_ la puerta y ¡estás en mi casa!

5.2 NUMBERS: 100–1,000,000
Counting

Números: 100–1.000.000

100	cien
101	ciento uno
102	ciento dos
200	doscientos
300	trescientos
400	cuatrocientos
500	quinientos
600	seiscientos
700	setecientos
800	ochocientos
900	novecientos
1.000	mil
2.001	dos mil uno
3.020	tres mil veinte
4.300	cuatro mil trescientos
5.400	cinco mil cuatrocientos
10.600	diez mil seiscientos
50.700	cincuenta mil setecientos
75.800	setenta y cinco mil ochocientos
100.999	cien mil novecientos noventa y nueve
1.000.000	un millón

- The use of the comma and the period in Spanish numbers is exactly the opposite of their use in English numbers. In Spanish, a period is used to separate hundreds, thousands, and millions. A comma divides whole numbers from decimals.

106	ciento seis
1.998	mil novecientos noventa y ocho
1.600.500	un millón seiscientos mil quinientos
510,25 ptas.	quinientas diez pesetas y veinticinco céntimos
6.320,80 ptas.	seis mil trescientas veinte pesetas y ochenta céntimos

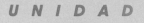

- The numbers between 200 and 900 agree in gender with the noun they modify.

  205 mesas   doscient**as** cinco mes**as**
  1.700 pesos   mil setecient**os** pes**os**

- When speaking of 1,000, the article **un** is never used.

  Gasté **mil doscientos** dólares.   ·   *I spent one thousand two hundred dollars.*

- When **millón** is used before a noun, **de** precedes the noun.

  Un millón de personas.   *A million people.*
  En la aduana, declaré **dos**   *In customs, I declared two*
    millones de pesos.   *million pesos.*

Vamos a practicar

a. Orden cronológico.   Pon los exploradores en orden cronológico.

Hernán Cortés .... mil cuatrocientos ochenta y cinco
Vasco Núñez de Balboa .... mil cuatrocientos setenta y cinco
Juan Ponce de León .... mil cuatrocientos sesenta
Francisco Vásquez de Coronado........ mil quinientos diez
Hernando de Soto .... mil cuatrocientos noventa y seis
Francisco de Orellana .... mil cuatrocientos noventa
Francisco Pizarro .... mil cuatrocientos setenta y cinco

b. ¿Cuánto gastaron?   Las siguientes personas tienen que declarar sus gastos en la aduana. ¿Qué dicen?

MODELO   Manuel Ledesma 7.500 ptas.
         Yo gasté siete mil quinientas pesetas.

1. Amalia Acuña	29.645 ptas.	**5.** Isabel Valenzuela	17.415 ptas.
2. Santiago Gallegos	9.235 ptas.	**6.** Jorge Ledesma	64.525 ptas.
3. Dolores Pérez	44.815 ptas.	**7.** Evita Ramírez	15.110 ptas.
4. Cecilia Torres	31.975 ptas.	**8.** Mario Cabezas	52.700 ptas.

c. ¡Lotería!   ¿Cuánto ganaron estas personas en la lotería nacional de España?

MODELO   María Huerta 65.000 ptas.
         María Huerta ganó sesenta y cinco mil pesetas.

1. Pancho Gómez   7.500 ptas.
2. Lucila Rey   14.750 ptas.
3. Tomás Leñero   823.000 ptas.
4. Victoria Covarrubias   950.250 ptas.
5. Demetrio de la Arena   1.475.335 ptas.
6. Sara Pacheco   10.645.475 ptas.
7. Miguel Suárez   15.000 ptas.
8. Pilar Fuentes   250.000 ptas.

5.3 THE VERBS SABER, SALIR, AND DAR

Some Spanish verbs are regular in all but the **yo** form of the present tense. Three common verbs that fit this category are **saber** (*to know facts* or *to know how to do something*), **salir** (*to go out*), and **dar** (*to give*).

Saber		Salir		Dar	
sé	sabemos	**salgo**	salimos	**doy**	damos
sabes	sabéis	sales	salís	das	dais
sabe	saben	sale	salen	da	dan
sabe	saben	sale	salen	da	dan

No **sé** dónde está.   *I don't know where it is.*
¿**Salgo** por esta puerta?   *Do I go out this door?*
¿Cuánto le **doy**?   *How much do I give him?*

- Other verbs with an irregular **yo** form include:

hacer	**hago**	*I do, make*
traer	**traigo**	*I bring*
poner	**pongo**	*I put*

- **Saber** followed by an infinitive means *to know how to do something.*

¿**Sabes hablar** español?   *Do you know how to speak Spanish?*
José **sabe bailar** muy bien. *José knows how to dance very well.*

Vamos a practicar _____

a. Sabemos mucho.   ¿Qué saben estos estudiantes de los hispanos en Estados Unidos?

MODELO   Elena: Hay mucha influencia hispana en todo el país.
Elena sabe que hay mucha influencia hispana en todo el país.

1. Roberto y Carlos: El inglés incorpora muchas palabras directamente del español.
2. nosotros: Los hispanos en Estados Unidos viven en California, Texas y Florida y muchos otros estados.
3. yo: Muchos hispanos vienen de México pero muchos vienen de otros países.
4. Beto: Hay siete estados que llevan nombres hispanos.
5. Mariela y yo: La mayoría de los hispanos en Estados Unidos viven en el suroeste del país.

b. ¡Qué talento!   La profesora quiere saber qué talento tienen sus estudiantes. ¿Qué dicen los estudiantes que saben hacer?

MODELO   Antonia / tocar / piano
Antonia sabe tocar el piano.

1. Ernesto y yo / hacer / tortillas españolas
2. tú y ella / bailar / tango
3. Román / dibujar / bien
4. Laura y su hermana / preparar / pastel
5. yo / tocar / guitarra
6. Enrique y Teresa / cantar / bien
7. tú / sacar / fotos
8. nosotros / leer / español
9. Conchita / hablar / francés
10. ustedes / jugar fútbol / bien

c. ¿Vamos a salir?   Hoy es el último día de clases para unos estudiantes de intercambio en Madrid.   ¿Cuándo salen para Estados Unidos?

MODELO   Norberto / viernes / 20:30
Norberto sale el viernes a las ocho y media de la noche.

1. yo / sábado / 15:00
2. Ricardo y Patricio / viernes / 7:00
3. Humberto / miércoles / 8:15
4. tú / martes / 5:30
5. Verónica y Hugo / jueves / 18:30
6. Rosa María / domingo / 2:00
7. nosotros / viernes / 7:45
8. ustedes / lunes / 14:15
9. ellos / sábado / 9:00
10. Bárbara / martes / 20:30

ch. Perdón . . .   Paco necesita instrucciones para ir a la Puerta del Sol. Completa sus conversaciones con la forma apropiada de los verbos **dar, estar, hacer, saber** o **salir.** Recuerda que tienes que hacer dos cosas: 1) seleccionar el verbo apropiado y 2) decidir cuál es la forma correcta del verbo.

Paco: ¿Cómo llego a la Puerta del Sol?
Luis: No _(1)_ . Pregunta en la recepción y allí te _(2)_ instrucciones.

En la recepción
Paco: ¿Puede explicarme cómo llegar a la Puerta del Sol?
Recepcionista: Bueno, ¿tú _(3)_ dónde está el metro? Pues, entra en el metro y toma el tren hacia la estación Puerta del Sol y allí mismo bajas.
Paco: _(4)_ del metro y luego ¿qué _(5)_ ?
Recepcionista: Nada. Al salir, allí _(6)_ en la Puerta del Sol.

LECCIÓN 2

5.4 *THE VERBS GUSTAR AND ENCANTAR: A SUMMARY*

You already know that the verb **gustar** is used to express likes and dislikes and that the verb **encantar** is used to talk about things you really like or love. Remember that both verbs are preceded by **me, te,** or **le** when stating that *I, you,* or *he or she* likes something.

> **Me** gusta correr.
> **Me encanta** el helado.
> ¿**Te gusta?**
> **Le gustan** las camisetas.
> ¿**Le encanta** la ciudad?

When stating that *we, you* (plural), or *they* like something, **gustar** and **encantar** are preceded by **nos, os,** or **les.**

Gustar	Encantar
If one thing is liked:	*If one thing is really liked:*
me te le nos os les } gusta	me te le nos os les } encanta
If more than one thing is liked:	*If more than one thing is really liked:*
me te le nos os les } gustan	me te le nos os les } encantan

Nos encanta bailar.	*We love to dance.*
Les encanta el tenis.	*They love tennis.*
Les gustan estas camisetas.	*They like these T-shirts.*
No **nos** gustan los calcetines.	*We don't like the socks.*

a. ¡Qué exageradas!   A Bárbara y a Susana siempre les encanta todo.
¿Cómo contestan estas preguntas?

MODELO   ¿Les gusta ver televisión?
¡Nos encanta ver televisión!

1. ¿Les gusta comer pizza?
2. ¿Les gusta correr?
3. ¿Les gusta leer el periódico?

4. ¿Les gusta pasear en bicicleta?
5. ¿Les gusta bailar?
6. ¿Les gusta beber limonada?

b. Encuesta.   Contesten estas preguntas sobre los gustos culinarios.

MODELO   ¿Les gusta el helado a tus padres?
No, no les gusta. o **Les gusta mucho.** o **¡Les encanta!**

1. ¿Le gusta el pastel de chocolate a tu papá?
2. ¿Les gustan los refrescos a ti y a tus amigos?
3. ¿Te gusta la pizza?
4. ¿Le gusta el chocolate a tu madre?
5. ¿Les gusta el café a los profesores?
6. ¿Les gustan las hamburguesas a tus amigos?

5.5 STEM-CHANGING VERBS: $E \rightarrow IE$ AND $O \rightarrow UE$

Some verbs in Spanish have an irregular stem. (The stem is the infinitive minus the
-ar, -er, or **-ir** ending.) In these verbs, the final vowel of the stem changes from **e** to **ie**
or from **o** to **ue** in all forms except **nosotros** and **vosotros.** You should learn which
verbs are stem-changing verbs.

Stem-Changing Verbs			
e → ie **recomendar** (*to recommend*)		**o → ue** **poder** (*to be able, can*)	
recom**ie**ndo	recomendamos	p**ue**do	podemos
recom**ie**ndas	recomendáis	p**ue**des	podéis
recom**ie**nda	recom**ie**ndan	p**ue**de	p**ue**den
recom**ie**nda	recom**ie**ndan	p**ue**de	p**ue**den

¿Qué me recom**ie**nda usted?   *What do you recommend?*
¿Qué p**ie**nsas de él?   *What do you think of him?*
¿Cuánto c**ue**sta?   *How much does it cost?*
¿En qué p**ue**do servirles?   *How can I help you?*

Note that in many dictionaries and in the Spanish-English glossary at the end of this book, stem-changing verbs are listed with their vowel change in parentheses: **recomendar (ie), poder (ue).**

■ The following is a list of some commonly used **e → ie** and **o → ue** stem-changing verbs.

e → ie		o → ue	
comenzar (ie)	*to begin*	contar (ue)	*to count*
empezar (ie)	*to begin*	costar (ue)	*to cost*
entender (ie)	*to understand*	encontrar (ue)	*to find*
pensar (ie)	*to think*	poder (ue)	*to be able, can*
preferir (ie)	*to prefer*	recordar (ue)	*to remember*
querer (ie)	*to want*		
recomendar (ie)	*to recommend*		

u → ue	
jugar* (ue)	*to play*

■ The affirmative **tú** command form also undergoes this stem change.

Cuenta el dinero, por favor.   *Count the money, please.*
Re**cue**rda la dirección.   *Remember the address.*

Vamos a practicar

a. ¿Qué quieres tú?   Tú y tus amigos van de compras hoy. ¿Qué quieren comprar?

MODELO   Gregorio **quiere** una camiseta.

1. Lisa __ unos lápices.
2. Mario y Hugo __ camisetas moradas.
3. Daniela y yo __ sudaderas anaranjadas.
4. Todos nosotros __ helado de chocolate.
5. Yo __ un teléfono negro.
6. Tú __ unos pantalones nuevos.
7. David __ zapatos.
8. Tú y Alejandra __ blusas bonitas.

b. ¿Qué prefieren?   Según Jorge, ¿cómo prefieren vestirse estas personas durante el fin de semana?

MODELO   mi hermano / camisa / rojo
         Mi hermano prefiere llevar una camisa roja.

1. mamá / pantalones / negro
2. mis hermanas / camisetas / amarillo
3. mi padre / camisa / blanco
4. tú / camiseta / rojo
5. yo / jeans / azul
6. tú y yo / sudaderas / anaranjado
7. mi abuelo / suéter / negro
8. mi tía Evita / vestido / verde

*Like the stem change **o → ue,** the stem vowel **u** of the verb **jugar** changes to **ue.**

c. ¡Qué familia!   La familia de Hugo tiene mucho talento. ¿Qué pueden hacer?

> MODELO   escribir en italiano: abuela
> **Su abuela puede escribir en italiano.**

1. bailar el tango: hermanas
2. preparar la comida: todos nosotros
3. correr tres millas: papá
4. usar la computadora: hermano
5. cantar en italiano: mamá
6. hacer pizza: mamá y papá
7. tocar el piano: yo
8. hablar italiano: abuelos y mamá

ch. ¿Qué juegas?   Di qué deportes juegan tú y tus amigos todos los domingos en el parque.

> MODELO   Isabel / volibol
> **Isabel juega volibol.**

1. yo / tenis
2. Arcelia / béisbol
3. Armando y Lucía / fútbol
4. tú / básquetbol
5. mis primos y yo / volibol

d. De compras.   Para descubrir qué están haciendo Andrea y Verónica, 1) selecciona el verbo apropiado y 2) decide cuál es la forma correcta del verbo.

En una tienda

Andrea:	Yo no (1) nada, ¿y tú? ¿Ves algo que te gusta?	**1.** poder	encontrar	contar
Verónica:	No, nada. (2) comprarle algo especial a Silvia pero todo (3) demasiado.	**2.** Querer	Entender	Comenzar
		3. costar	querer	pensar
Andrea:	Sí, tú (4) razón. Y nosotras no (5) mucho dinero. ¿Adónde vamos ahora?	**4.** contar	recomendar	tener
		5. poder	tener	entender
Verónica:	Yo (6) ir a la sección de mujeres.	**6.** comenzar	querer	recordar
Andrea:	¡Qué buena idea!			

Más tarde

Verónica:	Ay, Andrea, mira. Yo (7) esos pantalones verdes.	**7.** costar	pensar	querer
Andrea:	¿Por qué no te los (8)?	**8.** probar	preferir	pensar
Dependiente:	¿En qué (9) servirles, señoritas?	**9.** poner	poder	preferir
Verónica:	¿(10) decirme cuánto (11) estos pantalones?	**10.** Poner	Poder	Preferir
		11. contar	comenzar	costar
Dependiente:	Cuestan 8.500 pesetas.			
Verónica:	¡Ay, Andrea! Hay bastante dinero. ¡Yo (12) comprar los pantalones!	**12.** poder	encontrar	entender

5.6 ORDINAL NUMBERS

Used to Establish Order

Ordinal numbers specify the order of things in a series. In Spanish, the most frequently used ordinal numbers are those between one and ten.

Ordinal Numbers	
primero(a)	*first*
segundo(a)	*second*
tercero(a)	*third*
cuarto(a)	*fourth*
quinto(a)	*fifth*
sexto(a)	*sixth*
séptimo(a)	*seventh*
octavo(a)	*eighth*
noveno(a)	*ninth*
décimo(a)	*tenth*

Primero, deben ir a correos.   *First, you should go to the post office.*
Está en el **segundo** piso.   *It is on the second floor.*

■ Ordinal numbers agree in number and gender with the nouns they modify.

los **primeros** tres meses   *the first three months*
la **séptima** semana   *the seventh week*
el **cuarto** capítulo   *the fourth chapter*

■ **Primero** and **tercero** are shortened to **primer** and **tercer** before masculine singular nouns.

Está en el **tercer** piso   *It's on the third floor*
del nuevo edificio.   *of the new building.*
Es el **primer** presidente   *He's the first Hispanic*
hispano.   *president.*

Vamos a practicar

a. ¿Qué grado?   ¿En qué grado están estos estudiantes?

MODELO   Federico (4)
         Federico está en el cuarto grado.

1. Gloria (6)		**6.** Héctor (9)	
2. Lupe (10)		**7.** Juanita (1)	
3. Timoteo (3)		**8.** Pepe (2)	
4. Rolando (7)		**9.** Luisa (8)	
5. Roberto (5)		**10.** Carlos (4)	

b. Familia numerosa. Tere es la hija más pequeña de una familia muy grande. ¿Cómo se llaman sus hermanos?

MODELO   Tere (10)   Julio (5)
              La décima hija se llama Tere.   **El quinto hijo se llama Julio.**

Paco	Benita	Daniela	Carmen	Julio	Pepe	Alicia	Beto	Nena	Tere
(1)	(2)	(3)	(4)	(5)	(6)	(7)	(8)	(9)	(10)

  a. Daniela   **c.** Paco   **d.** Carmen   **f.** Benita   **h.** Alicia
  b. Nena   **ch.** Tere   **e.** Julio   **g.** Pepe   **i.** Beto

L E C C I Ó N 3

5.7 STEM-CHANGING VERBS: E → I

Besides the stem-changing verbs you know, there is another group of stem-changing **-ir** verbs. In this group, the final vowel of the stem changes from **e** to **i** in all forms except **nosotros** and **vosotros**. Learn which **-ir** verbs have this stem change.

Stem-Changing Verbs: e → i			
pedir (*to order, ask for*)	**servir** (*to serve*)	**decir** (*to say, tell*)	**seguir** (*to follow, continue*)
pido	sirvo	digo	sigo
pides	sirves	dices	sigues
pide	sirve	dice	sigue
pedimos	servimos	decimos	seguimos
pedís	servís	decís	seguís
piden	sirven	dicen	siguen

  ¿Qué fruta fresca **si**rven?   *What fresh fruit do you serve?*
  Yo siempre **pi**do melón.   *I always order melon.*

■ The verbs **decir** and **seguir** also have an irregular ending in the **yo** form: **digo** and **sigo.**

  Siempre **digo** la verdad.   *I always tell the truth.*
  Sigo derecho, ¿verdad?   *I continue straight ahead, right?*

■ Here are some frequently used **e → i** stem-changing verbs. Note that they are listed with the vowel change in parentheses.

conseguir (i)	*to get, obtain*
decir (i)	*to say, tell*
pedir (i)	*to order, ask for*
repetir (i)	*to repeat*
seguir (i)	*to continue, follow*
servir (i)	*to serve*
vestir (i)	*to dress*

■ The affirmative **tú** command form and the present participle also undergo this stem change.

Pide algo para beber.	*Ask for something to drink.*
Sigue media cuadra más.	*Go another half block.*
Te estoy **diciendo** la verdad.	*I am telling you the truth.*
Ya están **sirviendo** el almuerzo.	*They are already serving lunch.*

Vamos a practicar

a. ¿Que sí o que no?   ¿Qué dicen los miembros de la familia Quiroga? ¿Quieren ir al cine o no?

MODELO   Mamá **dice** que no.

1. Yo __ que sí.
2. Alicia y yo __ que sí también.
3. Pues, yo __ que no.
4. Y tú, mamá, ¿qué __?
5. Los niños __ que sí.
6. Papá __ que sí.
7. Yo también __ que sí.
8. ¿Tú también __ que sí?

b. ¿Qué pedir?   Completa la conversación de Conchita y Lupita en el restaurante.

1. pedir	**3.** pedir	**5.** pedir	**7.** pedir
2. servir	**4.** pedir	**6.** pedir	**8.** pedir

Conchita: ¿Qué vas a 1 ?
Lupita: No sé. ¿Qué me recomiendas?
Conchita: 2 muy buenos sándwiches aquí. Yo siempre 3 el de jamón y queso.
Lupita: ¿Cómo puedes decir que tú siempre 4 jamón y queso? Cuando salimos, tú y yo siempre 5 hamburguesas.
Conchita: No tienes razón. Tú y Ramón siempre 6 hamburguesas. Yo 7 papas fritas. Pero aquí yo siempre 8 el sándwich de jamón y queso.

c. ¡Al hacer cola! ¿Quién sigue a quién al subir al autobús escolar?

MODELO Mariela
Mariela sigue a José.

| José | Carmen | tú | Esteban | yo | Inés | Silvia |

Mariela María Mateo Luis Isabel Roberto

1. tú   **3.** María y tú   **5.** Esteban   **7.** Roberto y Silvia

2. yo   **4.** Luis y yo   **6.** Isabel y yo   **8.** Carmen

ch. ¡Voy a cambiar! Rubén López y su hermana Raquel están en un café. Completa su conversación.

1. servir (ellos)   **3.** pedir   **5.** pedir   **7.** pedir   **9.** pedir

2. servir   **4.** decir   **6.** pedir   **8.** decir

Al entrar

Rubén: ¿Qué _1_ aquí, Raquel?

Raquel: _2_ unas papas fritas fantásticas. Yo siempre _3_ las papas y un refresco.

Rubén: Mamá _4_ que los sándwiches son muy ricos aquí.

Raquel: Pues, ¿por qué no _5_ tú por mí?

Rubén: Bueno. Si yo _6_ un sándwich y tú _7_ las papas fritas, puedo probar de todo.

Raquel: Sí, pero creo que hoy prefiero un bizcocho.

Rubén: Pero . . . ¿no _8_ que siempre _9_ las papas fritas?

Raquel: Sí, pero hoy voy a cambiar.

d. ¡Casa Botín! Para descubrir algo de este famoso restaurante madrileño, completa el párrafo con la forma correcta de los verbos **decir, pedir, seguir** y **servir.** Recuerda que tienes que hacer dos cosas: 1) seleccionar el verbo apropiado y 2) decidir cuál es la forma correcta del verbo.

Mis amigos _(1)_ que uno de los restaurantes más populares de Madrid es la Casa Botín. Está en la calle de Cuchilleros. _(2)_ de todo allí pero la especialidad de la casa es el cochinillo asado.° Ellos siempre lo _(3)_ cuando van allí. Mi amiga Teresa _(4)_ que ella nunca _(5)_ el cochinillo. ¿Por qué no? Porque _(6)_ que allí también _(7)_ un cordero° asado muy sabroso. Yo pienso comer en Casa Botín esta tarde. Me dicen que es fácil llegar allí si yo _(8)_ por esta calle hasta la Plaza Mayor. De la Plaza Mayor yo _(9)_ por el Arco de Cuchilleros, y ¡allí está!

cochinillo asado *roast suckling pig*   **cordero** *lamb*

5.8 *TENER* IDIOMS

An idiom is an expression that makes sense in one language but does not make sense when translated word for word into another language. The verb **tener** is used in several idiomatic expressions.

Tener Idioms	
tener hambre	*to be hungry*
tener sed	*to be thirsty*
tener calor	*to be hot*
tener frío	*to be cold*
tener prisa	*to be in a hurry*
tener razón	*to be right*

Tengo hambre pero no **tengo sed.**	*I am hungry but I am not thirsty.*
¿Tienes frío?	*Are you cold?*
Al contrario, **tengo calor.**	*On the contrary, I'm hot.*
Tienes razón, no **tenemos prisa.**	*You are right, we are not in a hurry.*

■ To express *very,* use **mucho(a).** Note that **hambre, sed, razón,** and **prisa** are all feminine. **Calor** and **frío** are masculine.

Tengo **mucha** hambre.	*I'm very hungry.*
Tenemos **mucha** prisa hoy.	*We are in a big hurry today.*
Dicen que tienen **mucho** frío.	*They say they are very cold.*

Vamos a practicar

a. ¿Qué tienes? Completa estas oraciones con una expresión idiomática.

MODELO Cuando tengo **prisa**, camino muy rápido.

1. Cuando tengo __, voy a la cafetería.
2. Los profesores creen que siempre tienen __.
3. Perdón, tengo __. Mi clase empieza en dos minutos.
4. Tú no tienes __; 4 + 44 no son 49.
5. En julio y agosto todos tenemos __.
6. Voy a comer algo. Tengo mucha __.
7. Cuando tengo __, bebo agua.
8. Con permiso, tengo mucha __. Mi autobús llega en dos minutos.
9. Tienes __. No todos los hispanos en Estados Unidos son de México.
10. En invierno, tengo __.

b. ¿Qué les pasa? ¿Por qué estas personas dicen esto?

MODELO   Elena: 10 + 11 son 22.
Porque no tiene razón.

1. Juanito: Quiero comer.
2. Norman: Quiero un refresco grande.
3. Anita: Son las nueve menos dos y mi clase
   es a las nueve.
4. Tomás: Quiero un sándwich de jamón y un sándwich
   de queso y patatas fritas.
5. Diana: Primero quiero dos vasos de agua y luego
   un café con leche.
6. Raúl: ¡Adiós! ¡Adiós! Ya viene mi autobús.
7. Joaquín: 5 + 6 son 11.
8. Amanda: Necesito mi chaqueta.
9. Carlos: No necesito toda esta ropa.
10. Bárbara: Granada es la capital de España.

5.9 INDIRECT OBJECT PRONOUNS

Indirect object nouns and pronouns answer the questions *to whom?* or *for whom?*
something is done. Note in the following examples that *to* and *for* are often omitted
in English.

What are you going to buy *David?*
Give *us* the money. We'll get it *for him.*
Don't forget to write *me.*

Object pronouns, like subject pronouns, are words that allow you to identify people
without using or repeating their names. You are already familiar with the Spanish
forms of indirect object pronouns from using the verbs **gustar** and **encantar.**

Indirect Object Pronouns			
a mí	**me**	**nos**	a nosotros(as)
a ti	**te**	**os**	a vosotros(as)
a usted	**le**	**les**	a ustedes
a él, a ella	**le**	**les**	a ellos, a ellas

Abuelita **nos** escribe mucho.   *Grandmother writes us a lot.*
¿**Te** sirvo más café?   *May I serve you more coffee?*
¿**Le** compro este disco?   *Shall I buy you this record?*
¿**Les** doy el dinero a ellos?   *Do I give them the money?*

■ Indirect object pronouns can be *clarified* or *emphasized* by using
a + [a name or pronoun].

To clarify:

¿Les escribes **a Mónica** y **a Alicia** con frecuencia?	*Do you write Mónica and Alicia often?*
Yo voy a decirles **a ellos** la verdad.	*I am going to tell them the truth.*

To emphasize:

¡El problema es que **a mí** no me gustan las papas!	*The problem is that I don't like potatoes!*
Pues, ¡**a nosotros** nos encantan!	*Well, we love them!*

■ Usually the indirect object pronoun comes before the verb.

A ver si **le** encontramos una camiseta.	*Let's see if we can find him a T-shirt.*
¿**Te** traigo un café?	*Shall I bring you a cup of coffee?*
Me gustan mucho las películas de aventuras.	*I like adventure movies a lot.*

■ In sentences where there is an infinitive or **-ndo** form, the indirect object pronoun may be placed either before the conjugated verb *or* after and attached to the infinitive or **-ndo** verb form.

Te voy a traer el periódico. Voy a traer**te** el periódico.	*I'm going to bring you the newspaper.*
Le estoy escribiendo una carta. Estoy escribiéndo**le** una carta.	*I'm writing her a letter.*

■ With an affirmative command, the indirect object pronoun is always placed after and attached to the command form.

Sírve**me** el melón primero.	*Serve me the melon first.*
Carmen, tráe**me** el periódico, por favor.	*Carmen, bring me the newspaper, please.*
Silvia, cuénta**nos** de tu viaje por Europa.	*Silvia, tell us about your trip around Europe.*

■ In writing, when a pronoun is attached to the **-ndo** verb form or to command forms with two or more syllables, a written accent is always required.

Estamos **preparándole** una comida especial.	*We're preparing her a special meal.*
¡**Escríbeme** pronto!	*Write me soon!*
¡**Dímelo** ahora!	*Tell it to me now!*

a. ¿Les gusta o no?   ¿Qué les gusta o no les gusta a estas personas?

MODELO   __Les__ encantan las papas fritas a mis hermanos.

1. A ella _____ encantan los centros comerciales.
2. ¿A ti _____ gustan los almacenes grandes?
3. No _____ gusta ir de compras a mamá.
4. No _____ gusta a mí tampoco.
5. A mis hermanos _____ gusta escuchar la radio.
6. Las tiendas de discos _____ encantan a nosotros.
7. ¿Qué pasa? ¿No _____ gusta a usted la música?
8. A nadie _____ gusta.

b. ¿Qué les sirvo?   Dile al camarero qué debe servirles a estas personas.

MODELO   leche / a mí
              Sírveme leche, por favor.

1. un bizcocho / a él
2. unas hamburguesas / a ellos
3. un refresco / al Sr. Duarte
4. helado / a ellas y a mí
5. leche de chocolate / a los niños
6. un sándwich de queso / a la Sra. Duarte
7. papas fritas / a nosotros
8. un café / a mí

c. ¡Llegan pronto!   Los abuelos van a visitar a sus nietos en una semana.
¿Qué preguntas les hacen sus nietos cuando les hablan por teléfono?

MODELO   traer regalos
              ¿Van a traernos regalos? o
              ¿Nos van a traer regalos?

1. comprar ropa nueva
2. dar dinero
3. preparar comida especial
4. cantar algo todos los días
5. dar bizcocho
6. traer fotos
7. leer un libro
8. traer papas fritas
9. comprar videos
10. dar dulces

ch. ¿Qué están haciendo?   Es sábado por la tarde y todos están ocupados en la familia de Alberto. ¿Qué están haciendo?

> MODELO   Juanita / servir / café / a sus abuelos
> **Juanita está sirviéndoles café a sus abuelos.** o
> **Juanita les está sirviendo café a sus abuelos.**

1. papá / leer / el periódico / a Paquito
2. yo / preparar / la comida / a todos
3. Anita / pedir / un disco / a mí
4. mis primos / servir / un refresco / a los invitados
5. Julio y Cruz / dar / clases de baile / a los niños
6. mamá / escribir / cartas / a sus amigos
7. Paquito / decir / algo interesante / a nosotros
8. mi tío / dar / dinero / a mi prima

d. ¡Qué familia!   ¿Qué hace esta familia durante la Navidad (*Christmas*)? Para saberlo, completa este párrafo con los complementos indirectos apropiados.

Mis padres siempre (1) dan un regalo interesante y especial para la Navidad. Generalmente, yo (2) compro una cosa a mi padre y otra a mi madre. Pero si no tengo mucho dinero, (3) doy algo a los dos. También (4) compro algo a mis abuelos. Ellos siempre (5) traen regalos a todos nosotros. Mis padres (6) dan dinero a mis abuelos. A mí (7) gusta eso mucho porque con frecuencia mis abuelos usan el dinero para comprar (8) más regalos a mí y a mis hermanos. ¿Y tú? ¿ (9) compras regalos a todos tus parientes? Y ellos, ¿ (10) dan muchos regalos a ti?

LECCIÓN 1

6.1 PRETERITE TENSE: REGULAR VERBS
Describing What You Did

Up until now, you have been talking in Spanish about events happening in the present. In this unit, you will learn to use the preterite tense to talk about events that happened in the past.

Preterite-Tense Verb Endings		
Subject	**-ar** verbs	**-er** and **-ir** verbs
yo	**-é**	**-í**
tú	**-aste**	**-iste**
usted	**-ó**	**-ió**
él / ella	**-ó**	**-ió**
nosotros(as)	**-amos**	**-imos**
vosotros(as)	**-asteis**	**-isteis**
ustedes	**-aron**	**-ieron**
ellos / ellas	**-aron**	**-ieron**

Below are examples of the three kinds of verbs in the preterite tense.

Bailar **(-ar)**	**Correr** **(-er)**	**Salir** **(-ir)**
bail**é**	corr**í**	sal**í**
bail**aste**	corr**iste**	sal**iste**
bail**ó**	corr**ió**	sal**ió**
bail**amos**	corr**imos**	sal**imos**
bail**asteis**	corr**isteis**	sal**isteis**
bail**aron**	corr**ieron**	sal**ieron**

Bailamos y **bailamos.**   *We danced and danced.*
Salí de la casa y **corrí**   *I left the house and ran*
  tras el autobús.   *after the bus.*

- Note that the preterite tense has two sets of endings: one for **-ar** verbs and the other for **-er** and **-ir** verbs.

- Also notice that the **yo** form and the **usted / él / ella** forms require a written accent.

Adela **salió** primero.	*Adela left first.*
Yo no **estudié** anoche.	*I didn't study last night.*

- The **nosotros** form of **-ar** and **-ir** verbs is the same in the present and preterite tenses. The context will help you decide which meaning is intended.

Cantamos todos los días.	*We sing every day.*
Cantamos mucho ayer.	*We sang a lot yesterday.*
Vivimos en Texas ahora.	*We live in Texas now.*
Vivimos allí tres años.	*We lived there three years.*

Vamos a practicar

a. ¡Qué horario!   Leticia siempre está muy ocupada. Completa su carta a Amalia. ¿Qué le dice que hizo ayer?

1. preparar	**4.** recibir	**7.** ayudar	**10.** salir
2. comer	**5.** decidir	**8.** estudiar	**11.** correr
3. descansar	**6.** escribir	**9.** preparar	**12.** regresar

> Querida Amalia,
>
> ¡Qué día pasé ayer! A las doce le _1_ un sándwich a Pepita. Ella y
> yo _2_ en casa. Después yo _3_ por media hora. A las dos _4_ una carta de
> mi tía Julia. Después de leerla, _5_ contestar su carta inmediatamente.
> Le _6_ más de tres páginas. Después _7_ a mi mamá a limpiar la casa.
> Luego _8_ por dos horas. _9_ todas mis clases para el lunes. Entonces
> _10_ a correr. _11_ una milla. _12_ a casa a la hora de comer. ¡Uf!
> ¡Qué día!
>
> Un abrazo fuerte de
>
> Leticia

b. ¡Fuiste a México!   Un(a) amigo(a) pasó sus vacaciones en México. ¿Qué le preguntas cuando regresa?

MODELO   visitar muchos museos
¿Visitaste muchos museos?

1. cambiar mucho dinero	**6.** comprar regalos
2. mandar tarjetas postales	**7.** caminar mucho
3. escribir cartas	**8.** recibir muchos regalos
4. comer mucho	**9.** conocer a muchas personas
5. escuchar música	**10.** regresar ayer

c. ¿Quién lo hizo?   Identifica a las personas que hicieron las cosas mencionadas. (Todas las personas están en tu libro de español.)

Manolo y Víctor   el papá de Manolo y Víctor
Carlos y Raúl   Víctor, Manolo y sus padres
Mónica   Lupe y su abuelo
Pedro Solís   Martín, Daniel y Riqui
Rafael y Betty   David, Martín, Kati y Alicia
Srta. Rivera

MODELO   dejar una propina
         El papá de Manolo y Víctor dejó una propina.

1. celebrar sus cumpleaños
2. cambiar un cheque de viajero
3. calificar exámenes
4. estudiar computación
5. pasar el verano en México
6. comer pizza en la Zona Rosa
7. hablar con la gente en Chapultepec
8. subir a los juegos en el parque de diversiones
9. comer en un restaurante en Madrid
10. bailar en su boda

ch. Línea ocupada.   Todos hablaron mucho por teléfono anoche. ¿Cuánto tiempo hablaron?

MODELO   Paquita **habló** media hora.

1. Juan y yo __ 45 minutos.
2. Mi mamá y mi tía __ 15 minutos.
3. Tú __ una hora.
4. Manuel __ 10 minutos.
5. Yo __ una hora y 15 minutos.
6. Tú y Anita __ 20 minutos.
7. Mi papá __ 50 minutos.
8. Mario y yo __ más de media hora.

d. Vivieron en México.   Esperanza y muchos de sus amigos vivieron en México por un tiempo. ¿Cuánto tiempo vivieron allí?

MODELO   Jorge: 2 años
         Jorge vivió en México dos años.

1. Andrés y Matilde: 1 año
2. tú: 6 meses
3. Lidia: 5 años
4. yo: 3 años
5. mi prima: 2 años
6. ustedes: 7 años
7. Eduardo: 10 años
8. mi familia y yo: 3 años

e. Mucha hambre.   Ayer después de jugar fútbol, todos decidieron ir a comer algo. ¿Qué comieron y qué bebieron?

MODELO   Ángel: pizza   Tina y yo: leche
         Ángel comió pizza.   **Tina y yo bebimos leche.**

1. Martina y yo: hamburguesas
2. Esteban y Roberto: mucha agua
3. tú: dos refrescos
4. Roberto y Tina: pastel
5. yo: limonada
6. Esteban: melón
7. tú y Tina: papas fritas
8. Martina y Tina: mucha leche

f. ¡Noticias! Luisa está de vacaciones en Guadalajara. Ahora le escribe una carta a su amiga Natacha. ¿Qué le dice?

1. visitar
2. pasar
3. prepararnos
4. comer
5. beber
6. beber

7. salir
8. llevar
9. escuchar
10. mirar
11. decidir

¡Hola, Natacha!

¿Cómo estás? Nosotros estamos muy contentos aquí. Ayer mamá y yo _1_ el Parque Agua Azul. ¡Es hermoso y tan tranquilo! _2_ toda la tarde allí. Para el almuerzo, el hotel _3_ unos sándwiches muy ricos. Pero mamá sólo _4_ fruta. Yo _5_ limonada, mamá no _6_ nada. Por la noche mi hermano Pascual y yo _7_ a pasear por el centro. Él me _8_ a la Plaza de los Mariachis donde _9_ la música alegre y _10_ a la gente pasar. Mis padres _11_ ir a un espectáculo de ballet folklórico. Todo fue muy divertido.

Tu amiga
Luisa

6.2 PRETERITE OF IR

Some verbs, like **ir**, have irregular preterite forms.

Ir	
fui	fuimos
fuiste	fuisteis
fue	fueron
fue	fueron

Fuimos al Patio Iglesias.   *We went to the Patio Iglesias.*
¿**Fuiste** al concierto?   *Did you go to the concert?*
Fueron a Madrid.   *They went to Madrid.*
No **fui** a la biblioteca.   *I didn't go to the library.*

a. ¡Vacaciones!   Ayer empezaron las vacaciones y muchas personas ya salieron de la ciudad. ¿Adónde fueron?

EJEMPLO   **Anita fue a San Antonio, Texas.**

Anita	fuiste a Los Ángeles
José y Pedro	fue a Las Vegas, Nevada
ustedes	fuimos a Miami, Florida
yo	fui a Chicago, Illinois
el profesor García	fueron a Boston, Massachusetts
tú	fueron a Nueva York, Nueva York
Martín y yo	fue a San Antonio, Texas

b. Un día típico.   Ayer fue un día típico en el Colegio Dos Robles. ¿Adónde fueron estos estudiantes a las 11:10?

MODELO   José: la biblioteca
   José fue a la biblioteca.

1. Sara y Maité: cafetería
2. tú y tu hermana: gimnasio
3. yo: sala de música
4. mi amigo Pepe: clase de francés

5. Martín: laboratorio de química
6. Carmen y yo: patio
7. Marcos y Ana: sala de computación
8. ellas: clase de español

L E C C I Ó N   2

6.3   *PRETERITE OF HACER, SER, DAR, AND VER*

The verbs **hacer, ser, dar,** and **ver** are irregular in the preterite tense.

Hacer	Ser	Dar	Ver
hice	fui	di	vi
hiciste	fuiste	diste	viste
hizo	fue	dio	vio
hicimos	fuimos	dimos	vimos
hicisteis	fuisteis	disteis	visteis
hicieron	fueron	dieron	vieron

¿Qué **hiciste** ayer?	*What did you do yesterday?*
Fui el primero en llegar.	*I was the first to arrive.*
Me **dieron** un regalo muy caro.	*They gave me a very expensive gift.*
Isabel no **vio** a Marcos.	*Isabel didn't see Marcos.*

■ Note that unlike regular verbs, irregular verbs in the preterite do not have written accents.

Yo no **hice** nada anoche.	*I didn't do anything last night.*
¿Usted **fue** estudiante allí?	*You were a student there?*
¿Cuánto te **dio?**	*How much did he give you?*
Vi tres películas.	*I saw three movies.*

■ The preterite forms of the verb **ser** are identical to the preterite forms of the verb **ir.** The context will help you decide which verb is being used.

Él **fue** presidente por ocho años.	*He was president for eight years.*
No **fue** a la fiesta.	*He didn't go to the party.*

Vamos a practicar

a. La tarea. ¿Quiénes hicieron la tarea anoche?

MODELO   Carlos y Ramona (sí)
Carlos y Ramona hicieron la tarea.

Carmen y Arturo (no)
Carmen y Arturo no hicieron la tarea.

1. los estudiantes buenos (sí)
2. la profesora (no)
3. nosotros (sí)
4. tú (sí)
5. María y Timoteo (no)
6. yo (sí)
7. el estudiante enfermo (no)
8. los estudiantes malos (no)

b. ¡Un pastel! Alguien hizo un pastel para la profesora. ¿Quién fue?

MODELO   Elena: estudiar toda la noche
Elena no hizo el pastel porque estudió toda la noche.

1. Estela y Norma: ir a una fiesta
2. Paco: trabajar en el restaurante con su padre
3. nosotros: hablar por teléfono toda la tarde
4. tú: limpiar la casa
5. Beatriz y Ernesto: escribir una composición
6. Ramiro y yo: salir a comer
7. ustedes: escuchar música toda la noche
8. Marta y Rolando: hacer el pastel

c. ¿Quién fue? Unos estudiantes limpiaron la clase de español pero la profesora Alarcón no sabe quién lo hizo. ¿Qué le pregunta la profesora a la clase?

MODELO   Margarita
¿Fue Margarita?

1. Cristina y Esteban
2. tú
3. Micaela
4. ustedes
5. David
6. Elena y tú

ch. ¡Mucho talento!   ¿Qué dice Laura del drama que su clase presentó anoche?

MODELO   Nicolás: fantástico
Nicolás fue fantástico.

1. Laura: estupendo
2. Julio y Tomasita: magnífico
3. tú: fenomenal
4. nosotros: muy bueno
5. Rebeca y Ada: especial
6. yo: excelente

d. ¡Ay, pobre!   El perro está enfermo porque alguien le dio algo malo de comer. ¿Quién fue?

MODELO   ¿Fue Enrique?
No, Enrique no le dio nada.

1. ¿Fue Sara?
2. ¿Fueron Hugo y Paco?
3. ¿Fueron tú y Tomás?
4. ¿Fuimos Víctor y yo?
5. ¿Fue Laura?
6. ¿Fueron ustedes?
7. ¿Fue Paquito?
8. ¿Fui yo?

e. Estampillas.   Carlitos tiene una colección de estampillas (*stamps*) de muchos países. ¿Qué tipo de estampillas le dieron estas personas?

MODELO   Su abuelo vive en Caracas.
Su abuelo le dio estampillas de Venezuela.

1. Yo vivo en Buenos Aires.
2. Bárbara vive en Asunción.
3. Sus primos viven en Lima.
4. Su mamá vive en Bogotá.
5. Tú vives en Madrid.
6. Luis y yo vivimos en Tegucigalpa.
7. Su amigo José vive en La Habana.
8. Tú y Luisa viven en La Paz.

f. Yo te vi.   Muchas personas fueron al concierto anoche. ¿A quiénes vieron allí?

MODELO   Nosotros **vimos** a los señores Ramírez.

1. Yo __ a tu prima.
2. Carlota __ a la profesora de inglés.
3. Ustedes __ a los músicos.
4. Josefina y yo __ a la familia Sánchez.
5. Tú __ al padrastro de Lilia.
6. Abel y Bernardo __ a mis abuelos.
7. Norberto __ a su amigo Rubén.
8. Ellos __ a los hermanos Gómez.

g. ¿Ya la viste?   ¿Cuándo vieron estas personas la mejor película del año?

MODELO   Román: anoche
Román la vio anoche.

1. Federico: la semana pasada
2. tú: en octubre
3. Amalia: anoche
4. Samuel y Gloria: en abril
5. Patricio y yo: en agosto
6. ustedes: en otoño
7. yo: el verano pasado
8. Doroteo y Emilio: ayer

h. **¿Héroe o asesino?**   Completa estos párrafos con el pretérito de los verbos indicados y luego decide si, en tu opinión, Hernán Cortés fue un héroe o un asesino.

1. ser	**8.** decidir
2. ser	**9.** ser
3. ser	**10.** matar
4. hacer	**11.** volver
5. recibir	**12.** conquistar
6. dar	**13.** tomar
7. ver	**14.** ser

    Mucha gente cree que Hernán Cortés _1_ un gran hombre. Otros dicen que él simplemente _2_ un conquistador en busca de oro. Él _3_ la persona responsable por la conquista de Tenochtitlán, la antigua capital de los aztecas.

    Cortés _4_ dos viajes a la capital. En su primer viaje, Moctezuma, el rey de los aztecas, _5_ a Cortés y a sus soldados como sus invitados. Él les _6_ muchos regalos de oro. Cuando Cortés y sus soldados _7_ todo el oro de Moctezuma, ellos _8_ tomar prisionero a Moctezuma. Entonces los soldados aztecas

atacaron a los españoles y los españoles _9_ forzados a salir de Tenochtitlán. Pero antes de salir, los españoles _10_ a Moctezuma. Muchos soldados aztecas y españoles murieron en esa batalla.

    Cortés y sus soldados _11_ una segunda vez a Tenochtitlán. Esta vez ellos _12_ a los aztecas y _13_ control de su capital. Miles de soldados aztecas murieron defendiendo su capital.

    Ahora, ¿qué crees tú? ¿_14_ Cortés y sus soldados grandes hombres o simplemente conquistadores en busca de oro?

LECCIÓN 3

Four more irregular verbs in the preterite are **poder, tener, venir,** and **decir.** Note that these verbs share the same verb endings (except for **dijeron**) and that there are no written accents.

Poder	Tener	Venir	Decir
pud**e**	tuv**e**	vin**e**	dij**e**
pud**iste**	tuv**iste**	vin**iste**	dij**iste**
pud**o**	tuv**o**	vin**o**	dij**o**
pud**imos**	tuv**imos**	vin**imos**	dij**imos**
pud**isteis**	tuv**isteis**	vin**isteis**	dij**isteis**
pud**ieron**	tuv**ieron**	vin**ieron**	dij**eron**

No **pudimos** hacerlo.	*We couldn't do it.*
Tuve que subir al camión.	*I had to get on the bus.*
¿**Viniste** sola?	*Did you come alone?*
Sí, nos **dijo** la verdad.	*Yes, he told us the truth.*

■ Note that the **ustedes / ellos / ellas** verb endings of **decir** are **-eron,** not **-ieron.**

No le **dijeron** nada a Javier.	*They didn't say anything to Javier.*

Vamos a practicar

a. **¡Qué desastre!** La semana pasada fue el cumpleaños de mi abuelo pero no lo celebramos. ¿Por qué?

MODELO   primo Enrique: comprarle un regalo
Mi primo Enrique no pudo comprarle un regalo.

1. tío Rumaldo: venir de Guadalajara
2. tíos Javier y Josefa: prepararle una comida elegante
3. mamá y yo: hacerle un pastel
4. abuela: comprarle un traje nuevo
5. yo: darle nada
6. tú: traerle un libro interesante
7. tía Teresa: tomar el avión
8. primo Esteban: presentarle un regalo especial

b. ¿Qué pudiste hacer? Antonio y sus hermanos pasaron el fin de semana con sus primos. ¿Qué dice Antonio cuando sus padres le preguntan qué hicieron él y sus hermanos?

MODELO   Sara: escribir tarjeta postal, no carta
Sara pudo escribir una tarjeta postal; no pudo escribir una carta.

1. Mariano: limpiar cuarto, no casa
2. Sara y yo: comprar platos, no ropa
3. Sara y Mariano: estudiar español, no inglés
4. Mariano: ir al cine, no a cenar
5. Mariano y yo: practicar piano, no fútbol
6. Mariano: hacer comida, no pastel
7. yo: ver programa en la tele, no película
8. Sara: salir con Cristina, no con Toni

c. Obligaciones. ¿Quiénes en tu familia tuvieron que hacer estas cosas la semana pasada?

MODELO   papá y yo: ir al supermercado
Papá y yo tuvimos que ir al supermercado.

1. papá y yo: preparar la comida
2. yo: hacer la tarea para mañana
3. papá: lavar el perro
4. mamá: ir al banco
5. hermano y yo: limpiar la casa
6. hermanas: hacer un pastel
7. mamá: escribir cartas
8. mamá y papá: trabajar el sábado

ch. No sonó el teléfono. A Carlota le encanta hablar por teléfono. Pero no le llamó nadie a Carlota anoche. ¿Por qué?

MODELO   Mónica: estudiar
Mónica dijo que no pudo llamar porque tuvo que estudiar.

1. su mamá: trabajar
2. yo: escribir muchas cartas
3. sus abuelos: ir al teatro
4. Verónica: dormir
5. tú y Paco: practicar con la banda
6. Hugo: descansar
7. sus primos: estudiar para un examen
8. su amigo Pablo: leer un libro
9. ustedes: ver un programa en la tele
10. todos nosotros: hacer otras cosas

d. ¡Fama internacional! En los conciertos de música latina en Miami, siempre hay personas de todas partes del mundo. ¿De dónde vinieron estas personas?

MODELO   el señor Valdez: Cuba
El señor Valdez vino de La Habana.

1. Gabriel: Perú
2. la familia Romero: Honduras
3. tú: Uruguay
4. Ramón y Lidia: Ecuador
5. Memo: Argentina
6. Lourdes y sus padres: El Salvador
7. yo: Estados Unidos
8. el pianista: Bolivia

e. ¡Es hora de salir!   Al final de un día en Guadalajara, todos los turistas regresaron tarde al autobús. ¿De dónde vinieron?

MODELO   Raúl y Lola: Teatro Degollado
Raúl y Lola vinieron del Teatro Degollado.

1. Alejandra y sus padres: Mercado Libertad
2. Daniel: Parque Agua Azul
3. yo: centro
4. nosotros: Palacio Municipal
5. Delia: Casa de Artesanías
6. los señores Bermúdez: Plaza de los Mariachis
7. mis hermanos y yo: Tlaquepaque
8. la familia Angulo: Museo de Orozco

f. ¡Por fin!   Todos regresaron muy tarde al hotel anoche. ¿A qué hora regresaron?

MODELO   Mario: 11:00
Mario dijo que regresó a las once de la noche.

1. Hortensia: 12:45
2. Benjamín y Rosa: 11:35
3. el director de la escuela: 1:10
4. tú: 1:45
5. Laura y yo: 12:15
6. yo: 11:15
7. tú y Andrés: 2:05
8. la profesora de francés: 2:50

g. ¡Hasta pronto!   ¿Qué le dijo Ramona a su amiga Virginia? Para contestar, completa la carta con las formas correctas de **decir** en el pretérito.

Querida Virginia,

¿Qué tal? Espero que todo esté bien en Guadalajara.

¡No sabes lo que pasó en la clase de español ayer! La profesora nos (1) que, si queremos, podemos hacer un viaje a Guadalajara al final del año. Todos nosotros (2) que sí excepto Tomás. Cuando la profesora le preguntó por qué, Tomás le (3) que a él no le gustan los viajes.

Entonces, Rodolfo y Susana le (4), "Tomás, estás loco" y yo le (5) lo mismo. La profesora se enojó con nosotros y nos (6), "Ustedes no deben hablar así. Tomás no tiene que ir si no quiere". Yo (7), "Usted tiene razón, profesora. Perdón".

Todos los otros estudiantes (8) que sí, quieren ir. La profesora (9), "Tomás, tú no tienes que ir con nosotros si no quieres".

Pero ¡lo importante es que voy a verte muy pronto!

Un abrazo,
Ramona

LECCIÓN 1

7.1 DEMONSTRATIVES
Used to Point Out Things and People

Demonstratives tell where objects or people are in relation to the person speaking:
This book is mine. Do you want **that** blouse or **that one over there?**

Spanish has three sets of demonstratives: one to point out someone or something *near the speaker*, another to point out someone or something *farther away*, and a third one used to refer to someone or something *a considerable distance* from both the speaker and the listener.

	Demonstratives					
	CERCA		LEJOS		MÁS LEJOS	
	m.	f.	m.	f.	m.	f.
singular	este	esta	ese	esa	aquel	aquella
plural	estos	estas	esos	esas	aquellos	aquellas

■ Demonstratives may be used as adjectives or as pronouns. As adjectives, they agree in number and gender with the noun they modify and always go before the noun.

Esta semana no hay clases.   *This week there are no classes.*
¿Quién es **ese** señor?   *Who is that man?*
¡**Aquellas** chicas son gran   *Those girls* (over there) *are great*
    deportistas!   *athletes.*

■ When demonstratives are used as pronouns, they reflect the number and gender of the noun they replace and require a written accent.

No me gustan esos pantalones.   *I don't like those pants.*
    Prefiero **éstos.**   *I prefer these.*
Estas blusas son bonitas, pero   *These blouses are pretty, but*
    creo que **ésas** son más bonitas.   *I believe those are prettier.*
Tienes razón, pero **aquéllas**   *You're right, but those over there*
    no son tan caras.   *are not as expensive.*

■ **Esto** and **eso** are used to refer to concepts, ideas, and situations and to things unknown to the speaker. They never require a written accent.

Esto es imposible.   *This* (situation) *is impossible.*
¿Qué es **eso**?   *What is that?*

a. ¡Ropa nueva! Para su cumpleaños, la mamá de Alma la lleva a comprar ropa nueva. ¿Qué le pregunta la madre a su hija cada vez que ve algo interesante?

MODELO   blusa *¿gustan estos*
             ¿Te gusta esta blusa?

1. pantalones	**3.** zapatos	**5.** camisetas	**7.** sombrero
2. falda	**4.** suéter	**6.** chaqueta	**8.** botas

b. ¿De quién son estos lápices? Tú y un amigo fueron de compras. La dependiente puso todas sus compras en una bolsa. Ahora están decidiendo quién compró qué. ¿Qué dices al separar las cosas?

                    ¿ pronoun
MODELO   <u>**Éstos**</u> son mis lápices.

1. _____ son mis carpetas.
2. _____ son tus cuadernos.
3. _____ es mi borrador.
4. _____ son mis libros.
5. _____ es tu regla.
6. _____ son tus bolígrafos.
7. _____ es mi diccionario.
8. _____ es mi mochila.

c. Mi familia. Invitaste a un amigo a una reunión familiar. ¿Qué le dices al identificar a los miembros de la familia?

MODELO   mis tíos
             Esos señores son mis tíos.

1. mi tío	**5.** mis tías
2. mi mamá	**6.** mi tía de Nueva York
3. mis abuelos paternos	**7.** mi papá
4. mi primo cubano	**8.** mi abuela materna

ch. ¡Al agua! Diana invitó a algunos amigos a nadar en la piscina de su casa. Mientras todos nadaban, Pepito, el hermano menor de Diana, puso toda la ropa en un cuarto. Ahora Diana y su mamá les ayudan a todos a encontrar su ropa. ¿Qué dicen?

MODELO   camisa / Mario
             Tú: **¿De quién es esta camisa?**
             Compañero(a): **Ésa es de Mario.**

1. zapatos / Manuel	**5.** calcetines / Lorenzo
2. sombrero / Óscar	**6.** falda / Josefina
3. sudadera / Susana	**7.** camiseta / Gregorio
4. chaqueta / Enriqueta	**8.** pantalones / Patricio

d. ¡Me encantan!   ¿Qué opinas de estas cosas?

MODELO   **Me gustan esos zapatos negros pero me encantan aquéllos marrones.**

1.

2.

3.

4.

5.

6.

7.2   SPELLING CHANGES IN THE PRETERITE

Some verbs require a spelling change in the preterite. These verbs are *not* irregular. Spelling changes occur only to maintain pronunciation.

Spelling changes that occur in preterite tense verbs follow some very specific rules. The spelling change rules listed below apply at all times.

■ An unaccented **i** between two vowels changes to **y.**

Leer	Oír	Creer
leí	oí	creí
leíste	oíste	creíste
leyó	**oyó**	**creyó**
leímos	oímos	creímos
leísteis	oísteis	creísteis
leyeron	**oyeron**	**creyeron**
leyendo	**oyendo**	**creyendo**

Note that this rule affects the **usted / él / ella** and **ustedes / ellos / ellas** forms of the preterite as well as the **-ndo** form of the verb.

The following three rules affect the **yo** form of the preterite in certain verbs to preserve the consonant sound of their infinitive ending: **-car, -gar,** and **-zar.**

■ The letter **c** changes to **qu** before **e** or **i.**

bus**car:** bus**qué,** buscaste, buscó, buscamos . . .
to**car:** to**qué,** tocaste, tocó, tocamos . . .

Other verbs of this type are:

calificar	criticar	dedicar	practicar
comunicar	chocar (*to collide*)	explicar	sacar

- The letter **g** changes to **gu** before **e** or **i**.

  pa**gar**: pa**gué,** pagaste, pagó, pagamos . . .
  ju**gar**: ju**gué,** jugaste, jugó, jugamos . . .

  Other verbs of this type are:

  entregar (*to hand over, deliver*)
  llegar
  obligar
  pegar (*to beat, hit*)

- The letter **z** changes to **c** before **e** or **i**.

  empe**zar**: empe**cé,** empezaste, empezó, empezamos . . .
  comen**zar**: comen**cé,** comenzaste, comenzó, comenzamos . . .

  Other verbs of this type are:

  almorzar   especializar
  cruzar   utilizar

Vamos a practicar _____

a. ¡A leer!   En la familia de Alfonso, una noche por semana todos leen algo.
¿Qué leyeron anoche?

MODELO   Mamá **leyó** un artículo.

1. Mis hermanos _____ un libro nuevo.
2. Tú _____ el periódico.
3. Papá _____ una novela histórica.
4. Yo _____ una novela de horror.
5. Mi hermana _____ un artículo de deportes.
6. Todos nosotros _____ algo interesante.

b. ¿Cómo es?   Hay un nuevo estudiante en la escuela y la profesora de
matemáticas quiere saber algo de él. ¿Qué le dice una muchacha de la
clase?

MODELO   Rosa / canta bien
         Rosa oyó que canta bien.

1. Florencio / toma álgebra
2. Vicente y Rubén / es inteligente
3. yo / es deportista
4. ustedes / juega fútbol
5. Nena / es guapo
6. usted / le gusta la música
7. Alicia / no conoce a nadie
8. todos nosotros / es de Venezuela

c. ¿Cómo los ayudaste? Tú y Elena son muy buenos(as) estudiantes y también son muy generosos(as). ¿Cómo ayudaron a sus amigos a sacar buenas notas?

MODELO Antonio sacó una A– (A menos) en álgebra. yo
Yo le expliqué las lecciones de álgebra todo el año.

1. Diana sacó una B+ (B más) en historia. Elena
2. Hugo sacó una A– en drama. yo
3. Carlota sacó una B+ en matemáticas. Elena y yo
4. Paco sacó una C+ en física. yo
5. Bárbara sacó una A en computación. Elena y yo
6. Manuel sacó una A en español. Elena
7. Mariela sacó una B– en inglés. yo
8. José sacó una A en biología. Elena y yo

ch. Instrumentos musicales. Muchas personas participaron en un programa musical la semana pasada. ¿Qué hicieron?

MODELO Antonio **tocó** el violín.

1. Inés ＿＿＿ la trompeta.
2. Yo ＿＿＿ el saxófono.
3. Hugo y Rodrigo ＿＿＿ la guitarra.
4. Tú y yo ＿＿＿ el clarinete.
5. Verónica ＿＿＿ el oboe.
6. Tú ＿＿＿ la flauta.
7. Roberta ＿＿＿ el piano.
8. Federico y Clara ＿＿＿ el violín.

d. Ayudé a todo el mundo. ¿Qué hicieron estas personas y qué hiciste tú?

MODELO Olga me **explicó** la lección de matemáticas y yo le **expliqué** la lección de español.

VOCABULARIO ÚTIL:

buscar	comunicar	explicar	sacar
calificar	criticar	practicar	tocar

1. Pedro y Alberta ＿＿＿ el piano y yo ＿＿＿ la guitarra.
2. La profesora ＿＿＿ las partes difíciles de los exámenes y yo ＿＿＿ las partes fáciles.
3. Mamá y papá ＿＿＿ un regalo caro para ti y yo ＿＿＿ un regalo barato.
4. Tú ＿＿＿ el cabezazo ayer por la mañana y yo lo ＿＿＿ ayer por la tarde.
5. Mis papás ＿＿＿ fotos de los novios y yo ＿＿＿ fotos de mis amigos.
6. Carla me ＿＿＿ la información a mí y yo le ＿＿＿ la información al director.
7. El profesor me ＿＿＿ a mí y yo ＿＿＿ a mi compañero.
8. Olga me ＿＿＿ la lección de matemáticas y yo le ＿＿＿ la lección de español.

¿POR QUÉ SE DICE ASÍ?

e. ¡Qué deportista!   Rosa y su hermana Margarita son muy deportistas. Según Rosa, ¿qué hicieron la semana pasada?

MODELO   lunes / mañana / yo / tenis
El lunes por la mañana jugué tenis.

1. lunes / tarde / Margarita y yo / volibol
2. martes / tarde / yo / golf
3. miércoles / mañana / yo / baloncesto
4. jueves / tarde / Margarita / tenis
5. viernes / tarde / Margarita / fútbol americano
6. sábado / mañana / yo / béisbol

f. Aeropuerto internacional.   Al aeropuerto de Miami llegan vuelos internacionales todo el día. ¿A qué hora llegaron estas personas?

MODELO   El señor Juan Uribe vino de Santo Domingo.
Él llegó de la República Dominicana a las siete y cinco de la tarde.

1. Horacio Tovares vino de Santiago.
2. Las hermanas Romano vinieron de la Ciudad de México.
3. Yo vine de Buenos Aires.
4. La familia Quiroga vino de San José.
5. Tú viniste de Bogotá.
6. El profesor Claudio Arabal vino de Madrid.
7. Julio Gómez vino de Tegucigalpa.
8. La doctora Josefina Clemente vino de Caracas.

LLEGADAS	
ORIGEN	**HORA**
San José	07,15
Bogotá	08,50
Madrid	10,10
Caracas	13,15
Tegucigalpa	14,45
México	15,45
Santo Domingo	19,05
Santiago	21,55
Buenos Aires	23,30

g. Algo nuevo.   Elisa y sus amigos practicaron deportes el domingo todo el día. ¿A qué hora empezaron?

MODELO   Armando (7:00 A.M.)
Armando empezó a jugar tenis a las siete de la mañana.

1. Arturo y yo (8:30 A.M.)   2. Tú (6:30 A.M.)   3. Juan (4:15 P.M.)

4. ustedes (2:00 P.M.)   5. yo (7:45 P.M.)

h. La primera vez. Carolina está enseñándole un álbum de fotos a su mejor amiga. ¿Qué dice de cada foto?

MODELO: yo / andar
En esta foto comencé a andar.

1. yo / llorar
2. mi hermano Germán / correr
3. yo / el colegio
4. mi hermano / conducir el coche
5. yo / salir con mi novio Roberto
6. mi hermano / jugar fútbol
7. yo / la escuela secundaria
8. mi hermana / la universidad

i. De vacaciones. Tú nunca haces lo que hacen las otras personas. ¿Qué hicieron tus amigos durante el verano y qué hiciste tú?

MODELO Juan y Óscar **tocaron** la guitarra; yo no **toqué**
nada. (tocar)

1. Rosana _____ muchas fotos; yo no _____ ninguna. (sacar)
2. Marcos y Luis Miguel _____ a estudiar baile; yo no _____ a estudiarlo porque no me gusta bailar. (empezar)
3. Los profesores _____ a los guías; yo no _____ a nadie. (criticar)
4. La directora _____ la cuenta del hotel; yo no _____ nada. (pagar)
5. Tú y Silvia _____ el océano Atlántico; yo no lo _____ porque no me gusta viajar en barco. (cruzar)
6. Eva y Alicia _____ fútbol todos los días; yo no _____ ni un solo día. (jugar)
7. Rosa y Lupe _____ karate; yo no _____ nada. (practicar)
8. Olivia y Fernando _____ una clase de arte; yo no _____ la clase porque ya tengo una clase de música. (empezar)

L E C C I Ó N 2

7.3 DIRECT OBJECT PRONOUNS

Direct objects answer the questions *what?* or *who(m)?* after the verb.

Ana María ve **la tele.**   *Ana María is watching TV.*
Escuchamos **música.**   *We listen to music.*
No conozco a **los profesores.**   *I don't know the teachers.*

Direct objects can be pronouns as well as nouns. Pronouns are used to avoid repetition of nouns.

Tocaron música clásica y **la** escuchamos en la radio.
¿Los Martín? No **los** conozco.
Llamé a papá. **Lo** llamé ayer.

They played classical music, and we listened to it on the radio.
The Martíns? I don't know them.
I called Dad. I called him yesterday.

The direct object pronouns in Spanish are given below.

Direct Object Pronouns			
me	**me**	**nos**	*us*
you (familiar)	**te**	**os**	*you* (familiar)
you (m. formal)	**lo**	**los**	*you* (m. formal)
you (f. formal)	**la**	**las**	*you* (f. formal)
him, it (m.)	**lo**	**los**	*them* (m.)
her, it (f.)	**la**	**las**	*them* (f.)

¿No **me** viste en el partido?
Los llevo al cine por la tarde.
Nos van a llamar esta noche.

Didn't you see me at the game?
I take them to the movies in the afternoon.
They are going to call us this evening.

- Like indirect object pronouns, direct object pronouns are placed before conjugated verbs.

Me ayudaron muchísimo.
Lo llevaron al hospital.

They really helped me a lot.
They took him to the hospital.

- In sentences where there is an infinitive or an **-ndo** verb form, the direct object pronoun may either come before the conjugated verb or it may come after and be attached to the infinitive or the **-ndo** verb form.

Estoy pagándo**la.**
La estoy pagando.

I'm paying for it.

Queremos observar**lo.**
Lo queremos observar.

We want to observe him.

- When telling someone to do something using a command, the object pronoun is always placed after and attached to the command form.

Levánta**los.** Bája**los.**
Lláma**me.**

Raise them. Lower them.
Call me.

- Remember that in writing, when a pronoun is attached to the **-ndo** verb form or to command forms with two or more syllables, a written accent is always required.

Estamos **mirándolo.**
Cómpralo aquí.

We're looking at it.
Buy it here.

Vamos a practicar

a. ¿Dónde?   Perdiste un lente de contacto en el partido de fútbol y ahora no puedes ver nada. ¿Qué contestas cuando tus amigos te dicen lo que está pasando?

MODELO   Allí están Pepe y Ana.
¿Dónde? No los veo.

1. Allí está Juanita.
2. Allí está nuestro equipo.
3. Allí está el árbitro.
4. Allí están los Jaguares.

5. Allí están María y Francisca.
6. Allí está Ricardo.
7. Allí está el entrenador.
8. Allí están tus primas.

b. Me duele todo.   Ayer jugaste fútbol todo el día y hoy te duele todo. Decidiste ir al médico. ¿Cómo le respondes al médico durante el examen?

MODELO   Compañero(a): Levanta los brazos.
Tú: **No los puedo levantar.** o **No puedo levantarlos.**

1. Dobla el brazo izquierdo.
2. Levanta la pierna derecha.
3. Baja el brazo izquierdo.

4. Mueve los pies.
5. Abre los ojos.
6. Levanta los brazos.

7. Baja la cabeza.
8. Toca la nariz.
9. Mueve las piernas.

c. ¿Con qué frecuencia?   Tu hermanito está aprendiendo a hacer una encuesta. Te hace preguntas acerca de las actividades mensuales de tu familia y de tus amigos. Contéstalas.

MODELO   ¿Con qué frecuencia te visitan tus abuelos?   (3)
Me visitan tres veces al mes.

1. ¿Con qué frecuencia te llaman tus tíos? (4)
2. ¿Con qué frecuencia te saludan tus amigos? (30)
3. ¿Con qué frecuencia te invita al cine un amigo? (2)
4. ¿Con qué frecuencia te acompaña una amiga a estudiar? (6)
5. ¿Con qué frecuencia te ayudan tus amigos? (4)
6. ¿Con qué frecuencia te busca una amiga antes de las clases? (4)
7. ¿Con qué frecuencia te visitan tus primos? (1)
8. ¿Con qué frecuencia te espera un amigo después de las clases? (8)

ch. Preguntas y más preguntas.   Tienes un(a) amigo(a) muy curioso(a). ¿Qué le contestas cuando quiere saber qué hiciste anoche?

MODELO   Compañero(a): ¿Leíste el periódico?
Tú: **Sí, lo leí.** o **No, no lo leí.**

1. ¿Viste la tele?
2. ¿Preparaste la comida?
3. ¿Escuchaste tus discos compactos?
4. ¿Escribiste una carta?

5. ¿Limpiaste tu cuarto?
6. ¿Visitaste a tus abuelos?
7. ¿Ayudaste a tu mamá?
8. ¿Hiciste la tarea?

d. ¡Amor! Anoche Diana llamó a su amiga Nora para hacerle preguntas sobre su nuevo novio. ¿Qué le preguntó Diana a Nora?

MODELO ¿ . . . ? Sí, me invitó al cine.
Diana: **¿Te invitó al cine?**

1. ¿ . . . ? Sí, me saludó esta mañana.
2. ¿ . . . ? No, no me llamó por teléfono anoche.
3. ¿ . . . ? No, no me buscó después de las clases el viernes.
4. ¿ . . . ? No, no me visitó en casa ayer.
5. ¿ . . . ? Sí, me ayudó con la tarea el lunes.
6. ¿ . . . ? Sí, me invitó a salir el viernes por la noche.
7. ¿ . . . ? Sí, me acompañó a un concierto de rock.
8. ¿ . . . ? Sí, me llevó a cenar la semana pasada.

e. Demasiado que hacer. Después de las clases, unos estudiantes están hablando de lo que tienen que hacer esta noche. ¿Qué dicen?

MODELO ¿Leíste el libro para la clase de geografía?
No, voy a leerlo esta noche. o
No, lo voy a leer esta noche.

1. ¿Escribiste la composición para la clase de inglés?
2. ¿Hiciste la tarea de español?
3. ¿Leíste los artículos para la clase de biología?
4. ¿Practicaste la música para la banda?
5. ¿Estudiaste la lección de francés?
6. ¿Practicaste el cabezazo?
7. ¿Hiciste los problemas de álgebra?
8. ¿Preparaste la tarea de física?
9. ¿Escribiste el artículo para la clase de historia?
10. ¿Estudiaste la lección de química?

7.4 STEM-CHANGING VERBS IN THE PRETERITE: E → I AND O → U

In **Unidad 5,** you learned about stem-changing verbs in the present tense. In the preterite, only **-ir** verbs undergo stem changes. Verbs that end in **-ar** and **-er** are regular and do not undergo stem changes in the preterite.

Nani **contó** todo el dinero.	*Nani counted all the money.*
No lo **entendí.**	*I didn't understand it.*
No **pensaron** en eso.	*They didn't think about that.*

- In **-ir** stem-changing verbs, **e** becomes **i** and **o** becomes **u** in the **usted / él / ella** and the **ustedes / ellos / ellas** forms.

Pedir (e → i)	
pedí	pedimos
pediste	pedisteis
pidió	**pidieron**
pidió	**pidieron**

Dormir (o → u)	
dormí	dormimos
dormiste	dormisteis
durmió	**durmieron**
durmió	**durmieron**

Durmió muy poco anoche.   *He slept very little last night.*
Sintió un dolor en la pierna.   *He felt a pain in his leg.*
Me **pidieron** un favor.   *They asked me for a favor.*
Ya **sirvieron** la comida.   *They already served dinner.*

The following is a list of common stem-changing **-ir** verbs. Note that the letters in parentheses indicate stem changes in the present tense and in the preterite.

e → i (present and preterite)

conseguir (i, i)	*to get, obtain*
pedir (i, i)	*to ask for*
repetir (i, i)	*to repeat*
seguir (i, i)	*to follow*
vestirse (i, i)	*to get dressed*

e → ie (present) / e → i (preterite)

divertirse (ie, i)	*to have a good time*
preferir (ie, i)	*to prefer*
sentir (ie, i)	*to feel*

o → ue (present) / o → u (preterite)

dormir (ue, u)	*to sleep*
morir (ue, u)	*to die*

Vamos a practicar

a. **¡Ay, ay!** Ayer, después del partido más importante del año, todos los miembros del equipo de volibol empezaron a sentirse adoloridos. ¿Dónde sintieron el dolor?

MODELO   Mauricio
Mauricio sintió dolor en la pierna.

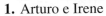

1. Arturo e Irene   **2.** yo   **3.** Horacio   **4.** Elena y Roberto

5. tú   **6.** Guillermo   **7.** Alma y yo   **8.** los hermanos Rey

b. ¡Qué confusión!   Ayer tú y unos amigos fueron a un restaurante. El servicio fue terrible. ¿Por qué?

MODELO   Marta: hamburguesa / pizza
Marta pidió una hamburguesa pero el camarero le sirvió pizza.

1. yo: bizcocho / sándwich
2. Paco y Luz: café con leche / leche
3. ustedes: pizza / hamburguesas
4. ellos: agua mineral / refrescos
5. Leonardo: melón / manzana
6. Armando y yo: leche / limonada
7. tú: sándwich mixto / sándwich de jamón
8. Ana María: fruta / bizcocho

c. Necesitan dormir más.   Di cuántas horas durmieron estas personas y qué notas sacaron en el último examen.

1. María (3 / B)
2. Alfredo y Tomás (7 / A)
3. yo (5 / C)
4. Federico y Alicia (6 / B)

ch. ¡Qué divertido!   La semana pasada Andrea salió con su amiga Luisa. Completa el párrafo con la forma correcta de los verbos **llegar, pedir, decir** y **seguir.** Recuerda que tienes que hacer dos cosas: 1) seleccionar el verbo apropiado y 2) decidir cuál es la forma correcta del verbo.

 (1) al restaurante un poco temprano. Cuando me llamó el camarero, lo (2) hasta una mesa cerca de la ventana. Como tenía mucha sed, le (3) una limonada. Un poco después, mi amiga Luisa (4) y (5) una limonada también. El camarero nos (6) los especiales del día pero nosotras (7) hamburguesas, papas y ensalada. Lo comimos todo y fuimos al cine. Nos divertimos mucho.

L E C C I Ó N   3

7.5 AFFIRMATIVE **TÚ** COMMANDS: IRREGULAR FORMS

In **Unidad 5,** you learned how to use regular affirmative **tú** commands.

Limpia tu cuarto.	*Clean your room.*
Bebe la leche.	*Drink the milk.*
Escríbeme pronto.	*Write to me soon.*

There are, in addition, eight irregular affirmative **tú** commands. Note how almost all are derived from the **yo** form of the present tense.

Affirmative Irregular *tú* Commands		
Infinitive	Present Tense **yo** Form	Command
decir	**di**go	**di**
poner	**pon**go	**pon**
salir	**sal**go	**sal**
tener	**ten**go	**ten**
venir	**ven**go	**ven**
hacer	hago	**haz**
ir	voy	**ve**
ser	soy	**sé**

Ten paciencia.	*Be patient.*
Ven acá, mamá.	*Come here, Mom.*

■ Object pronouns always follow and are attached to affirmative commands. When one pronoun is attached, no written accent is required.

Hazlo tú.	*Do it yourself.*
Ponla en la mesa.	*Put it on the table.*

Vamos a practicar ───────────────────

a. ¡Mando yo! Los padres de Mariana están de vacaciones. ¿Qué mandatos le da Mariana a su hermano menor?

MODELO hacer lo que te digo
Haz lo que te digo.

1. poner tus cosas en su lugar
2. salir a tiempo para la escuela
3. tener cuidado al cruzar la calle
4. venir directamente a casa después de las clases
5. decirme todo lo que te pasó en la escuela
6. ir al patio a jugar
7. hacer la tarea
8. ser bueno siempre

b. ¿Aquí? Tu amigo(a) te ayuda a arreglar tu cuarto. Contesta sus preguntas.

MODELO ¿Dónde pongo la mesita? (al lado de la cama)
Ponla al lado de la cama.

1. ¿Dónde pongo las lámparas? (en las mesitas)
2. ¿Dónde pongo el televisor? (en el estante)
3. ¿Dónde pongo la cama? (debajo de la ventana)
4. ¿Dónde pongo el escritorio? (a la derecha del estante)
5. ¿Dónde pongo las sillas? (a la derecha y a la izquierda del escritorio)
6. ¿Dónde pongo el sillón? (enfrente del televisor)

c. Sí, mamá. Hoy es sábado y los padres de Susana tienen que ir a la oficina a trabajar. ¿Qué le dice su madre antes de salir?

MODELO: __Escucha__ lo que te digo.

VOCABULARIO ÚTIL:

ser	tener	volver	poner	decir	salir
jugar	ir	pedir	escuchar	limpiar	hacer

1. _____ tu cuarto antes de salir.
2. _____ tu ropa en el armario.
3. _____ cuidado con las fotos en la mesita.
4. _____ de la casa antes de las 10:00.
5. _____ al correo para enviar las cartas.
6. _____ "buenos días" y "adiós" a todos en el correo.
7. _____ a casa antes de las 11:00.
8. _____ buena con tu hermanita.
9. _____ con ella por una hora por la tarde.
10. _____ tu tarea antes de ver la tele.

7.6 PREPOSITIONS OF LOCATION

Prepositions show the relationship between things. Prepositions of location tell where things or people are located.

Prepositions of Location	
a la derecha de	*to the right of*
a la izquierda de	*to the left of*
al lado de	*beside, next to*
cerca de	*near (to)*
lejos de	*far from*
debajo de	*under*
encima de	*on top of, over*
sobre	*on, over*
delante de	*in front of*
enfrente de	*facing, in front of*
detrás de	*behind*
en	*on, in*
entre	*between, among*

Está demasiado **lejos de**l baño.	*It's too far from the bathroom.*
¿Lo pusiste **cerca de** la puerta?	*Did you put it near the door?*
Está **al lado de** la cama.	*It is beside the bed.*
Pon la lámpara **encima de** la mesa.	*Put the lamp on top of the table.*

Vamos a practicar

a. Vecinos. ¿Dónde están los apartamentos de estas personas?

EJEMPLO   Camúñez / Rodríguez
**El apartamento de los Camúñez está debajo
del apartamento de los Rodríguez.**

1. Pérez / Romero
2. Madrigal / Ledesma
3. Gómez / Camúñez
4. Cameno / Madrigal
5. Sarmiento / Cameno
6. Serrano / Bravo
7. Rodríguez / Valdez

b. ¿Dónde está el gato? El gato no quiere salir de la casa y corre por todas partes para escaparse. Di dónde está.

MODELO   **El gato está encima de la mesa.**

VOCABULARIO ÚTIL:

al lado de	cerca de	debajo de	delante de	detrás de
en	encima de	entre	lejos de	enfrente de

1.   **2.**   **3.**    **4.**

5.    **6.**   **7.**   **8.**

¿POR QUÉ SE DICE ASÍ?

c. ¿Dónde lo pongo? Alma está ayudándote a arreglar tu cuarto. ¿Qué le dices?

MODELO   lámpara (en / debajo de) mesa
Ponla en esa mesa.

1. silla (al lado de / encima de) escritorio
2. televisor (detrás de / enfrente de) cama
3. suéteres (en / encima de) armario
4. cómoda (al lado de / debajo de) puerta
5. estante (encima de / al lado de) mesita
6. fotos (detrás de / encima de) estante
7. lámpara (en / al lado de) sillón
8. escritorio (encima de / debajo de) ventana

ch. ¡Identifícalos! Éstos son Lilia y sus mejores amigos. Están sentados en la clase de español. ¿Puedes identificarlos?

MODELO   Lilia está en el centro del grupo.
Lilia es la número cinco.

1.   **2.**   **3.**

4.   **5.**   **6.**

7.   **8.**   **9.**

a. Alfredo está a la derecha de Lilia.
b. Rosa está detrás de Alfredo.
c. Mariana está a la izquierda de Rosa.
ch. Esteban está a la izquierda de Mariana.
d. Martín está delante de Lilia.
e. Felipe está a la izquierda de Martín.
f. Julia está detrás de Felipe.
g. Rubén está delante de Alfredo.

LECCIÓN 1

8.1 REFLEXIVE PRONOUNS
Used in Talking about Daily Routine

Reflexive pronouns are used when the object and the subject are identical. In these instances, the subject is doing something to itself. The forms of the reflexive pronouns are given in the chart below.

Reflexive Pronouns: *levantarse*		
yo	**me** levanto	*I get up*
tú usted	**te** levantas **se** levanta	*you get up*
él / ella	**se** levanta	*he/she/it gets up*
nosotros(as)	**nos** levantamos	*we get up*
vosotros(as) ustedes	**os** levantáis **se** levantan	*you get up*
ellos / ellas	**se** levantan	*they get up*

Note the difference between these verbs when they are used with and without reflexive pronouns.

Se levanta inmediatamente.   *He gets up immediately.*
Levanta a los niños temprano.   *He gets the children up early.*

Papá **se afeita** en el baño.   *Dad shaves in the bathroom.*
Hoy el barbero **afeita** a papá.   *Today the barber shaves Dad.*

La mamá **se viste** rápidamente.   *The mother dresses quickly.*
La mamá **viste** a la niña.   *The mother dresses the little girl.*

Gloria **se despierta** a las siete.   *Gloria wakes up at seven.*
Despierta también a su hermanito.   *She also wakes up (wakens) her little brother.*

■ Like direct and indirect object pronouns, reflexive pronouns precede conjugated verbs and follow affirmative commands, infinitives, and the **-ndo** form of the verb.

¿Dónde **me siento**?   *Where shall I sit down?*
Marta, **levántate.**   *Marta, get up.*
Papá **está afeitándose.**   *Dad is shaving.*
Tengo que **lavarme** el pelo ahora.   *I have to wash my hair now.*

■ The following is a list of common reflexive verbs.

acostarse (ue)	*to go to bed*
afeitarse	*to shave*
arreglarse	*to get ready*
bañarse	*to bathe*
cepillarse (el pelo)	*to brush* (one's hair)
despertarse (ie)	*to wake up*
divertirse (ie, i)	*to have a good time*
dormirse (ue, u)	*to go to sleep, fall asleep*
irse	*to leave, go*
lavarse (los dientes)	*to wash up, brush* (one's teeth)
levantarse	*to get up*
peinarse	*to comb one's hair*
ponerse	*to put on* (clothes, makeup)
quitarse	*to take off* (clothes)
sentarse (ie)	*to sit down*
vestirse (i, i)	*to get dressed*

Most of the verbs have nonreflexive uses. Note, however, that some verbs change their meaning when the reflexive pronoun is added.

dormir	*to sleep*		**ir**	*to go*
dormirse	*to go to sleep, fall asleep*		**irse**	*to leave, go away*

Vamos a practicar

a. Primero me despierto. Horacio es un estudiante de intercambio en España. ¿Qué dice de su horario cuando le escribe una carta a su amigo Ramón?

despertarse	lavarse	sentarse	levantarse	ponerse
dormirse	bañarse	peinarse	irse	afeitarse

> Querido Ramón,
>
> ¿Cómo estás? Aquí todo va muy bien, pero mi día comienza muy temprano. Primero (1) a las cinco y media de la mañana. (¡Sí, hombre!) (2) a las seis menos cuarto y (3), (4) y (5). Luego, a las seis, (6) la ropa. A las seis y media, (7) a la mesa a desayunar y a estudiar un poco para las clases. Después del desayuno, (8) los dientes y a las siete menos cuarto (9) a la escuela. ¡Imagínate! Yo. . . ¡esa hora! ¡Y nunca (10) en clase! Te escribo más tarde.
>
> Tu amigo
> Horacio

b. Mamá se levantó primero.   Berta describe el horario diario de su familia. ¿Qué dice? Forma oraciones usando palabras y frases de las dos columnas.

EJEMPLO   **Mamá se levanta a las seis menos cuarto de la mañana.**

	me acuesto a las 10:00
tú	se afeitan a las 6:00
todos nosotros	se levanta a las 6:15 y pone el café
yo	se sientan a la mesa a las 6:30 y toman café
mamá	me levanto a las 7:00
mis hermanos	se quitan la ropa para acostarse a las 9:30
mamá y papá	te lavas los dientes a las 10:30
	nos despertamos a las 5:45

c. ¡Que lo pases bien!   Hoy Isabel se va para pasar el verano con sus abuelos. ¿Qué le dice su mamá?

MODELO   acostarse temprano
        Acuéstate temprano.

1. bañarse todos los días
2. despertarse temprano
3. lavarse el pelo frecuentemente
4. lavarse los dientes después de comer
5. lavarse las manos antes de comer
6. dormirse temprano
7. peinarse cada día
8. divertirse mucho

ch. Tan temprano.   Son las seis de la mañana. ¿Qué están haciendo todos?

MODELO   Elena / vestirse
        Elena está vistiéndose. o **Elena se está vistiendo.**

1. Pablo / afeitarse
2. Gregorio / bañarse
3. mi madre y yo / sentarse a la mesa
4. Enrique / lavarse el pelo
5. tú / lavarse los dientes
6. Leticia / ponerse la ropa
7. Yolanda y Raquel / levantarse
8. ustedes / arreglarse

d. Todos los días.   ¿Qué dice Julia de la rutina diaria de su familia?

MODELO   Jorge
        Jorge se despierta a las seis.

1. mamá y papá
2. papá
3. Jorge y Alberto
4. yo
5. Alberto
6. todos nosotros
7. mis hermanos y yo
8. Mariela
9. mamá

8.2 ADVERBS
Used in Talking about How Things Are Done

Adverbs answer the questions *how, when,* and *where* about the verb. You already know many adverbs that answer the questions *When?* and *Where?*

When? **ahora, en seguida, pronto, tarde, temprano; antes, después; a veces, nunca, siempre; ayer, hoy, mañana**

Where? **a la derecha, a la izquierda, al lado, debajo, delante, detrás, enfrente; allí, aquí; cerca, lejos**

Most adverbs that tell *how* an action is done are formed by adding **-mente** to the end of the feminine form of an adjective.

rápida + **-mente** **rápidamente**
alegre + **-mente** **alegremente**

Marta se levanta **rápidamente.**	*Marta gets up quickly.*
Se arregla **cuidadosamente.**	*She gets ready carefully.*
Generalmente, Andrés se despierta temprano.	*Generally Andrés wakes up early.*

- When two or more of these adverbs are used together in a sentence, only the last one ends in **-mente.** The others end in the feminine form of the adjective.

Se arregla **lenta y cuidadosamente.**	*She gets ready slowly and carefully.*
Habla **modesta y tímidamente.**	*He talks modestly and shyly.*

- An adjective that has a written accent keeps it when **-mente** is added.

Andrés corre **rápidamente.**	*Andrés runs quickly.*
Marta corta el chorizo **fácilmente.**	*Marta cuts the sausage easily.*

Vamos a practicar

a. Fantásticamente. No fuiste a clase ayer. ¿Cómo describe tu amiga Luisa lo que pasó?

MODELO señor García / cantar / estupendo
El señor García cantó estupendamente.

1. Tomasina y su hermana / bailar / fabuloso
2. el director / trabajar / alegre
3. Enriqueta / escribir una composición / tranquilo
4. Alonso y yo / contestar / correcto
5. la profesora / explicar la lección / fácil
6. Vicente y Victoria / hablar / inteligente
7. yo / correr / rápido
8. Hugo y Anita / estudiar / paciente

b. ¡Qué romántico!   Samuel y Sara se casaron. Tu amiga no pudo ir a la boda. ¿Cómo contestas sus preguntas?

MODELO   ¿Tocó un organista? (fabuloso y fuerte)
Sí, y tocó fabulosa y fuertemente.

1. ¿Cantó un cantante? (profesional y fuerte)
2. ¿Leyó Ernesto? (romántico y triste)
3. ¿Habló la novia? (calmo y claro)
4. ¿Contestó el novio? (emocionado y contento)
5. ¿Escucharon los invitados? (cortés y paciente)
6. ¿Lloraron las madres? (fácil y frecuente)
7. ¿Bailó Rebeca? (nervioso y alegre)
8. ¿Salieron los novios? (rápido y cuidadoso)

c. Emociones.   Generalmente, ¿cómo te sientes al hacer tu rutina diaria?

EJEMPLO   **Me levanto alegremente.**

despertarse
bañarse
lavarse los dientes
ponerse la ropa
lavarse el pelo
sentarse en clase

⎰ nervioso
  rápido
  triste
  alegre
  tranquilo
  cuidadoso
  contento
  tímido
  furioso
⎱ lento

L E C C I Ó N   2

8.3   *PRETERITE OF ESTAR*

■ The verb **estar** is irregular in the preterite. Its forms are like those of **tener.**

Estar	
estuv**e**	estuv**imos**
estuv**iste**	estuv**isteis**
estuv**o**	estuv**ieron**
estuv**o**	estuv**ieron**

Los bocadillos **estuvieron** excelentes.
La ensalada **estuvo** riquísima.

The sandwiches were excellent.
The salad was delicious.

a. ¿Dónde?   Nadie se encontró en casa de Ana ayer. ¿Dónde estuvieron todos?

MODELO   mamá / estar / 2 horas / mercado
Mi mamá estuvo dos horas en el mercado.

1. hermana / estar / 1 hora / café
2. papá / estar / 10 horas / oficina
3. hermano / estar / 8 horas / colegio
4. padres / estar / 2 horas / biblioteca
5. yo / estar / 3 horas / partido de fútbol
6. prima y yo / estar / 2 horas / cine
7. hermanita / estar / 6 horas / escuela
8. todos / estar / poco tiempo / casa

b. Delicioso.   Joaquín y su familia tuvieron un picnic ayer. ¿Cómo describe Joaquín la comida?

MODELO   bocadillos (rico)
Los bocadillos estuvieron ricos.

1. ensaladas (delicioso)
2. queso (bueno)
3. pan (fresco)
4. manzanas (malo)
5. tortillas españolas (frío)
6. chorizo (sabroso)
7. bizcochos (excelente)
8. chocolate (rico)

8.4   ABSOLUTE SUPERLATIVES: *-ÍSIMO*
Used to Express Extremes

The **-ísimo (-a, -os, -as)** ending may be attached to an adjective to express an extremely high degree of the quality of the adjective. Note how English uses such expressions as *exceedingly, extremely,* or *really* to express the same idea.

Los chicos son **guapísimos.**	*The guys are really cute.*
La casa es **feísima.**	*The house is extremely ugly.*

- These adjectives are formed by removing the **-o** from the masculine singular form of the adjective and adding **-ísimo (-a, -os, -as).** Note that the **-ísimo** ending always has a written accent.

Adjective	*-ísimo* form
alto	altísimo (-a, -os, -as)
bueno	buenísimo (-a, -os, -as)
difícil	dificilísimo (-a, -os, -as)
fácil	facilísimo (-a, -os, -as)
fuerte	fuertísimo (-a, -os, -as)
grande	grandísimo (-a, -os, -as)
malo	malísimo (-a, -os, -as)

- Some spelling rules may affect these adjectives.

c → qu	z → c	g → gu
rico ri**qu**ísimo	feliz feli**c**ísimo	largo lar**gu**ísimo

Vamos a practicar

a. ¡Una nueva vida!   La familia de Gloria acaba de mudarse a otra ciudad.
¿Cómo describe Gloria su nueva vida?

MODELO   clases / fácil
Mis clases son facilísimas.

1. casa / grande
2. escuela / moderno
3. profesores / guapo

4. profesoras / elegante
5. horario / bueno
6. amigas / inteligente

7. amigos / simpático
8. familia / contento
9. ciudad / hermoso

b. ¿Cómo son?   ¿Cómo es la familia de Elvira?

MODELO   papá
Su papá es altísimo.

| hermoso | alto | bajo | guapo | flaco |
| fuerte | inteligente | feliz | gordo | grande |

1. mamá
2. hermanos
3. Elvira
4. hermana

5. abuelos
6. tío Roberto
7. primos
8. todos nosotros

8.5   COMPARATIVES

When two qualities or quantities are compared, Spanish uses **más** and **menos**.

Este libro es **más** interesante.	*This book is more interesting.*
Me gusta éste **menos.**	*I like this one less.*
Está **más** cerca de la escuela.	*It's closer to the school.*
Ella es **menos** alta.	*She's shorter.*

■ When both things being compared are expressed, Spanish uses **más . . . que**
to express *more . . . than.*

Es **más** alto **que** su padre.	*He's taller than his father.*

■ *Less . . . than* is expressed in Spanish by **menos . . . que.**

Esta cama es **menos** dura **que** la de abuelita.	*This bed is softer (less hard) than grandmother's.*

- When the things being compared are equal, Spanish uses the expression **tan . . . como.**

  Son **tan** cómodos **como**   *They are as comfortable as*
    nuestros sillones.   *our chairs.*
  Hablas **tan** bien **como**   *You talk as well as the teacher.*
    la profesora.

- Like other adjectives, adjectives that are compared agree in number and gender with the nouns they modify.

  Teres**a** es más alt**a** que Arturo.
  Los profesor**es** están tan ocupad**os** como los estudiantes.

- The adjectives **bueno** and **malo** have special comparative forms: **mejor** and **peor.** Like other adjectives that end in consonants, the plural forms end in **-es: mejores, peores.**

  Salió **mejor** que nunca   *The tortilla turned out better*
    la tortilla.   *than ever.*
  Este restaurante es **peor**   *This restaurant is worse*
    que el otro.   *than the other one.*
  Estos jugadores son **peores.**   *These players are worse.*
  Estas alfombras son **mejores.**   *These carpets are better.*

Vamos a practicar

a. ¿Quién es más . . . ?   Di cómo se comparan estos individuos.

MODELO   ¿Quién es más alto?
        La señora Delgado es más
        alta que Tomasito.

Señora Delgado   Tomasito

1. ¿Quién es
más gordo?

Canela   Lobo

4. ¿Quién es
más delgado?

Gonzalo   Teodoro

2. ¿Quién es
más rubio?

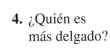

Germán   Ana

5. ¿Quién es
más bajo?

Golfo   Princesa

3. ¿Quién es
más alto?

Marta   Esteban

6. ¿Quién es
más guapo?

Arturo   Frankenstein

b. No son buenos. Los estudiantes de la escuela de Ricardo están hablando del equipo de fútbol de su escuela rival. ¿Qué dicen?

MODELO   equipo: organizado
Su equipo es menos organizado que nuestro equipo.

1. arquero: rápido
2. defensas: grande
3. jugadores: fuerte
4. aficionados: alegre
5. uniformes: atractivo
6. entrenador: inteligente
7. partidos: interesante
8. escuela: entusiasta

c. ¿Qué prefieres?   Di cuál te gusta más o cuál te gusta menos.

MODELO   ¿Los bocadillos o las hamburguesas?
Me gustan más los bocadillos. o
Me gustan menos las hamburguesas.

1. ¿Las papas fritas o la fruta?
2. ¿El jamón o el chorizo?
3. ¿Las manzanas o las naranjas?
4. ¿La ensalada o el postre?
5. ¿El café o la leche?
6. ¿Las fresas o las cerezas?
7. ¿El almuerzo o el desayuno?
8. ¿La pizza o el cochinillo asado?

ch. Al contrario.   Luci y Carlitos están hablando de sus papás. ¿Cómo le contesta Carlitos a Luci?

MODELO   Luci: Mi papá es más alto que tu papá.
Carlitos: **Al contrario, tu papá no es tan alto como mi papá.**

1. Mi papá es más fuerte que tu papá.
2. Mi papá es más guapo que tu papá.
3. Mi papá es más inteligente que tu papá.
4. Mi papá es más simpático que tu papá.
5. Mi papá es más valiente que tu papá.
6. Mi papá es más rico que tu papá.
7. Mi papá es más famoso que tu papá.
8. Mi papá es más popular que tu papá.

d. ¿Mejor o peor?   ¿Cómo te comparas tú?

EJEMPLO   ¿Quién canta mejor que tú?
Mi mamá canta mejor que yo. o
Nadie canta mejor que yo. o
Todos cantan mejor que yo.

1. ¿Quién juega tenis mejor que tú?
2. ¿Quién nada peor que tú?
3. ¿Quién prepara la comida mejor que tú?
4. ¿Quién escribe peor que tú?
5. ¿Quién sabe geografía mejor que tú?
6. ¿Quién baila peor que tú?
7. ¿Quién pasea en bicicleta mejor que tú?
8. ¿Quién juega béisbol peor que tú?
9. ¿Quién habla español peor que tú?
10. ¿Quién toca la guitarra mejor que tú?

e. La mejor mueblería. Los muebles de la Tienda Plus son muy buenos, mientras que los muebles de la Tienda Cero son terribles. ¿Cómo se comparan estos muebles?

MODELO   lámparas de la Tienda Plus
**Las lámparas de la Tienda Plus son mejores
que las lámparas de la Tienda Cero.**

mesitas de la Tienda Cero
**Las mesitas de la Tienda Cero son peores
que las mesitas de la Tienda Plus.**

1. sofás de la Tienda Cero
2. sillas de la Tienda Plus
3. muebles de la Tienda Cero
4. mesas de la Tienda Plus
5. televisores de la Tienda Cero
6. sillones de la Tienda Cero
7. neveras de la Tienda Plus
8. camas de la Tienda Plus

L E C C I Ó N 3

8.6 PRESENT TENSE: SUMMARY

The present tense is used to talk about what generally happens, what is happening now, or what does happen. There are three sets of endings for the three types of verbs.

Present Tense Verb Endings		
-ar	**-er**	**-ir**
-o	-o	-o
-as	-es	-es
-a	-e	-e
-amos	-emos	-imos
-áis	-éis	-ís
-an	-en	-en

Three sample regular verbs are:

Cantar	Aprender	Subir
canto	aprendo	subo
cantas	aprendes	subes
canta	aprende	sube
cantamos	aprendemos	subimos
cantáis	aprendéis	subís
cantan	aprenden	suben

- Some verbs in the present tense undergo a change in the stem vowel of all persons except the **nosotros(as)** and **vosotros(as)** forms.

Pensar	Poder	Pedir
e → ie	o → ue	e → i
pienso	puedo	pido
piensas	puedes	pides
piensa	puede	pide
pensamos	podemos	pedimos
pensáis	podéis	pedís
piensan	pueden	piden

- Some verbs in the present tense have irregular **yo** forms.

conocer:	**conozco**	traer:	**traigo**
dar:	**doy**	ver:	**veo**
hacer:	**hago**	decir:	**digo**
poner:	**pongo**	oír:	**oigo**
saber:	**sé**	tener:	**tengo**
salir:	**salgo**	venir:	**vengo**

- There are also verbs in the present tense that have irregular endings.

Estar	Ser	Ir
estoy	soy	voy
estás	eres	vas
está	es	va
estamos	somos	vamos
estáis	sois	vais
están	son	van

Vamos a practicar

a. ¡Dos semanas! Celia está pasando dos semanas en un campamento. Para saber qué le escribe a su amiga, completa su carta con la forma apropiada de los verbos indicados.

1. estar	**6.** comer	**11.** ser	**16.** practicar	**21.** tener
2. estar	**7.** tener	**12.** almorzar	**17.** ser	**22.** querer
3. levantarse	**8.** hacer	**13.** dar	**18.** cantar	**23.** escribir
4. ir	**9.** ir	**14.** dormir	**19.** acostarse	**24.** poder
5. servir	**10.** nadar	**15.** preferir	**20.** encantar	**25.** decir

Querida Sonia,

   ¿Cómo __1__? Yo __2__ muy contenta aquí. Todos los días nosotros __3__ muy temprano. Luego __4__ al comedor donde nos __5__ el desayuno. Yo generalmente __6__ mucho.

   Después del desayuno, __7__ una clase de artesanías. Nosotros __8__ cosas muy bonitas en esa clase. A las 10:30 yo __9__ a la clase de natación. Todos __10__ en un río muy grande. ¡ __11__ muy divertido!

   Nosotros __12__ al mediodía y luego nos __13__ tiempo para una siesta. Yo normalmente no __14__ porque __15__ escribir cartas o leer. Por la tarde nosotros __16__ varios deportes—tenis, volibol, béisbol. El entrenador __17__ muy simpático.

   Por la noche __18__ y __19__ temprano. ¡Nos __20__ el campamento a todos! ¡Tú __21__ que venir el año que viene!

   Escríbeme pronto. Yo __22__ recibir muchas cartas de ti. Si no me __23__ , yo no __24__ saber lo que está pasando contigo y con todos nuestros amigos. Mis padres no me __25__ nada. ¡Escribe!

Recibe un abrazo de tu amiga
Celia

b. ¿Cuándo?   Di cuándo haces estas cosas.

MODELO   estudiar mucho
         Estudio mucho durante el año académico.

         salir todas las noches
         Salgo todas las noches durante las vacaciones.

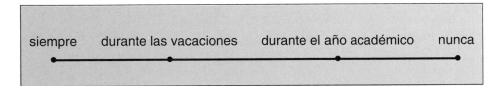

| siempre | durante las vacaciones | durante el año académico | nunca |

1. hacer la tarea
2. levantarse tarde
3. leer muchas revistas
4. ver televisión
5. ir al campo
6. jugar fútbol
7. oír muchos discos y casetes
8. hablar por teléfono por horas
9. pasear en bicicleta
10. acostarse temprano
11. practicar deportes
12. dormir muchas horas
13. salir mucho con los amigos
14. llevar ropa muy informal

8.7 PRESENT PROGRESSIVE: SUMMARY

The present progressive is used to tell what is happening at the moment of speaking. It is formed with the verb **estar** and the **-ndo** form of the verb.

No puedo ayudarte ahora porque **estoy** estudi**ando** español.
Estamos com**iendo** una tortilla española.
¿Qué **están** beb**iendo** los niños?

■ Stem-changing **-ir** verbs undergo a vowel change in the **-ndo** form.

dormir	**durmiendo**
seguir	**siguiendo**
pedir	**pidiendo**
repetir	**repitiendo**
decir	**diciendo**

■ When an unstressed **i** occurs between two vowels, the **-iendo** form becomes **-yendo.**

leer	**leyendo**
traer	**trayendo**
construir	**construyendo**

Vamos a practicar

a. ¿Tienen sueño?   Son las diez de la noche. Según Silvia, ¿qué están haciendo todos?

MODELO   Marta / escuchar / radio / dormitorio
Marta está escuchando la radio en el dormitorio.

1. mamá / leer / periódico / sala
2. Carlos y Elena / estudiar / dormitorio
3. yo / comer / sándwich / cocina
4. papá / ver / televisión / sala de familia
5. abuelita / escribir / carta / comedor
6. abuelita y yo / tomar / refresco / cocina
7. los bebés / dormir / habitación
8. Toni / lavarse / dientes / baño

b. ¡Vacaciones, por fin!   Es el primer día de las vacaciones de verano. ¿Qué están haciendo todos?

MODELO   Ángela

Ángela está visitando a sus abuelos.

1. Lisa y Rafael

2. Miguel

3. Los Tigres

4. David

5. la familia Garza

6. Marisela

7. Diana y Ofelia

8. Vicente y Leona

9. todos

8.8 PRETERITE: SUMMARY

The preterite is used to talk about what happened in the past. It has two sets of endings, one for **-ar** verbs and the other for **-er** and **-ir** verbs.

Preterite Regular Verb Endings	
-ar	**-er / -ir**
-é	-í
-aste	-iste
-ó	-ió
-amos	-imos
-asteis	-isteis
-aron	-ieron

Three sample verbs are:

Comprar	Romper	Salir
compré	rompí	salí
compraste	rompiste	saliste
compró	rompió	salió
compramos	rompimos	salimos
comprasteis	rompisteis	salisteis
compraron	rompieron	salieron

Many irregular verbs in the preterite have an irregular stem and use one set of endings for **-ar, -er** and **-ir** verbs.

Preterite Irregular Verb Endings
-ar /-er / -ir
-e **-iste** **-o** **-imos** **-isteis** **-ieron**

Note that the **yo** and the **ustedes / él / ella** endings do not have a written accent.

The following are verbs in this category that you have studied.

estar:	**estuv-**	estuve, estuviste, estuvo, estuvimos, . . .
tener:	**tuv-**	tuve, tuviste, tuvo, tuvimos, . . .
poder:	**pud-**	pude, pudiste, pudo, pudimos, . . .
poner:	**pus-**	puse, pusiste, puso, pusimos, . . .
hacer:	**hic-**	hice, hiciste, **hizo,** hicimos, . . .
decir:	**dij-**	dije, dijiste, dijo, dijimos, dijisteis, **dijeron**
traer:	**traj-**	traje, trajiste, trajo, trajimos, trajisteis, **trajeron**

Note that there is a **c → z** spelling change in **hacer.** Also note that verbs with stems ending in **j** drop the **i** in the **ustedes / ellos / ellas** form: **dijeron, trajeron.**

- The following three irregular verbs follow a different pattern.

  ir: fui, fuiste, fue, fuimos, fuisteis, fueron
  ser: fui, fuiste, fue, fuimos, fuisteis, fueron
  dar: di, diste, dio, dimos, disteis, dieron

- Some verbs undergo spelling changes in the **yo** form of the preterite.

  c changes to **qu** before **e** or **i:** buscar → **busqué**
  g changes to **gu** before **e** or **i:** llegar → **llegué**
  z changes to **c** before **e** or **i:** comenzar → **comencé**

- In **-er** and **-ir** verbs whose stems end in a vowel, the unaccented **i** changes to **y** in the third person singular and plural forms.

Leer	
leí	leímos
leíste	leísteis
leyó	**leyeron**

Oír	
oí	oímos
oíste	oísteis
oyó	**oyeron**

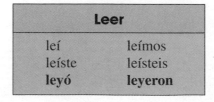

Vamos a practicar _____

a. Fuimos a España. Laura y Rubén están hablando de las vacaciones de su familia en España el verano pasado. ¿Qué dicen que hicieron?

EJEMPLO **Tú y yo nos divertimos en Valencia.**

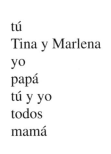

	subimos a la torre en Segovia
tú	durmieron muy poco en Toledo
Tina y Marlena	bailamos en una discoteca
yo	estuvo muy contento en Bilbao
papá	fuiste de compras en Barcelona
tú y yo	se compraron unas camisas rojas en Madrid
todos	comió muy bien en Granada
mamá	cambié dinero en Burgos
	vieron una película en Valencia

b. ¡Una fiesta! Ayer hubo una gran fiesta en casa de los Esparza. ¿Cómo ayudaron todos a hacer las preparaciones?

MODELO papá / comprar / helado
Papá compró el helado.

1. Alicia y Diana / escribir / invitaciones
2. padres / pedir / pastel
3. Martín / ir por / pastel
4. tú / enviar / invitaciones
5. todos nosotros / tener que / limpiar la casa
6. Julieta / conseguir / música
7. Carlitos / traer / refrescos
8. yo / buscar / música
9. Manuel y José / poner / mesa
10. mamá / hacer / comida

MATERIAS DE CONSULTA

APÉNDICE

EL ABECEDARIO

Note that the Spanish alphabet has four additional letters: **ch, ll, ñ,** and **rr.*** When alphabetizing in Spanish, or when looking up words in a dictionary or names in a telephone directory, items beginning with **ch** or **ll** are listed separately after those beginning with **c** or **l**, respectively. Within a word, **ch** follows **c, ll** follows **l, ñ** follows **n,** and **rr** follows **r.**

a	*a*	n	*ene*
b	*be* (*be* grande, *be* larga, *be* de burro)	ñ	*eñe*
		o	*o*
c	*ce*	p	*pe*
ch	*che*	q	*cu*
d	*de*	r	*ere*
e	*e*	rr	*erre*
f	*efe*	s	*ese*
g	*ge*	t	*te*
h	*hache*	u	*u*
i	*i*	v	*ve, uve* (*ve* chica, *ve* corta, *ve* de vaca)
j	*jota*		
k	*ka*	w	*doble ve, doble uve*
l	*ele*	x	*equis*
ll	*elle*	y	*i griega, ye*
m	*eme*	z	*zeta*

* In 1994, the Association of Spanish Language Academies voted to remove **ch** and **ll** from alphabetical listings. However, students should be made aware of them as there is still an abundant number of resources alphabetized using these two letters. This change does not affect pronunciation, usage, or spelling.

PRONUNCIACIÓN

■ Las vocales

Spanish has five vowel sounds: **a, e, i, o,** and **u.** The pronunciation of these vowels is short, clear, and tense and does not vary. When speaking Spanish, avoid the tendency to lengthen the vowels or to vary their pronunciation, as in English. For pronunciation practice of the vowel sounds in Spanish, see the section titled **Pronunciación y ortografía** in the *Cuaderno de actividades.*

■ Las consonantes

For pronunciation practice of the consonant sounds in Spanish, see **Pronunciación y ortografía,** *Cuaderno de actividades.*

■ Acentuación

All Spanish words have one stressed syllable, which may or may not have a written accent.

A. Spanish words that end in a vowel, in **-n,** or in **-s** are regularly stressed on the next-to-the-last syllable.

arte   profe**so**ra   **lla**man   panta**lo**nes

B. Spanish words that end in a consonant other than **-n** or **-s** are regularly stressed on the last syllable.

us**ted**   varie**dad**   capi**tal**   direc**tor**

C. Words that do not follow the preceding rules require a written accent.

fan**tás**tico   **lás**tima   invita**ción**   in**glés**

VOCABULARIO

VOCABULARIO
español-inglés

This **Vocabulario** includes all active and most passive words and expressions in **¡DIME!** (Exact cognates, conjugated verb forms, and proper nouns used as passive vocabulary are generally omitted.) A number in parentheses follows all entries. This number refers to the unit and lesson in which the word or phrase is introduced (and, when there is more than one number, reentered). The number **(3.1),** for example, refers to **Unidad 3, Lección 1.** The unit and lesson number of active vocabulary—words and expressions students are expected to remember and use—is given in boldface type: **(3.1).** The unit and lesson number of passive vocabulary—words and expressions students are expected to recognize and understand—is given in lightface type: (3.1). The abbreviation **LP** stands for **Lección Preliminar.**

The gender of nouns is indicated as *m.* (masculine) or *f.* (feminine). When a noun designates a person or an animal, both the masculine and feminine form is given. Irregular plural forms of active nouns are indicated. Adjectives ending in **-o** are given in the masculine singular with the feminine ending (**a**) in parentheses. Verbs are listed in the infinitive form, except for a few irregular verb forms presented early in the text. Stem-changing verbs appear with the change in parentheses after the infinitive.

All items are alphabetized in Spanish: **ch** follows **c, ll** follows **l, ñ** follows **n,** and **rr** follows **r.***

The following abbreviations are used:

adj.	adjective	*m.*	masculine
adv.	adverb	*pl.*	plural
art.	article	*poss.*	possessive
conj.	conjunction	*pres.*	present
dir. obj.	direct object	*pret.*	preterite
f.	feminine	*pron.*	pronoun
fam.	familiar	*refl.*	reflexive
form.	formal	*sing.*	singular
imper.	imperative	*subj.*	subject
indir. obj.	indirect object		
inf.	infinitive		

* See footnote on page C2.

A

a to **(3.1)**
  a *(personal)* **(4.2)**
  a continuación following, what
    follows
  a eso de around *(time)* (8.2)
  a la/las . . . at . . .*(time)* **(2.1)**
  a la parrilla grilled (8.3)
  a mí/ti/usted/él/ella to me/you
    (fam. sing.) / you *(form. sing.)*/
    him/her **(3.1)**
  a pie walking, on foot **(3.3)**
  a propósito by the way **(7.3)**
  a veces sometimes **(3.3)**
abogado *m.,* **abogada** *f.* lawyer **(4.2)**
abril *m.* April **(4.1)**
abrir to open **(7.2)**
abuela *f.* grandmother **(4.1)**
abuelo *m.* grandfather **(4.1)**
  abuelos *m. pl.* grandparents **(4.1)**
aburrido(a) bored **(2.2)**
acá here, around here (7.3)
acabar de to have just (4.2)
académico(a) academic (7.1)
accidente *m.* accident **(7.3)**
aceite *m.* **de oliva** olive oil (8.3)
aceptar to accept **(6.2)**
acompañar to accompany **(7.2)**
acostarse (ue) to go to bed **(8.1)**
acostumbrarse a to become
  accustomed to (8.3)
actitud *f.* attitude (7.1)
actividad *f.* activity (3.1)
activo(a) active **(8.2)**
actor *m.* actor **(4.2)**
actriz *f.* actress **(4.2)**
acueducto *m.* aqueduct **(8.3)**
además besides, in addition (4.1)
adiós good-bye **(1.1)**
¿adónde? (to) where? **(3.1) (4.2)**
adorno *m.* decoration (8.3)
adulto *m.,* **adulta** *f.* adult (5.1)
afectar to affect **(7.1)**
afeitarse to shave **(8.1)**
aficionado *m.,* **aficionada** *f.* fan
  (7.1)
afiche *m.* poster (2.3)

agitado(a) agitated, upset (7.2)
agosto *m.* August **(4.1)**
agradable agreeable, nice **(6.2)**
agradado(a) pleased (7.3)
agregar to add (8.3)
agricultor *m.,* **agricultora** *f.* farmer
  (4.2)
agua *f.* water **(5.3)**
  agua mineral mineral water **(5.3)**
  agua mineral con gas carbonated
    mineral water (5.3)
  agua mineral sin gas
    noncarbonated mineral water (5.3)
¡ah! oh! (LP)
ahora now **(1.3)**
ahorro *m.* saving (LP)
¡ajá! aha! **(LP)**
ajo *m.* garlic **(8.3)**
al (a + el) to the + *m. sing. noun*
  (3.1)
  al aire libre outdoors **(3.1)**
  al contrario on the contrary **(1.3)**
  al cruzar upon crossing **(5.1)**
  al final at the end (5.1)
  al gusto to one's liking, to taste
    (cooking) **(8.3)**
  al lado de beside, next to **(5.1)**
    (7.3)
  al principio at first **(7.2)**
alameda *f.* tree-lined walk, park
  (3.1)
albóndiga *f.* meatball **(8.3)**
  albondiguitas *f. pl.* little
    meatballs (8.3)
alborotado(a) exciting, lively (6.1)
alcanzar to catch up, reach (6.3)
alcázar *m.* fortress, royal palace
  (8.2)
alcoba *f.* bedroom **(8.2)**
alegre happy, joyful (6.1)
alegremente gladly, joyfully **(8.1)**
alemán *m.* German *(language)* (3.1)
alfombra *f.* rug, carpet **(8.2)**
álgebra *m.* algebra **(2.1)**
algo something **(2.3) (3.3)**
  ¿algo más? anything else? **(8.1)**
alguien someone **(3.3)**

almacén (*pl.* **almacenes**) *m.*
department store **(5.1)**

almohadilla (para el ratón) *f.*
mouse pad **(2.1)**

almorzar (ue) to eat lunch **(5.3)**

almuerzo *m.* lunch **(2.1) (5.3) (6.3)**

alojamiento *m.* lodging, housing
(6.3)

alquilar to rent **(2.3)**

alrededor (de) around (7.2)

¡alto! stop! (6.3)

alto(a) tall (1.3); high *(volume)*
(7.2)

allá there, over there (6.1)

allí there, over there **(7.3)**

amarillo(a) yellow **(5.2)**

ambiente *m.* ambience (6.1)

americano(a) American **(1.2)**

amigo *m.*, **amiga** *f.* friend **(1.1)**

amistad *f.* friendship (2.3)

amor *m.* love (4.1)

anaranjado(a) orange **(5.2)**

ancho(a) wide (6.1)

andar to walk (7.2)

animal *m.* animal **(4.3)**

anoche last night **(6.1)**

antepasado(a) previous,
before last **(7.1)**

anterior previous (7.2)

antes de before **(6.3)**

anticipemos let's anticipate (LP)

antiguo(a) ancient, old (3.2)

antipático(a) disagreeable **(2.2)**

antropología *f.* anthropology (3.2)

anuncio *m.* announcement,
advertisement (4.1)

año *m.* year **(4.1)**

apagado(a) turned off *(equipment)*
(7.2)

aparcamiento *m.* parking (5.2)

apariencia *f.* **física** physical
appearance (5.1)

apellido *m.* last name, surname
(4.1)

apenas scarcely, hardly **(7.2)**

aperitivo *m.* appetizer, hors
d'oeuvres (8.3)

apetito *m.* appetite **(8.2)**

aplicado(a) applied (6.2)

aprender to learn **(6.2)**

apretado(a) tight (6.1)

aquel, aquella, aquellos, aquellas
that, those *(over there)* **(7.1)**

aquí here **(3.1)**

árbitro *m. f.* umpire, referee **(7.1)**

Argentina *f.* Argentina **(1.2)**

argentino(a) Argentine,
Argentinian (1.2)

armario *m.* closet **(7.3)**

arquero *m.,* **arquera** *f.* goalie,
goalkeeper *(soccer)* **(7.3)**

arreglar to fix (7.3)

arreglarse to get ready **(8.1)**

arreglo *m.* arrangement (4.2)

arte *m. f.* art **(2.1)**
  bellas artes fine arts (3.1)

artesanía *f.* handicrafts (6.1)

artículo *m.* article **(4.3)**

artista *m. f.* artist, entertainer **(4.2)**

artístico (a) artistic
  gimnasia artística gymnastics
  (7.1)
  patinaje artístico figure skating
  (7.1)

ascensor *m.* elevator (5.2)

asesinar to assassinate (6.3)

asesinato *m.* assassination (3.3)

así so, thus (6.1)

aspirina *f.* aspirin **(7.2)**

Asunción Asunción *(capital of
Paraguay)* **(1.2)**

atacar to attack **(6.3)**

atención *f.* attention (4.1)

aterrorizado(a) terrified (7.3)

atlético(a) athletic **(1.3)**

atletismo *m.* track and field **(7.1)**

atracción *f.* attraction (6.3)

audición *f.* audition (1.3); hearing
(7.2)

audífonos *m. pl.* headphones
(2.1) (7.2)

auditivo(a) auditory (7.2)

auditorio *m.* auditorium (1.3)

aun even (7.3)

aún   still, yet **(7.3)**

auto *m.*   auto, car **(6.3)**

autobús *m.* (*pl.* **autobuses**)   bus **(3.2)**

automovilismo *m.*   sports car racing (7.1)

autor *m.* **autora** *f.*   author **(4.2)**

aventura *f.*   adventure (6.2)

aventurero *m.,* **aventurera** *f.* adventurer (8.1)

avión *m.*   plane **(6.3)**

¡ay!   oh!; oh, no! **(LP) (1.1)** ouch! (7.1)

ayer   yesterday **(6.1)**

ayudar   to help **(6.2)**

ayuntamiento *m.*   city hall (7.3)

azteca *m. f.*   Aztec **(6.3)**

azul   blue **(5.2)**

~~~~~ **B** ~~~~~

bailar   to dance **(3.1)**

baile *m.*   dance **(2.3)**

bajar   lower **(7.2)**

bajarse   to get off, get down **(5.1)**

bajo(a)   short **(1.3)**

baloncesto *m.*   basketball **(7.1)**

ballet *m.* **folklórico**   ballet folklórico (*Mexican folk dance troupe*) **(6.1)**

banco *m.*   bank **(5.1)**

banda *f.*   band **(6.2)**

bañarse   to take a bath **(8.1)**

baño *m.*   bathroom **(2.2) (8.2)**

barco *m.*   boat (6.3)

barrio *m.*   neighborhood (7.3)

base *f.*   base **(7.1)**

bastante   enough (3.2)

bata *f.*   bathrobe **(7.3)**

bastar   to be enough (6.1)

batalla *f.*   battle **(6.3)**

bateador *m.,* **bateadora** *f.*   batter (*baseball*) **(7.1)**

batido *m.*   milkshake (8.3)

batir   to beat (8.3)

bautizo *m.*   baptism (6.1)

beber   to drink **(2.3)**

béisbol *m.*   baseball **(7.1)**

bello(a)   beautiful **(8.2)**

bellas artes   fine arts (3.1)

biblioteca *f.*   library **(2.2)**

bicicleta *f.*   bicycle **(2.3)**

bien   well, okay, fine **(1.1)**

bien, gracias   fine, thank you **(1.1)**

¡bien hecho!   well done! **(7.1)**

bien, ¿y tú?   fine, and you? (*fam. sing.*) **(1.1)**

bienvenido(a)   welcome **(7.3)**

bilingüe   bilingual (1.3)

billete *m.*   bill *(money)* (5.1)

biología   biology (2.2)

bizcocho *m.*   sponge cake **(5.3)**

blanco(a)   white **(5.2)**

bloquear   to block **(7.3)**

blusa *f.*   blouse **(5.2)**

boca *f.*   mouth **(7.2)**

bocadillo *m.*   sandwich **(8.1)**

boda *f.*   wedding **(4.2)**

Bogotá   Bogotá (*capital of Colombia*) **(1.2)**

boleta *f.*   report card **(2.1)**

boleto *m.*   ticket (6.2)

bolígrafo *m.*   ballpoint pen **(LP)**

bolita *f.*   little ball (8.3)

Bolivia *f.*   Bolivia **(1.2)**

boliviano(a)   Bolivian (1.2)

bombero *m.,* **bombera** *f.*   fire fighter **(4.2)**

bombón *m.*   chocolate covered candy, bonbon **(7.3)**

bonito(a)   pretty **(1.3)**

borrador *m.*   eraser **(LP)**

bosque *m.*   forest **(3.2)**

botas *f. pl.*   boots **(5.2)**

boxeo *m.*   boxing **(7.1)**

Brasil *m.*   Brazil **(2.1)**

Brasilia   Brasilia (*capital of Brazil*) **(2.1)**

¡bravo!   bravo!, hooray! **(4.1)**

brazo *m.*   arm **(7.2)**

brillante   brilliant (4.2)

broma *f.*   joke (7.3)

bruto *m.*   brute (7.1)

buen   good **(3.2)**

¡buen provecho!   enjoy your meal! (8.1)

bueno(a)   good **(2.2)**

  buenas noches   good evening, good night **(1.1)**

  buenas tardes   good afternoon **(1.1)**

  buenos días   good morning, good day **(1.1)**

Buenos Aires   Buenos Aires *(capital of Argentina)* **(1.2)**

buscar   to look for **(5.3)**

caballeros *m. pl.*   gentlemen (5.2)

caballo *m.*   horse (6.1)

cabeza *f.*   head **(7.2)**

cabezazo *m.*   header *(soccer shot)* **(7.1)**

cables *m. pl.*   wires **(2.2)**

cacatúa   cockatoo *(tropical bird)* (6.2)

cada   every, each (4.1)

caerse   to fall, fall down (7.2)

café *m.*   café **(3.1)**   coffee **(5.3)**

cafetería *f.*   cafeteria **(2.2)**

caja *f.*   cash register, cashier's station (5.2)

calandria *f.*   horse-drawn carriage **(6.3)**

calcetines *m. pl.*   socks **(5.2)**

  par de calcetines   pair of socks **(5.2)**

calcomanía *f.*   decal, sticker (2.3)

calendario *m.*   calendar (4.1)

caliente   hot **(5.3)**

calificar   to grade **(2.3) (3.2)**

calor *m.*   heat **(3.2)**

  hacer calor   to be hot *(weather)* **(3.2)**

  tener calor   to be hot *(physical condition)* **(5.3)**

¡cállate!   be quiet! **(8.1)**

calle *f.*   street **(5.1)**

cama *f.*   bed **(7.3)**

camarera *f.*   waitress **(4.2)**

camarero *m.*   waiter **(4.2)**

cambiar   to change; to exchange *(money)* **(5.1)**

caminante *m. f.*   walker, traveler (5.1)

caminar   to walk **(3.2)**

camino *m.*   road, way (4.1)

camión *m.*   bus *(Mexico)*, truck **(6.3)**

camisa *f.*   shirt **(5.2)**

camiseta *f.*   T-shirt **(5.2)**

campamento *m.*   camp (3.1)

campeonato   championship (7.1)

campo *m.*   field **(7.1)**; countryside (8.2)

  campo de fútbol   soccer (or football) field **(7.1)**

canadiense   Canadian (1.2)

canastita *f.*   little basket (7.3)

cancelar   to cancel, call off **(8.1)**

canción *f.*   song **(6.1)**

cansado(a)   tired **(4.3)**

cantante *m. f.*   singer **(4.2)**

capaz   capable (6.1)

capital *f.*   capital **(1.2)**

cara *f.*   face **(7.2)**

Caracas   Caracas *(capital of Venezuela)* **(1.2)**

característica *f.*   characteristic (7.2)

¡caramba!   wow! hey! what! **(LP)**

cariño   dear (8.2)

carne *f.*   meat (8.3)

caro(a)   expensive **(5.2)**

carpeta *f.*   folder **(LP)**

carpintero *m.,* **carpintera** *f.*   carpenter (4.2)

carta *f.*   letter **(2.3),**   menu **(5.3)**

carro *m.*   car **(6.3)**

  carros chocones *m. pl.*   bumper cars (3.2)

carrusel *m.*   merry-go-round **(3.2)**

casa *f.*   house **(2.3)**

casado(a)   married **(4.2)**

casarse   to get married (4.2)

caserola *f.*   casserole (8.3)

casete *m.*   cassette (3.3)

casi   almost (2.3)

caso *m.*   case (8.1)

castellano *m.* Spanish *(language)* (2.1)

castillo *m.* castle **(8.3)**

catedral *f.* cathedral (8.2)

causar to cause (8.1)

CD-ROM *see* **disco compacto**

cebolla *f.* onion **(8.1)**

celebrar to celebrate **(4.1)**

cemento *m.* cement (8.3)

cena *f.* dinner **(6.3)**

cenar to eat dinner, supper **(8.2)**

Cenicienta: La Cenicienta Cinderella **(6.2)**

centro *m.* downtown, center **(3.1)**
   centro comercial shopping center **(3.1)**

cerámica *f.* ceramics (6.2)

cerca de near **(5.1) (7.3)**

cerrado(a) closed (3.1)

cerrar(ie) to close **(7.2)**

ciclismo *m.* cycling **(7.1)**

ciencias *f. pl.* science **(2.1)**
   ciencias naturales natural sciences **(2.1)**

cine *m.* movie theater **(3.1)**
   ir al cine to go to the movies **(3.1)**

cinturón *m.* belt (6.1)

circo circus (3.1)

círculo *m.* circle, club, group (7.3)

circunstancia *f.* circumstance (6.3)

cita *f.* date, appointment (8.2)

ciudad *f.* city **(8.2)**

claro of course (2.1)
   ¡claro que sí! of course! **(2.2)**
   sí, claro yes, of course **(5.3)**

clase *f.* class **(LP)** type (3.1)

clavados diving (7.1)

cocina *f.* kitchen **(8.2)**

cocinero *m.,* **cocinera** *f.* cook **(4.2)**

coche *m.* car **(3.3)**
   en coche by car **(3.3)**

cochinillo *m.* suckling pig **(8.3)**
   cochinillo asado roast suckling pig **(8.2)**

coleccionista *f.* collector **(3.1)**

colegio *m.* school **(2.2)**

Colombia *f.* Colombia **(1.2)**

colombiano(a) Colombian (1.2)

combinar: no combina bien it doesn't match *(clothes)* **(5.3)**

comedia *f.* play *(theater)* **(6.1)**

comedor *m.* dining room **(8.2)**

comentar to comment (5.1)

comenzar(ie) to begin **(7.1)**

comer to eat **(2.3) (3.2)**

comestible *m.* food (8.1)

cómico(a) funny **(1.3)**

comida *f.* food, meal **(2.3)**
   comida chatarra fast food **(3.1)**
   hacer una comida to make dinner (2.3)

comienzo *m.* beginning (7.1)

como: como siempre as usual **(7.3)**

¿cómo? how? what? **(4.2)**
   ¿cómo está usted? how are you *(form. sing.)*? **(1.1)**
   ¿cómo estás? how are you *(fam. sing.)*? **(1.1)**
   ¿cómo no? why not? **(6.2)**
   ¿cómo se llama? what's your *(form. sing.)* name? **(1.2)**
   ¿cómo te llamas? what's your *(fam. sing.)* name? **(1.2)**

cómoda *f.* chest of drawers **(7.3)**

cómodo(a) comfortable **(8.2)**

competencia *f.* competition **(7.1)**

composición *f.* composition **(5.1)**

comprar to buy **(3.2)**

compromiso *m.* commitment (8.2)

computación (clase de) *f.* computer *(class)* **(2.1)**

computadora *f.* computer **(2.1)**

comunicarse to communicate **(7.3)**

comunidad *f.* community (3.2)

común common (4.1)

con with **(2.3)**
   con calma calmly **(8.3)**
   con cuidado carefully **(8.3)**
   con énfasis with emphasis **(5.3)**
   con permiso excuse me, with your permission **(4.2)**

concentrar to concentrate (7.2)

concierto *m.* **de rock** rock concert **(3.3)**

concluido(a) concluded (7.2)

condición *f.* condition (7.3)

confección *f.* ready-to-wear clothing (5.2)

conmigo with me **(6.2)**

conocer to know, be acquainted with **(4.2)**

conocimiento *m.* knowledge (1.3)

conquistar to conquer **(6.3)**

conseguir (i, i) to get, obtain **(5.3)**

consejo *m.* advice (7.2)

considerado(a) considered (6.2)

considerar to consider (7.1)

consistir to consist (8.2)

constantemente constantly **(8.1)**

construir to construct **(8.3)**

contacto *m.* contact (2.3)

  ponerse en contacto to contact (2.3)

contar (ue) to count **(5.2)**

contemporáneo(a) contemporary (6.2)

contento(a) happy **(4.3)**

contigo with you **(6.2)**

contra against (3.2)

contrastando contrasting (6.2)

conversación *f.* conversation (5.1)

conversar to converse (4.3)

convertir (ie, i) to convert (7.2)

copa *f.* tournament cup, trophy (3.1); goblet, wine glass **(8.1)**

corazón *m.* heart (7.1)

corbata *f.* necktie (6.1)

correos *m. pl.* post office **(5.1)**

  oficina *f.* **de correos** post office **(5.1)**

correr to run, to jog **(2.3) (3.2)**

corresponder to correspond (4.1)

cortado(a) cut (8.3)

cortar to cut **(4.3)**

corto(a) short **(8.1)**

cosa *f.* thing **(7.3)**

costar (ue) to cost **(5.2)**

costarricense Costa Rican (1.2)

crecimiento *m.* growth (4.3)

creer to believe (4.3) *pret.* **(7.1)**

criticar to criticize **(7.1)**

cruzar to cross **(5.1)**

cuaderno *m.* notebook **(LP)**

cuadra *f.* city block **(5.1)**

¿cuál(es)? what? which? which one(s)? **(2.1) (4.2)**

  ¿cuál es la fecha de hoy? what's today's date? **(4.1)**

cualquier(a) anyone, anything, whichever (6.1)

¿cuándo? when? **(2.1) (3.2) (4.2)**

¿cuánto(a)? ¿cuántos(as)? how much? how many? **(4.1) (4.2)**

cuarto *m.* room, bedroom **(2.3)**

cuarto(a) fourth **(5.2)**

  . . . menos cuarto quarter to/of . . . *(time)* **(2.1)**

  . . . y cuarto quarter past . . . *(time)* **(2.1)**

cuartos de final quarter finals (7.1)

cubano(a) Cuban (1.2)

cubierto(a) covered (7.3)

cubiertos *m. pl.* place settings **(8.1)**

cuchara *f.* spoon **(5.3) (8.1)**

cucharita *f.* teaspoon (8.3)

cuchillo *m.* knife **(8.1)**

cuello *m.* neck **(7.2)**

cuenta *f.* bill, check **(5.3)**

¡cuéntame! tell me! **(6.3)**

cuento *m.* story **(6.2)**

  cuento de hadas fairy tale

cuero *m.* leather (6.1)

¡cuidado con . . . ! look out for . . . !, beware of . . . ! **(1.2)**

cuidadosamente carefully **(8.1)**

cuidar to take care of (2.3)

cumpleaños *m.* birthday **(4.1)**

cumplir ___ años to be ___ years old **(4.1)**

curiosear to look around, snoop (8.2)

curioso(a) curious (8.2)

～～CH～～

champán *m.* champagne (7.3)

chaqueta *f.* jacket **(5.2)**

charlar to chat **(4.3)**

charro *m.*   Mexican cowboy (6.1)
chatarra; comida chatarra   fast food (3.1)
cheque *m.*   check **(5.1)**
  cheque de viajero   traveler's check **(5.1)**
chica *f.*   girl **(1.1)**
chico *m.*   boy **(1.1)**
Chile *m.*   Chile **(1.2)**
chileno(a)   Chilean (1.2)
chocar   to collide, run into **(7.2)**
chofer *m. f.*   driver **(6.3)**
chorizo *m.*   sausage **(8.1)**

～～～D～～～

¡dale!   hit it! (4.1); kick it! (7.1)
dama *f.*   lady (3.3)
dar   to give **(5.1)** *pret.* **(6.2)**
  dar un paseo   to take a walk (5.1)
  darse cuenta   to realize (8.2)
  darse prisa   to hurry up (8.1)
    ¡date prisa!   hurry up! (8.1)
dato *m.*   fact (2.3)
de   from **(1.2)**
  de acuerdo   agreed (7.2)
  de acuerdo a   according to (7.2)
  de compras   shopping **(3.1)**
  ¿de dónde?   from where? **(1.2)**
    (4.2)
  de etiqueta   full dress, formal (7.3)
  de la mañana/tarde/noche   in the morning/afternoon/evening *(specific time)* **(2.1)**
  de moda   stylish (5.2)
  de primera   first-class, first-rate (7.1)
  de repente   suddenly **(8.2)**
  de todos modos   anyway (7.2)
  de vacaciones   on vacation (7.1)
  ¿de veras?   really? **(3.1)**
debajo de   under **(7.3)**
deber   to be obliged, should, must **(5.1)**
decidir   to decide **(7.3)**
décimo(a)   tenth **(5.2)**

decir (i)   to say, tell **(5.3)**
  pret. **(6.3)**
decoración *f.*   decoration (4.2)
dedo *m.*   finger **(7.2)**
  dedo del pie *m.*   toe (7.2)
defender (ie)   to defend (3.2)
defensor *m.*, **defensora** *f.*   guard *(soccer)* **(7.1)**
dejar   to leave behind (5.3)
del (de + el)   from the + *m. sing. noun* **(4.2)**
delante de   in front of **(7.3)**
delgado(a)   thin **(1.3)**
delicioso(a)   delicious **(4.3)**
demasiado(a)   too, too much **(6.2)**
denunciar   to denounce (6.2)
departamentos *m. pl.*   departments *(in a department store, etc.)* **(5.2)**
  departamento de caballeros   men's **(5.2)**
  departamento de deportes   sports **(5.2)**
  departamento de electrónica   electronics **(5.2)**
  departamento del hogar   housewares **(5.2)**
  departamento de jóvenes   teens', young people's **(5.2)**
  departamento de niños   children's **(5.2)**
  departamento de señoras/mujeres   women's **(5.2)**
dependiente *m. f.*   salesclerk **(5.2)**
deporte *m.*   sport **(3.3)**
deportista *m. f.*   sportsman, sportswoman (3.1)
deportivo(a)   athletic, sport, pertaining to sports (5.2)
derecha *f.*   right, right side **(5.1)**
  a la derecha   to/on the right **(5.1)**
    (7.3)
derecho   straight ahead **(5.1)**
derivar   to derive (4.1)
derrotar   to defeat (7.1)
desafortunadamente   unfortunately **(6.3)**
desastre *m.*   disaster (8.3)

desayunar to have breakfast **(8.1)**

desayuno *m.* breakfast **(6.3)**

descansar to rest **(3.2)**

desconocido(a) unknown (6.2)

descubrimiento *m.* discovery (6.3)

descubrir to discover **(6.3)**

desear to desire, wish **(5.3)**

desesperadamente desperately (6.1)

desorganizado(a) disorganized **(1.3)**

despacio slow, slowly (8.3)

despedida *f.* farewell, good-bye, leave-taking **(1.1)**

despedirse (i, i) to say good-bye, take leave (8.1)

despertarse (ie) to wake up **(8.1)**

después afterwards

    después de after **(6.3)**

destruir to destroy (6.3)

detalle *m.* detail **(7.2)**

detective *m. f.* detective (LP)

detenerse to stop (7.3)

detrás de behind **(5.1) (7.3)**

di *imper.* tell, say **(7.3)**

día *m.* day (2.2)

    día del padre Father's Day (5.2)

    día del santo saint's day (4.1)

    día festivo holiday (5.1)

diariamente daily (5.1)

dibujo *m.* drawing **(4.3)**

    clase de dibujo art class **(2.1)**

    hacer dibujos to draw **(4.3)**

diccionario *m.* dictionary **(2.1)**

diciembre *m.* December **(4.1)**

diente *m.* tooth **(7.2)**

    diente de ajo clove of garlic (8.3)

    lavarse los dientes to brush one's teeth **(8.1)**

diferencia *f.* difference (5.1)

diferente different (5.3)

difícil difficult **(2.2)**

¡dígame! *form.* tell me! **(3.2)**

¡dime! *fam.* tell me! (1.1)

dinero *m.* money **(5.1)**

Dios *m. (pl.* dioses*)* God **(6.3)**

¡Dios mío! my gosh! my God! **(7.1)**

dirección *f.* address (2.3)

directo: en directo live *(radio or TV broadcast)* (7.1)

director *m.,* **directora** *f.* principal *(of a school)*, director, **(1.1)**

directorio *m.* directory (5.2)

dirigir to direct (6.3)

disco *m.* record **(3.1)**

    disco compacto compact disc **(2.2)** (3.3)

disco duro/rígido hard disk **(2.2)**

discoteca *f.* discotheque **(3.3)**

diseñador *m.,* **diseñadora** *f.* designer (7.3)

diseño *m.* design (7.3)

diskette *m.* diskette **(2.2)**

dispuesto(a) willing (6.1)

distinto(a) distinct, different (3.1)

diversión *f.* diversion, entertainment (3.2)

    parque de diversiones amusement park **(3.2)**

divertido(a) amusing, funny **(2.2)**

divertirse (ie, i) to have a good time **(8.1)**

divorciado(a) divorced **(4.2)**

doblar to turn **(5.1)**

docena *f.* dozen **(6.1)**

doctor (Dr.) *m.,* **doctora (Dra.)** *f.* doctor (1.1) **(4.2)**

dólar *m.* dollar **(5.1)**

doler (ue, o) to hurt **(7.2)**

dolor *m.* pain **(7.2)**

    dolor de cabeza headache **(7.2)**

    dolor de estómago stomachache **(7.2)**

dominado(a) dominated (7.3)

domingo *m.* Sunday **(2.1)**

dominicano(a) Dominican (1.2)

¿dónde? where? **(1.2) (4.2)**

    ¿de dónde? from where? **(1.2) (4.2)**

    ¿dónde está . . . ? where is . . . ? (1.2)

dondequiera wherever (6.1)

doña *f.* doña *(title of respect used before first names of married or older women)* (4.2)

dorado golden (8.3)

dormir (ue, u) to sleep **(7.2)** *pret.* **(7.3)**

dormirse (ue, u) to go to sleep **(8.1)**

dormitorio *m.* bedroom **(8.2)**

Dr., Dra. (abbreviation of **doctor, doctora**) doctor (1.1) **(4.2)**

dramatizaciones *f. pl.* dramatizations, role plays (LP)

dueño *m.,* **dueña** *f.* owner (5.3)

durante during **(7.1)**

duro(a) hard **(8.2)**

~~~E~~~

e *(before words beginning with* **i** *or* **hi**) and **(2.2)**

eco *m.* echo (7.2)

economista *m. f.* economist (7.3)

Ecuador *m.* Ecuador **(1.2)**

ecuatoriano(a) Ecuadoran (1.2)

edad *f.* age **(4.1)**

edificio *m.* building (6.2)

educación familiar home economics (2.1)

educación *f.* **física** physical education **(2.1)**

ejecutivo(a) executive (7.3)

el *art.* the **(LP)**

él *pron.* he **(1.1)**

elegante elegant **(1.3)**

elevado(a) elevated, raised *(volume)* (7.2)

ella she **(1.1)**

ellas *f.* they **(2.2)**

ellos *m.* they **(2.2)**

emocionado(a) moved, touched *(emotions)* **(4.3)**

emocionante moving, touching (3.2)

empacar to pack **(8.1)**

empate *m.* tie *(in sports)* **(7.3)**

empezar (ie) to begin *pret.* **(7.1)**

en in, on **(LP) (7.3)**

en coche by car **(3.3)**

en común in common (3.2)

en directo live *(radio or TV broadcast)* (7.1)

en general generally (4.1)

en oferta on sale **(3.1)**

en punto on the dot (8.2)

en seguida right away **(8.3)**

en serio seriously, really (6.2)

enamorarse (de) to fall in love with **(6.3)**

encantado(a) delighted **(1.2)**

encantar to really like, love **(3.1) (5.2)**

le encanta(n) he/she/it, you *(form. sing.)* really like(s), love(s) **(3.1)**

me encanta(n) I really like, love **(3.1)**

me (te, le) encantaría I (you *fam. sing.,* he/she/you *form. sing.)* would really like, love to **(3.1) (6.2)**

te encanta(n) you *(fam. sing.)* really like, love **(3.1)**

encima de on top of, over **(7.3)**

encoger to shrink (5.3)

encontrar (ue) to find, to meet **(5.2)**

enchilada *f.* enchilada *(corn tortilla dipped in hot sauce and filled with meat or cheese)* (LP)

enemigo *m.,* **enemiga** *f.* enemy **(6.3)**

enero *m.* January **(4.1)**

enfadado(a) angry (5.3)

énfasis *m.* emphasis (5.3)

enfermarse to become ill (6.3)

enfermero *m.,* **enfermera** *f.* nurse **(4.2)**

enfermo(a) sick **(8.2)**

enfrente de facing, in front of **(7.3)**

enfriarse to cool, get cold *(food)* (8.1)

enorme huge, enormous **(6.1)**

enriquecer to enrich (1.3)

ensalada *f.* salad **(8.2)**

ensaladilla rusa   potato salad *(Spain)* **(8.1)**

entender (ie)   to understand **(5.2)**

entero(a)   entire, whole (3.2)

entonces   then (5.1)

entrada *f.*   entrance, ticket (6.1)

entrar   to enter **(6.2)**

entre   between **(5.1) (7.3)**

entremeses *m. pl.*   appetizers, hors d'oeuvres **(8.3)**

entrenador *m.,* **entrenadora** *f.*   coach **(7.1)**

entrevista *f.*   interview **(3.2)**

enviar   to send (2.3)

época *f.*   epoch (6.3)

equipo *m.*   team **(7.1)**; stereo equipment (7.2)

eres   you *(fam. sing.)* are **(1.1)**

es   he/she/it is, you *(form. sing.)* are **(1.1)**

  ¿es todo?   is that all? **(8.3)**

  es un placer   (I'm) pleased to meet you **(1.2)**

esa(s) *see* **ese**

escalón *m.*   stair, step **(8.2)**

escapar   to escape (4.3)

escaparate *m.*   display window (5.1)

escena *f.*   scene (7.3)

escoger   to select **(7.3)**

escribir   to write **(2.3) (3.2)**

escritor *m.,* **escritora** *f.*   writer **(4.2)**

escritorio *m.*   desk **(LP)**

escuela *f.*   school **(1.1)**

  escuela secundaria   high school **(2.2)**

escuchar   to listen to **(3.1) (3.2)**

ese, esa, esos, esas   that, those **(7.1)**

esgrima   fencing (7.1)

eslalom   slalom (7.1)

eso   that (6.2)

esos *see* **ese**

espacio *m.*   space (7.3)

espalda *f.*   back **(7.2)**

español *m.*   Spanish **(LP)**

español *m.,* **española** *f.*   Spaniard (2.1)

especial   special **(3.3)**

especialmente   especially (2.2)

especificado(a)   specified (8.2)

espectador *m.,* **espectadora** *f.*   spectator **(7.1)**

espejo *m.*   mirror **(8.1)**

esperar   to wait for **(2.3)**, to hope (6.2)

espía *m. f.*   spy (5.2)

esposa *f.*   wife **(4.1)**

esposo *m.*   husband **(4.1)**

  esposos *m. pl.*   husband and wife, spouses **(4.1)**

espuela *f.*   spur (6.1)

esquí *m.*   skiing **(7.1)**

  esquí alpino   downhill skiing **(7.1)**

esquina *f.*   corner **(5.1)**

esta, estas *see* **este**

está   he/she/it is, you *(form. sing.)* are **(2.2)**

estación *f.* (*pl.* **estaciones**), season *(of the year)* **(3.2)**   station **(5.1)**

estadía *f.*   stay (6.2)

estado *m.*   state (4.3) (7.1)

  estado físico   physical condition (7.1)

Estados Unidos *m. pl.*   United States **(1.2)**

estadounidense *m. f.*   United States citizen (1.2)

estamos   we are **(2.2)**

están   they, you *(pl.)* are **(2.2)**

estante   bookshelf **(7.3)**

estar   to be **(2.2)** *pret.* **(8.2)**

  estar a mano   to be readily available (4.2)

  estar listo(a)   to be ready (4.2)

estás   you *(fam. sing.)* are **(2.2)**

este *m.*   east (1.2)

este, esta, estos, estas   this, these **(7.1)**

estilo *m.*   style (6.3)

esto *pron.*   this (8.2)

estómago *m.*   stomach **(7.2)**

estos *see* **este**

estoy   I am **(2.2)**

estrella *f.*   star (1.3) **(7.1)**

estudiante *m. f.*   student **(LP)**

estudiantil   student *(adj.)*, pertaining to students (7.3)

estudiar   to study **(2.3) (3.2)**

estudioso(a)   studious **(1.3)**

¡estupendo!   great! wonderful! **(1.1)**

europeo(a)   European (6.3)

examen *m.*   exam **(2.3)**

examinar   to examine **(7.1)**

excelente   excellent **(2.2)**

exceso *m.*   excess (7.3)

excursión *f.*   excursion, short trip **(6.1)**

exhibición *f.*   exhibition **(6.1)**

exigente   demanding **(1.3)**

existir   to exist (6.3)

experimentar   to experiment **(7.2)**

experimento *m.*   experiment (2.2)

explicación *f.*   explanation (6.1)

explicar   to explain **(5.3)**

explorar   to explore **(8.2)**

explosivo(a)   explosive (6.2)

exquisito(a)   exquisite (8.3)

extrañar   to miss **(7.2)**

extraño(a)   strange (7.2)

extrovertido(a)   extroverted **(1.3)**

～～F～～

fabuloso(a)   fabulous **(6.1)**

fácil   easy **(2.2)**

fácilmente   easily **(8.1)**

falda *f.*   skirt **(5.2)**

falta *f.*   foul *(soccer)* **(7.1)**
   cobrar una falta   to call a foul **(7.1)**

faltar   to be lacking, missing **(8.1)**
   ¡no faltes!   don't miss it! (4.1)

familia *f.*   family **(4.1)**

familiar   pertaining to the family, familial (6.1)

famoso(a)   famous (4.2)

fantástico(a)   fantastic **(2.2)**

farmacia *f.*   pharmacy **(7.2)**

fascinante   fascinating **(8.3)**

¡fatal!   terrible! awful! **(1.1)**

favor *m.*   favor
   por favor   please **(1.1)**

favorito(a)   favorite (3.2)

febrero *m.*   February **(4.1)**

fecha *f.*   date *(on the calendar)* **(4.1)**

¡felicidades!   congratulations! **(4.1)**

feliz *(pl.* **felices***)*   happy **(8.2)**

feo(a)   ugly **(1.3)**

fiebre *f.*   fever **(7.2)**

fiesta *f.*   fiesta, party **(5.3)**

figura *f.*   figure (7.2)

figurita *f.*   figurine (6.2)
   figurita de cristal   crystal figurine (6.2)

fila *f.*   row (4.2)

fin *m.*   end **(3.3)**
   fin de semana   weekend **(3.1) (3.3)**
   ¡por fin!   at last! **(2.1) (4.3)**

fingir   to pretend (5.3)

firme   firm (8.3)

flaco(a)   skinny **(1.3)**

floppy *m.*   diskette **(2.2)**

flor *f.*   flower (4.2)

florecer   to flower (6.2)

flotante   floating (6.3)

formalmente   formally **(8.1)**

foto *f.*   photo **(2.1)**

fotógrafo *m.,* **fotógrafa** *f.*   photographer **(4.2)**

francés *m.*   French **(2.1)**

franco *m.*   franc *(French monetary unit)* (5.1)

frecuentemente   frequently **(3.3)**

freír   to fry **(8.3)**

fresa *f.*   strawberry **(8.2)**

fresco(a)   cool **(3.2)**
   hacer fresco   it's cool out **(3.2)**

frijoles *m. pl.*   beans (LP) **(8.1)**

frío *m.*   cold **(3.2)**
   hace frío   it's cold **(3.2)**
   tener frío   to be *(feel)* cold **(5.3)**

frito(a)   fried **(5.3)**
   papas/patatas fritas   french fries **(5.3)**

fruta *f.*   fruit **(8.2)**

fuego *m.*   fire (8.3)
fuente *f.*   fountain **(5.1)**
fuerte   strong **(1.3)**
fuerza *f.*   force (4.3)
fuimos   we went **(5.3)**
funcionar   to function, work (8.3)
furioso(a)   furious **(4.3)**
fútbol *m.*   soccer **(2.3)**
  fútbol americano   football **(7.1)**
futbolista *m. f.*   soccer (or football)
  player **(4.2)**

~~~~ G ~~~~

ganar   to win **(7.1)**
garaje *m.*   garage **(8.2)**
garganta *f.*   throat **(7.2)**
gato *m.*, **gata** *f.*   cat (6.2)
gazpacho *m.*   gazpacho *(cold pureed
  vegetable soup from Spain)* **(8.3)**
generalmente   generally (3.1)
generoso(a)   generous **(1.3)**
gente *f.*   people **(3.2)**
geografía *f.*   geography **(2.1)**
gigante *m.*   giant (4.1)
gimnasia *f.*   gym class, gymnastics
  (2.1)
  gimnasia artística   gymnastics
    (7.1)
gimnasio   gymnasium **(2.2)**
girar   to turn (5.3)
gol *m.*   goal *(soccer)* **(7.1)**
  meter un gol   to make a goal **(7.1)**
golf *m.*   golf **(7.1)**
golpe *m.*   blow, hit (7.2)
golpear   to hit, bang on (6.3)
gordo(a)   fat **(1.3)**
gracias   thank you **(LP)**
  gracias a Dios   thank goodness,
    thank God **(6.3)**
gran   great (1.3)
grande   big, large **(1.3)**
gratis   free (4.2)
gris   gray **(5.2)**
gritar   to yell **(6.3)**
grupo *m.*   group (3.1)

guagua *f.*   bus *(Cuba, Puerto Rico)*
  (7.2)
guante *m.*   glove *(baseball)* (7.1)
guapo(a)   good-looking, handsome,
  pretty **(1.3)**
guardabosques *m. f.*   fielder *(baseball)* **(7.1)**
guardar cama   to stay in bed **(7.2)**
guardería *f.*   day care (2.2)
guatemalteco(a)   Guatemalan (1.2)
guerra *f.*   war **(6.3)**
guía *f.* **telefónica**   telephone
  directory **(4.2)**
guitarra *f.*   guitar **(5.1)**
gustar   to like **(3.1) (5.2)**
  le gusta(n)   he/she/it/you *(form.
    sing.)* like(s) **(3.1)**
  me gusta(n)   I like **(3.1)**
  me (te, le) gustaría   I (you *fam.
    sing.*, he/she/you *form. sing.*)
    would like **(3.1)**
  te gusta(n)   you *(fam. sing.)* like
    (3.1)
  gusto: el gusto es mío   the
    pleasure is mine **(1.2)**
    al gusto   to one's liking, to taste
      (cooking) (8.3)

~~~~ H ~~~~

habilidad *f.*   skill, ability (7.1)
habitación *f.*   room, bedroom **(8.2)**
habitante *m. f.*   inhabitant (6.3)
hablante *m. f.*   speaker (8.1)
hablar   to talk, speak **(2.3) (3.2)**
  hablar por teléfono   to talk on the
    phone **(2.3)**
hacer   to make, do **(2.3)** *pres.*
  (5.1) *pret.* **(6.2)**
  hace buen tiempo   it's nice out,
    the weather is good **(3.2)**
  hace calor   it's hot **(3.2)**
  hace fresco   it's cool **(3.2)**
  hace frío   it's cold **(3.2)**
  hace mal tiempo   it's awful
    outside, the weather is bad **(3.2)**
  hace sol   it's sunny **(3.2)**

hace viento it's windy **(3.2)**
hacer caso to pay attention (7.3)
hacer dibujos to draw **(4.3)**
hacer ejercicio to exercise **(4.3)**
hacer la comida to fix dinner, to prepare a meal **(3.3)**
hacer la tarea to do homework **(2.3)**
hacer un informe to give a report **(6.1)**
hacer un tour to take a tour (3.1) **(6.1)**
hacer una reverencia to take a bow (5.3)
hacia toward (4.3)
hada madrina *f.* fairy godmother **(6.2)**
hallar to find (7.3)
hamburguesa *f.* hamburger **(5.3)**
hardware *m.* hardware **(2.2)**
hasta until **(5.1)**
   hasta luego good-bye, see you later **(1.1)**
   hasta mañana see you tomorrow **(1.1)**
hay there is, there are **(LP) (3.1)**
haz *imper.* do, make **(7.3)**
hecho *m.* fact (7.1)
hecho(a) made, done (6.2)
   bien hecho well done (7.1)
helado *m.* ice cream **(3.2)**
hermana *f.* sister **(4.1)**
hermanastra *f.* stepsister **(4.2)**
hermanastro *m.* stepbrother **(4.2)**
hermano *m.* brother **(4.1)**
   hermanos *m. pl.* brother(s) and sister(s) **(4.1)**
hermoso(a) beautiful **(6.1)**
héroe *m.,* **heroína** *f.* hero, heroine **(6.3)**
¿hicieron? did you *(pl.)*? did they? **(5.3)**
hija *f.* daughter **(4.1)**
hijo *m.* son **(4.1)**
   hijos *m. pl.* children, son(s) and daughter(s) **(4.1)**
hispano(a) Hispanic **(4.3)**

historia *f.* history **(2.1)**
histórico(a) historic(al), of historical importance (3.2)
hogar *m.* home (5.2)
¡hola! hello! **(1.1)**
hombre *m.* man (5.2)
hondureño(a) Honduran (1.2)
hora *f.* hour, time **(2.1)**
   ¿a qué hora es . . . ? at what time is . . . ? **(2.1)**
   hora de estudio study hall **(2.1)**
   ¿qué hora es? what time is it? **(2.1)**
horario *m.* schedule **(2.1)**
hospicio *m.* hospice, children's home, orphanage (6.2)
hospital *m.* hospital **(7.1)**
hotel *m.* hotel **(5.1)**
hoy today **(2.1)**
   hoy día nowadays (4.3)
hubo there was, there were **(6.3)**
huevo *m.* egg **(8.1)**
humano(a) human (7.2)
humilde humble (7.3)
humorístico(a) humorous (7.3)

idéntico(a) identical (8.1)
identificar to identify (7.2)
iglesia *f.* church **(5.1)**
igualmente likewise **(1.2)**
imaginar to imagine (6.2)
imagínate imagine (4.1)
impacientemente impatiently **(8.1)**
imperio *m.* empire (6.3)
impermeable *m.* raincoat (5.2)
importante important (4.1)
impresionado(a) impressed (8.2)
impresionante impressive **(4.3)**
impresora (láser) *m.* (laser) printer **(2.1)**
improvisado(a) improvised (6.1)
incluido(a) included (4.2)
incluir to include (4.2)
incómodo(a) uncomfortable (7.3)

increíble incredible (7.1)
indicaciones *f. pl.* instructions (7.2)
indicado(a) indicated (8.2)
indicios *m. pl.* clues (LP)
indígeno(a) indigenous, native (6.1); Indian **(6.3)**
influencia *f.* influence (4.3)
información *f.* information (5.2)
informática *f.* computer science (2.2)
inglés *m.* English **(2.1)**
ingrediente *m.* ingredient (8.3)
inmediatamente immediately (5.1)
inolvidable unforgettable (6.1)
instalar to install (4.2)
inteligente intelligent **(1.3)**
interesante interesting **(1.3)**
interesar to interest (5.1)
invierno *m.* winter **(3.2)**
invitación *f.* (*pl.* **invitaciones**) invitation **(5.2)**
invitado *m.,* **invitada** *f.* guest **(6.2)**
invitar to invite **(7.2)**
ir to go **(2.3)** *pret.* **(6.2)**
  ir de compras to go shopping **(3.1)**
irse to leave, go, go away **(8.1)**
itinerario *m.* itinerary (6.3)
izquierda *f.* left, left side **(5.1)**
  a la izquierda to/on the left **(5.1)** **(7.3)**

~~~~J~~~~

jai alai *m.* jai alai **(7.1)**
jamón (*pl.* **jamones**) *m.* ham **(5.3)**
  jamón serrano smoked ham *(Spain)* (5.3)
jardín *m.* (*pl.* **jardines**) garden (3.2)
  jardín zoológico zoo **(3.3)**
jardinero *m.,* **jardinera** *f.* fielder *(baseball)* **(7.1)**
  jardinero corto shortstop **(7.1)**
jeans *m. pl.* (blue) jeans **(5.2)**
jersey *m.* sweater (5.2)

Jesucristo Jesus Christ (8.3)
joven (*pl.* **jóvenes**) *m. f.* young person **(5.2)**
joya *f.* jewel (6.3)
joyería *f.* jewelry; jewelry department or store **(5.2)**
juego *m.* game, ride **(3.3)**
  juegos infantiles *m. pl.* children's rides **(3.2)**
  juegos mecánicos rides **(3.3)**
  juegos olímpicos Olympics (7.1)
jueves *m.* Thursday **(2.1)**
jugador *m.,* **jugadora** *f.* player **(7.1)**
jugar (ue) to play (*a game*) *infin.* **(2.3)** *pres.* **(5.2)** *pret.* **(7.1)**
jugo *m.* juice (8.3)
julio *m.* July **(4.1)**
junio *m.* June **(4.1)**
juntarse to get together (5.1)
juntos(as) *pl.* together **(2.3)**
justo(a) just, exact (6.3)
juvenil *adj.* youthful, junior *(sports)* (7.1)
juventud *f.* youth (3.3)

~~~~K~~~~

karate *m.* karate **(2.3)**
kilo kilo *(weight)* **(6.1)**
kilómetro kilometer (.62 mile) (1.1)

~~~~L~~~~

la *art.* the **(LP)**
la *dir. obj. pron.* her, it **(7.2)**
La Cenicienta Cinderella **(6.2)**
La Paz La Paz (*administrative capital of Bolivia*) **(1.2)**
laboratorio *m.* laboratory **(2.2)**
labrado(a) patterned (*leather*) (6.1)
lado *m.* side (4.3)
lago *m.* lake **(3.2)**
lámpara *f.* lamp **(7.3)**
lancha *f.* small boat, rowboat **(3.2)**
lanzador *m.,* **lanzadora** *f.* pitcher *(baseball)* **(7.1)**

lápiz *m.* (*pl.* **lápices**)   pencil **(LP)**
largo(a)   long **(5.2)**
las *art.*   the **(2.1)**
las *dir. obj. pron.*   them **(7.2)**
lástima: ¡qué lástima!   what a
   shame! **(2.3) (4.2)**
lastimado(a)   hurt **(7.1)**
lata *f.*   tin can **(8.3)**
lavarse   to wash up **(8.1)**
   lavarse los dientes   to brush
      one's teeth **(8.1)**
   lavarse el pelo   to wash one's
      hair **(8.1)**
le *indir. obj. pron.*   to/for him, her,
   you *(form. sing.)* **(3.1)**
lección *f.* (*pl.* **lecciones**)   lesson **(LP)**
leche *f.*   milk **(5.3)**
lechuga *f.*   lettuce **(8.1)**
leer   to read   *infin.* **(2.3)**   *pres.*
   (3.2)   *pret.* **(7.1)**
legumbres *m. pl.*   vegetables,
   legumes **(8.3)**
lejos   far **(5.1)**
   lejos de   far from **(5.1) (7.3)**
lengua *f.*   language (4.3)
lentamente   slowly **(8.1)**
leñador *m.*   woodsman (7.3)
les *indir. obj. pron.*   to/for them, you
   (pl.) **(5.2)**
levantar   to raise, pick up **(7.2)**
levantarse   to get up **(8.1)**
leyenda *f.*   legend **(6.3)**
libre   free **(5.3)**
libro *m.*   book **(LP)**
licuadora *f.*   blender (8.3)
liga *f.*   league **(7.1)**
   grandes ligas   major leagues **(7.1)**
   ligas menores   minor leagues **(7.1)**
ligero(a)   light (7.2)
Lima   Lima *(capital of Peru)* **(1.2)**
limonada *f.*   lemonade **(5.3)**
limpiar   to clean **(2.3)**
lindo(a)   pretty, lovely **(7.1)**
línea *f.*   line (4.2)
lista *f.*   list **(LP)**
listo(a)   ready **(4.3)**
   estar listo   to be ready (4.2)

literatura *f.*   literature **(2.1)**
lo *dir. obj. pron.*   him, it **(7.2)**
   lo siento   I'm sorry **(5.3)**
lobo *m.*   wolf (7.3)
locura *f.*   madness, insanity (6.3)
locutor(a)   announcer (8.3)
los *art.*   the **(2.1)**
   los fines de semana   (on)
      weekends **(3.3)**
los *dir. obj. pron.*   them **(2.2) (7.2)**
lucha libre *f.*   wrestling (7.1)
luchar   to fight, struggle (6.3)
luego   then **(8.1)**
   hasta luego   good-bye, see you
      later **(1.1)**
lugar *m.*   place (3.1)
lujo *m.*   luxury (7.3)
lujoso(a)   luxurious (7.3)
lunes *m.*   Monday **(2.1)**

〜〜〜**LL**〜〜〜

llamar   to call **(5.2)**
llamarse   to be named **(1.2)**
   me llamo   my name is **(1.2)**
   se llama   his, her, your *(form.
      sing.)* name is **(1.2)**
   te llamas   your *(fam. sing.)* name
      is **(1.2)**
llegada *f.*   arrival (6.3)
llegar   to arrive **(6.3)**
lleno(a)   full (6.1)
llevar   to wear, carry **(5.2)**
   llevar a cabo   to carry out (7.2)
llorar   to cry (4.3)
llover(ue)   to rain **(3.2)**
lloviendo *(inf.* **llover***):*
   está lloviendo   it's raining **(3.2)**
   llueve   it's raining **(3.2)**

〜〜〜**M**〜〜〜

madrastra *f.*   stepmother **(4.2)**
madre *f.*   mother **(4.1)**
maestro *m.,* **maestra** *f.*   teacher **(4.2)**

magnífico(a) magnificent (3.1)

maíz *m.* corn (8.1)

mal bad **(3.2)**

maleta *f.* suitcase **(8.2)**

malo(a) bad **(6.3)**

mamá *f.* mom **(4.1)**

manera *f.* manner, way (5.1)

mano *f.* hand (6.3) **(7.2)**

mantener to maintain (7.1)

mantequilla *f.* butter **(8.1)**

manzana *f.* city block **(5.1)**; apple **(5.3)**

mañana *adv.* tomorrow **(2.3)**

mañana *f.* morning **(2.1)**

   esta mañana this morning **(7.2)**

mapa *m.* map **(2.1)**

maravilla *f.* marvel (7.3)

marco *m.* mark *(German monetary unit)* (5.1)

marcha: tener en marcha to have (be) underway (8.3)

mariachi *m.* mariachi *(Mexican band of strolling musicians playing string and brass instruments)* **(6.1)**

marrón *(pl.* **marrones)** brown **(5.2)**

martes *m.* Tuesday **(2.1)**

marzo *m.* March **(4.1)**

matar to kill (3.3)

matemáticas *f. pl.* mathematics **(2.1)**

materno(a) maternal **(4.1)**

maya *m. f.* Maya (6.2)

mayo *m.* May **(4.1)**

mayonesa *f.* mayonnaise **(8.1)**

mayoría *f.* majority (4.3)

más more **(2.1) (8.2)**

   más . . . que more . . . than **(8.2)**

me *dir. obj. pron.* me **(7.2)**

me *indir. obj. pron.* to/for me **(3.1)**

   me encantaría I would love to **(6.2)**

me *refl. obj. pron.* myself **(8.1)**

   me llamo my name is **(1.2)**

medalla *m.* medal (7.3)

mediano(a) average **(1.3)**

medianoche *f.* midnight **(2.1)**

médico *m.,* **médica** *f.* doctor **(4.2)**

medio(a) half **(5.1)**

   . . . y media half past . . . *(time)* **(2.1)**

mediodía *m.* noon, midday **(2.1)**

medir (i, i) to measure (4.1)

mejor better **(7.1)**

   mejor(es) que better than **(8.2)**

melón *(pl.* **melones)** *m.* melon **(5.3)**

mencionado(a) mentioned (6.2)

menos less, minus **(2.1) (8.2)**

   menos . . . que less . . . than **(8.2)**

   . . . menos cuarto quarter to *(time)* **(2.1)**

mensaje *m.* message (6.2)

menú *m.* menu (5.3)

mercado *m.* market **(6.1)**

merienda *f.* snack, light meal (5.3)

mermelada *f.* marmalade, jam **(8.1)**

mes *m.* month **(4.1)**

mesa *f.* table **(LP) (8.1)**

mesita *f.* nightstand, small table **(7.3)**

mesón *m.* restaurant, *(originally an inn, tavern)* **(8.3)**

meter: meter un gol to score a goal **(7.1)**

metro *m.* subway **(5.1)** meter *(distance)* (7.1)

mexicano(a) Mexican (1.2)

mezcla *f.* mixture (8.3)

mezclar to mix (8.3)

mi, mis my **(1.1) (4.1)**

mientras while (3.3)

   mientras tanto in the meantime, meanwhile (3.2)

miércoles *m.* Wednesday **(2.1)**

militar *m.* military (3.2)

milla *f.* mile **(1.1)**

ministerio *m.* government department (2.2)

mío(a) mine (1.2)

mirar to look at **(2.3)**

   mirar a la gente to people-watch **(3.2)**

misa *f.* mass *(religious service)* (7.2)

mismo(a) same **(6.3)**

misterio *m.* mystery (LP)

mitológico(a) mythological (7.2)

mochila *f.* backpack **(LP)**

moda *f.* style (5.2)

   estar de moda to be stylish (5.2)

módem *m.* modem **(2.2)**

   fax/módem *m.* fax/modem **(2.2)**

moderno(a) modern **(6.3)**

modesto(a) modest **(1.3)**

moneda *f.* coin (5.1)

monitor *m.* monitor *(computer)* **(2.2)**

montaña *f.* mountain (4.3)

   montaña rusa roller coaster **(3.2)**

Montevideo Montevideo *(capital of Uruguay)* **(1.2)**

montón *m.* pile, heap (6.2)

monumento *m.* monument **(3.1)**

morado purple **(5.2)**

moreno(a) dark-haired, dark-complexioned, black **(1.3)**

morir (ue, u) to die **(6.3)**

mortero *m.* mortar (8.3)

mostaza *f.* mustard **(8.1)**

mostrar (ue) to show (7.2)

moto, motocicleta *f.* motorcycle **(6.3)**

mover (ue) to move **(7.3)**

   ¡muévete! move! (7.3)

muchacha *f.* girl **(4.2)**

muchacho *m.* boy **(4.2)**

mucho a lot, much **(3.1)**

   mucho gusto pleased to meet you **(1.2)**

mudarse to move (7.2)

muebles *m. pl.* furniture **(8.2)**

muerto(a) dead (4.2)

   muerto de hambre starving (8.3)

mujer *f.* woman (5.2)

muletas *f. pl.* crutches **(7.2)**

mundo *m.* world **(6.3)**

mural *m.* mural **(6.1)**

muralista *m. f.* muralist **(6.2)**

muro *m.* wall (6.2)

museo *m.* museum **(3.1)**

música *f.* music **(2.1)**

   música clásica classical music (6.1)

músico *m.,* **música** *f.* musician **(4.2)**

muy very **(4.2)**

   muy bien, gracias, ¿y usted? fine, thank you, and you? (1.1)

～～～ N ～～～

nacer to be born (6.3)

nacionalista(a) nationalistic (6.2)

nada nothing **(3.3)**

nadar to swim

nadie no one, nobody **(3.3)**

naranja *f.* orange **(5.3)**

nariz *f.* nose **(7.2)**

natación *f.* swimming **(7.1)**

negro(a) black **(5.2)**

nervioso(a) nervous **(1.3)**

nevar (ie) to snow **(3.2)**

   está nevando it's snowing **(3.2)**

   nieva it's snowing **(3.2)**

nevera *f.* refrigerator **(8.1)**

ni . . . ni neither . . . nor **(1.3)**

nicaragüense Nicaraguan (1.2)

nieta *f.* granddaughter **(4.1)**

nieto *m.* grandson **(4.1)**

   nietos *m. pl.* grandchildren **(4.1)**

nieva *(inf.* **nevar)** it snows **(3.2)**

niño *m.,* **niña** *f.* child **(3.2)**

nivel *m.* level (7.2)

no no **(LP)**

   no se preocupe don't worry **(7.2)**

   ¿no? isn't that so? **(1.3)**

noche *f.* night (3.2)

   buenas noches good night, good evening **(1.1)**

   esta noche tonight **(6.2)**

nombrado(a) named (7.1)

nombre *m.* name **(4.1)**

   nombre de pila first name, Christian name (4.1)

   mi nombre es my name is **(1.2)**

norte *m.* north (1.2)

nos *dir. obj. pron.* us **(5.2)**

nos *indir. obj. pron.* to/for us **(5.2) (7.2)**

nos *refl. obj. pron.* ourselves **(8.1)**
nosotros, nosotras we **(2.2)**
nota *f.* grade **(7.1)**
noticias *f. pl.* news (5.1)
novela *f.* novel **(3.1)**
noveno(a) ninth **(5.2)**
novia *f.* fiancée **(4.1)**;
  bride **(4.2)**; girlfriend **(5.1)**
noviembre *m.* November **(4.1)**
novillada *f.* bullfight with young
  bulls and novice bullfighters (3.1)
novio *m.* groom **(4.2)**;
  boyfriend, fiancé **(5.1)**
nuestro(a), nuestros(as) our **(4.1)**
nuevo(a) new **(4.2)**
nunca never, not ever **(3.3)**
número *m.* number **(2.1)**

observación *f.* observation (7.2)
occidental *m.* western (3.2)
octavo(a) eighth **(5.2)**
octubre *m.* October **(4.1)**
ocupación *f.* occupation, job (6.1)
ocupado(a) busy **(4.3)**
oeste *m.* west (1.2)
ofensivo(a) offensive (6.2)
oferta *f.* offer, bargain **(3.1)**
  en oferta on sale (3.1) (5.2)
oficina *f.* office **(2.2)**
  Oficina del Censo Census
    Bureau (4.3)
oído *m.* (inner) ear **(7.2)**
oír to hear *pret.* **(7.1)**
ojo *m. pl.* eye **(7.2)**
Olimpíadas *f. pl.* Olympics **(7.1)**
olvidar to forget **(8.2)**
omelete *m.* omelet (8.1)
ópera *f.* opera **(6.2)**
oportunidad *f.* opportunity, chance
  (1.3)
oreja *f. pl.* ear **(7.2)**
organizado(a) organized **(1.3)**
origen *m.* origin (6.1)
oro *m.* gold (6.3)

orquesta *f.* **sinfónica** symphony
  orchestra (6.1)
otoño *m.* autumn **(3.2)**
otro(a) other, another **(5.3)**
  otra vez again **(8.2)**
¡oye! hey! say! listen! **(2.1)**

paciente *m. f.* patient **(7.2)**
padrastro *m.* stepfather **(4.2)**
padre *m.* father **(4.1)**
  padres *m. pl.* parents, mother and
    father **(4.1)**
paella *f.* paella *(Spanish rice dish
  seasoned with saffron)* (8.3)
pagar to pay for **(5.2)** *pret.* **(7.1)**
página *f.* page (4.2)
país *m.* country, nation (1.3)
palabra *f.* word (4.3)
  palabras afines cognates (LP)
palacio *m.* palace **(6.3)**
pan *m.* bread **(8.1)**
panameño(a) Panamanian (1.2)
panqueque *m.* pancake (8.1)
pantalones *m. pl.* pants, slacks **(5.2)**
papá *m.* dad **(4.1)**
papas *f. pl.* potatoes **(5.3)**
  papas fritas french fries **(5.3)**
papel *m.* paper **(LP)**
  hoja de papel sheet of paper **(LP)**
  papel maché papier mâché (6.3)
par *m.* pair **(5.2)**
  par de calcetines pair of socks
    (5.2)
para for, intended for **(2.3) (3.1)**
  (5.3)
Paraguay *m.* Paraguay **(1.2)**
paraguayo(a) Paraguayan (1.2)
parar to stop (7.2)
pararse to stand up (5.3)
pared *f.* wall (6.2)
pareja *f.* couple, pair (3.1)
pariente *m. f.* relative **(4.2)**
parlantes *m. pl.* speakers **(2.1)**
parque *m.* park **(3.1)**

parque de diversiones amusement park **(3.2)**

parte *f.* part (2.3)

participar to participate **(2.3)**

particular private, particular (3.1)

partido *m.* match, game *(sports)* **(7.1)**

pasar to go past, spend time **(3.3) (5.1)**

pasatiempo *m.* pastime (2.3)

pasear to take a walk, ride **(2.3) (3.2)**

paseo *m.* walk, stroll, promenade **(5.1)**

pasillo *m.* hall **(2.2) (8.2)**

pasión *f.* passion (6.2)

paso *m.* step **(5.1)**

　paso a paso step by step (LP)

pastel *m.* cake **(4.3)**

pastilla *f.* pill *(medication)* **(7.2)**

patata *f.* potato *(Spain)* **(5.3)**

　patatas fritas french fries **(5.3)**

patear to kick **(7.1)**

paterno(a) paternal **(4.1)**

patinaje skating (7.1)

　patinaje artístico figure skating (7.1)

　patinaje de velocidad speed skating (7.1)

patio *m.* patio **(2.2)**

pecho *m.* chest **(7.2)**

pedir (i, i) to order, ask for **(5.3)** *pret.* **(7.3)**

peinarse to comb one's hair **(8.1)**

pelar to peel (8.3)

película *f.* movie, film **(2.3)**

pelirrojo(a) red-haired, redheaded **(1.3)**

pelo *m.* hair **(7.2)**

pensar (ie) to think **(5.2) (6.3)**

peor(es) que worse than **(8.2)**

pepino *m.* cucumber (8.3)

pequeño(a) small, little **(4.1)**

perder (ie) to lose **(7.1)**

pérdida *f.* loss (7.2)

perdido(a) lost (7.3)

perdón excuse me, forgive me **(1.1)**

perejil *m.* parsley (8.3)

perfeccionista *m. f.* perfectionist **(2.2)**

perfumería *f.* perfume and cosmetics department **(5.2)**

periódico *m.* newspaper **(3.2)**

permiso *m.* permission (3.1)

　con permiso excuse me, with your permission **(4.2)**

permitir to permit (8.2)

pero but **(3.1)**

perro *m.* dog **(1.3)**

　perrito *m.* hot dog (5.3); puppy, little dog

persona *f.* person **(7.3)**

personaje *m.* character, person (4.1)

Perú *m.* Peru **(1.2)**

peruano(a) Peruvian (1.2)

pescado *m.* fish *(as food)* **(8.3)**

peseta *f.* peseta *(Spanish monetary unit)* **(5.1)**

peso *m.* peso *(Mexican monetary unit)* (5.1)

piano *m.* piano **(2.3)**

picado(a) chopped, minced (8.3)

　carne picada ground meat (8.3)

pie *m.* foot **(7.2)**

　a pie walking, on foot **(3.3)**

piedra *f.* **preciosa** precious stone (6.3)

piel *f.* skin (6.2)

pierna *f.* leg **(7.2)**

pimienta *f.* pepper **(8.1)**

pimiento *m.* bell pepper (8.3)

pintar to paint (6.2)

pintarse to put on makeup **(8.1)**

pintoresco(a) picturesque (6.2)

piñata *f.* piñata **(4.1)**

pirámide *f.* pyramid (6.3)

pisar to step (5.3)

piscina swimming pool

piso *m.* floor *(of a building)* **(5.2)**; floor *(of a room)* (7.3)

pizarra *f.* chalkboard **(LP)**

placer: es un placer pleased to meet you **(1.2)**

planes *m. pl.* plans **(2.3)**

planta *f.*   floor *(of a building)* **(5.2)**
  planta baja   ground floor **(5.2)**
plata *f.*   silver (6.1)
platillo *m.*   saucer **(8.1)**
plato *m.*   plate **(8.1)**
  plato principal, segundo plato
    main dish (8.3)
plaza *f.*   plaza, town square **(5.1)**
plomero *m.*, **plomera** *f.*   plumber
  (4.2)
¡pobrecito(a)!   poor thing! poor boy
  (girl)! **(1.1)**
poco: un poco   a little **(2.3)**
poder (ue, u)   to be able, can
  (5.2) *pret.* **(6.3)**
poema *m.*   poem (2.3)
policía *f.*   police force;
  m. f. policeman, policewoman (5.1)
político *m.*, **política** *f.*   politician
  (4.2)
pollo *m.*   chicken **(8.3)**
  pollo frito   fried chicken **(8.3)**
pon *imper.*   put **(7.3)**
ponche *m.*   punch (4.3)
poner   to put **(5.1)** *pret.* **(7.3)**
  poner a cargo   to put in charge
    (6.3)
  poner la mesa   to set the table
    (8.1)
ponerse   to put on *(clothes)* **(8.1)**;
  to become (8.2)
popular   popular **(1.3)**
por   for **(1.2)**
  por aquí   around here **(8.3)**
  por ejemplo   for example **(5.2)**
  por eso   for that reason, therefore
    (3.2)
  por favor   please **(1.1)**
  ¡por fin!   at last! **(2.1) (4.3)**
  por la mañana/tarde/noche   in
    the morning/afternoon/evening
    (general time) **(2.1)**
  por lo menos   at least **(7.3)**
  ¿por qué?   why? **(1.1) (4.2)**
  ¡por supuesto!   of course! **(4.1)**
  por todos lados   all over the
    place (5.1)

porque   because **(6.2)**
posible   possible (7.3)
posición *f.*   position (7.1)
postre *m.*   dessert **(8.2)**
práctica *f.*   practice **(2.3)**
practicar   to practice **(2.3)** *pret.*
  (7.1)
precio *m.*   price **(6.2)**
precioso(a)   precious (1.3) (6.3)
  (8.2)
precisamente   precisely (8.1)
precolombino(a)   pre-Columbian
  (6.2)
predominar   to predominate (7.3)
preferir (ie, i)   to prefer **(5.2)**
preguntar   to ask *(for information)*
  (5.1)
preliminar   preliminary (LP)
preocupado(a)   worried **(4.3)**
preocuparse   to worry (7.2)
preparación *f.*   preparation (8.3)
preparar   to prepare **(2.3) (3.2)**
presencia *f.*   presence (6.1)
primavera *f.*   spring **(3.2)**
primero(a), primer   first **(5.2)**
primo *m.*, **prima** *f.*   cousin **(4.1)**
  primos *m. pl.*   cousins **(4.1)**
princesa *f.*   princess **(6.3)**
principal   principle, main (5.3)
príncipe *m.*   prince (6.2)
principio *m.*   beginning (8.3)
prisionero *m.*, **prisionera** *f.*
  prisoner (6.3)
probar (ue)   to taste **(8.3)**
probarse (ue)   to try on (5.2)
problema *m.*   problem **(6.3)**
Prof. *see* **profesor**
profesión *f.*   profession (4.2)
profesor *m.*, **profesora** *f.* **(Prof.)**
  teacher, professor **(LP)**
profesorado *m.*   faculty (2.2)
programa *m.*   program **(6.1)**
programador *m.*, **programadora** *f.*
  computer programmer **(4.2)**
prometer   to promise (6.3)
promoción *f.*   marketing, promotion,
  sale (5.2)

pronto soon **(6.1)**

propina *f.* tip **(5.3)**

propio(a) own **(4.2)**

proteger to protect **(6.3)**

próximo(a) next, near (7.3)

proyección *f.* projection (4.3)

prueba *f.* trial, test (7.1)

pueblo *m.* town, village **(6.2)**

puerta *f.* door **(LP)**

puertorriqueño(a) Puerto Rican (1.2)

pues well, then **(1.2)**

pulgada *f.* inch (7.1)

puntual punctual (8.2)

pupitre *m.* student desk **(LP)**

puré *m.* puree (8.3)

~~~~~ Q ~~~~~

¿qué? what? **(LP) (4.2)**

  ¿qué fecha es hoy? what's the date today? **(4.1)**

  ¿qué pasa? what's the matter?, what's going on? **(3.1)**

  ¿qué pasó? what happened? **(6.3)**

  ¿qué tal? how's it going? **(1.1)**

¡qué! how! **(4.2)**

  ¡qué amable eres! you're so kind! **(7.3)**

  ¡qué barbaridad! what nonsense! what an outrage! **(6.3)**

  ¡qué bien! good! wonderful! **(3.2)**

  ¡qué guapa! how beautiful! **(8.1)**

  ¡qué lástima! what a shame! **(2.3) (4.2)**

  ¡qué mala suerte! what bad luck! **(4.3)**

  ¡qué raro! how strange! **(4.1)**

  ¡qué ridículo! how silly! how ridiculous! **(4.3)**

  ¡qué sorpresa! what a surprise! **(6.1)**

  ¡qué vergüenza! how embarrassing! **(7.3)**

quedar to be left, remain **(5.1)**

quedarse to stay, remain **(8.2)**

quejarse to complain (5.3)

quemar to burn (8.3)

querer (ie) to want **(4.2) (5.2)**

  quiero presentarle *(form.)* / **quiero presentarte** *(fam.)* **a . . .** I want to introduce you to . . . **(1.2)**

querido(a) dear, beloved (6.3)

queso *m.* cheese **(5.3)**

¿quién? ¿quiénes? who? **(1.1) (3.1) (4.2)**

quiero *see* **querer**

química *f.* chemistry **(2.1)**

quinto(a) fifth **(5.2)**

quitar to remove, take away (8.3)

quitarse to take off *(clothes)* **(8.1)**

  ¡quítate! go away! (8.1)

Quito Quito *(capital of Ecuador)* **(1.2)**

quizá(s) perhaps (4.3) (8.2)

~~~~~ R ~~~~~

radio *f.* radio **(3.2)**

ramo *m.* **de flores** bouquet of flowers **(7.3)**

rápidamente rapidly **(8.1)**

raro(a) strange (4.1)

  raras veces rarely **(3.3)**

rato *m.* a short time period, a while (2.3)

  un buen rato quite a while (6.3)

ratón *m.* mouse **(2.1)**

realidad *f.* reality (4.3)

rebelar to rebel (6.3)

rebelión *f.* rebellion (6.3)

recepción *f.* reception (desk) **(5.1)**

receptor *m.,* **receptora** *f.* catcher *(baseball)* **(7.1)**

receta *f.* recipe (8.3)

recetar to prescribe *(a medication)* **(7.2)**

recibir to receive **(5.1)**

recientemente recently (4.3)

recipiente *m.* container (8.3)

recoger to gather (7.3)

recomendar (ie) to recommend **(5.2) (8.3)**

reconocer to recognize (2.2)

recordar (ue) to remember **(5.2)**

recreo *m.* recess **(2.2)**

recuerdo *m.* souvenir **(6.2)**

rechazar to reject (8.2)

refresco *m.* soft drink **(2.3)**

regalo *m.* gift **(5.1)**

región *f.* region (6.2)

regla *f.* ruler *(for measuring)* **(LP)**

regresar to return, go back (3.1) **(6.2)**

regreso *m.* return (6.3)

regular okay, so-so, not bad **(2.2)**

reina *f.* queen **(8.2)**

relacionado(a) related (8.2)

religioso(a) religious (6.1)

reloj *m.* clock, watch **(2.1)**

reorganizar to reorganize (7.3)

repetir (i, i) to repeat **(5.3)**

reportar to report (6.3)

reportero *m.,* **reportera** *f.* reporter **(4.2)**

representar to represent (7.1)

reproductor de CD-ROM *m.* CD-ROM player **(2.2)**

rescatar to rescue (7.3)

reservación *(pl.* **reservaciones***) f.* reservation **(8.3)**

reservado(a) reserved (8.3)

resistir to resist **(6.1)**

responder to respond, answer (6.2)

respuesta *f.* answer (5.2)

restaurante *m.* restaurant **(2.3)**

resto *m.* rest (8.1)

reunirse to get together, meet (7.3)

revista *f.* magazine **(7.3)**

revolución *f.* revolution (6.2)

rey *m.* king **(6.3) (8.2)**

rico(a) delicious **(3.3) (5.3)**

ridículo(a) ridiculous (2.2)

¡qué ridículo! how silly! how ridiculous! **(4.3)**

río *m.* river **(8.2)**

riquísima delicious (6.1) (8.2)

rodilla *f.* knee **(7.2)**

rojo(a) red **(5.2)**

romántico(a) romantic **(1.3)**

romper to break **(4.1)**

ropa *f.* clothes **(5.2)**

ropa interior underwear (5.2)

rosado(a) pink **(5.2)**

roto(a) broken **(7.2)**

rubio(a) blond **(1.3)**

rueda *f.* **de fortuna** Ferris wheel **(3.2)**

ruidoso(a) noisy, loud (6.1)

ruinas *f.* ruins (6.1)

~~~~~**S**~~~~~

sábado *m.* Saturday **(2.1)**

saber to know **(5.1)**

sabor *m.* flavor (3.2)

saborear to taste, savor (8.2)

sabroso(a) delicious **(8.2)**

sacar to take out **(4.2)** *pret.* **(7.1)**

sacar fotos to take pictures **(4.2)**

sal *f.* salt **(8.1)**

sal *imper.* leave **(7.3)**

sala *f.* classroom **(2.2)** living room **(8.2)**

sala de familia family room **(8.2)**

salado(a) salty (5.3)

salir to go out, leave **(2.3) (5.1)**

salón *m.* **de entrada** lobby (8.2)

salsa *f.* sauce (8.3)

salsa de tomate ketchup (8.1)

saltar to jump **(7.1)**

salto *m.* **de altura** high jump **(7.1)**

saludo *m.* greeting **(1.1)**

salvadoreño(a) Salvadoran (1.2)

salvar to save **(7.2)**

sándwich *m.* sandwich **(5.2)**

sándwich mixto grilled ham and cheese sandwich *(Spain)* **(5.3)**

Santiago Santiago *(capital of Chile)* **(1.2)**

santo *m.,* **santa** *f.* saint (4.1)

sartén *f.* frying pan **(8.3)**

sátira *f.* satire (6.2)

satirista *m. f.* satirist (6.2)

se *refl. pron.* himself, herself, yourself *(form. sing.),* themselves, yourselves **(8.1)**

sé *imper.* be **(7.3)**
secar to dry (8.1)
secretario *m.,* **secretaria** *f.*
  secretary **(4.2)**
seguir (i, i) to continue, follow **(5.3)**
según according to (7.3)
segundo(a) second **(5.2)**
seguridad *f.* security, safety (7.2)
sello *m.* stamp **(5.1)**
semana *f.* week **(2.1)**
  fin(es) de semana weekend(s)
    (3.1) (3.3)
  la semana pasada last week **(6.1)**
semejanza *f.* similarity (5.1)
sentado(a) seated (8.2)
sentarse (ie) to sit down **(8.1)**
sentir (ie) to feel **(7.2)**
señor (Sr.) *m.* Mr. **(1.1)**
señora (Sra.) *f.* Mrs. **(1.1)**
señorita (Srta.) *f.* Miss **(1.1)**
septiembre *m.* September **(4.1)**
séptimo(a) seventh **(5.2)**
ser to be **(1.1)** *pret.* **(6.2)**
  ser de to be from **(1.2)**
serenar to serenade (6.1)
serenata *f.* serenade (6.1)
serio(a) serious **(2.2)**
servicios *m. pl.* restroom **(8.2)**
servilleta *f.* napkin **(8.1)**
servir (i, i) to serve **(5.3)**
severo(a) severe (6.2)
sexto(a) sixth **(5.2)**
sí yes **(LP)**
  sí, claro yes, of course **(5.3)**
siempre always **(3.3)**
¡siéntese! sit down! (1.1)
siglo *m.* century **(8.3)**
significado *f.* significance, meaning
  (6.2)
siguiente following, next (5.1) (6.3)
silencio *m.* silence (4.1)
silla *f.* chair **(LP)**
sillón *m.* easy chair **(7.3)**
símbolo *m.* symbol (7.1)
simpático(a) nice, charming **(1.3)**
simplemente simply (3.2)
sin without (5.3)

sin duda without a doubt (4.3)
sin embargo nevertheless (7.2)
síntoma *m.* symptom **(7.2)**
situación *f.* situation (7.2)
sobre on, over **(7.3)**
sobrenombre *m.* nickname **(4.1)**
sobresaliente outstanding (6.2)
sobrevivir to survive (6.3)
sobrina *f.* niece **(4.1)**
sobrino *m.* nephew **(4.1)**
  sobrinos *m. pl.* niece(s) and
    nephew(s) **(4.1)**
software *m.* software **(2.2)**
sol *m.* sun **(3.2)**
soldado *m.* soldier **(6.3)**
soler (ue) to be accustomed to (6.1)
sólo only (4.2) **(7.2)**
soltero(a) single, unmarried **(4.2)**
sombrero *m.* hat **(5.2)**
sometido(a) submissive, docile (7.2)
somos we are **(2.2)**
son they, you *(pl.)* are **(2.2)**
  son la/las . . . it is . . .*(time)* **(2.1)**
sonido *m.* sound **(7.2)**
sonriendo smiling **(8.3)**
sonriente smiling (8.3)
sonrisa *f.* smile (4.2)
soñar (ue) (con) to dream (about)
  (8.3)
sopa *f.* soup **(5.3)**
  sopa de ajo garlic soup **(8.3)**
sordera *f.* deafness (7.2)
sórdido(a) sordid (6.2)
sorprender to surprise (7.1)
soy I am **(1.1)**
Sr., Sra., Srta. *see* **señor, señora,**
  señorita
su, sus his, her, your *(form. sing.,*
  pl.), their **(4.1)**
subir to go up, climb, get into
  (a vehicle) **(3.2)**
sudadera *f.* sweatshirt **(5.2)**
suelto(a) loose (6.1)
suerte *f.* luck (7.2)
  ¡qué mala suerte! what bad
    luck! **(4.3)**
suéter *m.* sweater **(5.2)**

suficiente   sufficient, enough (8.3)
sufrir   to suffer **(7.2)**
sugerir (ie, i)   to suggest (7.3)
sur *m.*   south (1.2)
suroeste *m.*   southwest (4.3)

~~~~ **T** ~~~~

taco *m.*   taco *(Mexico: corn tortilla with filling)* **(6.1)** *(Spain: a bad word)* (8.1)
tacón *m.*   heel *(of shoe)* (8.1)
tal vez   perhaps, maybe (8.2)
talla *f.*   size *(clothing)* **(5.2)**
tamaño *m.*   size (8.3)
también   also **(1.3)**
tampoco   neither, not either (5.1)
tan   so (2.2) (4.3)
　tan ... como   as ... as **(8.2)**
tanto(a)   so much (2.3)
tapas *f. pl.*   appetizers, hors d'oeuvres *(Spain)* **(8.3)**
taquilla   ticket office, ticket window (6.2)
tarde *f.*   afternoon **(3.2)**; *adv.* late **(2.2)**
tarea *f.*   task, homework **(2.3)**
tarjeta *f.*   card **(7.3)**
　tarjeta de embarque   boarding pass (6.1)
　tarjeta postal   postcard (6.1)
taza *f.*   cup **(8.1)**
te *dir. obj. pron.*   you *(fam. sing.)* **(7.2)**
　¿te gustaría?   would you like to? **(6.2)**
te *indir. obj. pron.*   to/for you *(fam. sing.)* **(3.1)**
te *refl. obj. pron.*   yourself *(fam. sing.)* **(8.1)**
teatro *m.*   theater, drama **(2.1)**; auditorium *(school)* **(2.2)**
teclado *m.*   keyboard **(2.1)**
tele (televisión) *f.*   TV (television) (2.3)
telefónica: guía *f.* **telefónica**   telephone directory **(4.2)**

teléfono *m.*   telephone **(2.1)**
televisión (tele) *f.*   TV (television) (2.3)
televisor *m.*   TV set **(7.3)**
temer   to fear (6.3)
templo *m.*   temple (3.2)
temporada   season *(weather)* (3.1); season *(sports)* (7.1)
　temporada de novilladas   bullfighting season with young bulls and novice bullfighters (3.1)
temprano   early **(8.1)**
ten *imper.*   have, be **(7.3)**
tendido(a) *adj.*   lying down, flat (7.1)
tenedor *m.*   fork **(8.1)**
tenemos   we have **(2.3)**
tener   to have *sing.* **(2.1)** *pl.* **(2.3)** *pret.* **(6.3)**
　tener ___ años   to be ___ years old **(4.1)**
　tener calor   to be hot **(5.3)**
　tener cuidado   to be careful **(7.3)**
　tener frío   to be cold **(5.3)**
　tener hambre   to be hungry **(5.3)**
　tener lugar   to take place (4.1)
　　tendrá lugar   will take place (4.1)
　tener presente   to keep in mind (7.2)
　tener prisa   to be in a hurry **(5.3)**
　tener que (+ inf.)   to have to (+ inf.) **(2.3)**
　tener razón   to be right **(5.3)**
　tener sed   to be thirsty **(5.3)**
tengo   I have **(2.1)**
tenis *m.*   tennis **(7.1)**
Tenochtitlán   Tenochtitlán *(ancient capital of the Aztecs)* **(6.3)**
tentación *f.*   temptation (8.2)
tercero(a), tercer   third **(5.2)**
terminar   to finish, terminate **(7.1)**
¡terrible!   terrible! **(1.1)**
tía *f.*   aunt **(4.1)**
tiempo *m.*   weather, time **(3.2)**
　del tiempo   seasoned *(fruit)* (5.3)

tienda *f.* store, shop **(3.1)**
  tienda de discos record shop **(3.1)**
tiene he/she/it has, you *(form. sing.)*
  have **(2.1)**
tienen they/you *(pl.)* have **(2.3)**
tienes you *(fam. sing.)* have **(2.1)**
tierra *f.* earth, land (6.3)
tímido(a) timid **(1.3)**
tino *m.* aim (4.1)
tío *m.* uncle **(4.1)**
  tíos *m. pl.* aunt(s) and uncle(s)
    (4.1)
típico(a) typical (3.3)
título *m.* title (7.1)
tiza *f.* chalk **(LP)**
tobillo *m.* ankle **(7.2)**
tocar to touch **(8.2)**
  tocar un instrumento to play a
    musical instrument **(4.3)**
todavía still **(8.1)**
todo *pron.* everything, all **(7.3)**
todo(a), todos(as) all **(7.3)**
  todo el día all day **(7.1)**
  todo el mundo everyone (4.2)
  todos los días every day **(3.3)**
todos *pron.* everyone, all **(2.3)**
tomar to eat, drink, take
  infin. **(3.1)** *pres.* **(3.2) (5.1)**
tomate *m.* tomato **(8.1)**
tonto(a) foolish, silly **(1.3)**
torneo *m.* tournament (7.1)
torre *f.* tower **(8.2)**
tortilla *f.* potato omelet *(Spain)*;
  cornmeal or flour pancake *(Mexico)*
  (8.1)
trabajar to work **(2.3)**
tradición *f.* tradition (5.1)
tradicional traditional (6.1)
traer to bring **(5.3)**
tráfico *m.* traffic **(7.3)**
traje *m.* suit **(5.2)**
  traje de baño bathing suit **(5.2)**
trampolín *m.* spring-board, diving
  board (7.1)
tranquilo(a) tranquil, calm (1.3)
tratar de to try to, attempt to (6.3)
tren *m.* train **(6.3)**

triste sad **(4.3)**
tristemente sadly **(8.1)**
trofeo *m.* trophy **(7.3)**
trono *m.* throne **(6.3)**
trovador *m.* troubadour (6.1)
tu, tus *poss. adj.* your *(fam. sing.,*
  pl.) **(2.1) (4.1)**
tú *subj. pron.* you *(fam. sing.)* **(1.1)**
turista *m. f.* tourist (5.1)
tuyo(a) your *(fam. sing.)* (7.1)

～～～U～～～

¡uf! ugh! **(2.3)**
último(a) last **(7.1)**
un, una *art.* a, an **(LP) (3.1)**
  un poco a little **(2.3)**
único(a) only (7.1)
universidad *f.* university **(5.3)**
unos(as) some **(LP) (3.1)**
  unos cuantos a few **(8.3)**
Uruguay *m.* Uruguay **(1.2)**
uruguayo(a) Uruguayan (1.2)
usted you *(form. sing.)* **(1.1)**
ustedes you *(pl.)* **(2.2)**
utilizar to utilize, use (2.3) (8.3)
útil useful **(8.2)**
¡uy! oh!, ugh! **(2.1)**

～～～V～～～

va he/she/it goes **(2.3)**
vacaciones *f. pl.* vacation **(7.2)**
vacío empty (8.2)
vale okay *(Spain)* **(5.3)**
válido(a) valid (5.2)
valiente valiant, brave **(6.3)**
valioso(a) valuable (7.1)
vamos we go **(2.3)** let's **(3.1)**
van they go **(2.3)**
variación *f.* variation (8.1)
variado(a) varied **(8.3)**
variedad *f.* variety (3.1)
varios(as) several (3.1)
vas you *(fam. sing.)* go **(2.3)**

vaso *m.*   glass **(8.1)**

ve   he/she/it sees, you *(form. sing.)* see **(3.2)**

ve *imper.*   go; see **(7.3)**

vecindad *f.*   neighborhood (4.3)

vencedor *m.,* **vencedora** *f.*   victor, winner (7.1)

   vencedores *m. pl.*   winners **(7.1)**

vender   to sell **(5.2)**

venezolano(a)   Venezuelan (1.2)

Venezuela *f.*   Venezuela **(1.2)**

venir (ie, i)   to come **(4.2)** *pret.* **(6.3)**

ventana *f.*   window **(7.3)**

veo   I see **(3.2)**

ver   to see, watch *infin.* **(2.3)** *pres.* **(3.2)** *pret.* **(6.2)**

   a ver   let's see **(3.3)**

verano *m.*   summer **(3.2)**

¿verdad?   isn't that so? **(1.3)**

verdadero(a)   true, real (6.2)

verde   green **(5.2)**

verduras *f. pl.*   green vegetables **(8.3)**

vergüenza *f.*   shame, embarrassment (7.3)

verso *m.*   verse (2.3)

ves   you *(fam. sing.)* see **(3.2)**

vestido *m.*   dress **(5.2)**

vestir (i, i)   to dress **(5.3)**; to wear (7.3)

vestirse (i, i)   to get dressed **(8.1)**

vez *f.*   time (5.2)

   a la vez   at the same time **(7.3)**

   a veces   sometimes **(3.3)**

viaje *m.*   trip **(8.2)**

victorioso(a)   victorious (6.3)

video *m.*   video **(2.1)**

viejo(a)   old **(8.2)**

viento *m.*   wind **(3.2)**

   hace viento   it's windy **(3.2)**

viernes *m.*   Friday **(2.1)**

vigoroso(a)   vigorous (6.2)

vinagre *m.*   vinegar (8.3)

visitante *m. f.*   visitor (7.3)

visitar   to visit **(3.2)**

vista *f.*   view (8.2)

viuda *f.*   widow (4.2)

viudo *m.*   widower (4.2)

vivir   to live, exist **(1.1)**

volar (ue)   to fly **(6.1)**

volcán *m.*   volcano **(6.3)**

volibol *m.*   volleyball **(7.1)**

volumen *m.*   volume **(7.2)**

volver (ue)   to come back, return **(8.3)**

voy   I go **(2.3)**

vuelo *m.*   flight **(6.1)**

y   and **(1.1)**

   . . . y cuarto   quarter past . . . *(time)* **(2.1)**

   . . . y media   half past . . . *(time)* **(2.1)**

ya   already, now (1.1)

   ¡ya lo creo!   I believe it! **(7.1)**

yeso *m.*   cast *(for broken arm or leg)* **(7.3)**

yo   I **(1.1)**

zapatería *f.*   footwear (5.1); shoes *(shoe department)*, or shoe store **(5.2)**

zapatillas *f. pl.*   slippers **(7.3)**

zapatos *m. pl.*   shoes **(5.2)**

   zapatos deportivos   athletic shoes **(5.2)**

zarzuela *f.*   seafood stew (8.2)

zona *f.*   zone, area (3.1)

zoológico *m.*   zoo **(3.2)**

zumo *m.*   juice (8.3)

   zumo de naranja   orange juice (5.3)

zurdo(a)   left-handed (7.1)

VOCABULARIO
inglés-español

This **Vocabulario** includes all active words and expressions in **¡DIME!** (Exact cognates, conjugated verb forms, and proper nouns used as passive vocabulary are generally omitted.) A number in parentheses follows all entries. This number refers to the unit and lesson in which the word or phrase is introduced (and, when there is no more than one number, reentered). The number **(3.1)**, for example, refers to **Unidad 3, Lección 1**. The abbreviation **LP** stands for **Lección Preliminar**.

The gender of nouns is indicated as *m.* (masculine) or *f.* (feminine). When a noun designates a person or an animal, both the masculine and feminine form is given. Irregular plural forms of active nouns are indicated. Adjectives ending in **-o** are given in the masculine singular with the feminine ending **(a)** in parentheses. Verbs are listed in the infinitive form, except for a few irregular verb forms presented early in the text. Stem-changing verbs appear with the change in parentheses after the infinitive.

All items are alphabetized in Spanish: **ch** follows **c**, **ll** follows **l**, **ñ** follows **n**, and **rr** follows **r**.*

A

a un, una *art.* **(LP) (3.1)**
  a little un poco **(2.3)**
able: to be able poder (ue, u) **(5.2)** *pret.* **(6.3)**
(to) **accept** aceptar **(6.2)**
accident accidente *m.* **(7.3)**
(to) **accompany** acompañar **(7.2)**
active activo(a) **(8.2)**
actor actor *m.* **(4.2)**
actress actriz *f.* **(4.2)**
(to) **affect** afectar **(7.1)**
after después de **(6.3)**
afternoon tarde *f.* **(3.2)**
  in the afternoon por la tarde *(general time)*; de la tarde *(specific time)* **(2.1)**
again otra vez **(8.2)**
age edad *f.* **(4.1)**
agreeable agradable **(6.2)**
aha! ¡ajá! **(LP)**
ahead: straight ahead derecho **(5.1)**
algebra álgebra *m.* **(2.1)**
all todo(a), todos(as) **(7.3)** *pron.* **(2.3) (7.3)**
  all day todo el día **(7.1)**
  is that all? ¿es todo? **(8.3)**
also también **(1.3)**
always siempre **(3.3)**
am: I am soy **(1.1)**; estoy **(2.2)**
American americano(a) **(1.2)**

amusement park parque de diversiones **(3.2)**
amusing divertido(a) **(2.2)**
an un, una *art.* **(LP) (3.1)**
and y **(1.1)**, e *(before words beginning with* i *or* hi) **(2.2)**
animal animal *m.* **(4.3)**
ankle tobillo *m.* **(7.2)**
another otro(a) **(5.3)**
anything else? ¿algo más? **(8.1)**
appetite apetito *m.* **(8.2)**
appetizers entremeses *m. pl.*, tapas *f. pl. (Spain)* **(8.3)**
apple manzana *f.* **(5.3)**
April abril *m.* **(4.1)**
aquaint: to be acquainted with conocer **(4.2)**
aqueduct acueducto *m.* **(8.3)**
are: see (to) **be**
Argentina Argentina *f.* **(1.2)**
arm brazo *m.* **(7.2)**
(to) **arrive** llegar **(6.3)**
art arte *m. f.* **(2.1)**
  art class clase de dibujo **(2.1)**
article artículo *m.* **(4.3)**
artist artista *m. f.* **(4.2)**
as . . . as tan ... como **(8.2)**
  as usual como siempre **(7.3)**
(to) **ask for** pedir (i, i) **(5.3)** *pret.* **(7.3)**
aspirin aspirina *f.* **(7.2)**
Asunción Asunción *(capital of Paraguay)* **(1.2)**

*See footnote on page C2.

at . . . *(time)* a la/las... **(2.1)**
  at first al principio **(7.2)**
athletic atlético(a) **(1.3)**
  athletic shoes zapatos
    deportivos **(5.2)**
(to) **attack** atacar **(6.3)**
auditorium: school
  auditorium teatro *m.* **(2.2)**
August agosto *m.* **(4.1)**
aunt tía *f.* **(4.1)**
  aunt(s) and uncle(s) tíos *m.*
    pl. **(4.1)**
author autor *m.*, autora *f.* **(4.2)**
auto auto *m.* **(6.3)**
autumn otoño *m.* **(3.2)**
average mediano(a) **(1.3)**
away: right away en seguida **(8.3)**
  to go away irse **(8.1)**
awful! ¡fatal! **(1.1)**
  it's awful outside hace mal
    tiempo **(3.2)**
Aztec azteca *m. f.* **(6.3)**

B

back espalda *f.* **(7.2)**
  to come back volver (ue) **(8.3)**
  to go back regresar **(6.2)**
backpack mochila *f.* **(LP)**
bad mal **(3.2)**, malo(a) **(6.3)**
  not bad regular **(2.2)**
  the weather is bad hace mal
    tiempo **(3.2)**
ballet folklórico ballet folklórico *m.*
  (Mexican folk dance troupe) **(6.1)**
ballpoint pen bolígrafo *m.* **(LP)**
band banda *f.* **(6.2)**
bank banco *m.* **(5.1)**
bargain oferta *f.* **(3.1)**
base base *f.* **(7.1)**
baseball béisbol *m.* **(7.1)**
basketball baloncesto *m.* **(7.1)**
(to) **bathe** bañarse **(8.1)**
bathrobe bata *f.* **(7.3)**
bathroom baño *m.* **(2.2)** **(8.2)**
batter *(baseball)* bateador *m.*,
  bateadora *f.* **(7.1)**
battle batalla *f.* **(6.3)**
(to) **be** estar **(2.2)** *pret.* **(8.2)**;
  ser **(1.1)** *pret.* **(6.2)**; sé *imper.* **(7.3)**
  (with *estar*)
    I am estoy **(2.2)**

you are estás *(fam. sing.)* **(2.2)**
he/she/it is/you are está *(form.*
  sing.) **(2.2)**
we are estamos **(2.2)**
they/you are están *(pl.)* **(2.2)**
(with *ser*)
  I am soy **(1.1)**
  he/she/it is/you are es *(form.*
    sing.) **(1.1)**
  we are somos **(2.2)**
  they/you are son *(pl.)* **(2.2)**
  to be from ser de **(1.2)**
to be ___ years old cumplir ___
  años **(4.1)**
to be ___ years old tener ___
  años **(4.1)**
beautiful hermoso(a) **(6.1)**,
  bello(a) **(8.2)**
  how beautiful! ¡qué guapa! **(8.1)**
because porque **(6.2)**
bed cama *f.* **(7.3)**
  to go to bed acostarse (ue) **(8.1)**
  to stay in bed guardar cama **(7.2)**
bedroom cuarto *m.* **(2.3)**, alcoba *f.*,
  dormitorio *m.*, habitación *f.* **(8.2)**
before antes de **(6.3)**
(to) **begin** empezar (ie) *pret.* **(7.1)**;
  comenzar (ie) **(7.1)**
behind detrás de **(5.1)** **(7.3)**
(to) **believe** creer *pret.* **(7.1)**
  I believe it! ¡ya lo creo! **(7.1)**
beside al lado de **(5.1)** **(7.3)**
better mejor **(7.1)**
  better than mejor(es) que **(8.2)**
between entre **(5.1)** **(7.3)**
beware of . . . ! ¡cuidado con...! **(1.2)**
bicycle bicicleta *f.* **(2.3)**
big grande **(1.3)**
bill cuenta *f.* **(5.3)**
birthday cumpleaños *m.* **(4.1)**
black moreno(a) **(1.3)**,
  negro(a) **(5.2)**
(to) **block** bloquear **(7.3)**
  city block cuadra, manzana *f.* **(5.1)**
blond rubio(a) **(1.3)**
blouse blusa *f.* **(5.2)**
blue azul **(5.2)**
  blue jeans jeans *m. pl.* **(5.2)**
boat barco *m.*
  small boat lancha *f.* **(3.2)**
Bogotá Bogotá *(capital of*
  Colombia) **(1.2)**

Bolivia Bolivia *f.* (**1.2**)

bonbon bombón *m.* (**7.3**)

book libro *m.* (**LP**)

bookshelf estante (**7.3**)

boots botas *f. pl.* (**5.2**)

bored aburrido(a) (**2.2**)

bouquet of flowers ramo *m.* de flores (**7.3**)

boxing boxeo *m.* (**7.1**)

boy chico *m.* (**1.1**), muchacho *m.* (**4.2**)

Brasilia Brasilia *(capital of Brazil)* (**2.1**)

brave valiente (**6.3**)

bravo! ¡bravo! (**4.1**)

Brazil Brasil *m.* (**2.1**)

bread pan *m.* (**8.1**)

(to) **break** romper (**4.1**)

breakfast desayuno *m.* (**6.3**)

    to eat breakfast desayunar (**8.1**)

bride novia *f.* (**4.2**)

(to) **bring** traer (**5.3**)

broken roto(a) (**7.2**)

brother hermano *m.* (**4.1**)

    brother(s) and sister(s) hermanos *m. pl.* (**4.1**)

    stepbrother hermanastro *m.* (**4.2**)

brown marrón *(pl.* marrones) (**5.2**)

(to) **brush** cepillarse

    to brush one's teeth lavarse los dientes (**8.1**)

Buenos Aires Buenos Aires *(capital of Argentina)* (**1.2**)

bus autobús *m. (pl.* autobuses) (**3.2**), camión *m.* (*México*) (**6.3**)

busy ocupado(a) (**4.3**)

but pero (**3.1**)

butter mantequilla (**8.1**)

(to) **buy** comprar (**3.2**)

~~~~~~ C ~~~~~~

cafeteria cafetería *f.* (**2.2**)

café café *m.* (**3.1**)

cake pastel *m.* (**4.3**)

    sponge cake bizcocho *m.* (**5.3**)

(to) **call** llamar (**5.2**)

    call off cancelar (**8.1**)

    to call a foul cobrar una falta (**7.1**)

calmly con calma (**8.3**)

(to) **cancel** cancelar (**8.1**)

candy dulce *m.*

    chocolate covered candy bombón *m.* (**7.3**)

capital capital *f.* (**1.2**)

car coche *m.* (**3.3**), carro *m.* (**6.3**), auto *m.* (**6.3**)

    by car en coche (**3.3**)

Caracas Caracas *(capital of Venezuela)* (**1.2**)

card tarjeta *f.* (**7.3**)

    report card boleta *f.* (**2.1**)

carefully cuidadosamente (**8.1**), con cuidado (**8.3**)

    to be careful tener cuidado (**7.3**)

carpet alfombra *f.* (**8.2**)

carriage carruaje *m.*

    horse-drawn carriage calandria *f.* (**6.3**)

(to) **carry** llevar (**5.2**)

cast yeso *m.* *(for broken arm or leg)* (**7.3**)

castle castillo *m.* (**8.3**)

catcher *(baseball)* receptor *m.*, receptora *f.* (**7.1**)

CD-ROM *see* compact disc

CD player reproductor de CD-ROM *m.* (**2.2**)

(to) **celebrate** celebrar (**4.1**)

center centro *m.* (**3.1**)

century siglo *m.* (**8.3**)

chair silla *f.* (**LP**)

    easy chair sillón *m.* (**7.3**)

chalk tiza *f.* (**LP**)

chalkboard pizarra *f.* (**LP**)

(to) **change** cambiar (**5.1**)

charming simpático(a) (**1.3**)

(to) **chat** charlar (**4.3**)

check cheque *m.* (**5.1**); cuenta *(bill) f.* (**5.3**)

    traveler's check cheque de viajero (**5.1**)

cheese queso *m.* (**5.3**)

chemistry química *f.* (**2.1**)

chest pecho *m.* (**7.2**)

    chest of drawers cómoda *f.* (**7.3**)

chicken pollo *m.* (**8.3**)

    fried chicken pollo frito (**8.3**)

child niño *m.*, niña *f.* (**3.2**)

children hijos *m. pl.* (**4.1**)

    children's rides juegos infantiles *m. pl.* (**3.2**)

Chile Chile *m.* (**1.2**)

chocolate chocolate *m.*
    chocolate covered candy bombón *m.* **(7.3)**
church iglesia *f.* **(5.1)**
Cinderella La Cenicienta **(6.2)**
city ciudad *f.* **(8.2)**
class clase *f.* **(LP)**
classroom sala *f.* **(2.2)**
(to) **clean** limpiar **(2.3)**
(to) **climb** subir **(3.2)**
clock reloj *m.* **(2.1)**
(to) **close** cerrar (ie) **(7.2)**
closet armario *m.* **(7.3)**
clothes ropa *f.* **(5.2)**
    to put on *(clothes)* ponerse **(8.1)**
    to take off *(clothes)* quitarse **(8.1)**
coach entrenador *m.*, entrenadora *f.* **(7.1)**
coffee café *m.* **(5.3)**
cold frio
    it's cold hace frío **(3.2)**
    to be *(feel)* **cold** tener frío **(5.3)**
collector coleccionador *m.*, coleccionadora *f.* **(3.1)**
collide chocar **(7.2)**
Colombia Colombia *f.* **(1.2)**
comb peine *m.*
    to comb one's hair peinarse **(8.1)**
(to) **come** venir (ie, i) *pret.* **(4.2) (6.3)**
    to come back volver (ue) **(8.3)**
comfortable cómodo(a) **(8.2)**
(to) **communicate** comunicarse **(7.1) (7.3)**
competition competencia *f.* **(7.1)**
composition composición *f.* **(5.1)**
compact disc disco compacto *m.* **(2.2)**
computer computadora *f.* **(2.1)**
    computer (class) (clase de) computación *f.* **(2.1)**
concert concierto *m.*
    rock concert concierto *m.* de rock **(3.3)**
congratulations! ¡felicidades! **(4.1)**
(to) **conquer** conquistar **(6.3)**
constantly constantemente **(8.1)**
(to) **construct** construir **(8.3)**
(to) **continue** seguir (i,i) **(5.3)**
contrary contrario
    on the contrary al contrario **(1.3)**
cook cocinero *m.*, cocinera *f.* **(4.2)**
cool fresco(a) **(3.2)**

    it's cool (out) hace fresco **(3.2)**
corner esquina *f.* **(5.1)**
cosmetics and perfume department perfumería *f.* **(5.2)**
(to) **cost** costar (ue) **(5.2)**
(to) **count** contar (ue) **(5.2)**
course: of course! ¡claro que sí! **(2.2)**, ¡por supuesto! **(4.1)**
cousin primo *m.*, prima *f.*, primos *m. pl.* **(4.1)**
(to) **criticize** criticar **(7.1)**
(to) **cross** cruzar **(5.1)**
    upon crossing al cruzar **(5.1)**
crutches muletas *f. pl.* **(7.2)**
cup taza *f.* **(8.1)**
(to) **cut** cortar **(4.3)**
cycling ciclismo *m.* **(7.1)**

～～～ D ～～～

dad papá *m.* **(4.1)**
dance baile *m.* **(2.3)**
    traditional dance ballet *m.* folklórico **(6.1)**
    (to) **dance** bailar **(3.1)**
dark oscuro *m.*
    dark-complexioned moreno(a) **(1.3)**
    dark-haired moreno(a) **(1.3)**
date *(on the calendar)* fecha *f.* **(4.1)**
    what's the date today? ¿qué fecha es hoy? **(4.1)**
    what's today's date? ¿cuál es la fecha de hoy? **(4.1)**
daughter hija *f.* **(4.1)**
    daughter(s) and son(s) hijos *m. pl.* **(4.1)**
day día *m.*
    all day todo el día **(7.1)**
    every day todos los días **(3.3)**
December diciembre *m.* **(4.1)**
(to) **decide** decidir **(7.3)**
delicious delicioso(a) **(4.3)**, rico(a) **(3.3) (5.3)**, sabroso(a) **(8.2)**
delighted encantado(a) **(1.2)**
demanding exigente **(1.3)**
department(s) *(in a department store, etc.)* departamento(s) *m.* **(5.2)**
    children's departamento de niños **(5.2)**
    electronics department departamento de electrónica **(5.2)**

housewares departamento del hogar **(5.2)**

jewelry department or store joyería *f.* **(5.2)**

men's departamento de caballeros **(5.2)**

perfume and cosmetics department perfumería *f.* **(5.2)**

sports departamento de deportes **(5.2)**

teens', young people's departamento de jóvenes **(5.2)**

women's departamento de señoras/mujeres **(5.2)**

department store almacén *(pl.* almacenes) *m.* **(5.1)**

(to) **desire** desear **(5.3)**

desk escritorio *m.* **(LP)**

student desk pupitre *m.* **(LP)**

dessert postre *m.* **(8.2)**

detail detalle *m.* **(7.2)**

dictionary diccionario *m.* **(2.1)**

did you (they) . . . ? ¿hicieron...? *(pl.)* **(5.3)**

(to) **die** morir (ue, u) **(6.3)**

difficult difícil **(2.2)**

dinner cena *f.* **(6.3)**

to eat dinner cenar **(8.2)**

to fix dinner hacer la comida **(3.3)**

dining room comedor *m.* **(8.2)**

director director *m.*, directora *f.* **(1.1)**

directory directorio *m.*

telephone directory guía *f.* telefónica **(4.2)**

disagreeable antipático(a) **(2.2)**

discotheque discoteca *f.* **(3.3)**

(to) **discover** descubrir **(6.3)**

diskette diskette *m.* **(2.2)**

disorganized desorganizado(a) **(1.3)**

divorced divorciado(a) **(4.2)**

(to) **do** hacer **(2.3)** *pres.* **(5.1)** *pret.* **(6.2),** haz *imper.* **(7.3)**

doctor doctor (Dr.) *m.*, doctora (Dra.) *f.* **(1.1) (4.2),** médico *m.*, médica *f.* **(4.2)**

dog perro *m.* **(1.3)**

dollar dólar *m.* **(5.1)**

done hecho

well done! ¡bien hecho! **(7.1)**

door puerta *f.* **(LP)**

downhill skiing esquí alpino **(7.1)**

downtown centro *m.* **(3.1)**

dozen docena *f.* **(6.1)**

drama teatro *m.* **(2.1)**

(to) **draw** hacer dibujos **(4.3)**

drawers cajones *m. pl.*

chest of drawers cómoda *f.* **(7.3)**

drawing dibujo *m.* **(4.3)**

dream sueño *m.*

to dream (about) soñar(ue) (con) **(8.3)**

dress vestido *m.* **(5.2)**

to dress vestir (i, i) **(5.3)**

to get dressed vestirse (i, i) **(8.1)**

(to) **drink** beber **(2.3),** tomar *infin.* **(3.1)** *pres.* **(3.2) (5.1)**

soft drink refresco *m.* **(2.3)**

driver chofer *m. f.* **(6.3)**

during durante **(7.1)**

~~~~~~~~~ E ~~~~~~~~~

ear oreja *f.* **(7.2)**

inner ear oído *m.* **(7.2)**

early temprano **(8.1)**

easily fácilmente **(8.1)**

easy fácil **(2.2)**

easy chair sillón *m.* **(7.3)**

(to) **eat** comer **(2.3) (3.2),** tomar *infin.* **(3.1)** *pres.* **(3.2) (5.1)**

to eat breakfast desayunar **(8.1)**

to eat dinner cenar **(8.2)**

to eat lunch almorzar (ue) **(5.3)**

Ecuador Ecuador *m.* **(1.2)**

education educación *f.*

physical education educación física **(2.1)**

egg huevo *m.* **(8.1)**

eighth octavo(a) **(5.2)**

elegant elegante **(1.3)**

embarrassing: how embarrassing! ¡qué vergüenza! **(7.3)**

emphasis énfasis

with emphasis con énfasis **(5.3)**

end fin *m.* **(3.3)**

enemy enemigo *m.*, enemiga *f.* **(6.3)**

English inglés *m.* **(2.1)**

(to) **enjoy** encantar **(3.1) (5.2)**

I enjoy me encanta(n) **(3.1)**

you enjoy te encanta(n) *(fam. sing.)* **(3.1)**

he/she/it/you enjoy(s) le encanta(n) *(form. sing.)* **(3.1)**

I would enjoy me encantaría **(3.1)**

you would enjoy te encantaría *(fam. sing.)* **(3.1)**

he/she/it/you would enjoy le encantaría *(form. sing.)* **(3.1)**

enormous enorme **(6.1)**

(to) **enter** entrar **(6.2)**

entertainer artista *m. f.* **(4.2)**

equipment equipo *m.*

stereo equipment equipo *m.* **(7.2)**

eraser borrador *m.* **(LP)**

evening: good evening buenas noches **(1.1)**

in the evening por la noche *(general time)*, de la noche *(specific time)* **(2.1)**

every day todos los días **(3.3)**

everyone todos *pron.* **(2.3)**

everything todo *pron.* **(7.3)**

exam examen *m.* **(2.3)**

(to) **examine** examinar **(7.1)**

example ejemplo *m.*

for example por ejemplo **(5.2)**

excellent excelente **(2.2)**

(to) **exchange** *(money)* cambiar **(5.1)**

excursion excursión *f.* **(6.1)**

excuse me perdón **(1.1)**, con permiso **(4.2)**

(to) **exercise** hacer ejercicio **(4.3)**

exhibition exhibición *f.* **(6.1)**

(to) **exist** vivir **(1.1)**

expensive caro(a) **(5.2)**

(to) **experiment** experimentar **(7.2)**

(to) **explain** explicar **(5.3)**

(to) **explore** explorar **(8.2)**

extroverted extrovertido(a) **(1.3)**

eye ojo *m.* **(7.2)**

fabulous fabuloso(a) **(6.1)**

face cara *f.* **(7.2)**

facing enfrente de **(5.1) (7.3)**

fairy godmother hada madrina *f.* **(6.2)**

fairy tales cuentos de hadas **(6.2)**

family familia *f.* **(4.1)**

family room sala de familia **(8.2)**

fan aficionado *m.*, aficionada *f.* **(7.1)**

fantastic fantástico(a) **(2.2)**

far lejos **(5.1)**

far from lejos de **(5.1) (7.3)**

farwell despedida *f.* **(1.1)**

farmer agricultor *m.*, agricultora *f.* **(4.2)**

fascinating fascinante **(8.3)**

father padre *m.* **(4.1)**

father and mother padres *m. pl.* **(4.1)**

stepfather padrastro *m.* **(4.2)**

fat gordo(a) **(1.3)**

February febrero *m.* **(4.1)**

(to) **feel** sentir (ie, i) **(7.2)**

Ferris wheel rueda *f.* de fortuna **(3.2)**

fever fiebre *f.* **(7.2)**

fiancée novia *f.* **(4.1)**

field campo *m.* **(7.1)**

football field campo de fútbol **(7.1)**

soccer field campo de fútbol **(7.1)**

track and field atletismo *m.* **(7.1)**

fielder *(baseball)* guardabosques *m. f.*, jardinero *m.*, jardinera *f.* **(7.1)**

fifth quinto(a) **(5.2)**

film película *f.* **(2.3)**

(to) **find** encontrar (ue) **(5.2)**

fine bien **(1.1)**

fine, and you? bien, ¿y tú? *(fam. sing.)* **(1.1)**

fine, thank you bien, gracias **(1.1)**

finger dedo *m.* **(7.2)**

(to) **finish** terminar **(7.1)**

fire fighter bombero *m.* **(4.2)**

first primero(a), primer **(5.2)**

at first al principio **(7.2)**

first-class, first-rate de primera **(7.1)**

fish *(as food)* pescado *m.* **(8.3)**

(to) **fix** arreglar

to fix dinner hacer la comida **(3.3)**

flight vuelo *m.* **(6.1)**

floor *(of a building)* piso *m.*, planta *f.* **(5.2)**

ground floor planta baja **(5.2)**

floppy *see* diskette

flowers flores *f. pl.*

bouquet of flowers ramo *m.* de flores **(7.3)**

(to) **fly**   volar (ue) **(6.1)**
folder   carpeta *f.* **(LP)**
(to) **follow**   seguir (i,i) **(5.3)**
food   comida *f.* **(2.3)**
foolish   tonto(a) **(1.3)**
foot   pie *m.* **(7.2)**
 on foot   a pie **(3.3)**
football   fútbol americano **(7.1)**
 football player   futbolista *m.*
  f. **(4.2)**
 football field   campo de
  fútbol **(7.1)**
for   por **(1.2)**; para **(2.3) (3.1) (5.3)**
 intended for   para **(2.3) (3.1) (5.3)**
forest   bosque *m.* **(3.2)**
(to) **forget**   olvidar **(8.2)**
(to) **forgive**   perdonar
 forgive me   perdón **(1.1)**
fork   tenedor *m.* **(8.1)**
formally   formalmente **(8.1)**
fortress   alcázar *m.* **(8.2)**
foul *(soccer)*   falta *f.* **(7.1)**
 to call a foul   cobrar una falta **(7.1)**
fountain   fuente *f.* **(5.1)**
fourth   cuarto(a) **(5.2)**
free   libre **(5.3)**
French   francés *m.* **(2.1)**
 french fries   papas/patatas
  fritas **(5.3)**
frequently   frecuentemente **(3.3)**
Friday   viernes *m.* **(2.1)**
fried   frito(a) **(5.3)**
 fried chicken   pollo frito **(8.3)**
friend   amigo *m.*, amiga *f.* **(1.1)**
fries: french fries   papas/patatas
  fritas **(5.3)**
from   de **(1.2)**
 from the + *m. sing. noun*   del (de
  + el) + *m. sing. noun* **(4.2)**
 from where?   ¿de dónde? **(1.2)**
  (4.2)
 to be from   ser de **(1.2)**
front   frente *f.*
 in front of   delante de **(7.3)**
fruit   fruta *f.* **(8.2)**
(to) **fry**   freír **(8.3)**
frying pan   sartén *f.* **(8.3)**
(to have) **fun**   divertirse **(8.1)**
funny   cómico(a) **(1.3)**,
 divertido(a) **(2.2)**
furious   furioso(a) **(4.3)**
furniture   muebles *m. pl.* **(8.2)**

~~~~~ **G** ~~~~~

game   juego *m.* **(3.3)**; partido *m.*
 (sports) **(7.1)**
garage   garaje m. **(8.2)**
garlic   ajo *m.* **(8.3)**
gazpacho   gazpacho *m. (cold pureed
 vegetable soup from Spain)* **(8.3)**
generous   generoso(a) **(1.3)**
geography   geografía *f.* **(2.1)**
(to) **get**   conseguir (i, i) **(5.3)**
 to get up   levantarse **(8.1)**
gift   regalo *m.* **(5.1)**
girl   chica *f.* **(1.1)**, muchacha *f.* **(4.2)**
girlfriend   novia *f.* **(5.1)**
(to) **give**   dar **(5.1)** *pret.* **(6.2)**
gladly   alegremente **(8.1)**
glass   vaso *m.* **(8.1)**
 wine glass   copa *f.* **(8.1)**
(to) **go**   ir **(2.3)** *pret.* **(6.2)**, irse
 (8.1), ve *imper.* **(7.3)**
 I go   voy **(2.3)**
 you go   vas *(fam. sing)* **(2.3)**
 he/she/it goes, you go   va *(form.*
  sing.) **(2.3)**
 we go   vamos **(2.3)**
 they/you go   van *pl.* **(2.3)**
 let's go   vamos **(3.1)**
 to go away   irse **(8.1)**
 to go back   regresar **(6.2)**
 go to the movies   ir al cine **(3.1)**
 to go out   salir **(2.3) (5.1)**
 to go shopping   ir de
  compras **(3.1)**
goal *(soccer)*   gol *m.* **(7.1)**
 to score a goal   meter un gol **(7.1)**
 goalie (goalkeeper)   arquero *m.*,
  arquera *f.* **(7.3)**
goblet   copa *f.* **(8.1)**
God   Dios *m. (pl.* dioses) **(6.3)**
 my God!   ¡Dios mío! **(7.1)**
godmother   madrina *f.*
 fairy godmother   hada madrina
  f. **(6.2)**
goes: he/she/it goes   va **(2.3)**
golf   golf *m.* **(7.1)**
good   bueno(a) **(2.2)**, buen **(3.2)**
 good!   ¡qué bien! **(3.2)**
 good afternoon   buenas
  tardes **(1.1)**
 good day   buenos días **(1.1)**
 good evening   buenas noches **(1.1)**

good morning buenos días **(1.1)**
good night buenas noches **(1.1)**
to have a good time divertirse (ie, i) **(8.1)**
good-bye adiós **(1.1),** hasta luego **(1.1),** despedida *f.* **(1.1)**
  see you tomorrow hasta mañana **(1.1)**
good-looking guapo(a) **(1.3)**
gosh: my gosh! ¡Dios mío! **(7.1)**
grade nota *f.* **(7.1)**
  to grade calificar **(2.3) (3.2)**
grandchildren nietos *m. pl.* **(4.1)**
granddaughter nieta *f.* **(4.1)**
grandfather abuelo *m.* **(4.1)**
grandmother abuela *f.* **(4.1)**
grandparents abuelos *m. pl.* **(4.1)**
grandson nieto *m.* **(4.1)**
gray gris **(5.2)**
great! ¡estupendo! **(1.1)**
green verde **(5.2)**
greeting saludo *m.* **(1.1)**
groom novio *m.* **(4.2)**
ground floor planta baja **(5.2)**
guard *(soccer)* defensor *m.,* defensora *f.* **(7.1)**
guitar guitarra *f.* **(5.1)**
gym class gimnasia *f.* **(2.1)**
gymnasium gimnasio *m.* **(2.2)**
gymnastics gimnasia artística **(7.1)**

~~~~~~~ H ~~~~~~~

hair pelo *m.* **(7.2)**
  to comb one's hair peinarse **(8.1)**
  to wash one's hair lavarse el pelo **(8.1)**
half medio(a) **(5.1)**
  half past . . . *(time)* ...y media **(2.1)**
hall pasillo *m.* **(2.2) (8.2)**
ham jamón *(pl.* jamones) *m.* **(5.3)**
hamburger hamburguesa *f.* **(5.3)**
hand mano *f.* **(7.2)**
handicrafts artesanía *f.* **(6.1)**
handsome guapo(a) **(1.3)**
happen: what happened? ¿qué pasó? **(6.3)**
happy contento(a) **(4.3),** feliz *(pl.* felices) **(8.2)**
hard duro(a) *m. f.* **(8.2)**
hard disk disco duro / rígido *m.* **(2.2)**

hardly apenas **(7.2)**
hardware hardware *m.* **(2.2)**
hat sombrero *m.* **(5.2)**
(to) have tener *sing.* **(2.1),** *pl.* **(2.3)** *pret.* **(6.3),** ten *imper.* **(7.3)**
  I have tengo **(2.1)**
  you have tienes *(fam. sing.)* **(2.1)**
  he/she/it has/you have tiene *(form. sing.)* **(2.1)**
  we have tenemos **(2.3)**
  they/you have tienen *(pl.)* **(2.3)**
  to have to *(+ inf.)* tener que *(+ inf.)* **(2.3)**
he él *pron.* **(1.1)**
head cabeza *f.* **(7.2)**
headache dolor de cabeza **(7.2)**
header *(soccer shot)* cabezazo *m.* **(7.1)**
headphones audífonos *m. pl.* **(2.1) (7.2)**
(to) hear oír *(pret.)* **(7.1)**
heat calor *m.* **(3.2)**
hello! ¡hola! **(1.1)**
(to) help ayudar **(6.2)**
her su, sus *(sing., pl.)* **(4.1)**
  to/for her le *indir. obj. pron.* **(3.1)**
here aquí **(3.1)**
  around here por aquí **(8.3)**
heroine heroína *f.* **(6.3)**
hero héroe *m.* **(6.3)**
herself se *refl. pron.* **(8.1)**
hey! ¡caramba! **(LP),** ¡oye! **(2.1)**
high alto *f.*
  high jump salto *m.* de altura **(7.1)**
  high school escuela secundaria **(2.2)**
him lo *dir. obj. pron.* **(7.2)**
  to/for him le *indir. obj. pron.* **(3.1)**
himself se *refl. pron.* **(8.1)**
Hispanic hispano(a) **(4.3)**
history historia *f.* **(2.1)**
his su, sus *(sing., pl.)* **(4.1)**
homework tarea *f.* **(2.3)**
  to do homework hacer la tarea **(2.3)**
hooray! ¡bravo! **(4.1)**
hors d'oeuvres entremeses *m. pl.,* tapas *f. pl. (Spain)* **(8.3)**
horse caballo *m.*
  horse-drawn carriage calandria *f.* **(6.3)**
hospital hospital *m.* **(7.1)**

hot caliente (**5.3**)
  it's hot hace calor (**3.2**)
  to be hot tener calor *(physical condition)* (**5.3**)**,** hacer calor *(weather)* (**3.2**)
hotel hotel *m.* (**5.1**)
hour hora *f.* (**2.1**)
house casa *f.* (**2.3**)
how? ¿cómo? (**4.2**)
  how are you? ¿cómo estás? *(fam. sing.)* / ¿cómo está usted? *(form. sing.)* (**1.1**)
  how much? ¿cuánto(a)? (**4.1**)
  how many? ¿cuántos(as)? (**4.2**)
  how! ¡qué! (**4.2**)
  how beautiful! ¡qué guapa! (**8.1**)
  how handsome! ¡qué guapo! (**8.1**)
  how embarrassing! ¡qué vergüenza! (**7.3**)
  how ridiculous! ¡qué ridículo! (**4.3**)
  how silly! ¡qué ridículo! (**4.3**)
  how strange! ¡qué raro! (**4.1**)
  how's it going? ¿qué tal? (**1.1**)
huge enorme (**6.1**)
hunger hambre *f.*
  to be hungry tener hambre (**5.3**)
hurry: to be in a hurry tener prisa (**5.3**)
hurt lastimado(a) (**7.1**)
  to hurt doler (ue, o) (**7.2**)
husband esposo *m.* (**4.1**)
  husband and wife esposos *m. pl.* (**4.1**)

I yo (**1.1**)
ice hielo *m.*
  ice cream helado *m.* (**3.2**)
impatiently impacientemente (**8.1**)
impressive impresionante (**4.3**)
in en (**LP**) (**7.3**)
  in front of enfrente de (**5.1**) (**7.3**)
  in the afternoon por la tarde *(general time)*, de la tarde *(specific time)* (**2.1**)
  in the evening por la noche *(general time)*, de la noche *(specific time)* (**2.1**)

in the morning por la mañana *(general time)*, de la mañana *(specific time)* (**2.1**)
Indian *see* **Native American**
instrument intrumento *m.*
  to play a musical instrument tocar un instrumento (**4.3**)
intelligent inteligente (**1.3**)
interesting interesante (**1.3**)
interview entrevista *f.* (**3.2**)
to get into subir (**3.2**)
(to) introduce presentar
  I want to introduce you to . . . quiero presentarte *(fam.)* a... / quiero presentarle *(form.)* a... (**1.2**)
invitation invitación *f.* *(pl.* invitaciones*)* (**5.2**)
(to) invite invitar (**7.2**)
  invited invitado(a) *m. f.* (**6.2**)
is: it is . . . *(time)* son la/las... (**2.1**)
  where is . . . ? ¿dónde está...? (**1.2**)
  isn't that so? ¿verdad? (**1.3**)
  see **(to) be**
it lo *m.*, la *f. dir. obj. pron.* (**7.2**)

jacket chaqueta *f.* (**5.2**)
jai alai jai alai *m.* (**7.1**)
jam mermelada *f.* (**8.1**)
January enero *m.* (**4.1**)
jeans: blue jeans jeans *m. pl.* (**5.2**)
jewelry joyería *f.* (**5.2**)
  jewelry department or store joyería *f.* (**5.2**)
(to) jog correr (**2.3**) (**3.2**)
joyfully alegremente (**8.1**)
July julio *m.* (**4.1**)
(to) jump saltar (**7.1**)
  high jump salto *m.* de altura (**7.1**)
June junio *m.* (**4.1**)

K

karate karate *m.* (**2.3**)
keyboard teclado *m.* (**2.1**)
(to) kick patear (**7.1**)
kilo kilo *(weight)* (**6.1**)
kind: you're so kind! ¡qué amable eres! (**7.3**)

king   rey *m.* (**6.3**) (**8.2**)
kitchen   cocina *f.* (**8.2**)
knee   rodilla *f.* (**7.2**)
knife   cuchillo *m.* (**8.1**)
(to) **know**   conocer (**4.2**)
   saber (**5.1**)

～～～L～～～

La Paz   La Paz (*administrative capital of Bolivia*) (**1.2**)
laboratory   laboratorio *m.* (**2.2**)
lacking: to be lacking   faltar (**8.1**)
lake   lago *m.* (**3.2**)
lamp   lámpara *f.* (**7.3**)
large   grande (**1.3**)
laser printer   impresora láser *f.* (**2.1**)
last   último(a) (**7.1**)
   at last!   ¡por fin! (**2.1**) (**4.3**)
   last name   apellido *m.* (**4.1**)
   last night   anoche (**6.1**)
   last week   la semana pasada (**6.1**)
late   tarde *adv.* (**2.2**)
later   después
   see you later   hasta luego (**1.1**)
lawyer   abogado *m.,* abogada *f.* (**4.2**)
league   liga *f.* (**7.1**)
   major leagues   grandes ligas (**7.1**)
   minor leagues   ligas menores (**7.1**)
(to) **learn**   aprender (**6.2**)
(at) **least**   por lo menos (**7.3**)
(to) **leave**   salir (**2.3**) (**5.1**), sal *imper.* (**7.3**)   irse (**8.1**)
   leave-taking   despedida *f.* (**1.1**)
left   izquierda *f.* (**5.1**)
   left side   izquierda *f.* (**5.1**)
   to/on the left   a la izquierda (**5.1**) (**7.3**)
   to be left   quedar (**5.1**)
legend   leyenda *f.* (**6.3**)
legumes   legumbres *f. m. pl.* (**8.3**)
leg   pierna *f.* (**7.2**)
lemonade   limonada *f.* (**5.3**)
less   menos (**2.1**)
   less . . . than   menos ... que (**8.2**)
lesson   lección *f. (pl.* lecciones) (**LP**)
letter   carta *f.* (**2.3**)
lettuce   lechuga *f.* (**8.1**)
library   biblioteca *f.* (**2.2**)
like: to like   gustar (**3.1**) (**5.2**)
   I like   me gusta(n) (**3.1**)
   you like   te gusta(n) (*fam. sing.*) (**3.1**)

he/she/it/you like(s)   le gusta(n) (*form. sing.*) (**3.1**)
   I would like   me gustaría (**3.1**)
   you would like   te gustaría (*fam. sing.*) (**3.1**)
   he/she/it/you would like   le gustaría (*form. sing.*) (**3.1**)
   to one's liking   al gusto (**8.3**)
   Would you like to . . . ?   ¿Te gustaría...? (*fam. sing.*) (**6.2**)
like: to really like   encantar (**3.1**) (**5.2**)
   I really like   me encanta(n) (**3.1**)
   you really like   te encanta(n) (*fam. sing.*) (**3.1**)
   he/she/it/you really like(s)   le encanta(n) (*form. sing.*) (**3.1**)
   I would really like   me encantaría (**3.1**) (**6.2**)
   you would really like   te encantaría (*fam. sing.*) (**3.1**) (**6.2**)
   he/she/it/you would really like   le encantaría (*form. sing.*) (**3.1**) (**6.2**)
likewise   igualmente (**1.2**)
Lima   Lima (*capital of Perú*) (**1.2**)
list   lista *f.* (**LP**)
(to) **listen**   escuchar (**3.1**) (**3.2**)
   listen!   ¡oye! (**2.1**)
literature   literatura *f.* (**2.1**)
little   pequeño(a) (**4.1**)
   a little   un poco (**2.3**)
(to) **live**   vivir (**1.1**)
living room   sala *f.* (**8.2**)
long   largo(a) (**5.2**)
look out for . . . !   ¡cuidado con...! (**1.2**)
   to look at   mirar (**2.3**)
   to look for   buscar (**5.3**)
(to) **lose**   perder (ie) (**7.1**)
lot: a lot   mucho (**3.1**)
(to) **love**   amar
   I would love to   me encantaría (**6.2**)
   to fall in love (with)   enamorarse (de) (**6.3**)
lovely   lindo(a) (**7.1**)
lower   bajar (**7.2**)
luck   suerte *f.*
   what bad luck!   ¡qué mala suerte! (**4.3**)
lunch   almuerzo *m.* (**2.1**) (**5.3**) (**6.3**)
   to eat lunch   almorzar (ue) (**5.3**)

magazine revista *f.* (**7.3**)
major leagues grandes ligas (**7.1**)
(to) **make** hacer (**2.3**) *pres.* (**5.1**)
 pret. (**6.2**), haz *imper.* (**7.3**)
makeup maquillaje *m.*
 to put on makeup pintarse (**8.1**)
many: how many?
 ¿cuántos(as)? (**4.2**)
map mapa *m.* (**2.1**)
March marzo *m.* (**4.1**)
mariachi mariachi *m. (Mexican band of strolling musicians playing string and brass instruments)* (**6.1**)
market mercado *m.* (**6.1**)
marmalade mermelada *f.* (**8.1**)
married casado(a) (**4.2**)
match *(sports)* partido *m.* (**7.1**)
 it doesn't match *(clothes)* no combina bien (**5.3**)
maternal materno(a) (**4.1**)
mathematics matemáticas *f. pl.* (**2.1**)
matter: what's the matter? ¿qué pasa? (**3.1**)
May mayo *m.* (**4.1**)
mayonnaise mayonesa *f.* (**8.1**)
me me *dir. obj. pron.* (**7.2**)
 to/for me me *indir. obj. pron.* (**3.1**)
 with me conmigo (**6.2**)
meal comida *f.* (**2.3**)
 to prepare a meal hacer la comida (**3.3**)
meatball albóndiga *f.* (**8.3**)
(to) **meet** encontrar (ue) (**5.2**)
 (I'm) pleased to meet you es un placer, mucho gusto (**1.2**)
melon melón *(pl.* melones) *m.* (**5.3**)
menu carta *f.* (**5.3**)
merry-go-round carrusel *m.* (**3.2**)
meexican folkdance troup ballet *m.* folklorico (**6.1**)
midday mediodía *m.* (**2.1**)
midnight medianoche *f.* (**2.1**)
mile milla *f.* (**1.1**)
milk leche *f.* (**5.3**)
mineral water agua mineral (**5.3**)
minor leagues ligas menores (**7.1**)
minus menos (**2.1**) (**8.2**)
mirror espejo *m.* (**8.1**)
Miss señorita (Srta.) *f.* (**1.1**)
(to) **miss** extrañar (**7.2**)
 to be missing faltar (**8.1**)

modem módem *m.* (**2.2**)
 fax / modem fax / módem (**2.2**)
modern moderno(a) (**6.3**)
modest modesto(a) (**1.3**)
mom mamá *f.* (**4.1**)
Monday lunes *m.* (**2.1**)
money dinero *m.* (**5.1**)
monitor monitor *m. (computers)* (**2.2**)
Montevideo Montevideo *(capital of Uruguay)* (**1.2**)
month mes *m.* (**4.1**)
monument monumento *m.* (**3.1**)
more más (**2.1**) (**8.2**)
 more . . . than más ... que (**8.2**)
morning mañana *f.* (**2.1**)
 in the morning de la mañana *(specific time)* (**2.1**), por la mañana *(general time)* (**2.1**)
 this morning esta mañana (**7.2**)
mother madre *f.* (**4.1**)
 mother and father padres *m. pl.* (**4.1**)
 stepmother madrastra *f.* (**4.2**)
motorcycle moto, motocicleta *f.* (**6.3**)
mouse ratón *m. (computers)* (**2.1**)
 mouse pad almohadilla (para el ratón) *f.* (**2.1**)
mouth boca *f.* (**7.2**)
(to) **move** mover (ue) (**7.3**)
moved emocionado(a) (**4.3**)
movie película *f.* (**2.3**)
 go to the movies ir al cine (**3.1**)
 movie theater cine *m.* (**3.1**)
moving emocionante (**3.2**)
Mr. señor (Sr.) *m.* (**1.1**)
Mrs. señora (Sra.) *f.* (**1.1**)
much mucho (**3.1**)
 how much? ¿cuánto(a)? (**4.1**)
 too much demasiado(a) (**6.2**)
mural mural *m.* (**6.1**)
muralist muralista *m. f.* (**6.2**)
museum museo *m.* (**3.1**)
music música *f.* (**2.1**)
 to play a musical instrument tocar un instrumento (**4.3**)
musician músico *m.*, música *f.* (**4.2**)
mustard mostaza *f.* (**8.1**)
my mi, mis (**1.1**) (**4.1**)
 my gosh!, my God! ¡Dios mío! (**7.1**)
myself me *refl. obj. pron.* (**8.1**)

N

name nombre *m.* (**4.1**)
  his/her/your name is se llama *(form. sing.)* (**1.2**)
  last name apellido *m.* (**4.1**)
  my name is me llamo, mi nombre es (**1.2**)
  to be named llamarse (**1.2**)
  what's your name? ¿cómo te llamas? *(fam. sing.)* / ¿cómo se llama? *(form. sing.)* (**1.2**)
  your name is te llamas *(fam. sing.)* (**1.2**)
napkin servilleta *f.* (**8.1**)
Native American indígena (**6.3**)
natural sciences ciencias naturales *f. pl.* (**2.1**)
near cerca de (**5.1**) (**7.3**)
neck cuello *m.* (**7.2**)
neither . . . nor ni ... ni (**1.3**)
nephew sobrino *m.* (**4.1**)
  nephew(s) and niece(s) sobrinos *m. pl.* (**4.1**)
nervous nervioso(a) (**1.3**)
never nunca (**3.3**)
new nuevo(a) (**4.2**)
newspaper periódico *m.* (**3.2**)
next to al lado de (**5.1**) (**7.3**)
nice agradable (**6.2**), simpático(a) (**1.3**)
  it's nice out hace buen tiempo (**3.2**)
nickname sobrenombre *m.* (**4.1**)
niece sobrina *f.* (**4.1**)
  niece(s) and nephew(s) sobrinos *m. pl.* (**4.1**)
night noche *f.*
  last night anoche (**6.1**)
  good night buenas noches (**1.1**)
nightstand mesita *f.* (**7.3**)
ninth noveno(a) (**5.2**)
no no (**LP**)
  no one nadie (**3.3**)
nobody nadie (**3.3**)
nonsense: what nonsense! ¡qué barbaridad! (**6.3**)
noon mediodía *m.* (**2.1**)
nose nariz *f.* (**7.2**)
not bad regular (**2.2**)
  why not? ¿cómo no? (**6.2**)
notebook cuaderno *m.* (**LP**)

nothing nada (**3.3**)
novel novela *f.* (**3.1**)
November noviembre *m.* (**4.1**)
now ahora (**1.3**)
number número *m.* (**2.1**)
nurse enfermero *m.*, enfermera *f.* (**4.2**)

O

obligated: to be obligated *(to do something)* deber (**5.1**)
(to) obtain conseguir (i, i) (**5.3**)
October octubre *m.* (**4.1**)
of course! ¡claro que sí! (**2.2**), sí, claro (**5.3**), ¡por supuesto! (**4.1**)
off: to take off *(clothes)* quitarse (**8.1**)
offer oferta *f.* (**3.1**)
office oficina *f.* (**2.2**)
oh! ¡ay! (**LP**) (**1.1**), ¡uy! (**2.1**), **oh, no!** ¡ay! (**LP**) (**1.1**)
okay bien (**1.1**), regular (**2.2**), vale *(Spain)* (**5.3**)
old viejo(a) (**8.2**)
  to be ___ years old tener ___ años, cumplir ___ años (**4.1**)
Olympics Olimpíadas *f. pl.* (**7.1**)
omelet tortilla de huevos
  potato omelet tortilla *f. (Spain)* (**8.1**)
on en (**LP**), en (**7.3**), sobre (**7.3**)
onion cebolla *f.* (**8.1**)
only sólo (**7.2**)
(to) open abrir (**7.2**)
opera ópera *f.* (**6.2**)
orange anaranjado(a) (**5.2**), naranja *f.* (**5.3**)
(to) order pedir (i, i) (**5.3**) *pret.* (**7.3**)
organized organizado(a) (**1.3**)
other otro(a) (**5.3**)
our nuestro(a), nuestros(as) (**4.1**)
ourselves nos *refl. obj. pron.* (**8.1**)
out: to take out sacar *pret.* (**7.1**)
  to go out salir (**2.3**) (**5.1**)
outdoors al aire libre (**3.1**)
outrage: what an outrage! ¡qué barbaridad! (**6.3**)
outside: it's awful outside hace mal tiempo (**3.2**)
over encima de, sobre (**7.3**)

P

(to) **pack**   empacar (**8.1**)

pain   dolor *m.* (**7.2**)

pair   par *m.* (**5.2**)

   pair of socks   par de calcetines (**5.2**)

palace   palacio *m.* (**6.3**)

   royal palace   alcázar *m.* (**8.2**)

pan: frying pan   sartén *f.* (**8.3**)

pants   pantalones *m. pl.* (**5.2**)

paper   papel *m.* (**LP**)

   sheet of paper   hoja de papel (**LP**)

Paraguay   Paraguay *m.* (**1.2**)

parents   padres *m. pl.* (**4.1**)

park   parque *m.* (**3.1**)

   amusement park   parque de diversiones (**3.2**)

(to) **participate**   participar (**2.3**)

party   fiesta *f.* (**5.3**)

past   pasado

   to go past   pasar (**3.3**)

paternal   paterno(a) (**4.1**)

patient   paciente *m. f.* (**7.2**)

patio   patio *m.* (**2.2**)

(to) **pay for**   pagar (**5.2**) *pret.* (**7.1**)

pen: ballpoint pen   bolígrafo *m.* (**LP**)

pencil   lápiz (*pl.* lápices) *m.* (**LP**)

people   gente *f.* (**3.2**)

   to people-watch   mirar a la gente (**3.2**)

pepper   pimienta *f.* (**8.1**)

perfectionist   perfeccionista *m. f.* (**2.2**)

perfume and cosmetics department   perfumería *f.* (**5.2**)

permission   permiso *m.*

   with your permission   con permiso (**4.2**)

person   persona *f.* (**7.3**)

   young person   joven (*pl.* jóvenes) *m. f.* (**5.2**)

Perú   Perú *m.* (**1.2**)

peseta   peseta (*Spanish monetary unit*) *f.* (**5.1**)

pharmacy   farmacia *f.* (**7.2**)

photographer   fotógrafo *m.*, fotógrafa *f.* (**4.2**)

physical education   educación física (**2.1**)

piano   piano *m.* (**2.3**)

(to) **pick up**   levantar (**7.2**)

pictures   photos *f. pl.*

   to take pictures   sacar fotos (**4.2**)

pig   cochino *m.*

   suckling pig   cochinillo *m.* (**8.3**)

   roast suckling pig   cochinillo asado *m.* (**8.2**)

pill (*medication*)   pastilla *f.* (**7.2**)

pink   rosado(a) (**5.2**)

piñata   piñata *f.* (**4.1**)

pitcher (*baseball*)   lanzador *m.*, lanzadora *f.* (**7.1**)

place settings   cubiertos *m. pl.* (**8.1**)

plane   avión *m.* (**6.3**)

plan   plan *m.* (**6.2**)

   plans   planes *m. pl.* (**2.3**)

plate   plato *m.* (**8.1**)

play (*theater*)   comedia *f.* (**6.1**)

(to) **play** (*a game*)   jugar (ue) *infin.* (**2.3**) *pres.* (**5.2**) *pret.* (**7.1**)

   to play a musical instrument tocar un instrumento (**4.3**)

player   jugador *m.*, jugadora *f.* (**7.1**)

   most valuable player   jugador(a) *m. f.* más valioso(a) (**7.1**)

   CD player   reproductor de CD-ROM *m.* (**2.2**)

plaza   plaza *f.* (**5.1**)

please   por favor (**1.1**)

   (I'm) pleased to meet you   es un placer, mucho gusto (**1.2**)

pleasure   placer *m.*, gusto *m.*

   the pleasure is mine   el gusto es mío (**1.2**)

politician   político *m.*, política *f.* (**4.2**)

poor   pobre

   poor thing, poor boy (girl)! ¡pobrecito(a)! (**1.1**)

popular   popular (**1.3**)

post office   correos *m. pl.*, oficina de correos *f.* (**5.1**)

potato   patata (*Spain*) *f.* (**5.3**), papa (*Latin America*) *f.* (**5.3**)

   potatoes   papas *f. pl.* (**5.3**)

   potato omelet   tortilla *f.* (*Spain*) (**8.1**)

   potato salad   ensaladilla rusa (*Spain*) (**8.1**)

practice   práctica *f.* (**2.3**)

   to practice   practicar (**2.3**) *pret.* (**7.1**)

(to) **prefer**   preferir (ie, i) (**5.2**)

(to) **prepare**   preparar (**2.3**) (**3.2**)
  to prepare a meal   hacer la
    comida (**3.3**)
(to) **prescribe** *(a medication)*
  recetar (**7.2**)
pretty   bonito(a), guapo(a) (**1.3**),
  lindo(a) (**7.1**)
previous   antepasado(a) (**7.1**)
price   precio *m.* (**6.2**)
prince   príncipe *m.* (**6.2**)
princess   princesa *f.* (**6.3**)
principal *(of a school)*   director *m.*,
  directora *f.* (**1.1**)
printer   impresora (**2.1**)
  laser printer   impresora láser *f.*
    (**2.1**)
problem   problema *m.* (**6.3**)
professor   profesor *m.*, profesora *f.*
  (Prof.) (**LP**)
program   programa *m.* (**6.1**)
programmer   programador *m.*,
  programadora *f.* (**4.2**)
promenade   paseo *m.* (**5.1**)
(to) **protect**   proteger (**6.3**)
purple   morado (**5.2**)
puree   puré *m.* (**8.1**)
put   pon *imper.* (**7.3**)
  to put   poner (**5.1**) *pret.* (**7.3**)
  to put on clothes   ponerse (**8.1**)
  to put on makeup   pintarse (**8.1**)

~~~~~~Q~~~~~~

quarter past . . . *(time)*   ...y
  cuarto (**2.1**)
quarter to/of . . . *(time)*   ...menos
  cuarto (**2.1**)
queen   reina *f.* (**8.2**)
quiet: be quiet!   ¡cállate! (**8.1**)
Quito   Quito *(capital of Ecuador)*
  (**1.2**)

~~~~~~R~~~~~~

radio   radio *f.* (**3.2**)
(to) **rain**   llover (ue) (**3.2**)
  it's raining   lloviendo *(inf.* llover):
    está lloviendo (**3.2**)
  it rains   llueve (**3.2**)
(to) **raise**   levantar (**7.2**)

rapidly   rápidamente (**8.1**)
rarely   raras veces (**3.3**)
(to) **read**   leer *infin.* (**2.3**) *pres.* (**3.2**)
  pret. (**7.1**)
ready   listo(a) (**4.3**)
  to get ready   arreglarse (**8.1**)
really?   ¿de veras? (**3.1**)
(to) **receive**   recibir (**5.1**)
reception *(desk)*   recepción *f.* (**5.1**)
recess   recreo *m.* (**2.2**)
recipe   receta *f.* (**8.3**)
(to) **recommend**   recomendar (ie)
  (**5.2**) (**8.3**)
record   disco *m.* (**3.1**)
  record shop   tienda de discos
    (**3.1**)
red   rojo(a) (**5.2**)
  red-haired, redheaded
    pelirrojo(a) (**1.3**)
referee   árbitro *m. f.* (**7.1**)
refrigerator   nevera *f.* (**8.1**)
relative   pariente *m. f.* (**4.2**)
(to) **remain**   quedar (**5.1**), quedarse
  (**8.2**)
(to) **remember**   recordar (ue) (**5.2**)
(to) **rent**   alquilar (**2.3**)
(to) **repeat**   repetir (i, i) (**5.3**)
report card   boleta *f.* (**2.1**)
  to give a report   hacer un informe
    (**6.1**)
reporter   reportero *m.*, reportera *f.*
  (**4.2**)
reservation   reservación *(pl.*
  reservaciones) *f.* (**8.3**)
(to) **resist**   resistir (**6.1**)
(to) **rest**   descansar (**3.2**)
restaurant   restaurante *m.* (**2.3**),
  mesón *m. (originally an inn or a*
  tavern) (**8.3**)
restroom   servicios *m. pl.* (**8.2**)
(to) **return**   regresar (**6.2**)
return   volver (ue) (**8.3**)
rey   king *m.* (**6.3**) (**8.2**)
ride   juego *m.* (**3.3**)
  to ride   pasear (**2.3**) (**3.2**)
  children's rides   juegos infantiles
    m. pl. (**3.2**)
  rides   juegos mecánicos (**3.3**)
ridiculous   ridículo
  how ridiculous!   ¡qué ridículo!
    (**4.3**)
right   derecha *f.* (**5.1**)

right away   en seguida **(8.3)**
right side   derecha *f.* **(5.1)**
to be right   tener razón **(5.3)**
to/on the right   a la derecha **(5.1)**
   (7.3)
river   río *m.* **(8.2)**
roast suckling pig   cochinillo asado
   m. **(8.2)**
rock concert   concierto *m.* de rock
   (3.3)
roller coaster   montaña rusa **(3.2)**
romantic   romántico(a) **(1.3)**
room   cuarto *m.* **(2.3)**, habitación *f.*
   (8.2)
   dining room   comedor *m.* **(8.2)**
   family room   sala de familia **(8.2)**
   living room   sala *f.* **(8.2)**
rose   rosa *f.* rosas *f. pl.* **(3.2)**
   dozen roses   una docena *f.* de
   rosas **(6.1)**
rowboat   lancha *f.* **(3.2)**
royal   real
   royal palace   alcázar *m.* **(8.2)**
rug   alfombra *f.* **(8.2)**
ruler *(for measuring)*   regla *f.* **(LP)**
(to) **run**   correr **(2.3) (3.2)**
   run into   chocar **(7.2)**

~~~~~ S ~~~~~

sad   triste **(4.3)**
sadly   tristemente **(8.1)**
salad   ensalada *f.* **(8.2)**
   potato salad   ensaladilla rusa
   (Spain) **(8.1)**
sale   oferta *f.*
   on sale   en oferta **(3.1)**
salesclerk   dependiente *m.*,
   dependienta *f.* **(5.2)**
salt   sal *f.* **(8.1)**
same   mismo(a) **(6.3)**
   at the same time   a la vez **(7.3)**
sandwich   bocadillo *m.* **(8.1)**,
   sándwich *m.* **(5.2)**
   grilled ham and cheese sandwich
   sándwich mixto *(Spain)* **(5.3)**
Santiago   Santiago *(capital of Chile)*
   (1.2)
Saturday   sábado *m.* **(2.1)**
saucer   platillo *m.* **(8.1)**
sausage   chorizo *m.* **(8.1)**

(to) **save**   salvar **(7.2)**
(to) **say**   decir (i) **(5.3)**   *pret.* **(6.3)**,
   di *imper.* **(7.3)**
   say!   ¡oye! **(2.1)**
scarcely   apenas **(7.2)**
schedule   horario *m.* **(2.1)**
school   escuela *f.* **(1.1)**
   high school   escuela secundaria
   (2.2)
science   ciencias *f. pl.* **(2.1)**
   natural sciences   ciencias
   naturales *f. pl.* **(2.1)**
(to) **score**   meter un gol **(7.1)**
second   segundo(a) **(5.2)**
secretary   secretario *m.*, secretaria *f.*
   (4.2)
(to) **see**   ver *infin.* **(2.3)** *pres.* **(3.2)**
   pret. **(6.2)**, ve *imper.* **(7.3)**
   I see   veo **(3.2)**
   you see   ves *(fam. sing.)* **(3.2)**
   he/she/it/you see(s)   ve *(form.
   sing.)* **(3.2)**
   let's see   a ver **(3.3)**
(to) **select**   escoger **(7.3)**
(to) **sell**   vender **(5.2)**
September   septiembre *m.* **(4.1)**
serious   serio(a) **(2.2)**
(to) **serve**   servir (i, i) **(5.3)**
set: to set the table   poner la
   mesa **(8.1)**
   place settings   cubiertos *m. pl.*
   (8.1)
seventh   séptimo(a) **(5.2)**
shame   vergüenza *f.*, lástima *f.*
   what a shame!   ¡qué
   lástima! **(2.3) (4.2)**
(to) **shave**   afeitarse **(8.1)**
she   ella **(1.1)**
shirt   camisa *f.* **(5.2)**
shoes   zapatos *m. pl.* **(5.2)**
   athletic shoes   zapatos deportivos
   (5.2)
   shoe department or store
   zapatería *f.* **(5.2)**
shop   tienda *f.* **(3.1)**
   record shop   tienda de discos
   (3.1)
shopping   de compras **(3.1)**
   shopping center   centro comercial
   (3.1)
   to go shopping   ir de compras
   (3.1)

short bajo(a) (**1.3**), corto(a) (**8.1**)

shortstop *(baseball)* jardinero(a) corto(a) (**7.1**)

sick enfermo(a) (**8.2**)

silly tonto(a) (**1.3**)
   how silly! ¡qué ridículo! (**4.3**)

singer cantante *m. f.* (**4.2**)

single soltero(a) (**4.2**)

sister hermana *f.* (**4.1**)
   sister(s) and brother(s) hermanos *m. pl.* (**4.1**)
   stepsister hermanastra *f.* (**4.2**)

(to) **sit down** sentarse (ie) (**8.1**)

sixth sexto(a) (**5.2**)

size *(clothing)* talla *f.* (**5.2**)

skiing esquí *m.* (**7.1**)
   downhill skiing esquí alpino (**7.1**)

skinny flaco(a) (**1.3**)

skirt falda *f.* (**5.2**)

slacks pantalones *m. pl.* (**5.2**)

(to) **sleep** dormir (ue, u) (**7.2**) *pret.* (**7.3**)
   to go to sleep dormirse (ue, u) (**8.1**)

slippers zapatillas *f. pl.* (**7.3**)

slow despacio (**8.3**)

slowly despacio (**8.3**), lentamente (**8.1**)

small pequeño(a) (**4.1**)

smiling sonriendo (**8.3**)

(to) **snow** nevar (ie) (**3.2**)
   it snows nieva *(inf.* nevar) (**3.2**)
   it's snowing está nevando (**3.2**)

so-so regular (**2.2**)

soccer fútbol *m.* (**2.3**)
   soccer field campo de fútbol (**7.1**)
   soccer player futbolista *m. f.* (**4.2**)

socks calcetines *m. pl.* (**5.2**)
   pair of socks par de calcetines (**5.2**)

soft drink refresco *m.* (**2.3**)

software software *m.* (**2.2**)

soldier soldado *m.* (**6.3**)

some unos(as) (**LP**) (**3.1**)

someone alguien (**3.3**)

something algo (**2.3**) (**3.3**)
   something more algo mís (**8.1**)

sometimes a veces (**3.3**)

son hijo *m.* (**4.1**)
   son(s) and daughter(s) hijos *m. pl.* (**4.1**)

song canción *f.* (**6.1**)

soon pronto (**6.1**)

sorry: I'm sorry lo siento (**5.3**)

sound sonido *m.* (**7.2**)

soup sopa *f.* (**5.3**)
   garlic soup sopa de ajo (**8.3**)

souvenir recuerdo *m.* (**6.2**)

Spanish español *m.* (**LP**)

(to) **speak** hablar (**2.3**) (**3.2**)

speakers parlantes *m. pl.* (**2.2**)

special especial (**3.3**)

spectator espectador *m.,* espectadora *f.* (**7.1**)

(to) **spend time** pasar (**3.3**)

sponge cake bizcocho *m.* (**5.3**)

spoon cuchara *f.* (**5.3**) (**8.1**)

sport deporte *m.* (**3.3**)

spouses esposos *m. pl.* (**4.1**)

spring primavera *f.* (**3.2**)

square cuadrado
   town square plaza *f.* (**5.1**)

stair escalón *m.* (**8.2**)

stamp sello *m.* (**5.1**)

star estrella *f.* (**7.1**)

station estación *f. (pl.* estaciones) (**5.1**)

(to) **stay** quedarse (**8.2**)
   to stay in bed guardar cama (**7.2**)

step escalón *m.* (**8.2**), paso *m.* (**5.1**)
   stepbrother hermanastro *m.* (**4.2**)
   stepfather padrastro *m.* (**4.2**)
   stepmother madrastra *f.* (**4.2**)
   stepsister hermanastra *f.* (**4.2**)

still todavía (**8.1**)

stomach estómago *m.* (**7.2**)
   stomachache dolor de estómago (**7.2**)

store tienda *f.* (**3.1**)
   department store almacén *(pl.* almacenes) *m.* (**5.1**)
   jewelry department or store joyería *f.* (**5.2**)

story cuento *m.* (**6.2**)

store estufa *f.* (**8.1**)

straight ahead derecho (**5.1**)

strange raro
   how strange! ¡qué raro! (**4.1**)

strawberry fresa *f.* (**8.2**)

street calle *f.* (**5.1**)

stroll paseo *m.* (**5.1**)

strong fuerte (**1.3**)

student estudiante *m. f.* (**LP**)

student desk   pupitre *m.* **(LP)**
studious   estudioso(a) **(1.3)**
(to) **study**   estudiar **(2.3) (3.2)**
  study hall   hora de estudio **(2.1)**
subway   metro *m.* **(5.1)**
suckling pig   cochinillo *m.* **(8.3)**
  roast suckling pig   cochinillo
  asado *m.* **(8.2)**
suddenly   de repente **(8.2)**
(to) **suffer**   sufrir **(7.2)**
suit   traje *m.* **(5.2)**
suitcase   maleta *f.* **(8.2)**
summer   verano *m.* **(3.2)**
sun   Sol *m.* **(3.2)**
  it's sunny   hace sol **(3.2)**
Sunday   domingo *m.* **(2.1)**
supper   cena *f.* **(6.3)**
  to eat supper   cenar **(8.2)**
surname   apellido *m.* **(4.1)**
surprise   sorpresa *f.*
  what a surprise!   ¡qué sorpresa!
  (6.1)
sweater   suéter *m.* **(5.2)**
sweatshirt   sudadera *f.* **(5.2)**
swimming   natación *f.* **(7.1)**
symptom   síntoma *m.* **(7.2)**

~~~~~ T ~~~~~

T-shirt   camiseta *f.* **(5.2)**
table   mesa *f.* **(LP) (8.1)**
  small table   mesita *f.* **(7.3)**
  to set the table   poner la mesa
  (8.1)
taco   taco *m.* *(México: Corn tortilla
  with filling)* **(6.1)**
(to) **take**   tomar *infin.* **(3.1)** *pres.*
  (3.2) (5.1)
  to take off *(clothes)*   quitarse **(8.1)**
  to take out   sacar **(4.2)** *pret.* **(7.1)**
  to take pictures   sacar fotos **(4.2)**
(to) **talk**   hablar **(2.3) (3.2)**
  to talk on the phone   hablar por
  teléfono **(2.3)**
task   tarea *f.* **(2.3)**
(to) **taste**   probar (ue) **(8.3);** al gusto
  (cooking) **(8.3)**
teacher   profesor *m.,* profesora *f.*
  (Prof.) **(LP),** maestro *m.,* maestra *f.*
  (4.2)
team   equipo *m.* **(7.1)**
teeth   dientes

to brush one's teeth   lavarse los
  dientes **(8.1)**
telephone   teléfono *m.* **(2.1)**
  telephone directory   guía *f.*
  telefónica **(4.2)**
  to talk on the phone   hablar por
  teléfono **(2.3)**
(to) **tell**   decir (i) **(5.3)** *pret.* **(6.3),**
  di *imper.* **(7.3)**
  tell me!   ¡cuéntame! **(6.3),** ¡dime!
  fam. **(1.1),** ¡dígame! *form.* **(3.2)**
tennis   tenis *m.* **(7.1)**
Tenochtitlán   Tenochtitlán *(ancient
  capital of the Aztecs)* **(6.3)**
tenth   décimo(a) **(5.2)**
(to) **terminate**   terminar **(7.1)**
terrible!   ¡fatal!, ¡terrible! **(1.1)**
thank you   gracias **(LP)**
  thank God (goodness)   gracias a
  Dios **(6.3)**
that *(over there)*   aquel *m. sing.,*
  aquella *f. sing.* **(7.1),** ese/esa **(7.1)**
the   el *art. m.,* la *art. f.,* los *art. m.,* las
  art. f. **(LP)**
theater   teatro *m.* **(2.1)**
  movie theater   cine *m.* **(3.1)**
their   su, sus *(sing., pl.)* **(4.1)**
them   los *m.,* las *f. dir. obj. pron.* **(7.2)**
  to/for them   les *indir. obj. pron.*
  (pl.) **(5.2)**
themselves   se *refl. pron.* **(8.1)**
then   pues **(1.2),** luego **(8.1)**
there   allí **(7.3)**
  over there   allí **(7.3)**
  there is (are)   hay **(LP) (3.1)**
  there was (were)   hubo **(6.3)**
these   estos/estas **(7.1)**
they   ellos *m.,* ellas *f.* **(2.2)**
thin   delgado(a) **(1.3)**
thing   cosa *f.* **(7.3)**
(to) **think**   pensar (ie) **(5.2) (6.3)**
third   tercero(a), tercer **(5.2)**
thirst   sed *f.*
  to be thirsty   tener sed **(5.3)**
this   este/esta **(7.1)**
  this morning   esta mañana **(7.2)**
those   esos/esas **(7.1)**
  those *(over there)*   aquellos *m. pl.*
  aquellas *f. pl.* **(7.1)**
throat   garganta *f.* **(7.2)**
throne   trono *m.* **(6.3)**
Thursday   jueves *m.* **(2.1)**

(to) **tie** *(in sports)*   empatar **(7.3)**

tie *(in sports)*   empate *m.* **(7.3)**

time   hora *f.* **(2.1)**, tiempo *m.* **(3.2)**

  at the same time   a la vez **(7.3)**

  at what time is . . . ?   ¿a qué hora es...? **(2.1)**

  half past . . . *(time)*   ...y media **(2.1)**

  in the afternoon   por la tarde *(general time)* **(2.1)**

  in the evening   por la noche *(general time)* **(2.1)**

  in the morning   por la mañana *(general time)* **(2.1)**

  it is . . . *(time)*   son la/las... **(2.1)**

  quarter past . . . *(time)*   ...y cuarto **(2.1)**

  quarter to/of . . . *(time)*   ...menos cuarto **(2.1)**

  to spend time   pasar **(5.1)**

  what time is it?   ¿qué hora es? **(2.1)**

timid   tímido(a) **(1.3)**

tip   propina f. **(5.3)**

tired   cansado(a) **(4.3)**

to   a **(3.1)**

  to eat supper   cenar **(8.2)**

  to/for you   te *indir. obj. pron. (fam. sing.)* **(3.1)**

  to get down, to get off   bajarse **(5.1)**

  to her   a ella **(3.1)**

  to him   a él **(3.1)**

  to me   a mí **(3.1)**

  to the + *m. sing. noun*   al (a + el) + *m. sing. noun* **(3.1)**

  to you   a ti *(fam. sing.)*, a usted *(form. sing.)* **(3.1)**

today   hoy **(2.1)**

  what's the date today?   ¿qué fecha es hoy? **(4.1)**

  what's today's date?   ¿cuál es la fecha de hoy? **(4.1)**

together   juntos(as) *pl.* **(2.3)**

tomato   tomate *m.* **(8.1)**

tomorrow   mañana *adv.* **(2.3)**

  see you tomorrow   hasta mañana **(1.1)**

tonight   esta noche **(6.2)**

too much   demasiado(a) **(6.2)**

tooth   diente *m.* **(7.2)**

  to brush one's teeth   lavarse los dientes **(8.1)**

top: on top of   encima de **(7.3)**

tortilla   tortilla *f. (México: Cornmeal or flour pancake; Spain: Potato omelet)* **(8.1)**

(to) **touch**   tocar **(8.2)**

touched *(emotions)*   emocionado(a) **(4.3)**

tour   tour, excursión

  to take a tour   hacer un tour **(6.1)**

tower   torre *f.* **(8.2)**

town   pueblo *m.* **(6.2)**

  town square   plaza *f.* **(5.1)**

track and field   atletismo *m.* **(7.1)**

traffic   tráfico *m.* **(7.3)**

train   tren *m.* **(6.3)**

traveler's check   cheque de viajero **(5.1)**

trip   viaje *m.* **(8.2)**

  short trip   excursión *f.* **(6.1)**

trophy   trofeo *m.* **(7.3)**

truck   camión *m.* **(6.3)**

Tuesday   martes *m.* **(2.1)**

(to) **turn**   doblar **(5.1)**

TV set   televisor *m.* **(7.3)**

~~~ U ~~~

ugh!   ¡uy! **(2.1)**, ¡uf! **(2.3)**

ugly   feo(a) **(1.3)**

umpire   árbitro *m. f.* **(7.1)**

uncle   tío *m.* **(4.1)**

  uncle(s) and aunt(s)   tíos *m. pl.* **(4.1)**

under   debajo de **(7.3)**

(to) **understand**   entender (ie) **(5.2)**

unfortunately   desafortunadamente **(6.3)**

United States   Estados Unidos *(EE.UU.) m. pl.* **(1.2)**

university   universidad *f.* **(5.3)**

unmarried   soltero(a) **(4.2)**

until   hasta **(5.1)**

up: to get up   levantarse **(8.1)**

  to go up   subir **(3.2)**

  to pick up   levantar **(7.2)**

upon crossing   al cruzar **(5.1)**

Uruguay   Uruguay *m.* **(1.2)**

us   nos *dir. obj. pron.* **(5.2)**

  to/for us   nos *indir. obj. pron.* **(5.2) (7.2)**

(to) **use**   utilizar **(8.3)**

useful   útil **(8.2)**

usual   común, normal
   as usual   como siempre (7.3)
(to) **utilize**   utilizar (8.3)

V

vacation   vacaciones *f. pl.* (7.2)
valiant   valiente (6.3)
valuable   valioso(a) *m. f.* (7.1)
varied   variado(a) (8.3)
vegetables   legumbres *m. f. pl.* (8.3)
   green vegetables   verduras *f. pl.*
   (8.3)
Venezuela   Venezuela *f.* (1.2)
very   muy (4.2)
video   video *m.* (2.1)
village   pueblo *m.* (6.2)
(to) **visit**   visitar (3.2)
volcano   volcán *m.* (6.3)
volleyball   volibol *m.* (7.1)
volume   volumen *m.* (7.2)

W

(to) **wait for**   esperar (2.3)
waiter   camarero *m.* (4.2)
waitress   camarera *f.* (4.2)
(to) **wake**   despertar (ie) (8.1)
walk   paseo *m.* (5.1)
   to walk   caminar (3.2)
   to take a walk   pasear (2.3) (3.2)
   walking   a pie (3.3)
(to) **want**   querer (ie, i) (4.2) (5.2)
   I want to introduce you to . . .
   quiero presentarte *(fam.)* a...,
   quiero presentarle *(form.)* a...
   (1.2)
war   guerra *f.* (6.3)
was: there was   hubo (6.3)
(to) **wash**   lavar (6.3)
(to) **wash up**   lavarse (8.1)
   to wash one's hair   lavarse el pelo
   (8.1)
watch   reloj *m.* (2.1)
(to) **watch**   ver *infin.* (2.3)
   pres. (3.2) *pret.* (6.2)
   to people-watch   mirar a la gente
   (3.2)
water   agua *f.* (5.3)
   mineral water   agua mineral (5.3)

way: by the way   a propósito (7.3)
we   nosotros, nosotras (2.2)
(to) **wear**   llevar (5.2)
weather   tiempo *m.* (3.2)
   the weather is bad   hace mal
   tiempo (3.2)
   the weather is good   hace buen
   tiempo (3.2)
wedding   boda *f.* (4.2)
Wednesday   miércoles *m.* (2.1)
week   semana *f.* (2.1)
   last week   la semana pasada (6.1)
weekend(s)   fin(es) de semana (3.1)
   (3.3)
   on weekends   los fines de semana
   (3.3)
welcome   bienvenido(a) (7.3)
well   bien (1.1), pues (1.2)
went: we went   fuimos (5.3)
were: there were   hubo (6.3)
what?   ¿cómo? (4.2), ¿cuál(es)?
   (2.1) (4.2), qué? (LP) (4.2)
   what!   ¡qué! (4.2)
   what a shame!   ¡qué lástima!
   (2.3) (4.2)
   what a surprise!   ¡qué sorpresa!
   (6.1)
   what bad luck!   ¡qué mala suerte!
   (4.3)
   what happened?   ¿qué pasó? (6.3)
   what nonsense!   ¡qué barbaridad!
   (6.3)
   what time is it?   ¿qué hora es?
   (2.1)
   what's going on?   ¿qué pasa? (3.1)
   what's the date today?   ¿qué
   fecha es hoy? (4.1)
   what's the matter?   ¿qué pasa?
   (3.1)
   what's today's date?   ¿cuál es la
   fecha de hoy? (4.1)
   what's your name?   ¿cómo te
   llamas? *(fam. sing.)* (1.2), ¿cómo
   se llama? *(form. sing.)* (1.2)
wheel   rueda *f.*
   Ferris wheel   rueda *f.* de
   fortuna (3.2)
when?   ¿cuándo? (2.1) (3.2) (4.2)
where?   ¿dónde? (1.2) (4.2)
   to where?   ¿adónde? (3.1) (4.2)
   from where?   ¿de dónde? (1.2)
   (4.2)

where is . . . ?   ¿dónde está...? **(1.2)**
which one(s)?   ¿cuál(es)? **(2.1) (4.2)**
white   blanco(a) **(5.2)**
who?   ¿quién?, ¿quiénes? **(1.1) (3.1) (4.2)**
why?   ¿por qué? **(1.1) (4.2)**
   why not?   ¿cómo no? **(6.2)**
wife   esposa *f.* **(4.1)**
   wife and husband   esposos *m. pl.* **(4.1)**
(to) win   ganar **(7.1)**
wind   viento *m.* **(3.2)**
   it's windy   hace viento **(3.2)**
window   ventana *f.* **(7.3)**
winners   vencedores *m. pl.* **(7.1)**
winter   invierno *m.* **(3.2)**
wires   cables *m. pl.* **(2.2)**
(to) wish   desear **(5.3)**
with   con **(2.3)**
   with emphasis   con énfasis **(5.3)**
   with me   conmigo **(6.2)**
   with you   contigo **(6.2)**
   with your permission   con permiso **(4.2)**
wonderful!   ¡qué bien! **(3.2)**
(to) work   trabajar **(2.3)**
world   mundo *m.* **(6.3)**
(to) worry   preocuparse
   don't worry   no se preocupe **(7.2)**
   worried   preocupado(a) **(4.3)**
worse than   peor(es) que **(8.2)**
wow!   ¡caramba! **(LP)**
wrestling   lucha *f.* libre **(7.1)**
(to) write   escribir **(2.3) (3.2)**
writer   escritor *m.*, escritora *f.* **(4.2)**

~~~~~ Y ~~~~~

year   año *m.* **(4.1)**
   to be ___ years old   cumplir ___ años, tener ___ años **(4.1)**
(to) yell   gritar **(6.3)**
yellow   amarillo(a) **(5.2)**
yes   sí **(LP)**
   yes, of course   sí, claro **(5.3)**
yesterday   ayer **(6.1)**
you   tú *subj. pron. (fam. sing.)* **(1.1),** usted *(form. sing.)* **(1.1),** ustedes *(pl.)* **(2.2),** te *dir. obj. pron. (fam. sing.)* **(7.2)**
   to/for you   le *indir. obj. pron. (form. sing.)* **(3.1),** les *indir. obj. pron. (pl.)* **(5.2)**
   with you   contigo **(6.2)**
young person   joven *(pl.* jóvenes*) m. f.* **(5.2)**
your   tu, tus *poss. adj. (fam. sing., pl.)* **(2.1) (4.1),** su, sus *(form. sing., pl.)* **(4.1)**
yourself   te *refl. obj. pron. (fam. sing.),* se *refl. pron. (form. sing.)* **(8.1)**
   yourselves   se *refl. pron.* **(8.1)**

~~~~~ Z ~~~~~

zoo   zoológico *m.* **(3.2),** jardín zoológico **(3.3)**

ÍNDICE
Gramática / Funciones / Estrategias

This index lists the grammatical structures, the communicative functions, and the reading and writing strategies in the text. Entries preceded by a ● indicate functions. Entries preceded by a ■ indicate strategies.

The index also lists important thematic vocabulary (such as days of the week, family members, sports). Page references beginning with *G* correspond to the *¿Por qué se dice así?* (Manual de gramática) section.

VIDEO CREDITS

For D.C. Heath and Company
Producers — Roger D. Coulombe
Marilyn Lingren

For Videocraft Productions, Inc.
Boston, Massachusetts
Executive Producer — Judith Webb
Project Director — Bill McCaw
Directors — James Gardner
Lynn Hamrick
Producers — Diego Echeverría
David Vos
Associate Producer — Krista Thomas
Post Production Supervisor — Annemarie Griggs
Director of Photography — Jim Simeone
Sound Recordist — James Mase
Editors — Steve Bayes
Paul Kopchak

Graphic Designer — Alfred De Angelo
Music — Marc Bjorkland
Sound Mixers — Joe O'Connell
Kurt Selboe
Narrators — Lilliam Martínez
Nicolás Villamizar

Local Producers
Preliminary Lesson — Rica Groennou
Unit 1: Montebello, California — Nancy Garber
Unit 2: San Juan, Puerto Rico — Rica Groennou
Unit 3: Mexico City, Mexico — Emily Gamboa
Unit 4: San Antonio, Texas — Linda Tafolla
Unit 5: Madrid, Spain — Christina Lago
Unit 6: Guadalajara, Mexico — Emily Gamboa
Unit 7: Miami, Florida — Fabio Arbor
Unit 8: Segovia, Spain — Christina Lago

ILLUSTRATION CREDITS

Susan Banta (Colorist): 208-209, 226-227, 244
Ken Barr: 7, 20-22, 34-35, 46-47, 64-65, 78-79, 92-93, 108-109, 122-124, 138-141, 156-157, 172-174, 188-190, 208-210, 226-227, 242-244
Meryl Brenner: 90, 91, 94, 268, 307, 315r, 373, 375b, 379, 389, 392, 406, 413
Penny Carter: 24, 37, 51, 82, 248, 268, 348, 354, 395
Carlos Castellanos: 11, 27, 28, 49, 50, 52, 71, 81, 85, 146, 162, 164, 181, 185, 219, 224, 225, 234, 236, 245, 273, 285, 297, 321, 324, 337, 358, 371, 377
Daniel Clifford (Colorist): 64, 65, 78, 79, 92, 93, 210, 242, 243
Leslie Evans: G75, G77, G96, G99, G104, G108, G109, G112, G116, G117, G123
Tim Jones: 341, 393, 408
Judy Love: 331
Tim McGarvey: 5, 8, 10, 62, 63, 68b, 69, 81, 83, 95, 212-214, 349, 350, 388, 390

Claude Martinot: 23, 25, 29, 38, 52t, 239, 247, 265, 280, 294, 315, 319, 331, 332, 352, 390t, 391
Cyndy Patrick: 15, 59, 103, 136, 137, 151, 170, 171, 203, 257, 290, 291, 305, 361
Brent Pearson: 186, 187, 194
Deb Perugi: 15, 30, 31, 41, 59, 151, 158, 167, 168, 175, 203, 257, 288, 361, G9, G10
Robert Roper: 206, 207
Christina Ventoso: 40, 318, 374
Steve and Linda Voita: 262, 263, 276, 277, 292, 293, 310-312, 328-330, 344-346, 367-369, 385-387, 403-405
Anna Vojtech: 301, 325, 415
Linda Weilblad: 142, 144, 145, 160, 167, 176, 177, 178, 179, 192, 193, 195, 196, 211, 228, 229, 231, 232, 233, 250, 281, 296, 313, 314, 351, 370, 375t

PHOTO CREDITS

Cover: Mural by Xochiti Nevel Guerrero, with Zala Nevel, Consuelo Nevel, & Roberto C. Guerrero; Teens by Nancy Sheehan/©DCH.

Front Matter: i: Nancy Sheehan/©DCH; **v:** Courtesy of the Hispanic Society of America. **xi:** *tl, ml, & br:* John Henebry/©DCH; *tr,* Jose Herández-Claire/©DCH; *bl,* Tim Hunt/©DCH; **xii:** *t&b,* John Henebry/©DCH; **xiii:** *t&m,* John Henebry/©DCH; *b,* Videocraft/©DCH; **xiv:** *all,* John Henebry/©DCH; **xv:** *t&b,* Lourdes Grobet/©DCH; *m,* Cameramann Int'l., Ltd.; **xvi:** *all,* Gary Hartman/©DCH;

xvii: *t&b,* Tim Hunt/©DCH; **xviii:** *t&b,* Jose Herández-Claire/©DCH; **xix:** *t&b,* John Henebry/©DCH; **xx:** *t&b,* Tim Hunt/©DCH.

Preliminary Lesson: All photos by John Henebry except: **10:** Tim Hunt/©DCH.

Unit One: All photos by John Henebry except: **18:** *#2 insets, #3, #4;* Videocraft/©DCH; **19:** *#5, #6, #7, #8;* Videocraft/©DCH; **30:** *tr,* Nancy Sheehan/©DCH; *br,* Robert Frerck/Odyssey; **31:** *tl,* D. Donne Bryant/DDB Stock Photo;

tc, Chip & Rosa Maria Peterson; *tr*, Stuart Cohen/Comstock; *ml*, Robert Fried/DDB Stock Photo; *b*, Robert Morsch/The Stock Market; **33:** Videocraft/©DCH; **44-45:** Videocraft/©DCH.

Unit Two: All photos by John Henebry except: **62-63:** *background*, Doug Mindell/©DCH; **70:** *bl*, Beryl Goldberg; *br*, Tim Hunt/©DCH; **87:** Tim Hunt; **99:** *t*, Stuart Cohen/Comstock; **99:** *br*, Ulrike Welsh; *tl*, Owen Franken/Stock Boston; *tc*, Nancy Sheehan/©DCH; *bl&br*, Peter Menzel.

Unit Three: All photos by Lourdes Grobet/©DCH except: **102-103:** Luis Villota/The Stock Market; **106:** *tm (#2) & br (#9 inset)*, Cameramann Int'l., Ltd.; **107:** *ml (#6)*, David Ryan/DDB Stock Photo; *br (#7)*, Mike Mazzachi/Stock Boston; *br (#7 inset)*, Ulrike Welsch/PhotoEdit; **114:** both, Robert Frerck/Odyssey; **115:** *tl*, Robert Frerck/Odyssey; *ml*, Beryl Goldberg; *tr*, Chip & Rosa Maria Peterson; *mr*, Cameramann Int'l., Ltd.; *b*, Herminia Dosal/Photo Researchers, Inc.; **117:** *l*, Stuart Cohen/Comstock; **119:** *br*, Cameramann Int'l., Ltd.; **120:** *br (#3)*, Dana Hyde/Photo Researchers, Inc.; **121:** *(#4 all)*, Videocraft/©DCH; *r (#6)*, Robert Frerck/Odyssey; **128:** *t*, Stuart Cohen/Comstock; *(#1)*, Dave Forbert/Superstock; *(#2)*, Daniel Komar/DDB Stock Photo; *(#3)*, Tim Hunt/©DCH; *(#4)*, Larry Manigino/The Image Woks; *(#5)*, Superstock; *(#6)*, Larry Downing/Woodfin Camp & Associates; *(#7)*, Shostal/Superstock; *(#8)*, Jim Howard/FPG International; *(#9)*, Harvey Lloyd/The Stock Market; **130:** *t*, John Henebry/©DCH; *b*, Cameramann Int'l., Ltd.; **133:** *t*, D. Donne Bryant/DDB Stock Photo; *b*, Joe Viesti/Viesti Associates; *br (t inset)*, David Ryan/DDB Stock Photo; *br (b inset)*, Ulrike Welsh; **136:** *all*, Videocraft/©DCH; **137:** *(#6 & 7)*, Videocraft/©DCH.

Unit Four: All photos by Gary Hartman/©DCH except: **154:** Videocraft/©DCH; **155:** *tr, ml, bl:* Videocraft/©DCH; **163:** *both*, Freda Leinwand; **165:** *tr*, Ulrike Welsh; *b*, Tim Hunt/©DCH; *m*, Tim Hunt and Nancy Sheehan/©DCH; **177:** *tl, #3, #4*, John Henebry/©DCH; *tr, #2, #5, #8*, Jose Herández-Claire/©DCH; *#6, #7*, Lourdes Grobet/©DCH; **180:** *t*, Bob Daemmrich/Stock Boston; *m*, P. Barry Levy/Profiles West; **180:** *b*, Gerold Lim/Unicorn Stock Photos; **186-187, 191:** Videocraft/©DCH; **197:** *t*, Peter Menzel/Stock Boston; *m*, Andy Levin/Photo Researchers, Inc.; *b*, Bob Daemmrich/The Image Works; **200:** Francisco J. Rangel.

Unit Five: All photos by Tim Hunt/©DCH except: **205:** *tr*, Videocraft/©DCH; **218:** *t*, Marcelo Brodsky/DDB Stock Photo; *b*, David Wells/The Image Works; **221:** *t & br*, Robert Frerck/Odyssey; *bl*, Robert Frerck/Woodfin Camp & Associates; **235:** *t*, Bob Daemmrich/Stock Boston; *m*, Robert Frerck/Odyssey; **251:** Robert Frerck/Odyssey; **255:** G. Anderson/The Stock Market.

Unit Six: All photos by Jose Herández-Claire/©DCH except: **259:** *ml*, Videocraft/©DCH; **260-261:** *all except #5r*, Videocraft/©DCH; **269:** *t*, Francisco J. Rangel; *b*, Bob Daemmrich; **270:** Cameramann Int'l., Ltd.; **271:** Harvey Lloyd/The Stock Market; **274-275:** *all except #1 & #2*, Videocraft/©DCH; **284:** *t*, Francisco J. Rangel; *bl*, D. Donne Bryant/DDB Stock Photo; *br*, Beryl Goldberg; **287:** *t*, Robert Frerck/Woodfin Camp & Associates; *m*, C.J. Collins/Photo Researchers, Inc.; *b*, Kal Muller/Woodfin Camp & Associates; **288:** *l*, Carl Frank/Photo Researchers, Inc.; *cl*, David Ryan/DDB Stock Photo; *c*, Robert Frerck/Odyssey; *cr*, D. Donne Bryant/DDB Stock Photo; *r*, Robert Fried; **290-291:** David Hiser/Photographers/Aspen: **298:** Beryl Goldberg; **300:** *l & r*, Robert Frerck/Odyssey; *c*, Stephanie Maze/Woodfin Camp & Associates.

Unit Seven: All photos by John Henebry except: **317:** *tl (#1)*, Gary Hartman/©DCH; *tr (#3)*, Jose Herández-Claire/©DCH; *mr (#6)*, Gary Hartman/©DCH; *bl (#7)*, Tim Hunt/©DCH; **320:** *t*, Peter Menzel; **323:** left (top to bottom): Sportschrome, Sportschrome, Mitchell Layton/Duomo; center (top to bottom): Focus on Sports, Sportschrome, Brad Mangin/Duomo, Mitchell Layton/Duomo; right (top to bottom): William R. Sallaz/Duomo; Sportschrome, Sportschrome, Focus on Sports; **339:** Robert Frerck/Odyssey; **354:** Tony Freeman/PhotoEdit; **356-357:** © Vic Ramos.

Unit Eight: All photos by Tim Hunt/©DCH except: **365:** *tl & tlc*, Videocraft/©DCH; **366:** *mr*, Nancy Sheehan/©DCH; **376:** *t*, Peter Menzel; *b*, Larry Mangino/The Image Works; **382:** *tl (#1 inset)*, Videocraft/©DCH; **384:** *tl (#5)*, Videocraft/©DCH; **394:** *t & b*, Robert Frerck/Odyssey; **396:** *l*, Pedro Coll/The Stock Market; **396-397:** *b*, Peter Menzel; **397:** *r*, Luis Villota/The Stock Market; **401:** *tr (#4r), mr (#5r), ml (#6l), mc (#6c), mr (#6r), bl (#7l), br (#7r)*, Videocraft/©DCH; **402:** *tl (#8l), tc (#8c), tr (#8r), ml (#9l)*, Videocraft/©DCH; **409:** *tc, tr, tml, tmc*, John Henebry/©DCH; *tmr, bml*, Lourde Grobet/©DCH; *bmc*, Gary Hartman/©DCH; *bmr*, Videocraft/©DCH; *blc, bcl*, Jose Herández-Claire/©DCH; *bcr*, John Henebry/©DCH; **410:** *mlc, mc*, John Henebry/©DCH; *mr*, Jose Herández-Claire/©DCH; *bl*, John Henebry/©DCH; *bc*, Lourdes Grobet/©DCH; *br*, Gary Hartman/©DCH; **411:** Larry Kolvoord/The Image Works.